KRISTINA SANDBERG

SÖRJA FÖR DE SINA

NORSTEDTS

Av Kristina Sandberg har tidigare utgivits:
I vattnet flyter man, 1997
Insekternas sång, 2000
Ta itu, 2003
Att föda ett barn, 2010

ISBN 978-91-1-304748-5

Norstedts, Stockholm
Pocketutgåva 2013
Omslag: Lotta Kühlhorn
Omslagsbild: Viktor Lundgren, ur Murberget
Länsmuseet Västernorrlands bildsamling
Nionde tryckningen
Tryckt av ScandBook AB, Falun 2015
www.norstedts.se

Norstedts ingår i Norstedts Förlagsgrupp AB,
grundad 1823

”I finstämda, starka *Sörja för de sina* bygger Kristina Sandberg vidare på sitt äreminne över 1940-talets hemarbetande kvinnor. Hon åskådliggör ett stycke kvinnohistoria som tidigare varit förbisedd. Och som hon gör det!”

VI LÄSER

”En riktig bladvändare, den där sortens roman som ockuperar läsaren, med personer som kryper sig tätt inpå och envist dröjer kvar i tankarna efter att man (motvilligt) slagit igen boken.”

SVENSKA DAGBLADET

”Ett fenomenalt starkt kvinnoporträtt.”

NORRBOTTENS-KURIREN

”Beroendeframkallande, trots att den är femhundra sidor lång vill man inte att den ska ta slut.”

SYDSVENSKAN

”Det är en skenbart enkel men förförande vital vardagsprosa, ångestladdad och med framåtrörelse, helt fantastisk alltså.”

SVERIGES RADIO

”Ett unikt projekt i den svenska samtidslitteraturen. Det är skickligt och pregnant utfört, det är finkalibrerad psykologi och facettfylld sociologi.”

KRISTIANSTADSBLADET

”Kristina Sandbergs raffinerade dissektion av vad som konstituerar småborgerlig hederskultur känns plågsamt viktig att följa.”
AFTONBLADET

”Träffsäker, tät och detaljerad roman.”
DAGENS NYHETER

”Sandberg är en suggestiv berättare som får meningar att nästan krypa in under skinnet på läsaren. Hennes berättelser behövs.”
UPSALA NYA TIDNING

”Lyhört och stilsäkert.”
GÖTEBORGS-POSTEN

”Hon följer och gestaltar ett kvinnoliv som tusentals människor kan relatera till och hon gör det med bultande hjärta.”
ÖSTERSUNDS-POSTEN

”Både språkligt och psykologiskt är hennes roman trovärdig, tät och genomarbetad.”
TIDNINGEN VI

”Mycket välskriven, tidstrogen och vackert berättad.”
ÖRNSKÖLDSVIKS ALLEHANDA

SÖRJA FÖR DE SINA

… det är vad jag en dag säger […] när en kvinnlig läsare frågar mig varför jag skriver: ”Jag tror att det är livet, livet som bultar” …

Ur *Mina onda tankar* av Nina Bouraoui
Övers. Maria Björkman

VI SITTER PÅ den inglasade balkongen, i konstrottingstolarna som knarrar – det är mitten av nittiotalet, i Örnsköldsvik. Maj har serverat rabarberkaka och vaniljvisp till kaffet efter maten – middagen med pressad potatis, torsk och gräddigt morots- och purjolöksfräs. Det låter besvärligt, tycker hon, ja att mitt nattjobb som personlig assistent verkar tungt. Så tittar hon upp, granskar mig en stund. Gift dig rikt, säger hon oväntat och ler, du som både kan baka och laga mat. Gå och läsa i flera år och dra på sig stora lån... Skrattar jag till? Menar hon ens allvar – jag vill väl inte bli hemmafru, svarar jag snabbt, men hejdar mig. Försöker tänka ut vad jag borde ha sagt istället. Men i den uppstådda tystnaden formulerar jag inga frågor om ifall hon hade velat studera, utbilda sig, ha en egen inkomst. Hennes blick söker sig mot den gråmulna försommarhimlen över fjärden och hon häver sig lite mödosamt upp ur fåtöljen, står lutad mot räcket, bortvänd. Hon skjuter ett fönster åt sidan och vinkar till barnen på gården, säger att deras mamma som bor i grannhuset tar dagbarn också, då behöver hon inte ha sina egna på dagis när de fortfarande är små. Att hinna med ett heltidsarbete och ha smått hemma... Hon avbryter sig och går utan att säga något in i lägenheten – tänker hon redan ta disken? Men jag kunde väl ha hämtat kaffet, försöker jag när hon kommer tillbaka för att hälla i ytterligare en påtår. Jag tycker inte det blir någon riktig smak på det, suckar hon, kisar och håller sin handflata mot mig – är det här verkligen bara en sackett?

Innan jag ska gå till busstationen vill hon visa mig en mörkblå kjol och en randig tunika. Berättar att hon har fått dressen av en förmögen väninna som rensat ur sin garderob. Ett par svarta långbyxor också – tror du att mamma vill ha dem? Skräddarsydda... Jo, ekonomin intresserar henne. Inte världsekonomin, utan folks personliga tillgångar och skulder. En god vän har en dotter som är gift med en överste och bor i våning på Narvavägen i huvudstaden och en annan bekant har en tolvrumsvilla med egen park centralt här i stan. Själv har hon en förmåga att få sitt liv att framstå i ett välbärgat skimmer trots att hon varje månad har mindre än vi studenter som klagar på att studielånen inte räcker till. Att vara snål är en styggelse och hon är inte snål.

Ska du redan fara, säger hon när vi tafatt kramar om varandra. På väg ner genom trapphuset kan jag höra hur hon inte stänger sin lägenhetsdörr förrän jag når fram till ytterporten.

Om jag hade höjt blicken mot fasaden från parkeringen utanför skulle jag fått se hur hon stod vid sovrumsfönstret och väntade på att jag skulle vända mig om. *Hade jag verkligen så bråttom?*

Stockholm, 1940

HERR TOMAS BERGLUND... vi kan väl börja med att ni berättar er version av saken.

Min version?

Ja, just så – berätta bara om er själv. Varför är ni här?

Ja... vad ska man säga... det har ju inte gått så bra.

Så bra?

Ja, med det här med... drickandet. Jag måste låta bli alkoholen. Det är därför jag är här.

Så... Och varför har ni tagit till den? Oro? Ångest? Nedstämdhet? Här inne är det fullständig uppriktighet som gäller. Ja, hypnosen strävar ju mot den inre sanningen. Som kan vara mindre smickrande, men livslögnen stjäl kraften ni behöver för att leva. Så för att nå framgång måste ni lita på att jag tål att höra er sanning. Att ni sökt er hit visar på stort mod, mycket stort mod. Det ska ni ha all heder av. Men vi kommer ingen vart om vi låter smålögner och prestige stå i vägen.

Men jag har klantat till det så förbannat. Jag är en... ynkling. Jag vet ju det.

Jag tror inte självanklagelserna är till någon hjälp. Ni har svårigheter ni vill få bukt med, låt oss koncentrera oss på vad dessa svårigheter består av. Men ett bekymmer är kanske den här nedlåtande synen ni har på er själv?

Jo. Jo, men det kan nog stämma. Jag vet ju om att jag är lyckligt lottad, som man säger. Det har aldrig gått någon nöd på oss.

Berätta om er bakgrund, familj.

Jag är uppvuxen i en familj där vi är åtta syskon, jag är yngst. Min far dog när jag var tjugo, och sedan dess kan man väl säga att jag har varit min mors förtrogna. Far var en med hans mått mätt framgångsrik fabrikör, som arbetade sig upp på egen hand, utan kapital hemifrån. Mor är förtegen om sin bakgrund, men jag tror inte de var särskilt välbärgade. Hon är lite… nervöst lagd, om man så säger.

Var stämningen i hemmet varm eller kylig?

Ja, vad ska man säga… Det var nog som det är hos folk mest. Mor var väl lite ängslig att inte räcka till när far avancerade, ja det var ju viktigt att vi uppförde oss passande bland det övriga borgerskapet, men samtidigt, det är en liten stad, man måste ju kunna handskas med olika sorter och far hade väl en förmåga att skapa förtroende hos folk. Men det är klart att mor alltid hade många sociala plikter som hon kanske inte trivdes med.

Var det ni som fick ta emot hennes bekymmer?

Ja… det kan man väl säga. Hon har ofta sagt att jag är det av hennes barn som liknar henne mest till kynnet. Vi är kanske inte så praktiska… och dugliga som de andra.

Så man ska vara praktisk och duglig?

Ja, jo. Jag är nog mer av en drömmare.

Ni skrattar?

Ja, man kan väl inte leva på drömmar.

Förvisso… Så era svårigheter… när blev de kännbara för er?

Det är väl det här med oron. Jag har ju inte saknat människor som sett efter mig. Men jag har alltid upplevt den här känsligheten... rädslan att göra fel... jag har varit rädd att inte passa in. Så när jag smakade starkt första gången kände jag att det blev bättre. Både med oron och det här med att passa in. Det blev inte så stort allting. Man slappnade av. Ja, jag blev inte så förbaskat oföretagsam... Efter några glas... vad spelar allt för roll, om doktorn förstår vad jag menar? Jag kan väl lika gärna syssla med inköp som något annat, varför ska jag vara så märkvärdig och vantrivas med det. Men man kan nog säga att jag är uppvuxen med katastrofer lurande runt hörnet... fast det är vi ju alla.

Men det är er berättelse vi vill lyssna till nu.

Ja, men jag menar döden, krigen, sjukdomar, penningbekymmer. Far ansträngde sig ju så hårt för att vi skulle få det bra. Men jag har inte hans... kapacitet. Jag har försökt. Men mina bröder... de ser utmaningar. Jag ser nederlaget. Kanske är de andra av ett annat virke. Mer av kärnfura. Inte så mycket snabbvuxet skräp.

Då drack ni för att slippa oron och självanklagelserna.

Så kan man säga, ja. Det fungerade under många år. Men så började jag få sådan ångest dagen efter. Och mitt första äktenskap...

Ja, berätta om ert äktenskap.

Jag har haft lätt för att träffa flickor när jag tagit några glas. Ja, på ett vis tycker jag mer om att umgås med kvinnor. Jag har ju många systrar, och har lärt känna deras väninnor. Astrid var inte den första jag träffade... intimt, om man säger så. Vi möttes på Stadshotellet. Hon hälsade på en väninna, själv bodde hon i Sollefteå. Egentligen hade hon en flottare bakgrund än jag, tandläkardotter. Vi levde det goda livet. Fast det blev inga barn. Ja, vi tog aldrig reda på vem av oss, men det var väl hon... Det var hennes föräldrar som drev på skilsmässan. Astrid var ingen alkoholist. Men hon festade kanske mer än hon borde och… hon har träffat en annan karl. Så det har ordnat sig för henne. Jag var… jag var otrogen också. Det skäms jag över. Jag reser en del i affärer och då efter några glas…

Då tar förstörande, destruktiva krafter över?

Jag har inte tänkt på det så. Det stämmer kanske.

Men ert första äktenskap slutade i skilsmässa?

Ja. Innan skilsmässan hade vi… vad ska jag säga… en del kriser i äktenskapet. Kanske var en av anledningarna barnlösheten. Astrid litade inte på att jag skulle stanna hos henne om det inte blev barn, och någonstans kände väl jag på samma vis, fast för en kvinna är det annorlunda, en man kan börja om…

Som ni, med er andra hustru.

Ja. Fast det var ju inte så uträknat. Ursäkta.

Det här är svårt för er?

Ja.

Vi har gott om tid.

Det var inte meningen… så snabbt. Jag är kolossalt lycklig över min dotter. Tro inget annat.

Jag lyssnar.

Jag var inte nykter när hon blev till. Vi kände inte varandra, ja med tanke på det jag nu vet om min hustru så förvånar det mig att… jag tror helt enkelt att vi båda var ur balans. Våra vägar skildes och sedan kom det till min kännedom… ja, vi hade faktiskt träffats igen och jag var redan fäst vid henne, men… giftermål och allt fick ordnas väldigt snabbt. Det finns ju de som bara stick er… som kanske betalar… jag ville verkligen göra rätt för mig. En del känner mig kanske som en glad lax som strulat till det för sig, men under…

Ert sanna jag? Är det så ni menar?

Jag tänker för mycket. Och mot tankar hjälper ett glas. Promenader på sätt och vis, fast inte så effektivt som en grogg. Men så får man ångest dagen efter. Ja, så är man igång. Det jag sitter i nu är att jag har en sjuhelvetes massa ångest. Fast Maj har inget med det här att göra, det är ju inte därför jag dricker, det är bara en följd… det var ju illa innan vi träffades också. Ibland skäms jag så förbannat för vad jag har dragit in henne i. Jag förstår att hon föraktar mig.

Föraktar hon er? Eller är det ni som föraktar er själv?

Utesluter det ena det andra? Men jag trodde ett tag… om vi gifte oss, bildade familj, fick vårt barn… då skulle det ordna sig. Och så att varje dag möta det i hennes blick… vilken ynklig stackare du är…

Har hon sagt det åt er?

Nej, nej, inte rätt ut. Men vi har inget intimt samliv.

Få se… under ert äktenskap har er hustru varit i grossess eller förhållandevis nyförlöst och er dotter är…

Knappt ett år.

Ja. Och ni har inte varit i balans.

Nej. Nej, det har jag inte varit. Men nu har jag bestämt mig. Jag vet att jag inte tål spriten. Så det är antingen eller.

Och då kan Maj och Anita inte vara något annat än det jag lever för. Vad ska jag annars?

UR JOURNAL:

Patienten: Man, trettiosex år, nygift med sin unga hustru. En dotter, på det knappa året. Pat är bosatt i en mindre stad längs Norrlandskusten där familjen har en framgångsrik firma i konfektionsbranschen. God ekonomisk och social status, vilken emellertid hotas av pat:s bruk av alkohol. Yngst i en syskonskara om åtta, fadern död, modern boende i samma fastighet som pat. Faderns död tycks ha utlöst en kris hos pat och tilltagande spritmissbruk.

Framgångsrika studier i realskolan som dock ej resulterade i studentexamen. Pat tycks ångra detta och skyller det på ett karaktärsdrag av feghet. Började vid familjens firma tidigt, efter några år av ungkarlsliv ingick pat sitt första äktenskap som pat beskriver som stormigt. Äktenskapet upplöstes 1937, barnlöshet och spritmissbruk tycks vara starkt bidragande orsaker. Nytt äktenskap ingicks 1938, då hans blivande hustru var havande med parets dotter.

Pat söker hjälp mot ångest, nedstämdhet och suicidala tankar. Långvarigt överbruk av alkohol. Utlösande faktor att vid ett anfall av delirium tremens hotat hustru och barn med kniv. Pat har amnesi, dock har tillkallad polis kunnat styrka hustruns berättelse (blodspår, knivmärken i dörrpost och golv). Pat är på ytan djupt ångerfull, men tycks inte till fullo ta ansvar för sina handlingar, menar att han inte minns något, vill heller inte tala om händelsen då det utlöser starka ångestattacker. Journal från Umedalens hospital visar starka regressiva tendenser, men den snabba förbättringen tyder på att pat har den styrka och vilja som krävs för att genomgå hypnosbehandlingen.

Pat ger ett korrekt men en smula vädjande intryck. Tillagsinställd? Ännu ej i kontakt med djupare känslomässiga lager.

Förbereder nogsamt pat på smärtan som följer på behandlingen, samt försäkrar möjlighet till förändring.

Hypotes: Pat:s ångest härrör ur icke frigjord kreativitet, som hämmats av en patologisk bindning till modern, då sund aggressivitet knutits i en överdriven vilja att passa in och uppskattas av omgivningen (modern?). Sexualitet tycks kopplas till kortare förbindelser och hämmas i äktenskapet. Starka suicidala tendenser som emellertid undertrycks av patientens bristande tillgång till sin aggressivitet. Dock tydliga drag av självhat och självstympning via överbruk av alkoholhaltiga drycker. Faderns framgång tycks ha bildat ett ok som sonen tacklar genom att fly in i ett ansvarslöst leverne. Då fadern dog i sin krafts dagar har pat i sitt inre omvandlat denne till en oomkullrunkelig gestalt, vars styrka förlamar och hämmar. Pat lider brist på mål, mening och skönhet i tillvaron.

HAR ANITA FÖRFRUSIT sig? Hon vaknar inte trots att Maj lyfter henne ur vagnen inne i trapphuset här i Abrahamsberg. Nej, hon andas med en tunn varm andedräkt. Men ovanligt het? Ja, Ragnas Gunnar är snorig och hostar hackigt så det vore inte underligt om Anita drog på sig något också. Kan det vara riktigt att tvinga ut dem i kylan varje dag? Det är visst en doktor Ragna har talat med som ordinerar alla barn daglig utevistelse, så det är inte värt att protestera.

Uppe i Ragnas och Edvins lägenhet lägger hon Anita i sängkammaren, och jo – hennes bröstkorg häver sig fortfarande upp och ner. Kinderna är röda, men inga oroande vita fläckar synliga, och Ragna ropar att de ska passa på och dricka sitt kaffe medan barnen sover. Men varför kan Maj inte bara sätta sig till bords i köket och hålla mun? För vad ska hon tro om sin storasysters tystnad. Förebråelser? *Hur kunde du vara i lag med en sån. Fabrikör!* Och mumlar inte Ragna långsamt, nästan ohörbart, att mor och far har haft många sömnlösa nätter. Vi förstod ju... ja, eftersom det var så bråttom med bröllopet. *Eller är rösten bara inom dig, Maj?*

Visst kommer Tomas att klara det, säger hon vädjande, att sluta opp, jag menar om man får sådan hjälp...

Och Ragna rör med skeden i sin kopp. Maj tar sats igen.

Kände inte pappa... vad hette den där karln på gasverket... Svenonius, han spritade väl och blev religiös och fri...

Ragna för koppen till munnen, dricker, ljudlöst. Och Maj kommer av sig, huttrar – att hyresvärden är så snål på centralvärmen,

men de kan ju inte slösa med värmen i kristider, det begriper hon väl – och Ragna harklar sig innan hon tar ordet.

Det enda vi kan göra är att hoppas, Maj. Men jag avundas dig inte.

Maj hejdar impulsen att resa sig och gå till wc, hon sitter kvar med skorpor och sockerkaka på bara ett ägg, men det kletar och växer i munnen och när Ragnas kopp är tom dukar Maj av, börjar diska bort fast Ragna säger ifrån, det är hennes tur med disken, och då går Maj in till Anita igen. *Vill hon inte att det ska gå bra för mig? Vill du att det ska gå vägen för henne? Vi är i alla fall systrar. Det kan vi inte ändra på.*

Tomas kommer till kvällsmålet varje dag utom söndagarna. Då är han fri och tillsagd att ägna vilodagen åt utställningar, museibesök, ja gärna tillsammans med sin hustru. Ragna deklarerade redan när de flyttade in att de inte skulle kunna erbjuda något extra, det blir gröt, ägg, ibland strömming, sill, pannkaka – självklart betalar de för sig. Jo, men Maj har väl aldrig tänkt slösa. Tomas tror att de har livsmedelsransoner att vänta. Att kött och smör och grädde... ja risgryn, bananer... kaffe... *kan vi inte få unna oss nu i väntan på...*? Men det är klart att inte Tomas och Maj heller kan slå på stort och genera värdfolket med något slags missriktad generositet. Nej, de följer en planerad matsedel och hushållar och äter enkla måltider.

Och Tomas *är* älskansvärd och inte högfärdig mot Edvin. Det är inte desto mindre förbannat spänt. Som när de äter ihop. Vad ska de prata om? När så mycket inte är pratbart? Och tigandet... nej det besvärar både Tomas och Maj. Edvin och Tomas diskuterar förstås krigsutvecklingen och världsläget. Tack och lov håller inte heller Edvin på Tyskland. Och ryssen...? Maj har bara hört dem enas i oron för Finlands sak. Men efter kvällskaffet – som de oftast dricker vid matplatsen eftersom finrummet står till tjänst som Edvins och Ragnas sovrum – då drar sig Maj och Tomas tillbaka i sängkammaren innanför köket.

Dagarna liknar varandra, sniglar sig fram. Fast Tomas sa redan efter första dagen hos Bjerre att han tror på behandlingen och att doktorn sagt att det kommer att bli bra. *Och vad väntar du dig egentligen av din syster, Maj?* Hon vill väl att Ragna ska säga att Tomas är en bra karl. En fin man. Ett gott parti. Att det här med spriten... åldersskillnaden... det behöver man inte ta så allvarligt på. Det kommer att ordna sig. Kanske kunde Ragna till och med förtroligt viska att hon avundas Maj för att Tomas har det bra ställt. Inte som Edvin...

Men måste det gå så trögt? Hur de står där bredvid varandra på gården igen – piskställningen, tallarna, den vita knarrande snön – med blicken på Gunnar, det enda barnet som leker utomhus idag. Alla tycker så synd om rekryterna. Att vara värnpliktig i en midvinter man inte sett maken till i mannaminne. Det är klart att Maj också ömmar för dem. Äsch. Det är kanske inte riktigt sant. Hon fryser helt enkelt så förbannat om fötterna. Bara att ta sig ut från lägenheten med Anita... Men Ragna menar att de måste komma ut varje dag. Ragna som dessutom är gravid fast inte så långt gången att magen är särskilt synlig. Bara den där friska, fylliga färgen i ansiktet. Glansen i håret. Ja, ibland kan man se att hon får sammandragningar, de kommer visst tidigare när man inte längre är förstföderska. Säger Ragna.

Nog sover Anita gott i vagnen. Men Maj är där och lägger fårskinn och yllefiltar tätt intill så att bara nästippen tittar fram och hon är nästan säker på att Anita kommer att få köldskador ändå. Ragna strålar som en sol mot Gunnar. Han river hela lägenheten om han inte får komma ut, säger hon och andas isrök och ropar – Upp igen! – när Gunnar trillar omkull. Vilket tålamod. Ja, hon är beundransvärd, Ragna, som står i kylan varje dag och ser på när pojken leker.

Och så blöjbytena, småtvätten och måltiderna i lägenheten, det blir trångt att vara två familjer. Fast Maj gör ju allt vad hon kan för att inte vara i vägen. Ändå blir det irriterat. Hur hon visst ställer koppar och fat fel i skåpen. Tar nya diskhanddukar för ofta, *vi brukar inte byta varje dag*, fast den gamla hade minst tre dagars smuts på sig. Ursäkta, säger Maj då. Om Anita sedan börjar gråta så snart Gunnar kommit till ro i sin vila... Ragna blänger liksom både stelt och desperat åt Majs försök att hyssja. Och varför knyter det sig direkt när Ragna säger vid lunchen att mamma är ju väldigt dålig nu – *vad vet du som inte jag*... Men hon har repat sig förr, invänder Maj, hon vet väl lika väl som Ragna att det är illa, riktigt illa. Så har Maj på tungan att säga att mamma ändå bryr sig mest om bröderna. Vi skulle ju bara lära oss att stå till tjänst där hemma, precis som mamma. *Varför ska vi kriga om hennes kärlek när hon ändå riktar den mot pojkarna?* Men de pratar inte så med varandra. Maj tänder en cigarrett, Ragna ber henne släcka för när hon väntar barn blir hon illamående av tobak. Ursäkta, då ska jag säga till Tomas att inte röka i våningen heller, säger Maj, lite spetsigt.

Våningen, utbrister Ragna. Vad får du allt ifrån. Det är en lägenhet på två rum och kök.

Precis som vi har det, svarar Maj och trycker cigarretten mot askfatet.

Säger ni våningen då...

Att det bara blir hårt. Kanske Ragna också känner att det gör ont om de bara ska vara vassa för hon ber Maj grädda plättarna till ärtsoppan ikväll, eftersom Maj gör dem så särskilt goda.

HON FÖRSÖKER VERKLIGEN ta plats i köket och hjälpa Ragna vid måltiderna. Men Ragna vill oftast ta hand om maten själv. Passa barnen du, säger hon till Maj, som om inte det är det verkligt besvärliga, eller ansträngande, när Anita ålat sig fram till Gunnars klossar och Gunnar knuffar henne så att hon gastande skriker, eller om Anita lyckas grabba tag i Gunnars glesa hår, ja alla de situationer som måste lösas, *med fast och konsekvent hand*, dem vill Maj slippa. Hur mycket enklare att röra i grötpannan och duka lite snyggt även om det bara är vardag. Disken delar de på, och Maj håller undan och plockar upp allt det som Gunnar drar fram dessutom.

Men idag vill Gunnar inte äta av kvällsgröten. De sitter i köket som är litet för sex personer och Gunnar vrider bort ansiktet när Ragna trugar med skeden, lägger mera lingonsylt på. Ska pojken ha hela vinterförrådet, säger Edvin och sväljer stora tuggor gröt och mjölk och lingon och till slut ryter han att nu äter du upp maten ögonaböj. Han tar skeden från Ragna och pressar den mot pojkens mun. Gunnar spottar ut. Då reser sig Edvin från bordet. Går ut. Ja de hör till och med hur ytterdörren öppnas och slår igen. Ragna lyfter Gunnar ur stolen, viskar att nu blir det sängen bums.

Maj torkar Anita, ber Tomas att passa henne medan hon diskar bort. Tomas tar Anita i famnen, hissar henne. Man måste ha tålamod, inte brusa upp... Jo, Edvin är lite lynnig. Men Gunnar är också svår. De har skämt bort honom, viskar Maj. Du ska se hur Ragna, vad han än vill så avbryter hon sig, ja hon säger inte ens åt honom när han är stygg mot Anita, och vi står ute i snön i timmar, barn måste ju lära sig hänsyn också. Jo, naturligtvis, naturligtvis, upprepar Tomas. Inte för att hon tycker det är trevligt när Edvin blir ilsk. Men Ragna som aldrig säger ifrån till pojken. Till mig är hon då inte rädd att säga ifrån, lägger hon till. Jag kan inte ens ta disken utan att hon har något att anmärka på.

De hör Gunnar skrika i finrummet. Så övergår det i gråt, och sedan tystnad. Han var så trött, säger Ragna när hon kommer in till dem i köket. Han är ju inte van att äta kvällsmat så här sent. Tomas tar med Anita in på kammaren, Maj hör honom leka rida rida ranka, och Maj säger lågt att hon ju inte kan hjälpa att Tomas inte kan vara hemma före sex. Jag sa bara att Gunnar är trött, svarar Ragna.

DET ÄR I alla fall skönt att Tomas kommer om kvällarna. Gradvis går det upp för henne att hon faktiskt saknar honom. *Han kommer inte göra det igen.* Eller? Om man säger som så – i den här tvårumslägenheten måste de hålla ihop. De kan reta sig på vissa av Ragnas och Edvins vanor *i smyg*. Inte av elakhet, direkt. Men när Edvin går igenom Ragnas kvitton vid köksbordet innan sängdags, då kan Tomas och Maj gemensamt muttra innanför den stängda sängkammardörren att han är petig i överkant. Minst sagt. Det är ett sätt bland andra att svetsas samman. Kanske inte det allra mest sympatiska. Men under täcket, där Maj faktiskt har lagt sitt huvud på Tomas utsträckta arm – de måste ligga nära för att värma varandra – vet de om att även Ragna och Edvin tisslar en del om dem. Ja, Maj vill faktiskt visa att hon står på sin mans sida i det här. Trots allt. Hur det blir så in i norden tungt om de inte kan mötas överhuvudtaget. Läget är ju som det är. Och varför skulle inte Maj försöka? Nu när hon har sagt ja till att följa honom till Stockholm. Vara ett moraliskt stöd. Är det inte så det kallas? Och kommer det inte an på en hustru att vara ömsint och förstående när maken gör sitt yttersta för att lyckas? Jo, den rösten är stark. Men där är också en viskande, lockande *känns det inte skönt att vila mot hans bröst? Han som inte räknar kvitton, utan kommer att ge dig ett annat slags liv, en smula elegans, komfort, bekvämlighet. Om man jämför.* Och hon kan inte somna. Hon fryser trots ett tjockt nattlinne och yllesockor. Tomas har fått låna en varmare flanellpyjamas av Edvin.

De gör inga försök att älska, eftersom Anita som ligger alldeles bredvid dem har en så ytlig sömn. Maj har fått sina blödningar igen. Ingen av dem har sagt något om ett syskon till Anita – men haft det på tungan eftersom Ragna är på det viset. *Inte för tätt*, var det inte mammas mantra, hur de kommit för tätt, äsch hon minns inte. Men Gunnar är ju mycket större än Anita och Maj vill inte bli med barn *nu*. Tomas måste vara i balans.

Fryser du? viskar Tomas.

Ja, svarar hon lågt.

Hon lägger sig på sidan, han nära intill henne.

FAN MAJ… DET går inte.

Han lutar sig mot dörrposten, stryker luggen ur pannan. Hon lägger de vikta plaggen i byrålådan de har fått sig tilldelad.

Vad då, Tomas?

Det börjar kännas nu… behandlingen. Jag är så förbaskat nervig på ett sätt som… ja, Bjerre har ju varnat mig för att det kan bli så… och är det så jädra lämpligt att jag bor här? Varenda människa märker ju hur besvärligt det är för dem…

Nu talar han lägre, hon vill säga att de knappast kan höra honom genom den stängda dörren.

… och jag säger ingenting om det. Men att tära på deras gästfrihet… jag menar du som syster… men jag?

Ska du gå ifrån mig, Tomas?

Han skrattar, omfamnar henne och hon står stilla så, som en pelare, inte för att avvisa omfamningen men hon förmår inte lyfta sina armar, inte hålla om.

Tokstolla. Jag tar ett rum på stan så ni slipper ha ett nervvrak som stökar omkring här. Jag känner ju hur jag… De slappnar inte av när jag är med. Jag får skylla mig själv.

Du är ju här som min make, viskar hon. Och så låter hon huvudet vila mot hans axel, de är nästan lika långa, i alla fall när hon har hög klack. *Inte nu, Tomas. När som helst men inte nu. Minns du inte hur vi låg tätt intill varandra under täcket. Så sällan… men vi gjorde det. Och nu går du?*

Han lösgör sig, kanske bara för att få ögonkontakt med henne, hon orkar inte titta upp men hör honom viskande säga att jag vet att Ragna tycker att vi ska äta tidigare middagar och jag kommer ju inte loss från mottagningen. Så stryker han hennes kind, tar om hennes haka – se på mig, Maj.

Det är inte likt henne att visa besvikelse så här. *Sårbar*. Ja, att bli så där förbannat sårbar inför honom. Men på ett vis måste hon ge honom rätt. Hon vill ju själv flytta härifrån.

Snälla Maj, det är ju inte långt kvar. Vi ordnar så att vi kan ses ändå.

Maj nickar, ler lite till och med. Som om inte den långa vägen till spårvagnen, kylan, barnvagnen med Anita påpälsad – som om inte det kommer att vara hinder nog att ses på stan. Hon vill inte säga att storstaden... ja, som om hon är i vägen vart hon går, alltid är det någon som jäktar förbi och tycker att hon borde gå åt sidan. Ramla rakt ner på spårvagnsspår och bilvägar.

Kan jag inte få fara hem, Tomas?

Hon slår sig ner på sängen, mörkret tätt utanför rutan, hem, ja till Örnsköldsvik, där allt finns på ett behändigt avstånd, torget och butikerna och Titti som kan titta förbi och vara fullt ut invigd i hur det står till med Tomas. Till och med fru Jansson som är så kärv när hon kommer och städar på torsdagarna ter sig lockande med sin regelbundenhet, inte Tomas mamma Tea kanske, kanske inte tant Tea i våningen under, men allt det andra nu när Ragna och hon bara glider längre ifrån varandra, när hon inte kan anförtro sig, hur Ragna bara tittade på henne när hon berättade om hur Tomas uppvaktat henne på Kjellins konditori, hur snygg han varit och belevad, beläst, charmant, hur hon blivit ögonblickligen kär och så lycklig när han friat till henne, ja hur Ragna bara sagt att Maj alltid haft lätt för att fara upp i det blå.

Då sätter sig Tomas intill.

Doktorn säger att det är viktigt att ni är i närheten. Att blotta vetskapen kan hindra mig från att bli sämre. Men om du absolut vill... Jag tänker bara att om jag flyttar ut slipper Edvin tappa ansiktet. Jag tar på mig det, att jag krånglat och skapat oreda här hemma med mattider och annat, och så är allt ur världen.

Han lägger sin hand på hennes, sluter om.

Maj, kan inte du och Ragna åka in till stan och gå på kondis och titta i affärer, jag bjuder er båda.

REDAN NÄSTA DAG tar Tomas in på ett enklare hotell i stan. Ja, med spritförbud, försäkrar han, det var ett krav från Bjerre, ingen alkoholservering i matsalen. Hon har varnat Tomas att de inte kommer att kunna ses varje dag, i så fall får han komma hit ut till henne.

Han ska väl inte supa igen, säger Ragna när de gör åkarbrasor där de står huttrande på gården.

I så fall skulle väl doktorn märka det meddetsamma? svarar Maj hastigt. *Träffar du kvinnor, Tomas? Är det därför du vill bo borta?* Jag går in, säger hon sedan. Ragnas nerdragna yllemössa och sjalen virad runt halsen – varför i hela friden ska hon tvingas göra sin syster sällskap i kylan?

Jaha, svarar Ragna och så tar Maj vagnen och drar in den i trapphuset. *De tycker att du borde begära skilsmässa. Att du har giltiga skäl. Hur du var naiv och inte visste att det var en suput du ingick äktenskap med.* Ska vi ta och fara hem, viskar hon till Anita som inte har hunnit somna i vagnen utan tittar på henne med de där stora ögonen, hur kan hon ha fått så stora ögon när varken Maj eller Tomas, och filmstjärnefransar med rimfrost i dessutom.

När Ragna kommer in till det dukade lunchbordet – Maj har tagit sig friheten att koka potatis och steka strömming – säger hon att hon börjar känna av graviditeten på ett annat sätt än när hon väntade Gunnar. Helst vill jag bara sova, säger hon och kommer det inte tårar rinnande nerför kinderna. Maj tar sin rena näsduk och sträcker den mot henne, *hon ska alltid ha det värst*, men det var nedrigt tänkt, Ragna verkar inte helt i balans, liksom lättretlig och på försvar och när hon snutit sig undrar hon om Maj kan tänka sig att de bjuder några grannfruar på kaffe. Det är Ragnas tur. Men hon vill att Maj är med på det först och att de bestämmer i förväg vad de ska säga om Tomas.

Om Tomas?

Maj lägger ner sina bestick.

Du vill väl inte tala om att Tomas går hos en nervdoktor?

Varför skulle jag berätta det för främmande människor, snäser hon av, de behöver väl inte veta vad han behandlas för.

Det är ju det jag säger, svarar Ragna, men vi måste väl ändå vara överens om vilken åkomma han ska ha.

Maj tar sin och Anitas tallrik – fast Anita har inte ens smakat de minsta bitarna av strömming – och lyfter henne ur stolen.

Om det är så besvärligt kan jag se till att vara borta när de kommer hit.

Sluta dumma dig. Det är ju ren och skär omtanke.

NU RÄKNAR HON dagar, nätter. Det känns så fånigt att hon ska gå och dra hos Ragna och Edvin, hur samtalsämnena tryter, och Anita som bara vill åla fram på golvet – kryper hon inte, säger Ragna, Gunnar var så snabb på att krypa, nej vill Maj skrika, hon kryper inte men du ser väl vilken fart hon har på parketten! Snart fyller hon ett år.

Vi måste fira Nitas födelsedag hemma, vädjar hon till Tomas. Jag går inte med på att fira den här. Anita sover i vagnen där de sitter på en mjölkbar vid Fridhemsplan, kroppkakor med skirat smör och lingon, Maj har inte varit klädsamt måttfull utan bett om Tomas kvarlämnade bitar på tallriken till och med. Tomas viskar att det går bra för mig Maj, doktorn säger att jag gör framsteg, man måste ner, sedan opp. Måste man ner, säger Maj, tvivlande, *kan man inte bara få stiga opp opp rabarberknopp*. Jag ska avsluta nästa vecka och då far vi hem. Ja, vi har talat om att följa upp behandlingen med samtal under våren, han vill egentligen inte släppa mig redan, men han förstår att du behöver få komma hem. Maj tittar upp från sin tomma tallrik – gör han det, säger hon, förstår han mig?

VILL TOMAS FLY undan, bli kvar på hotellet med sin frukostmatsal, dagstidningarna, doften av nykokt kaffe? Det serveras både lösa och hårdkokta ägg, och så grötkarotten, kannan med mjölk. Här känner han ingen. *Nej, även du måste fullfölja dina åtaganden, Tomas. Gå till dina samtal, låta dig sjunka ner i hypnosen. Men släpper du verkligen taget?* Han skulle ljuga om han påstod att tanken på att stanna här inne inte är lockande. Utan Maj, Ragna och Edvin. Även Bjerres blick kan han vilja slippa ibland. Fast Tomas vill väl inte skarva. Egentligen. Men bara det att få vara ensam på hotellrummet. Vilken befrielse det är att ha flyttat ifrån Abrahamsberg till ett eget rum på stan. Att inte behöva bry sig om annat än att passa morgonmålet och de krävande sessionerna hos doktor Bjerre, det är väl det som gör att han ens klarar att genomföra sin behandling dag efter dag. *Det blir bra nu.* Snart ska de åka hem till Örnsköldsvik. Mindre än en vecka kvar.

Klockan är strax före åtta. Ännu hinner han ögna morgonens tidningar, avsluta sin påtår, röka en cigarrett. Och nu när han fått sina samtal, sin läkande hypnotiska sömn, borde han då inte följa de dagliga uppmaningarna i pressen att också visa i handling hur han står upp för Finlands sak. Gå ut i strid. Ta värvning. *Nej. För vore det inte bara ett maskerat självmord?*

Han plockar upp servetten från golvet, reser sig och lägger dagstidningarna på skänken, tar trapporna upp till sitt enkelrum. Doktorn får allt att verka just enkelt. Frågar frankt och rätt ut. Pressar honom på vad som är hans egentliga flyktplan, hans förbjudna önskan i kris. Säger att Tomas i samtalen återkommer till att få försvinna, fast Tomas inte har tänkt på det så. Samtidigt påminner doktorn strängt att han har sin hustru, ett litet barn. Menar att Tomas själ har fått sår som måste läka, att han måste tro på läkkraften för att bli fri. *Tror du, Tomas?* Ibland blir han full i skratt av doktorns högstämda uttryck. Som kan de inte gälla honom. *Skärp dig.* Rakkniven, hur huden knappast klarar kölden i nyrakat skick, men han kan ju inte komma med skäggstubb till Bjerre. Borde han trots allt inte fråga doktorn, som är en uttalad fredsivrare, hur han ser på det här att agera också i handling för Finland, inte bara låta det bli tomt prat?

Ändå tar han inte upp värvningsplanerna under samtalet. Om Bjerre inte skulle kunna hejda ett skratt. Säga med blicken att det kanske inte är medelålders, nervklena män under behandling hos själsläkare som de behöver i striden. Nej, inte tror han på allvar att *Poul* skulle bemöta honom så. Men bara misstanken får Tomas att tiga. Och på vägen till matstället efter förmiddagens session ångrar han att han inte vågade vara... helt uppriktig idag heller. Bredde bara på hur han går från klarhet till klarhet, att han med Majs hjälp kommer att greja det fint att avstå alkoholen och sköta sig som han ska.

Borde han söka upp en telefonkiosk och ringa till Maj? Höra hur det går för henne. Han vet ju att hon vill fara hem. Nej, i kylan på Birger Jarlsgatan tänker Tomas att hon nog ändå inte har tid att prata. Och hon tycker ju inte om att Ragna kan höra vad hon säger.

JA, NI MÅSTE *ju få komma hem.* Till lägenheten på Viktoriaesplanaden, två rum och kök på tre trappor, tant i våningen under – Tomas mamma Tea. Det var så mörkt i trapphuset igår kväll, Tomas fick inte lyset att fungera och Maj trevade efter honom med armen hårt om Anita och handens fasta grepp kring ledstången. Ännu svartare när de klev in i tamburen, med gardinerna fördragna och all belysning släckt – men lukten oväntat frisk, ren. Och fast Maj tänkte packa upp meddetsamma råkade hon somna när hon nattade Anita. Nu tidigt på morgonen, att tassa in i köket med en varm och yrvaken Anita på höften. Hon låter sig placeras i den höga barnstolen och blir ivrig när hon får syn på köksredskapen och byttorna Maj ställer framför henne på bordet. Så låter Maj vattnet rinna kallt och friskt i vasken utan vakande ögon, hon tänker koka te – för enligt Ragna kan Nitas nattsömn påverkas av kaffet – den egna diskbänken, köksskåpen, att slippa gå på nålar, och är inte Örnsköldsvik en ganska trivsam stad ändå? Tomas har lovat att springa till närmsta mjölkbutik och handla frukostmat och då är det inte för mycket begärt att hon har kaffe åt honom.

Det var tämligen hjärtligt när de skildes åt i Abrahamsberg igår. Tomas kom med en radiogrammofon till dem i present, ja Maj kunde se att både Ragna och Edvin blev glada även om de sa att det var alldeles för mycket och inte alls nödvändigt utan bara hade varit roligt att kunna vara till någon hjälp. Tomas berättade senare att han stått och tittat på en dammsugare men tänkt att då kanske Ragna skulle ta illa upp. Åh det vill ju jag ha, sa Maj då, men hon tyckte det var riktigt av Tomas att vara så generös och det är ju obehagligt att ha något otalt med släkten.

När Tomas kommer in till dem i köket med en råglimpa, smör och mjölk är han rödkindad och upprymd. Nästan som förut – när han druckit sprit. Eller kanske mer som en nyfrälst. Hela tågresan igår mässade han om doktorns förmaningar. Framför allt det där med en hobby. Att han inte ska skämmas över att han vill fördjupa sig i historia och läsning. Att det tvärtom kan dana hans själ i rätt riktning. Ja, det är något trosvisst och hängivet hos honom som skrämmer henne lite – men hur ska han annars klara av att låta bli spriten. Hon ska absolut stötta honom. Maj skivar limpan som är så färsk att smöret smälter och värmer välling åt Anita, men Tomas ber henne följa med in i rummet och pekar på hörnet där ungkarlsemman står med sitt glasbelagda rökbord. Vad tror du om att ordna om en studiehörna här, med ett skrivbord eller en sekretär, så kan jag ju bedriva mina självstudier lite mer strukturerat och inte drälla med böcker och block i sängkammaren? Måste hon svara på en gång? Jo, hon nickar, men lägger till att hon ska snygga till och städa upp lägenheten idag så får hon fundera på vad som passar.

Hon är lättad när han går ut. Han ska inte till firman idag utan till biblioteket. Bjerre har visst rekommenderat en rad läsvärda diktare, ja även filosofer. Tomas tror att Bjerre funnit honom vara en intressant person, oroligt frågat om inte Maj också kan tänka att Bjerre sett en särskild fallenhet hos honom när han till och med rekommenderat filosofer och andra tänkare. Säkert, svarade Maj då, det är jag säker på Tomas, och sedan hängde hon på honom ytterrocken och gav honom nästan en lätt knuff ut i trapphuset. Hon har bråttom för hon har fått löfte att lämna Anita hos sin svägerska Titti och hennes barnflicka några timmar nu mitt på dagen, ja Titti har lovat att vara behjälplig när Kajsa ska passa både Anita och kusin Henrik. Under den tiden ska Maj ge lägenheten den fräschör den förtjänar och handla hem det som fattas.

Två rum och kök. Det är ju inte större än hos Ragna och Edvin. Som dessutom bor i nybyggt. Fast här är det högre i tak. Och är inte fönstersmygarna hemtrevligt djupa?

Titti tar omkring Maj och Anita i villans rymliga hall. Klappar till och med Maj på kinden. Jag och Georg vill se er på middag till helgen. Vi kan hålla oss till sodavatten, viskar hon lågt och Maj nickar. Anita nästan kastar sig i Tittis famn när hon håller fram sina armar och Henrik kommer utspringande från köket klädd i vinröd sammetsmantel, med ett svärd i handen. Ta den tid du behöver så dricker vi kaffe när du kommer och hämtar lillgumman, föreslår Titti generöst. Men när Maj säger hejdå till Anita så sträcker hon sina armar mot Maj och Titti tar ett fastare grepp, vi kan vinka i fönstret – hon lugnar sig direkt när du är utom synhåll. Man säger ju så, när de gråter. Bättre att hugga rätt av än att hålla på och slinta och karva med kniven. I hallfönstret ser Maj Anitas upprörda ansikte, *hon tycker ju om Titti,* hur hon kan höra gråten genom rutan. *Ta sparkstöttingen och gå härifrån.* Förbannat att det ska börja vina i huvudet. Ja, yrseln. En cognac. De har ju inget hemma. *Sätt igång.*

Ja, och lite trögt och rosslande får hon upp farten. Dammtorkning, vädring – det är så kallt att hon inte törs ha öppet någon lång stund, men ett hastigt genomdrag för den rätta rena känslan. Fru Jansson har varit hos dem och sett efter, det har hon. Men det finns ju alltid att göra i ett hem. Veckomatsedel, inköpslistor. Bara att packa upp och sortera tvätten tar sin stund. Och just som hon högvis delar smutsiga och rena plagg och annat linne ringer det på dörren. Inte nu. När hon ska hinna med så mycket. Men det är ett blomsterbud, en pojke med mössan djupt nerdragen över öronen, med oroande vita fläckar på de röda kinderna, men kära nån, säger Maj, du får inte förfrysa dig och så ger hon honom några mynt ur portmonnän. Så glad han blir! Och Maj också. Är det till henne? *Till makarna Berglund, vännerna Maj och Tomas, med våra varmaste hälsningar och förhoppningar om många goda stunder av samvaro med Er – Ni har varit saknade i vinter! Käraste hälsningar Anna och Bertil Sundman.*

Maj måste skynda in med buketten, ta av papper – liljor, rosor, irisar och något grönt – och sedan kliva på en stol för att ta ner Tomas tennvas från överskåpet. Vilken bukett. Kan människor vara så vänliga! Måtte Tomas komma hem snart så hon får berätta. Ja för Ragna också vill hon tala om, se vad våra vänner skickar till oss. *Nu Maj, nu ser du till att sköta om de här och ve dig om du gör dina vänner besvikna.*

Hon har varit lite ledsen, säger Titti lågt när Maj fortfarande upprymd kommer för att hämta Anita. Hon kanske håller på att dra på sig en förkylning? Ja, Ragnas pojke hostade om nätterna så man höll på att bli tokig, svarar Maj och Titti säger att Henrik också dragits med snuva hela vintern. Och när de doppar i köket, hastigt och liksom på språng för Anita kravlar och far i Majs famn och Henrik avbryter ideligen Titti, så får Maj verkligen anstränga sig för att hinna med och tala om för Titti att Anna och Bertil skickat blommor, ja först när de står i hallen för att ta adjö säger hon det, tänk att de visste om att vi var hemma igen, är det inte underbart gjort av dem? Titti nickar och Henrik sparkar med benen i hennes famn, jag ringer, säger hon och verkar vilja skjuta igen ytterdörren, så får jag höra mer om hur ni haft det i Stockholm.

Anita skriker i sparklådan. Hela vägen hem. Hon borde inte amma henne, men hemma i sängkammaren blir det så i alla fall. Och i Majs famn faller Anita nästan genast i sömn. Hon vaknar inte ens när Maj tar bröstet ur hennes mun, lyfter över henne till den egna sängen.

Jo men Tomas blir väl också glad över buketten? Eller tycks han pressad? Vi måste ta vara på dem som är nykterister, säger Maj och visar hur hon placerat ut buketten på byffén. Ja visst, nickar Tomas, men vad får de ut av oss, ja mig… *Men Tomas.* Du ser väl vilken fin bukett. Och den ger ju så god doft! Tittar inte ens Tomas efter vad som står på kortet? Ska Maj läsa högt? Nej, hon lämnar honom i rummet, går ut till köket igen. Dukar det sista, ser till att lingon och mjölk står på bordet. Varsågod, maten är klar, ropar hon sedan och hänger av sig förklädet. Han drar efter andan när han slår sig ner. De har visst saknat oss… kolossalt, talar Maj ändå om och skickar fatet med fläsk och raggmunkar till honom. Det är konstigt hur dyngigt det blir fast man är borta, fortsätter hon när han inte säger något och hon skär raggmunken i småbitar till Anita. Visst är det, svarar Tomas tankspritt, och så tittar han upp på henne och säger att hon ska känna sig fri att ta ett glas när hon vill, att bara den närmsta tiden ska de kanske låta bli att ha något hemma – ja Bjerre tyckte det var bäst så – men så småningom ska vi förstås ha i byffén så att vi kan bjuda när vi har folk. Ja, och jag säger inget om du vill ta dig något någon gång. Du ska inte straffas för att jag…

Skulle jag sitta ensammen och… ja hon hör att hon fnyser lite. Det var inte meningen.

Jag har ju inget val, Maj. Det är bara att avstå eller en utdragen död. Men jag kommer att greja det, jag känner det så starkt inombords. Frestelserna kommer att komma, ja, när man tror att man är fri. Då vill jag att du hindrar mig, Maj. Om jag försöker lura dig att jag kan ta ett glas.

Vad skönt det är att få vara i sitt eget kök, säger Maj, har hon inte fått fin fason på de här raggmunkarna? Då gnuggar Tomas med handen över ögonen och låter tjock på rösten.

Vad glad jag blir när du säger så, Maj, för då vet jag att du känner dig hemma här hos oss. Maj sväljer ner en klunk mjölk. Oss? Han ler och säger, ja men hos Anita och mig förstår du väl.

HON BÅDE VILL och vill inte fara och hälsa på pappa i Östersund. Men när han har skrivit och bett dem dit, alla tre, *så kan vi passa på och fira lilljäntans ettårsdag i efterhand.* Tomas säger att det inte är något att tveka kring, klart att de ska besöka hennes far. *Far!* Pappa – rättar Maj honom – vet nog inte vad han gör när han bjuder in oss med ett blöjbarn. Inte kan jag lova att Anita håller sig lugn om nätterna. Då skrockar Tomas att hennes pappa har ju haft små barn själv, så nog vet han det. Inom Maj växer ändå oron att Tomas ska överanstränga sig. Det är så skört, det här efter Bjerre, visst vet båda två att de inte ska utmana ödet med ohanterliga påfrestningar. Och så kriget dessutom. Mamma är inlagd på Solliden igen. Har hon ens kommit hem sedan Maj sist fick besked om att hon var där?

Hon tvekar att ta pälsen. Tröstegåvan, löftesgåvan, med den som han höll henne fast. Var det så? Det var ju synd om honom. När han kom från Österåsen och ville ha henne med till doktor Bjerre. Skulle han haft ihjäl sig annars? *Maj, maj måne, jag kan lura dig till Skåne!* Klart att du ska ta pälsen, säger Tomas upprört, vi har kallaste vintern sedan jag vet inte när, och det vet väl du att Östersund har ännu kallare. Men torrare luft, svarar hon kort. Har hon verkligen glömt hur isande det kan vara hemmavid om vintern? Början av mars är ingen vårmånad. Ja, den klär henne, pälsen, men hon har verkligen magrat. Sluta opp att vara där med bröstet hela tiden, så sa Ragna när Maj beklagade sig. Jo. Men på nätterna, när hon vet att hon kommer att ligga sömnlös efter att ha försökt få Anita att somna om utan att ta henne till sig. Det är sedan… när Tomas var borta hemifrån fanns liksom ingen som såg och sa emot. Hon klarade det inte på annat vis än att låta Anita komma till famnen när hon vaknade och skrek. Gråt? Ja ligga vaken och höra hur skriken till sist övergick i hackande, andfådd gråt. Klart att hon ska vänja av henne. När hon är stark nog. Anita har ju också en päls, vit med mössa till, ännu lite för stor – den måste ändå passa nästa vinter också. Är hon inte vacker, säger Tomas och ler mot Anita där hon sitter på tamburgolvet och undersöker ett skohorn. Då går vi då, säger Maj. Har vi allt, frågar Tomas – jag har allt, svarar Maj. Sänglinne, flanellfilt, blöjor, flera ombyten. Talken och salvan. Febertermometer och receptet på vätskeersättning om hon får diarré eller magsjuka. Vagnen förstås, med fårskinnspåsen. En liten säng ska pappa visst ta ner från vinden. Den som hon och syskonen har sovit i. Trasor av nötta lakan att tvätta Anita med. Bara hon inte bajsar i blöjan på tåget.

Hon ser dem redan på perrongen. Gråklädda unga män, hon kan inte räkna dem alla. Vad gör de på Örnsköldsviks station? Inte kan så många komma härifrån stan. En av dem skyndar fram för att erbjuda hjälp, inte ska väl frun bära, Tomas och soldaterna baxar upp vagnen, resväskorna. Vad har hon packat med sig? De ska ju inte stanna borta många dagar. Hon håller Anita i famnen, sötnos, säger soldaten och vinkar åt henne, hon drar inte på munnen alls, sitter alldeles tyst och tittar granskande på honom. Det är bra att inte flina upp sig mot första bästa, säger han skrattande.

Kliva över militärkängor, en instängd, rå lukt. I hennes egen ålder. Tjugo. Några lite äldre, kanske yngre. Hon vinglar till, Tomas stöttar upp, de har fönsterplatserna – flinar de bakom dem? Vänta ska jag hjälpa dig med pälsen, säger Tomas, det hettar till om kinderna, under armarna, hon vill ändå behålla den på, men det är varmt i kupén, immigt på rutan, det kan inte lukta mjölk redan, ren behå, torra inlägg, *varför är du med den där gubben,* hon rycker till, slätar kjolen när Tomas tar Anita och börjar prata med barnslig röst till henne. Kan han inte bara vara tyst. Ser han inte att de försöker sova? Hans ögon, mannen vid dörren, han ser på henne som om hon inte var mor – fru – så egendomliga ögon, hakan, hon tittar ut genom fönstret, knäpper upp dräktjackan, den är trång över bysten, men om det börjar läcka kommer den cremefärgade blusen fläckas direkt och Tomas med sina rynkor vid ögonen och det gråsprängda håret. Ser de att hon är *som dom,* och Tomas frågar om matsäcken, men hon tänker inte packa upp termosen här. Tugga och äta och kladda och så vänder sig Tomas mot dem, frågar om allt möjligt – driver de med honom? – han tror att han kan vara ung och fräck, ser inte att han är gammal i deras ögon, hon vet det. Han räcker över Anita, som genast nyper tag i jackan, nappen redo i handväskan, nej, hon slänger den ifrån sig, ner på golvet, bland alla de där kängorna, *blev du på smällen,* Tomas böjer sig ner, säger lågt att Anita väl är hungrig. Aldrig att hon knäpper upp blusen här, men inte heller kliva upp, snubbla över deras grova läderskor, för att gå undan och amma – Anita får klara sig utan. Benen behöver Maj inte skämmas över, men hon måste vika dem åt sidan, hålla fötterna på plats åt Tomas till, en ljus soldat snett mitt emot har hasat ner, liksom sträckt ut sina gråklädda ben och särat sina knän över mittgången. Ett par av dem börjar skoja med Anita som plötsligt förtjust skrattar nu, vill ur hennes famn, stretar mot golvet, hon låter henne stå, vingla, håller tag under armarna. Mannen vid dörren skojar inte. Ser på henne istället, som om Tomas inte var med.

Tomas bjuder militärerna av schackrutorna, bondkakorna och den mjuka kardemummakakan utan ägg. De tackar. Är det inte barnsligt? Mumsa kakor? Ett paket röka – de vill väl ha cigarretter. Sprit. *En hela renat.* Men han har ju ändå inget starkt nu. Ingen plunta i tweedkavajen. Det är Maj som bakar, säger han, det är henne ni ska tacka. Hon tiger. Anita börjar gnälla och gnugga sig över ögonen – hur ska Maj kunna få henne att somna ljudlöst utan att amma? En kaka, för nappflaskan med välling vrider hon sig undan.

Håll blicken vänd mot fönsterrutan du också, Maj. Ja, något där utanför fångar Anitas uppmärksamhet, och Tomas har riktat sig bort från männen, läser en bok. Nog har väl pappa städat? Hur ska hon veta hur det ser ut hemma när mamma ligger sjuk på Solliden. Visst är det vackert, säger hon viskande till Anita, Storsjön, fjällen, Frösön, här har din mamma vuxit upp. Anita vill åt hennes halsband, pärlorna Tomas också kom med, *då han bad för sitt liv,* och nu bär hon dem. Inte så Anita, säger hon, hon får inte rycka sönder pärlhalsbandet, och så saktar tåget sig gnisslande mot rälsen. Soldaterna ställer sig upp och tar rätt på sina ryggsäckar, *inte har de gevären med sig,* och när mannen vid dörren reser sig för att gå ut ur kupén ser han inte åt henne. Inte en blick. Mannarna som har ätit av kakorna tackar på nytt, nästan bockar, hon tar på sig pälsen, sätter sig igen och väntar på att pojkarna ska gå. Med all sin packning och sina uniformer. Tomas säger att de är närmare gränsen nu, men för henne är det så avlägset, det är andra katastrofer, att ta sig ner från tåget med Anita i famnen, hur hon halkar och tappar greppet, det tunga huvudet i den blankstampade backen, ner på spåret, som trapphuset hemma, där lyset fortfarande är trasigt, *du äcklade honom för att du är gift och mor och log mot honom. Log jag verkligen? Sluta nu. Inte så. När du ska visa Tomas stan.* Vi går väl direkt hem, säger hon matt och lägger Anita i vagnen. Hem, frågar Tomas leende, jamen till pappa begriper du väl, vi kan inte räkna med att pappa har mat åt oss. Jag kan handla, säger Tomas ivrigt, bara jag får en lista, eller borde vi köpa med oss något meddetsamma? Har han bara ägg och mjölk hemma så gräddar jag pannkakor, svarar Maj.

Soldaterna, de röda tegelbyggnaderna, männen som arbetar på spårområdet, all kolved som lastas - så mycket folk, hästar också, och Tomas som genast låter entusiastisk, en så förnämlig stationsbyggnad, gud så kylan nyper tag i kinderna, näsan, det är inte långt säger Maj, fast Tomas har ändå ganska tungt att bära.

Har hon verkligen inte tänkt tanken att Erik kan stå här - var som helst. Maj är obehagligt ostadig på benen, så skönt att hålla i vagnens handtag, Anita som utmattad dråsat ihop i vagnen, sover. Hon vill inte träffa någon nu. *Håll huvudet högt.* Att pappa inte möter dem. Hade hon ändå trott att han skulle vänta där, på perrongen eller i stationshusets väntsal? Tomas säger att Östersund verkar vara en trevlig stad. Så klar luft och det måste vara fint med Storsjön om våren. Ja, det är ju inte havet, svarar hon, ingen skärgård, vattnet gör ju våren sen och kall. Tomas med sina horisonter och motorbåtar och havsband. Det har han inget för här uppe. Har hon talat om för honom att havet skrämmer henne? Storsjön är djup och kall, men avgränsad. Undervisar Tomas verkligen? *Branta klippor bråddjup, svagt sluttande kan tyda på grund.* Jo, till sommaren vill han ta med Anita ut i båten. Hur ska hon kunna rädda henne om hon faller överbord...

Vad det är ovant med nya storkyrkan, säger hon, ja det må jag säga, svarar Tomas och stannar för att betrakta den, ja den är pampigare än Örnsköldsviks. Maj saktar stegen men stannar inte helt, det är kallt så att armbandets metall isar runt handleden. Vi kan titta på stan sedan, fortsätter hon, om vi klär oss bättre än så här. Gränderna brant ner mot sjön. De välbekanta fasaderna utåt gatan, uthusen på gårdarna, och de nya, obekanta flerfamiljshusen i tegel och puts. Och så dra isröken rätt ner i lungorna och ändå inte få luft. En cigarrett. Tomas tänder en alldeles utanför porten, *herregud, nu ska han se varifrån jag kommer,* får jag, ber hon, bara ett bloss, hon hostar, *så orutinerat.* Vänta dig inget extra, säger hon och räcker den tillbaka. Tomas trampar fimpen mot snön. Maj, svarar han. Håll upp porten, ber hon och drar upp vagnen över tröskeln, in i trapphuset.

ÄR DET HEMMALUKTEN? Kål, stuvar pappa kål? Han har magrat. Pappa som är så förtjust i mat. Skjortan, hängslena, och nej, skäggstråna som spretar där hakan möter hals är långa. Har pappa inte varit på dagens skift? Går han orakad till arbetet?

Stig... blir det att hon säger när lillebrorsans ansikte blir synligt i tamburen. Anita, här är morbror Stig och... morfar. Men pappa är egentligen inte så gammal. Det är han väl inte? Fyrtiofem år. Och Stig! Herregud så lång när han kommer nära. Slänger fram handen. Tomas... ja, han tränger sig fram, presenterar sig, så snabbt pappa viker undan med blicken, ja, men han ber dem stiga in, stiga på.

Anita som börjar gråta omedelbart när Maj sätter ner henne på golvet. Tittade pappa ens på sitt barnbarn? Tomas tar upp henne, hon vill säga att han inte alltid ska vara framme och lyfta upp, känns hon varm, undrar han, lutar läpparna mot hennes huvudsvål, Maj är där med handen, hastigt kupad om pannan, skakar snabbt nekande till svar. Jo, envisas Tomas, här uppe, det liksom strålar ut hetta här - hur ska Tomas få plats på den här trånga ytan? Han säger att det är grant här uppe, pappa svarar inte, ni ska väl ha er lite mat, säger pappa, ja, nu blir det ju inget märkvärdigt, men korven i alla fall, korven är det inget fel på. Tomas tycker om korv, och Maj går in i köket, packar upp kaffe, socker, en fin bit fläsk, äkta smör. Vill inte ståta med *att hon har god råd nu,* men i enskildhet kan pappa upptäcka vilka *högklassiga* varor hon kom med. Ja, Tomas har fem par lappskor också. Åt pojkarna, pappa och mamma. Det är ju så rasandes kallt, säger han. Nej, ingenting om sekunda eller fjolårets modell – det är generöst – fem par prima lappskor.

Så snirklar de på. Per-Olof och Jan kommer hem, *borde de inte flytta hemifrån,* Per-Olof tjugofyra och Jan tjugo, nog hjälper de pappa med hyran, eller bor de gratis? De äter. Anita vrider sig runt i Majs knä, hon måste sitta långt ifrån bordet så att inte Anita greppar det hon ska låta bli. Och suga på spisbröd går visst ingen lång stund, nu börjar hon smacka och rycka i Majs blus. Varför knäppte hon inte igen dräktjackan innan hon klev av tåget, om hon ändå haft en vanlig enkel jumper eller pullover, kofta istället för tunn blus. Det är någon tant Anny som har stuvat kålen, ja en annan klarar ju inte ut köket, säger pappa, nej och inte är det passande att prata om mamma nu, kanske vill Maj inte heller veta, dålig, hur dålig? Det är väl bra gjort att åka hit så här under brinnande krig och permafrost – ja, kallt är det i alla fall. Som vintrarna här i trakterna för all del brukar vara. Nej nu grinar hon. Högt och gastande. Och utan ett ord reser sig Maj. Var ska hon amma Anita då? Alkoven är väl det enda möjliga. Pappa har bäddat, hjälpligt. Jo, nu är det skönt att gå undan. *Ni får klara opp det, ni karlar. Som vet och kan.* Men de är ju så många mot Tomas. Hur har de pratat om Tomas? Vad kan Ragna ha sagt – skvallrat?

Herregud så Anita bits. Fy dig, försöker hon, Titti som visst tyckte om att amma, man ger ju livet, sa hon till Maj bara häromdagen när Maj beklagade sig, man ger ju liksom livet.

Hur går det?

Så är Tomas där bakom draperiet, vad ska hon svara, *han klarade inte opp det i alla fall,* var tvungen att ta sig bort ifrån bordet, bröderna, pappa. Kan jag ta henne så får du äta, säger han, hon tänker fnysa, ja för alla gånger hon har suttit med hans syskon, och han har så många fler, så då slipper det ur henne att nu får du känna hur det känns att vara med främmat dag ut och dag in.

Hans ansikte när hon drar bort tygstycket – i oordning – ja, det kan hon se, hur hon har skapat oordning med det sagda, men hon räcker Anita mot honom och då är leendet tillbaka – han gör sig till, det är inte äkta, det där filmstjärneleendet han fyrar av så snart han har henne i sin famn.

De andra har ätit färdigt. Maj slevar i sig korv och kål, knäckebröd.

Jo, säger pappa, och så reser han sig. Det är bara några… ja. Åt lillan. Han kommer med en trälåda, hon makar undan brödernas flattallrikar och pappa ställer ner den där på bordsskivan. Det är dockmöbler i. En byrå, en soffa, en spis. Målat och allt. Och Maj måste vända bort ansiktet, det grötar sig, svälja och åter vara sval och säga inte hade pappa behövt.

Jomen jäntan ska väl ha något att leka med. Hon har ju fyllt året.

Då Tomas kommer med Anita i famnen tackar han översvallande och säger att farbror borde börja med tillverkning för försäljning i större skala – så precist och skickligt gjort. Och pappa, ja, han tar åt sig av berömmet. Maj ser det. Hur pappa skakar på sig och verkar besvärad – men han njuter. *Att vi ska vara så duktiga.* Men handens glädje, noggrannheten, måtten, konstruktionen… Nu är man väl för gammal, säger pappa och Tomas skrockar att det där var en dålig ursäkt.

Men tycker han om mågen? Han är ju annorlunda, eljest är väl inte riktigt rätta uttrycket här för det handlar mer om platsernas skilda förutsättningar, att vara egen eller slav, *man kan vara slav i det egna också, slav under andra lagar, villkor…*

Fast än är hon för liten, avbryter Maj. Hon får ju inte ha sönder finsakerna. Ni skulle se hur hon kan dra när hon får tag i något. Tack pappa, vill hon säga. Men det tjorvar och Tomas tackade väl för två, tre? Så hon börjar med kaffet. Lägger upp sockerskorpor på nickelbrickan. Anny har hållit efter. Hon måste fråga Stig vem Anny är.

De går ut, Tomas och hon. Anita i sparklådan nu, pappa har visst fått låna den av en arbetskamrat, sa till dem att man inte tar sig fram med vagn i det här föret. Det blir tätt där inne, och Maj förstår ju att de måste komma ut, pappa vill vila i fred på eftermiddagen. Pälskappan, stövletterna, Tomas elegant men lite gubbig i lodenrocken och Nita är väl ändå *bedårande* i sitt vita fårskinnsställ. Ändå blir hon mjuk och matt så snart de står i gränden och andas rimfrost och ska bestämma åt vilket håll de ska gå. Men är man lagd åt det hållet – att bli yr – är det ju inget som går över bara för att det kan vara tröttsamt för andra att höra på. Och hon är tacksam att sparkstöttingen håller henne upprätt.

Tänk att här har du växt upp, varit liten, säger Tomas. Jag skulle vilja ha sett dig då, som flicka.

Jag var ful som stryk, svarar Maj – och för att mildra skrattar hon och lägger till att det var i alla fall vad dom sa, pojkarna på gatan, och vissa barn är ju det, fula från början, växer till sig först som vuxna.

Jag skulle aldrig ha sagt så till dig, säger Tomas. Nej, men Maj har inte tänkt på det så. Att hon borde söka spåren av Tomas som pojke i Örnsköldsvik. Hon har väl mer värjt sig mot hans förflutna eftersom det är överallt – där – och där – och där har han farit fram med sitt. Medan Maj utan ursprung funnits vid hans sida.

Jag är så glad, upprepar han, att vi äntligen är här. Och att jag får träffa din far och Stig för första gången.

Men du stod inte ut någon lång stund vid matbordet. *Ge dig Maj.*

Tomas tiger. Maj frågar om han kan se efter om Anita verkar frysa.

Det är djävligt kallt, säger han kort.

Men kylan är annorlunda här, svarar Maj. Känner du inte? Torr, och mycket lättare att andas in… *Var den inte nyss kall och ovänlig i lungorna?*

Det är väl ingen förbannad tävling, säger Tomas och just då blir Maj tvungen att ta tag i lodenrocken, för där rakt emot dem på Prästgatan kommer Åke Sjödin. Och han känner igen henne, trots mössor och halsdukar och allt – är det Maj, frågar han, och han har en kvinna vid sin sida. En frappant kvinna, måste man säga. Och som Åke strålar när han talar om att det är hans fästmö Ing-Marie, ja på nära håll ser man att hon säkert är tio år äldre än han. Men vad gör det? Ja, det blir för Tomas att sträcka fram näven och hälsa och Maj skyndar sig att säga att Åke och hon är kamrater sedan gammalt – *du vill väl ändå inte att han ska säga något om Erik? Jo. Berätta något lite. Bor han kvar? Är han inkallad? Är han lycklig?*

Men Åke tittar på Anita och gratulerar. Och vad ska de egentligen säga till varandra om Eriks namn ska undvikas till varje pris? Dessutom är det ju verkligt kallt, de kan inte stå där och frysa, de tar adjö, går åt var sitt håll i det spirande marsljuset.

Åke-Påken som var en så inbiten ungkarl, säger Maj.

Åke-Påken, upprepar Tomas, ja det är ingen gammal kavaljer, skrattar Maj, men det var ju roligt att han hade träffat någon.

Ja hon var stilig, fortsätter Tomas och så blir det tyst. De kavar fram med sparken, upp mot regementet, för att Tomas ska få blicka ut över stan och Maj säger till honom att han måste förstå att det kan kännas underligt att vara tillbaka. Med mamma borta på sanatoriet, vill hon lägga till. Att hon inte kan ta emot besök. Är det något de bara hittar på?

Vad pappa har blivit gammal, säger Maj istället. Säger du det, svarar Tomas, ja jag vet ju inte. Och nu ska de bara klämma sig ner med sitt och sova bland bröder och bråte och vara rädda att Anita ska hålla dem alla vakna natten igenom.

Det var fint gjort, de där möblerna, säger Tomas. Du ser att han bryr sig om dig.

Anita, rättar Maj. Han gav dem till Anita.

Tomas tystnar. Vore det inte enkelt att lirka in sin arm under hans, gå tätt, tätt intill och liksom skina i senvinterns solnedgång tillsammans. *Ni är ju ett snyggt par.* Hur det pratas om andras giftastycke, passform. Men hennes handskklädda händer behövs för att styra sparken. Medarna skevar lite, fast där snön är packad går det att glidande få upp fart förbi de vita björkarna. Vill Tomas inte se Frösön? Är det verkligen första gången du är här, frågar hon. Du som reser… En nordsvensk kommer travande i hög fart med en släde bakefter sig. Tomas hälsar med höjd hand och Maj förklarar avväpnande att här är man så för hästar, men Tomas nickar bara. Har sparkstöttingen alltid haft den här ljust gröna färgen? Var den inte röd? Pappa måste ha målat om sparken, säger hon. *Kan du inte bara säga förlåt?* Hon stannar, stryker med näsduken under nästippen och tar lätt i Tomas överarm. Ser du efter ifall Anita har somnat?

VARFÖR GRÅTER ANITA? Det är hostan, hon hostar utan uppehåll, det hjälper inte med bröstmjölk, inte med hetvatten teskedsvis. Bröderna har stuckit ut, Stig också, så dem behöver hon inte bry sig om. Men det är så trångt där inne i alkoven, på den utbäddade dubbelottomanen. Tomas och pappa är i köket, fast genom det upprörda gråtandet kan hon inte höra några ord. Sitter pappa bara tyst? Hon måste resa sig, lägga Anita över axeln, trava taktfast runt i rummet, alldeles utanför köket, där pappa och Tomas försöker få lugn och ro. Somnar hon? Bara korta stunder av tystnad, sedan skrik, gråt, som plötsligt bryts av stillhet. Vågar Maj sätta sig i gungstolen? Det svullna kring ögonen, den plötsligt tomma blicken, lätt öppen mun. Bröstet, det spänner och stramar, rinner av sig självt in i Anitas mun, och jo, nu blundar hon. Sover. Pappa i dörröppningen, Maj tar hastigt Anitas filt och täcker över sig, kanske uppfattar han dem inte i mörkret, men Maj kan se hans slitna ulltofflor där på tröskeln i kökslampans matta sken, den bruna koftan med förstärkningar vid armbågarna knäppt. Blir det bättre för er i köket, i utdragssoffan, undrar han, jag tänkte alkoven... Det blir bra, säger Maj. Kan det vara tänder tro, fortsätter han, mamma sa alltid att det var tänderna när det inte gick att lugna er. Har hon feber? Maj lutar näsan mot huvudsvålen, nickar, hon känns het, jag gör väl kväll, säger pappa, men du får komma ut i köket om du behöver värma vatten eller så. Sover hon, undrar Tomas oroligt bakom pappa i dörröppningen. Maj nickar, hon sover. Doktor... Tomas vänder sig mot pappa, jodå, nog går det att ta flickan till en doktor om det blir sämre. Ska ni inte lägga er i alkoven, säger Tomas riktad mot Maj, *låt oss vara nu,* hon sover så lätt, viskar Maj, det är renbäddat lägger pappa till, ja, god natt då. Tack för idag, Allan, säger Tomas, men då svarar inte pappa, harklar sig bara och stänger dörren till köket.

Snart kommer pojkarna, säger Maj, vi håller dem vakna hela natten. Så ja, svarar Tomas, tvivlande också han?

Hur många timmar har de sovit när Anita väcker henne? Maj har hört bröderna komma hem och rumstera om, hon låter henne äta, bara en kort tidsfrist innan gråten börjar på nytt. Örat, ja plötsligt vet Maj att det säkert kan vara örsprång, öronvärk, hon måste bära henne igen, hålla, gunga, bröderna som behöver sova, bröderna som inte vet hur det är att ha små barn, som inte begriper att man inget kan göra när de har ont och gråter. Snälla Nita, vädjar hon, snälla, snälla Nita, hon hyschar, men var ska hon gå om inte i rummet, runt och runt, hur lång stund har hon vandrat när pappa kommer ut från köket, *skäll inte på mig för jag rår inte för det,* men han muttrar bara till pojkarna att de får maka ihop sig i kökssoffan. Stig får ta dynan och bädda åt sig framför vedspisen – det måste vara öronen, försöker Maj förklara och pappa sträcker händerna mot Anita, lägg dig en stund så går jag, Elin skulle aldrig ha legat och dragit sig så nog kan jag ta na en stund, mumlar han eller sjunger, vi provar gungstolen också, den var bra minns jag om det inte gick i vaggan, vi far imorgon, säger Maj, så vi inte är till besvär. Kanske hör inte pappa det sista. Passa på och vila dig lite nu, så är det nog bättre imorgon.

Maj kan inte sova. Anita tystnar, bara medarna till gungstolen eller golvplankornas knarr. Tänk om Tomas och hon kunde ordna om en korkmatta hit. Inga springor för smuts, skräp. Hon smyger ut till rummet, viskar åt pappa att lägga sig nu. Den heta kroppen, andningens hastiga flämt. Vill hon säga tack? Ja, men när de inte är sådana som far iväg med ord i alla väder. Nu sover hon nog till morgonen, säger hon därför, i dagsljuset får vi se om det har runnit i örat. Öronvärken är elak, säger pappa, bara hon slipper bli öronbarn, för den värken är svår att härda ut.

NU KOMMER DE, Maj, nu... Tomas är plötsligt inne hos henne hemma i köket i Örnsköldsvik, i bara brynja och med uppjagad blick, vilka är det som kommer? De har väl inte bjudit in några? *Du glömmer väl aldrig Maj, noterar, planerar, minns förstås vad du bjöd på sist.* Tyskjävlarna har attackerat våra grannar, *herregud här, i huset på Viktoriaesplanaden?* Sedan rodnar hon hastigt över den dumma tanken. Både Norge och Danmark. Maj... Han kramar om henne, *är hans rakvatten nytt?* Skräm inte Anita, viskar Maj, och hjärtat rusar till både av skam och rädsla. Blir du inkallad nu? Ja, nickar han. Det kommer förstås att bli höjd beredskap, det... det får vi räkna med. Om de inte tar oss också, nu på en gång. Tror du det Tomas? Han stryker sig över sin slätrakade haka, men svarar inte. Och du som fyller år snart, säger hon lågt. Då ler han och smeker hennes kind. Vad söt du är, Maj. Ja vi ska inte måla fan... och inkallelserna sker nog med lite fördröjning, det är ju de unga soldaterna som är viktigast. Men du måste kanske ställa in dig på en ensam sommar i år.

Och Tomas vill ha kaffet och ostsmörgåsen i rummet vid radion där påskriset är pyntat och han skruvar upp volymen när Anita ger till ett glatt tjut i tamburen. Maj går ut till henne, håller henne en stund i händerna innan hon låter Anita sätta sig på mattan, krypa iväg. Hon passar på att torka skäggstrån från tvättstället, och handduken som hänger våt och slokande brer hon ut över elementet. Fönstret! Maj springer mot sängkammaren där hon hastigt hängt överkast och täcken på karmen för vädring, men hejdar sig vid tröskeln. Anita tar sina första steg! Mellan sängen och byrån utan att hålla i något. Men Anita, vad du kan, säger hon, Tomas kom! Och Tomas häver sig upp ur soffan, kommer med både Svenska Dagbladet och Allehandan i handen, men då vill inte Anita på uppmaning visa sin nya färdighet. *De kommer väl inte hit Tomas,* vill Maj fråga, men det händer så mycket annat emellan, hela tiden något annat, och Anita som bara ler mot henne när hon törs försöka igen, ja nu får Tomas också se, han dansar något slags krigsdans, *man får vara fånigt glad när dottern lär sig att gå.* Tomas kramar henne igen, hårt, det doftar friskt, gott. Maj, mumlar han, Maj, och sedan släpper han henne hastigt. Vi kan bara avvakta, viskar han, ha radion på idag. Hon nickar. Sedan säger hon att de måste bjuda hem Anna och Bertil, det verkar underligt om vi inte gör det, som om vi undviker dem och det gör vi väl inte Tomas, han nickar och ber henne bestämma en dag, din födelsedag, undrar Maj, vore det inte fint att ha dem här då? Nu blir jag försenad, säger han och i ett huj är han klädd och kränger på sig ytterrocken, hatten, kanhända blir jag sen ikväll, sitt inte uppe och vänta.

Var han inte underligt knapp med informationen? Så olustigt att bli ensam i lägenheten *nu.* Just idag. Med det som hänt. Varför skulle han bli sen? Mekaniskt får hon undan tidningen, koppen och cigarrettfimparna i askfatet. Plockar post och prylar på plats, klär Anita för promenaden i vagnen. Gatorna är tystare än vanligt. Så få bilar, hon vet att Tomas i tysthet sörjer att han inte kan ta sin bil. Hon går ner mot hamnen, där det känns rätt, och Anita klipper med ögonlocken utan att somna. Tokstolla, säger hon. Sov nu. Kan hon se honom i matsalen på Statt? Nej, det går inte att urskilja några ansikten där. Men hon går långsammare förbi Statts terrass och stretar sedan uppför Lasarettsgatan, då sover Anita plötsligt. Borde Maj knacka på hos Tomas? Kan de äta en bit mat tillsammans? Men dörren till hans kontor är stängd. Inte ens Axelsson kommer och öppnar. Dörrhandtaget – låst. Skulle han ut till fabriken idag? Träffa bröderna Otto och Kurre? *Tala klartext om tyskarna?* Här kan hon ju inte stå som ett fån och vänta. Borde hon ordna om en födelsedagspresent åt Tomas? Gå förbi bokhandeln. Sa Tomas inte att han skrivit böcker också, doktor Bjerre? Vilken bra present! Hur hon får visa att hon… också kan förstå något av det här. Fast en annan dag ska hon gå in i bokhandeln. *Varför gör det dig nervös?* Inte nervös… men som om biträdet kan se att hon inte är någon verklig bokkännare. Uttalar namnen tokigt, glömmer titlar. Och böcker är dessutom dyra. Sakta skjutsar hon vagnen mot Viktoriaesplanaden. Gungar lite lätt. Nej, men hon kan inte lämna Anita sovande i vagnen på gården. Selen kan bli en snara om hon försöker ta sig loss. Och när Maj lyfter upp henne vaknar hon, utan att gråta.

Men var det inte något märkligt med att hon inte skulle sitta uppe och vänta? Det står verkligen en nyöppnad flaska rakvatten i badrumsskåpet. Så sen brukar han ju inte bli nu för tiden. Fast under eftermiddagen vill Anita oavbrutet hålla i hennes hand och trava runt i lägenheten, så många mattor och trösklar hon kan snava på, flera timmar övar de tillsammans och när Anita somnat för kvällen står Maj på nytt med kastruller och porslin vid diskbänken. *Varför skulle Tomas bli sen?* Om de kunde slippa mörkläggningen! En dag som den här borde hon förstås uppskatta att ha den. Men även kvällstid är det befriande att kunna titta ut, stå en stund i fönstret och se vad som händer på gatan, gården, tants Eivor som uträttar ärenden, ogifta fröken Julin, Nordenmarks på nedre botten. Bakom gardinerna blir det så… stumt. Borde hon höra av sig till pappa? Pappa vill väl veta att Anita kan gå? *Om de går över gränsen.* Hon kan värma mjölk i väntan på… inte kommer hon att kunna somna. *Han har inte talat om vem han skulle träffa.*

Strax efter midnatt vaknar Anita. *Hon borde inte få på natten.* Fast Maj har ändå inte somnat. Bara hört väckarklockans tickande, så dånande högt som den låter. Och Anita somnar nästan genast om. Maj lägger sig på mage, försöker göra sin kropp både tung och mjuk. Ändå lyfts den liksom upp från madrassen, blir spänd. Är det steg i trappan? Men inte Tomas väl? Hans har en annan rytm. *Soldater!* Hon sätter sig upp med sitt hårt bultande hjärta. Nyckeln som vrids om. Sedan lampettens gula sken. Med bäddkappan slarvigt över axlarna skyndar hon ut i hallen. Men Maj är du vaken, säger han och hejdar händerna från att knäppa upp rocken. Har det hänt något? Hon omfamnar honom, sträcker sin mun mot hans, kan inte känna någon lukt. Vill du ha något att äta, säger hon snabbt, jag har middagsmat jag kan värma? Men Maj, invänder han, jag sa väl att jag skulle äta ute. *Han kan se hur du misstror honom.* Hur hans ansikte i lampljuset åter blir besviket. Jag har varit på Statt med några leverantörer från Sollefteå – det sa du inget om, säger Maj, och nu när du var så uppjagad för det som hänt i Norge... Ja, ja, säger han, liksom avmätt. Är han arg? Vad åt ni för gott, frågar hon istället, men Tomas svarar inte, stänger bara dörren om sig på wc.

DET KOMMER SOM en hastigt ilande insikt. *Här var vi, Tomas och jag, den första kvällen.* För två år sedan ute på lantstället som de delar med tant. Just de här rottingfåtöljerna och den stadigt svarvade soffan i trä. Kanske inte exakt på dagen, men något med ljuset, den spröda grönskan, kylan i luften trots högtryck och solsken, sedan hagelskuren som kom dagen därpå, som en olycksbådande... *vad fånig du är.* Med Erik – de var ju inte samman mer än ett par år. Så lång tid som Tomas och hon nu... Ändå var det så viktigt att räkna efter. Så högtidligt. Ett år, två. Att ha haft sällskap så länge. Stadigt. Hållit måttet, formen, kärleken vid liv. Borde hon och Tomas fira tvåårsdagen? *För två år sedan blev det vi.* Som gift har man ju bröllopsdagen. Behöver inte bry sig om vaga årsdagar. Det är bara så annorlunda nu, livet. Inte bara kriget som rasar och kommer att ta Tomas ifrån henne med sina inkallelser till annan ort. Är hon en självklar del av familjen Berglund nu? Syskon, svägerskor och svågrar har samlats på kaffe med dopp i Sillviken den här söndagen sent i maj, istället för att som brukligt på mors dag äta gödkyckling och gräddsås i stadshotellets restaurang. De har det så trevligt. Nina, Eva, Sylvia, Dagny, Julia och Titti. Ja, och Ragnar, Johan, Otto, Kurre, Tyko, Georg och Tomas. Men Maj sitter inte ner, i tants salong på nedervåningen. Det är Anita som bara vill gå. Runt och runt i lycklig vetskap om att benen bär. *Måtte de aldrig bli veka och opålitliga som mina.* Rädslan att hon ska tulta fram till det dukade pelarbordet och dra den hålsömsbroderade duken med kaffekoppar och kakor i golvet. Maj måste gå efter. Sätt dig Maj, ropar Dagny med fullmatad kakassiett. Om Dagny visste hur Anita skulle gallskrika om hon tvingades sitta stilla i knäet *nu*, när hon nyss lärt sig gå. Klagade inte Sylvia över att hon var sen? Kom med tusen exempel på hur niomånaders spädbarn reste sig och sprang och klättrade som andra cirkusartister... fast barnsköterskan på lasarettet sa att det är tur att vissa har förstånd att inte resa sig förrän huvudet också är med. *Så det så.* Tomas är inbegripen i något samtal, med svågrar och bröder. Kan han inte vända sig om och fråga om han ska ta över? Bara så att hon kan få dricka sitt kaffe varmt? Men han hade ju bricka åt henne imorse. Tidigt. Så hon vaknade med den tysta önskan att få en liten, liten stund till av ostörd sömn. Så orättvist av henne. När maken dukat frukostbricka med nejlikor och allt. Fast hur många gånger hade Anita vaknat under natten? Som om det här med att kunna gå gjort hennes sömn oroligare igen. Men Maj räknar inte efter. Vad ska man med den siffran till i vaket tillstånd, när allt ändå måste ordnas om? *Låta Tomas få veta. Så många gånger vaknade jag inatt. Så trött är jag när du sover natten igenom.* Han har ju sitt arbete. Som han sköter så förtjänstfullt efter behandlingen hos Bjerre. Även om det inte är det roligaste han vet. Så har han sagt, till Maj. Man måste hitta mening, också i det lilla. Slarv och oföretagsamhet bara ökar ångesten och hopplöshetskänslorna. Ja, inte har hon råd att slarva, på några punkter. Är det förresten så hemskt att få sitt kaffe kallt när de nu åter har samlats för att fira tillsammans? Nej – så klart inte. Men allt som hon måste akta och vara rädd om här ute i sommarhuset. Ingen märker väl om de smiter ut en stund? För hon vill liksom inte låta sig fångas in av svägerskorna heller. Konversera artigt och på ett ögonblick kan Anita vara försvunnen. Så hon släntrar iväg med Anita nerför den sluttande gräsmattan, flaggan som slår, det blåser verkligen vid sjön. Maj i bara blus och kjol och silkesstrumpor – den sitter lite löst, kjolen. Hon skulle behöva kakfat, tårta och grädde i kaffet. *Mer än de där korpulenta...* Maj borde kanske gå tillbaka till kammaren och hämta koftan. Jo, då och då kontrollerar Anita att hon går efter henne. *Skulle du gråta om jag hastigt gick min väg?* Mamma. Hon har inte glömt att skicka kort. Och en hel sedel åt pappa att köpa något mamma behöver. Hur kan man njuta av blåst? Hårslingor som lossnar från valken och far in i mun. Och så de här olycksbådande ljuden, trädens vajande och förtäckta hot om att falla – nej! Anita i skinnsandalerna vid vattenbrynet – fy Anita, inte i sjön – hennes häpet förvånade ansikte och just som Maj ska grabba tag i henne tappar hon balansen och ramlar på rumpan med ett plask. Så börjar hon gråta. Maj får fatt i henne utan att blöta ner sina skor, men både blus och kjol blir snabbt fuktrosiga från Anitas drypande klänning och genomvåta blöja.

Ser de henne från salongen när hon tar den knarrande trappen upp till det egna våningsplanet? Hör de Anitas upprörda gastande? Klart att de märker hur hon lever om. Men vad ska Maj göra? *En mor har tänkt på rent ombyte, torr trikå och sockor.* Hon har faktiskt packat med ombyte! Vem skulle annars ha tänkt på det? Men det är förfärligt kallt uppe hos dem – och något eget fick hon förstås inte med sig. *Det var slarvigt gjort.* Överkasten har kvar det råa från vinterns kyla och vårens fukt. Men yllefiltarna inunder är, om inte varma så ändå möjliga att svepa om sig. För om hon ammar Anita så lugnar hon sig. Då slutar gråten. Även om hon inte borde. *Inte när de är över året.* Ändå stänger hon kammardörren och knäpper upp blusen som klibbar mot huden och hasar ner behån. Filten runt dem båda. Så lutar hon huvudet mot den buktiga tapeten. Blundar.

När Anita till slut sover smyger hon ner. Hon har ställt stolar för så att hon inte ramlar ur sängen i sömnen. Och knäppt koftan så att inte blusens fuktfläckar syns. Hon ska ju bara hämta sin kopp och några kakor. Tants trofasta Eivor som gjort rullar med mördeg och mandelmassa. Bullar med sockerglasyr som hon vet att Eivor penslar smält smör över innan gräddning. Hon har provat men inte fått till det i sin egen ugn. Eivor har inte varit så precis med receptet. Bara sagt att på vanlig vetedeg penslar man med smör innan gräddning. Men hur mycket? De blir otroligt goda. Ja, nu skriker magen. Högt, gällt och mer gastande än Anita någonsin. Hon måste ta tag i ledstången för att inte svimma av hunger.

Sover lilla pyret nu? Så duktig att gå! Jo, men nog kan Maj dröja en stund i trapphallen när de berömmer så frikostigt. Inte måste hon redovisa att Anita for ut i vattnet, dråsade omkull. *Att du inte hade bättre uppsikt.* I tankar. Egna tankar. Får en mor ha egna tankar?

De fångar liksom in henne där i trapphuset, med sina ord och uppmuntrande frågor. Där är Julia som längtar efter att skola plant, sätta potatis och få frön i jorden. Titti som ska traska över till sig och inspektera kökets modernisering och det renoverade båthuset med tillhörande gästrum vid sjön. Eva som bara behöver snedda över tomtgränsen till sitt, men hon hoppas på full uppslutning från den nära familjen nu när hon ska ordna morsdagsmiddag på glasverandan med vuxna barn och respektive. Sylvia som har brått in till stan – eller är det Otto som inte vill stanna? Bara Nina har dröjt sig kvar hos tant. Och Dagny hjälper visst Eivor att duka ut. Är det helt bortplockat? Ja, när Maj kommer in i salongen där herrarna nu har tänt sina cigarretter och pipor är kaffebordet tomt, så när som på den fläckade duken. Varken smörpenslade bullar eller tårta står framme. Tomas frågar genast var Anita är, men hon sover oppe i kammarn, svarar Maj och kan inte hålla undan irritationen. Kunde han inte ha gjort i ordning ett fat åt henne? Var det något mer du ville veta, mumlar hon, kanske utan att uttala orden högt. *Tomas, tar du helt för givet att alltid sitta?* Hur det förstås skulle suckas annars – *vad han får ha det besvärligt med en så fordrande fru!* Men nu är Maj bara ledsen för att kakorna är borta. Det passar sig väl inte att gå ut till Eivor i köket och gräva i burkarna? Eller kan hon be Tomas gå dit och fråga efter några sorter? Om hon låter mjuk och vädjande, *som en spinnande katta*. Det fanns drömtårta också. Hade Eivor stått och rört smörkräm tidigt imorse? Maten. Vad ska hon ha till middag? Går gröt an en mors dag i hänryckningens tid? Tomas är ju inte så nogräknad. Men nu säger han lågt att mamma vill vara vid ångbåtsbryggan i god tid, så vi borde kanske väcka Anita. Hon får väl sova vidare i min famn, ombord på Express, avbryter Maj, hon har ju just somnat. Och hon sov för lite inatt.

Ja, så fick hon det sagt. Jag ska väl hjälpa Eivor med disken, lägger hon till. Eller bara vara behjälplig i det allmänna iordningställandet. Snart kommer sommaren. Tomas första sommar som nykter.

KLART ATT HAN inte ser fram emot att kallas in. Fast nog måste även Tomas bli utkallad den där våren, försommaren då rädslan i landet är stor. Men han har kommit lindrigt undan. Marktjänst på en flygflottilj i Skåne. Resorna... Det blir dryga resor söderut. Han har pratat med både Georg och bröderna att om något händer... Maj är ju så ung. Och så Anita. *En dag i taget, Tomas.* Ja, det rullar på. Senaste styrelsemötet... tydligen är bristen på råvaror enda hotet mot den ökade produktionen. Och Tomas har redan märkt av de höjda skinnpriserna under våren, det har varit svårt att förhandla sig till vettiga uppgörelser. Men Otto har lugnat honom med att det man förlorar på karameller vinner man tillbaka på pralinerna. Ja, lönenivåerna får ju inte skjuta i höjden, fast det är klart att levnadsomkostnaderna stiger med prisläget just nu. Otto bekymrar sig lite för att få tag på duktigt folk. Fast jänterna... de är flinka, har han uppskattande sagt. Och så sparar man in en del i lönekostnaderna på dem. Ja från flottiljen kan ju inte Tomas sköta arbetet. Kuvertets grå uppfordrande anonymitet. Nu dricker du inte när du är borta, sa mamma innan han for. Inte Maj. Hade han föredragit att det var Maj som förmanade honom?

Hon har ju rätt, hans mamma. I baracken, tillsammans med alla anonymt uniformerade män... nej, men nog blir de namn. Efternamn, smeknamn, öknamn. Stridisar, veklingar, mammas gossar. Hjärnor, lismare. Göteborgare, norrlänningar, dalkarlar, smålänningar, stockholmare... Tomas vill bara ta sig igenom. Koncentrera sig på uppgifterna. Hitta ett par, tre killar att kampera ihop med. Men här... ja inte har supandet en underordnad betydelse. Är de rädda? I Skåne är till och med sommaren kommen. Bokskogarna. Det är sprött, grant så in i norden. Går det rykten? Ja, piloterna, flygarna... de har en del information. Vissa vet alltid mer. Men man blir också anonym, gör sina uppgifter. Kanske den här första omgången är... på helspänn. För vad vet man egentligen, om nästa dag? Det är fina flygmaskiner och Tomas hittar killar som tycker om skärgården, båtar. En Rapp visar sig vara nyinflyttad till Örnsköldsvik, tillträdd redaktör eller reporter på Allehanda, har fru och dotter som är jämngamla med Maj och Anita. Han är inte nykterist. Men att norrländska män avstår... Den här Martin Rapp tycks tro att Tomas har något slags frireligiös bakgrund. Det går väl bra. Ja, här är det bara att stå ut.

DEN FÖRSTA NYKTRA sommaren. Är det inte så Maj räknar, första, andra, tredje… den första nyktra när Tomas är i beredskapstjänst och inte ute på landet med henne, Anita och tant. Anita som bara går och går. *Det måste du minnas, Maj, Anitas leende när hon går från famn till famn, fastrarnas joller och skratt, farbrödernas också, det är så jädrans trevligt med smått i släkten.* Klart att Maj och Anita ska vara med, även när Tomas är borta *på okänt uppdrag.*

Att det måste bli just nu. Han som trodde att enbart de unga männen… Bröderna och Ragna borde hon bjuda till sig dessutom, men det blir inte av, hur ska hon klara hushållet för gäster när hon jagas av samvetet för att hon inte tillräckligt ofta är Eivor behjälplig med tant. En ettåring som glupskt tar in hela världen och Maj måste skynda efter för att se till att inga situationer uppstår i sommarhuset, som inte alls är överblickbart som lägenheten i stan. Deras eget hushåll på övre våningen ger ju sitt av disk och tvätt och smutsiga golv – Anita har fått kakmått och vispar att leka med när Maj stökar bort den här tidiga kvällen i juli. En hel hög med underkläder ska vikas och hängas undan, strykas… Hon tar trikån till byrån i kammaren och det är ändå en tillfredsställelse att se hur prydligt Anitas plagg placerats i lådan. Domp, domp, domp – Maj vet direkt vad det är. Trappan – hon ser Anitas kropp. Ett bylte. *Domp, domp, domp.* Hur hon ska höra det ljudet inom sig. Anita som rullat utför de höga stegen och Maj hinner inte i fatt henne. Först längst ner kan Maj – i en enda hastig rörelse – lyfta henne till sin famn. Hon ser inte efter om det blöder.

Bara kroppen tätt intill hennes mage, bröst. Handen om huvudet. Varför ger hon inte ifrån sig ljud? *Skrik, Anita – skrik!* Men Eivor har hört. Eivor kommer utspringande från jungfrukammaren – jag skulle bara stöka undan efter disken, stammar Maj, hon satt så fint med kakmåtten och vispen... Eivor följer dem upp. Nu äntligen Anitas hickande, högt kippande gråt. Vi värmer mjölk, säger Eivor. Vi måste få en grind till trappan, så här kan Maj inte ha det. Och så måste vi se efter så att inget är brutet. Försiktigt tar Eivor i Anitas handleder, fingrar, fötter. Kan jag amma henne, frågar Maj där hon sjunkit ihop på pinnstolen, jag ska sluta, men... Jo men gör det, svarar Eivor. Ska vi ringa doktorn? Att Eivor kan vara så snäll. Om jag kunde ge dig något vackert, säger Maj därför, vad tycker Eivor om? Inte ska Maj ge något. Har Eivor barn? Jo, nickar hon, jag har en dotter i Härnösand. Men hon är vuxen hon. Se där, nu har hon det bra, säger Eivor och stryker Anita över huvudet och Maj bryr sig inte ens om att gömma undan det nakna bröstet.

Doktor Lundström talar om att det viktigaste är att hon inte försjunker i medvetslöshet. Skrik är av godo, men under natten måste flickebarnet övervakas så att faran för hjärnskakning med säkerhet undanröjs. Då måste ni fara in meddetsamma.

Hela nattens timmar vakar Maj över henne. Killar fotsulan, ser till att hennes pupiller blänker i nattlampans sken. Eivor erbjöd sig att sitta men Maj bara skakade sitt huvud. Nej, Eivor. Eivor har tant Tea att tänka på. Och när solen svett de svarta gardinerna en bra stund vaknar hon av att Anita sitter upp i sängen och jollrar och pratar för sig själv. Maj blundar. *Tack gode gud.* Tittar igen och frågar om hon mår bra nu. Nita ba, säger hon och tar sagoboken från sängbordet.

TOMAS, TOMAS, KOM HEM! går som ett mantra genom sommarmånaderna medan Maj passar på deras dotter, som om Tomas frivilligt uteblev – ja, men var det inte så redan under våren att han med Bjerres goda minne drog sig undan vissa festligheter för att inte *utsättas för frestelse?* Fast Maj vet inte av att Tomas verkligen hade ytterligare kontakt med själsläkaren, Tomas for ju aldrig ner till Stockholm. Och Maj har inte kommit sig för att fråga. Mer lugnat sig med att Tomas kan hantera sin situation. Runt påsk pratade Tomas till och med om att de borde hyra ett alldeles eget ställe i Majs hemtrakter. Fast det var bara orealistiska drömmar. Skulle Maj sitta helt ensam i en torpstuga med Anita, utan vare sig vatten eller elektricitet. Här har hon ju Anna Sundman, Titti, tant och sin stora släkt, jo men det vet Maj, att dagarna går fortare med sällskap, och rätt vad det är kommer augusti med kräftor, månsken och syrsornas sång.

Först mot mitten av månaden är han hemma på permission. Solbränd i ansiktet, men överkroppen blek när han klär om i sängkammaren till ledigare kläder, en sommar utan er är en förlorad sommar säger han och så omfamnar de varandra. Kysser? Det är så mycket Maj vill berätta. Det har ju gått bra men… hur tomt, och så oron naturligtvis, fast Titti har tröstat och sagt att när de låter tyskarna ha sina tåg så gör de inget mot Sverige. Det säger Georg i alla fall. Maj vet ju inte. Tomas stryker henne över håret så att frisyren förstörs lite grand, men hon tar inte bort hans hand. Vad stor hon har blivit, viskar han. På de här veckorna… Nu sover

Anita i lillsängen. Är brun i hyn och solblekt i det flygiga håret. När jag for var hon ju mörk... Tror du att hon har glömt mig helt?

Första kvällen... den blir fin ändå. Men Maj kan förstå att Tomas är ledsen för att Anita inte var gladare när han kom – de sitter på övre balkongen och röker. Kaffekopparna är urdruckna, hon bakade förstås en sockerkaka när hon fick veta att han fått ledigt och nu släpper Tomas inte hennes hand där hon låter den vila på bordet. Om hon ändå kunde förklara hur hon har saknat honom här ute. Så många situationer... Men hon berättar inte att Anita föll. Vill inte få några förebråelser... och Eivor såg ju till att Otto kontaktade en snickare som satte dit en grind.

Fast första natten blir hon bara liggande på hans arm. I mörkret viskar han att det är så overkligt... han vill bara landa här ute först. Ta en tur med ekan, simma, vara tillsammans med Anita och Maj förstås.

Så få dagar, så fullt program. Alla vill rå om Tomas. Tant, systrarna, ja bröderna med. Och Maj kan inte dölja besvikelsen när han tackar ja till att fara ut på Ulvöns surströmmingsfest. Skulle de inte ta igen hans långa frånvaro, bara hon och han? Nu dricker de kaffe i Bertil och Anna Sundmans trädgård, och Anna säger entusiastiskt att både hembygds- och husmorsföreningen organiserar festligheterna, och hela förtjänsten ska visst ska gå till grannarna i öst. Både Tomas och Bertil tycker att det är ett utmärkt initiativ. Att förena nytta med nöje. Tomas säger att han ska höra med syskonen om de vill följa, jo men Anna och Bertil har visst redan pratat med dem, och de ska åka abonnerad skärgårdsbåt hela vägen nu när de inte har motyl nog att fara i egna båtar.

Som Anna och Bertil har ställt upp för Tomas. Det har de väl? Även om Maj har så lätt att känna sig... hur? *Ytlig?* Ja, med Anna också, även om hon och Bertil inte alls är svåra människor. Hon har inte frågat om Anna väntar barn. Det är ju inget man kan snoka i… men nog är Annas omsorg om Anita beundransvärd? Nu tar hon ideligen upp kaffeskeden som Anita kastar i marken. Maj försöker sitta så att Anita inte får tag i något ömtåligt på bordet, för en ettårings intresse för en bullskiva går över försvinnande fort. Anna erbjuder sig att trava runt med Anita på tomten, men Anita tänker inte gå utan att Maj också tar hennes hand. Så de håller henne emellan sig, och tjocka korviga ben tultar så snabbt över gräsmattan, och hon gråter faktiskt inte när hon dråsar omkull. Vi ses på Ulvön då, säger Maj innan de går hemåt igen och Tomas lägger sin arm omkring henne. Ändå vill hon att han ska ta bort den. Som om han inför Anna och Bertil ska visa sig så *ansvarstagande,* när han bara låter deras lediga dagar försvinna till annat. *Men nu är han ju här.* Och han leker tittut med Anita där hon sitter och tindrar mot honom i vagnen.

I SPEGELN PÅ övervåningen är Maj så smal, och solbränd. Nästan magerlagd. Fast det är ju modernt. En pojkes ranka, slankt resliga kropp. Den hallonröda klänningen hon fick ärva av Ingrid sitter löst, säckar sig närapå – om Ingrid är där, på festen ikväll... vad ska de säga till varandra? Titti har suckat över mannekängernas siluetter i Husmodern och tycker att axelbredden i årets modeller gör hennes korta kropp än mer satt och fyrkantig. Titti som lämnat Henrik hos tant och tagit trappan upp till Maj för att se efter om hon är redo för att ge sig av ut till Ulvön. Det känns lite kymigt att äta surströmming med Sundmans, säger Titti mot Majs spegelbild. Du förstår, då ska Georg vara barnslig och smussla med eget... Ja, det kan Maj tänka är typiskt Georg. *Kan du känna igen den där förbjudna viljan att göra tvärtom?* Så hejdar Titti sig, frågar hur Maj tror att Tomas tar det, ja att låta bli att... smaka starkt. Han skulle nog helst fira här hemma med enbart Sundmans, svarar Maj med ett ofrivilligt kraxande skratt. Titti suckar att det ju inte alls är meningen att göra det svårare för honom. Han får nog kämpa, lägger Maj till i alla fall, ja för ibland vill hon bara be dem alla att sluta helt med spriten. *Ändå tackar du aldrig nej när det bjuds.* Men man tar väl seden dit man kommer? Jag ska bara göra i ordning Anita, säger Maj, du behöver inte stanna och vänta.

Är ni färdiga snart? Båten...

Tomas står på tröskeln. *Klä Anita du då som är klar,* det säger inte Maj för det är klart att hon förväntas ha Anita färdig. *Varför vill du inte vara ensam med mig, Tomas?* Han har muttrat något om ifall hon verkligen hellre vill att de ska vara hemma och äta surströmming på verandan med Eivor och tant. Nej... men båtturen över är lång och Anita ska hållas sysselsatt under tiden. Vi får inte släppa henne ur sikte en sekund, hon är så snabb nu ska du veta, och Tomas svarar att självklart ska de hjälpas åt med det. Maj litar inte på att Anita kan säga till om hon behöver gå på pottan, de har tränat i sommar men Maj kan inte påstå att Anita redan är torr. Så nu försöker hon fästa en blöja på en sprattlande Anita – hon måste ju hålla kläderna rena när Kajsa ska ta hand om henne på festen – Anita, säger Maj skarpt och Tomas tränger sig in, lugna dig Maj, *gör det själv då,* ja nu gråter Anita, skriker. Blöja bort – jo Maj förstår att det är vad hon menar, men lyckas på något sätt dra småbyxorna över. Jag och Anita blir kvar hemma, det blir enklast... Tomas hissar Anita som först vrålar ännu ilsknare, fast efter några häftiga åkturer på Tomas höjda armar tystnar hon. Men de tjutande skratten uteblir. Gå i förväg ni så får jag i alla fall snygga till mig, säger Maj och fäster hårslingorna som lossnat från valken. Maj hör hur Anita gråter när Tomas bär iväg med henne. Läppstift, bara en aning puder – solbrännan snygg nog? Sandaletter, kofta, hatt. Har Anita allt hon behöver? Ja nu får hon skynda sig om de inte ska fara ifrån henne vid ångbåtsbryggan.

Tänk att augustis mitt har passerat, ändå har hon och Anita inte hunnit hem i sommar. Pappa bad dem ju när de for därifrån i vintras. Men mamma har inte bjudit in dem. Och att tränga sig på om mamma är svag och inte orkar... hur skulle det se ut? *Jaga livet ur sin egen mamma.* Fast visst uppskattade pappa att de hälsade på med Anita? Varför kan hon inte vara tacksam över den här turen till Ulvön – men Tomas har varit så... oåtkomlig sedan han kom hem. *Du har väl inte druckit där.* Jo, hon sa så, igår kväll, och han var först bara tyst. Maj. Vad ska jag säga? Hon vet att hon måste vara ett stöd. Att det första nyktra året är som allra mest kritiskt. Kanske hade hon hoppats, ja att när han kom hem skulle de uppleva... en smekmånad eller så. Fast han verkar mest vilja ta igen sin frånvaro genom att leka med Anita, eller fara ut på sjön och ro. Men är det inte att utsätta sig i onödan... en surströmmingspremiär med allt vad det innebär. Som om Tomas till varje pris vill bevisa att han klarar det. Kurre och Dagny med deras Carola och en kamrat, Otto och Sylvia med Ellen och Sture, Titti och Georg förstås, men utan Henrik – nu vinkar de glatt åt Maj att hon ska skynda sig till bryggan för båten står inne och Maj kan visst vara uppåt! Hon småspringer i sina klackar, är det mig ni väntar på säger hon med spelat allvar, hon vill skoja, vara kul och det borde väl de andra se och uppskatta? Kajsa har redan tagit Anita i sin famn eftersom Henrik ska få stanna hemma hos Eivor och tant. Han är ju stor. Kan sova utan mamma och pappa – och mormor måste ju få rå om sin *minsta pojk*. Hur hon nu ska orka det.

Måtte Anita somna på färden över. Ja, verkar hon inte helt oregerligt övertrött där hon protesterar mot att vara hos Kajsa – eller kan hon ändå ha skadats av fallet i trappan? Utbrotten... De har berömt Anitas klänning, den nysydda ljusgula med bruna knappar, och Maj kan inte ta emot henne nu eftersom hon håller i ett glas med vermouth och en trekantig smörgås med saltkött. Hon skyndar sig att trycka in sandvikaren, vermouthen... ja, så sitter Anita hos henne igen. Bara hon inte börjar dra i den rynkade urringningen på den röda klänningens bröst, nej hon tar emot nappen, och Kajsa går undan för att packa upp nappflaskan med förberedd välling ur väskan.

Men vad ni är tunt klädda, utbrister Dagny fast Maj har den vita koftan över axlarna, och silkesstrumpor på. Vad ska Maj svara på det? Anita lugnar sig helt i alla fall, tar nappflaskan, ångbåtens visslande, och Maj törs till och med låta Kajsa ta henne över till sin famn. Nu ska det sitta fint med surströmming, säger Kurre medan Carola och flickan som följt henne håller för näsan. Ångbåtsbryggor, fler festklädda människor kliver ombord, men Maj blir sittande kvar intill den sovande Anita och Kajsa. Tomas, han står vid relingen och pratar med Bertil och Anna, tar inte ens Maj under armen när de ska gå iland. Det blir Kajsa och Maj som går med en nyvaken Anita emellan sig på bryggan. Men nu är det väl möjligt att bara följa med och på så sätt försvinna *i mängden*. Luktar inte hela ön av surströmming? Det är nytt för i år att det är så stort och att så många ville komma - Dagnys bror och svägerska som visst är med och organiserar festen har talat om att de även ska ha fina lotterivinster och försäljning. Ja, är det inte nästan trångt av folk på den smala grusvägen mellan hotellet i ena änden och pensionatet i den andra. Båthusen, fiskarhemmanen. En och annan grosshandlarvilla i backen? Tomas har skyndat ikapp henne, vill visa vilket hus Lubbe Nordström har hyrt förr om åren här ute, tänk om han dyker upp från en brygga, och Maj bryter av att hon blev guidad första gången hon var här. Då du roade dig med en mörk skönhet, lägger hon till och Anita ska plötsligt bli buren. Tomas säger jaså Hjördis Wikman, ja, du var väl på väg till Erik i Östersund? *Så Tomas kommer ihåg hans namn.* Förvånar det henne?

Det blir långbord ute och enkel dukning. Nej, hon tycker inte om att det är ett stort gäng i hennes ålder där. *Ungdomar.* Fräcka, frejdiga, brunbrända och snygga. Några flickor har till och med fånigt blå- och vitrandiga tröjor och snusnäsdukar nonchalant knutna om halsen, vida långbyxor och gymnastikskor - kan knappast komma härifrån ön. Öns flickor är nog snyggt ombytta i klänningar och pumps. Ändå... själva ungdomen är liksom vacker utanpå i jämförelse med det här medelålders sällskapet som hon trots allt tillhör. Olof. Honom går det inte att missa. Med håret bakåtslickat nu, *har du använt en hel flaska hårolja,* han ser bra ut och vet om det. Vitskjortan mot solbrännan, kavaj. Men var har han Ingrid då?

Han kommer emot dem, hälsar hjärtligt på Tomas, sedan på henne. Maj kan inte avgöra om han raljerar eller är imponerad av Tomas. Hon tänker inte titta på honom. *Varför är inte du ute och gör din plikt,* och var har du Ingrid, frågar hon, lite för vasst. Den som det visste, svarar han, och fortsätter samtalet med Tomas. Maj blir stående tyst intill. Plötsligt saknar hon Anita. Var är hon och Kajsa? Där, högt upp i backen, drar Kajsa den lånade lilla skrindan. Anita sitter på knä, håller sig fast med händerna i skrindans sidor, tittar koncentrerat rakt fram. Nej... hon får inte syn på Maj. Olof... är där en skärva i blicken som säger jaa du lilla gumman – nu är du fast. Det skulle du kanske ha tänkt på lite tidigare. Maj känner av blicken så. Maj känner sina tjugotvå år och vet att hon skulle kunnat... som Ingrid och Olof – inget verkligt allvar, inget förpliktigande... när som helst kunnat lossa banden och gå. Ja, när de fann ut att de inte passade för varandra. Kanske har de bara en fnurra på tråden, för Anna har i alla fall inte talat om att det är slut mellan Ingrid och Olof, hon som borde veta. Hon och Olof är ju kusiner. Anna som faktiskt också är gift och stadgad. Men Anna Sundman är liksom en annan sort. En sådan som blir kär en gång och då är det för livet. Eller? Inte så där fladdrig och orolig som Maj. *Fast jag var också kär. Men jag blev övergiven.*

De har tur med vädret. Mulet, men ännu inget regn. En rödbränd, vissnad midsommarstång – är molnen över hamnen ändå oroande mörka? Vingla på pumps på den här festplatsen är inte så enkelt. Lotterier, försäljning av strömmingsburkar, karameller, stickat, sytt, slöjdat... ja till och med hembakat tunnbröd. Fast de flesta flickorna har klack på sandaletter och skor. Titti lotsar henne runt, handlar både burkar och bröd medan Maj står bredvid och ser på. Ja, hon har knappt märkt att Tomas och Olof gått en sväng och nu kommer tillbaka efter att Olof verkar ha fått i sig förfriskningar. Nog vet han om att Tomas har slutat... Titti vill till och med att de ska gå arm i arm. *Tror de andra att Titti är min mamma?* Nej, nu kan de väl äta så att de får det hela överstökat. Är det bordsplacering? Maj hamnar långt från både Titti och Tomas. Fest som kan vara så roligt. Fast också motsatsen. Om inte tråkigt så... *skrämmande*? Här är det osäker mark igen. Men nu ska man börja äta. Det rensas och pillas och plockas i lukten som förstås inte är något vidare. Tunnbröd, lök och mandelpärer. Men Maj tycker om det. Det gör hon. Och hon måste ge Dagny rätt i att hon skulle behövt varmare kläder, hon fryser lite nu när daggen faller. Plötsligt känns det outhärdligt att Tomas varit här genom åren med *mörka skönheter* och annat. *Hjördis Wikman*. Är hon på festen nu ikväll? Maj vet ju inte hur hon ser ut. Är Maj en mörk skönhet? Med sin cendréfärgade permanent som korvats ihop i en tunn valk. Så slipper hon ändå tankarna, för det visar sig att hon sitter bredvid en kille i hennes ålder. Inte särskilt snygg. Lite breda, stora tänder och en lustig form på näsan. Men trevlig. Ja, han presenterar sig med ett fast handslag. Verkar enkel, *okomplicerad*. Så som andra förmodligen uppfattar Tomas där han sitter och skrattar och pratar och tar ansvar för att bordssällskapet ska ha det hyggligt. Man är ju tacksam när de pratar. Ja, intresserat och inte så där självupptaget som det också kan vara. För det är klart att män kan prata, men när det bara är om deras blir det lite tjatigt. När de inte ens kommer på tanken att ställa en intresserad motfråga. Den här killen är inte så. Han har jobbat sommaren hos Sundmans, så de diskuterar bakning. Jo – han fick vara med sin farmor och baka smörkringlor och pepparkakor och allt möjligt när han var barn och det var det roligaste han visste. Och fast Maj inte är expert så vänder han sig till henne och undrar hur hon ser på det här med margarin eller smör. Avslöjar att de nu får prover från den kemiska livsmedelsindustrin för att vara beredda på att ersätta eller dryga ut äkta socker, smör, ägg och vetemjöl. Ja sedan vindlar samtalet vidare, han är kanske inte bildskön men kvick, drastisk – vad hon har roligt.

Du får se opp då så att du inte blir tjock och fet, skojar Maj när han har talat om hur mycket smör som ska kavlas in i wienerbrödsdegen och han skrattar med sina tänder och klappar sig mot magen. Konditorshustru – skulle hon inte ha passat som det? *Men låt bli. Låt bli de där eländiga tankarna som inte tjänar något till. En trevlig kille och du tror... ja men Hjördis Wikman då?* Med ens kan hon inte finna någon anledning att vara stram mot den här Frans. De skrattar när de skålar i snaps. Ja flera av herrarna vid bordet har eget med, de bjuder *under bordet av det estniska brännvinet* och med sånger till blir det snart uppsluppet glatt. Så hon blir liksom kvar intill honom i pausen innan kaffet. Det är också ett sätt att slippa se efter och bry sig om hur Tomas sköter sig. Försäkra sig att han låter bli nubben. Frans bjuder på en cigarrett fast man skulle tro att han var en sådan som sa nej till tobak och annat. Stryker eld, råkar hastigt röra hennes hand. Och när de sitter tysta... tittar han plötsligt allvarligt mot henne. Inget avväpnande leende. Bara cigarretten mellan tummen och pekfingret. Jo, han röker snyggt. I tystnaden... Hon silar sakta ut rök, *om hans blick följer min mun.* Hon blundar. *Han kommer att kyssa mig.* Hon tittar igen – hans ögon är fortfarande allvarliga. Nu trycker han fimpen mot askfatet. De måste säga något till varandra. Ännu har Maj några bloss kvar. Hur lätt vore det inte att råka nudda hans fot, knä under bordet, ja hon måste spänna musklerna så att det inte bara sker när de sitter så hopklämda på långbänken. Att luta sin överarm... Frans rör sig inte heller. Så plötsligt känner hon två hårda händer på sina axlar. Nej, inget våldsamt, inget slag, men liksom... ja händer som talar om var hon hör hemma. *Är det så konstigt att Tomas blir svartsjuk?* Maj vet om att hon inte har tittat åt honom sedan samtalet med Frans tog fart. Så nu säger hon här är Tomas, Frans... Frans bakar hos Bertil och Anna, jo jag vet svarar Tomas. Jag tänkte att du skulle ha något att ge till insamlingen, du har väl inte med dig kontanter, lägger Tomas till och ger henne en sedel. Skulle hon tagit med av hushållspengarna? Maj fimpar cigarretten, men det blir inte tyst för Frans bara lägger om kurs och är reko och redig med Tomas nu. Får det att låta som om de ägnat kvällen åt att prata om hur *förträfflig* Tomas är. Har Maj ens nämnt att hon är gift? Att hennes man är hemma på permission? Men är där inte något oresonligt över Tomas som inte brukar vara där när han är nykter. *Något brutalt?* En sviken ryggtavla som går sin väg efter pausen då föreningarnas representanter samlat in summor för finnarnas svåra situation och vid kaffet är den trevliga förtroligheten mellan Maj och Frans som borta. Ja, Frans vänder sig faktiskt åt ett annat håll. Men han tackar för trevligt sällskap när de bryter upp efter middagen. *Hade du väntat dig att han skulle be dig komma till konditoriet? Få mjöliga fingeravtryck på klänning och kappa?* Nej, men hon känner sig så ledsen. Svägerskorna och svågrarna hämtar in henne, fast hon orkar inte skratta och vara glad. Inte inuti. Får Kajsa verkligen Anita att somna utan problem? Ja, det tycks så. De ska fortsätta festen hos Dagnys bror.

Tomas är *ond* på henne. Ja, hon märker det om inte annat när han försöker få henne att avstå från nubben till vickningen. Själv tar han ju ingen. Ja, du ska ju klara av att ta dig nerför backarna till hamnen och hitta rätt på rummet, säger Tomas kort. Jag gör väl som jag vill, fräser hon på ett sätt som hon inte brukar våga i nyktert tillstånd. Ja, för all del. Frans gick med Bertil och Anna till deras lilla stuga. Titti frågar Maj hur det är med henne, du ser så dämpad ut och Tomas går det inte att få ett ord ur... *Jag satt bara och pratade med den här killen. Var det så farligt?* Du måste smaka omeletten Maj, Dagnys svägerska gör den så makalöst god. Maj vill inte ha omelett. Hon tar emot assietten, äter tre, fyra köttbullar också. Inte talar hon väl om för Titti att han var trevlig, den här konditorn Frans? Hon förstår ju på ett vis om Tomas är svartsjuk. Hon kan bortförklara det på tusen sätt och säga att de ju bara förde en vanlig, anständig middagskonversation. Och Tomas kommer inte att tro henne. För Tomas är känslig som hon. Ser nyanserna som inte går att dölja.

Det blir tystnad längs bygatans knastrande grus. Ingen blek mångata över havet. Bara ett glapp och ett mellanrum. Maj med blicken vänd bort, in i fiskartorpens prydliga kök. Eller möts hon bara av den svarta mörkläggningsmasoniten. Han är ju redan arg. Vad ska hon ta upp till sitt försvar? Att hösten utan tvivel är här? *Säg något, Tomas.* Märker hon att han i nykterheten tycks mer ledsen, förödmjukad, sårad? Spriten tar fram ilskan, och det är hon som går och retar upp sig på att han inte lät henne ha en trevlig kväll med Frans. *Som om inte Tomas vid tillfällen träffar damer.* Ja, det säger hon plötsligt, du flinar ju upp dig så fort du ser någon i högklackat. Lägg av, svarar han. Begriper du inte att det är jädrigt svårt såna här gånger. Folk blir förbannat korkade när dom super i alla fall, det ska du ha klart för dig. Maj tystnar. Tomas stannar åtminstone när hon griper tag i honom för att haka av skon och skaka ut en sten. Har det slagit dig att jag är hälften så gammal som dina systrar, frågar hon trotsigt och Tomas tittar på henne. Ja, Maj, tänk för att det har det.

ÄR DET NU du ska få rösta för första gången, Maj? Den här söndagen i september. Ja folkpartiet, högern – vi röstar borgerligt, men det har du väl förstått. Säger Tomas så? Röstar Tomas för ett starkt försvar och än större flathet mot de hotfulla kraven från Hitler? Man tänker *liberal*... men kanske är han högerpartist. Knappast bondeförbundare. Men Maj? Åt vilket håll går dina tankar om det önskvärda samhället för dig och ditt barn? Eller tänker du på det bästa för alla?

Hon har sett landsfadern på affischerna, vet att kommunisterna bör skämmas för sitt ställningstagande för Sovjet. Men ändå? Viskar inte en röst: inte *vi* Tomas, *jag*. Jag ska få rösta för första gången. Bondeförbundet, folkpartiet, socialdemokratin. Kan knappa femtiofyra procent vara helt förda bakom ljuset? Muttrar Tomas om Wigforss vid frukostbordet, om smygsocialism, propaganda, vårdslösa finanser och ett skattetryck som får hela Sveriges näringsliv att ryta stopp, eller vänder han sig ivrigt mot henne, säger att syskonen håller på högern, men vi mer frisinnade har Bertil Ohlin som vårt hopp. Ja, lite rim och ramsor, retorik. Är inte detta något om vilket Maj *tiger*. På vem hon lägger sin röst. Ja, så är hon rädd. Första gången. Kan man gå helt fel? Röstkort, valsedlar, vallokaler... hur ska man egentligen bära sig åt? Tomas tycker att de ska klä sig söndagsfina, Anita också. Ta nya sittvagnen och passa på att få en lång och skön promenad. *Men Tomas, jag har ju inte hunnit göra mitt val.* Och det är stor uppslutning. Tomas som känner så många i stan. Nickar, hälsar, växlar några ord. Ragnar och Nina – men Majs hjärta pickar liksom trotsigt... skrämt... när de är korta mot socialdemokratiska partifunktionärer, nästan spydiga mot kommunisterna. *Är hon verkligen högerpartist i hjärtat?* Mamma, pappa. Nog vill de att hon lägger sin röst på socialdemokratin? Valsedlar, kuvert... tänker Tomas ta folkpartiets även åt henne? De här tar vi Maj. *Men friheten Tomas, friheten?* Det är dessutom utan tvivel valfusk.

Även Anita fuskar. När hon ska poströsta åt Maj – är det nittiotal eller nytt millennium? Anita väljer mellan vänsterns och socialdemokraternas valsedlar, *fast Maj alltid röstat som sin man.* Men då hon inte orkar följa med i tidningar och teve och tänker rösta bort ett system som trots allt föder henne, Anita har hennes legitimation, röstkort och underskrift i väskan, ja en handlingslista med. Barnbarnen vill också diskutera politik. Bostadsbidrag, allmän sjukförsäkring, pension... tänk efter, Maj! Men om det är frågor kring vilka Maj för alltid tänker vara tyst? Kanhända gör hon val som ingen av oss har med att göra.

Socialdemokraterna blir kanske aldrig större än så. Med eller utan Majs bistånd. Jaha, säger Tomas nästa morgon, ja en samlingsregering blir det ju likafullt. Men kommunisterna, de fick vad de förtjänade. Maj undrar om Tomas tycker att hon ska köpa en låda lingon på torget idag, det är dags att koka årets sylt. Jag skulle ju ha hunnit ut och plocka, men... säger hon dröjande. Tomas tittar upp, det är klart att vi måste ha sylt. Lingon går ju att koka mindre söta dessutom, tillägger hon ivrigare. Hon tar hans kopp, Anitas tallrik, *är du lite, lite lättad? Var din röst ändå bara en droppe i havet?*

MEN VAD SNYGG du är i håret! Maj är alldeles uppriktig och Vera skiner upp. Tycker du det, säger hon, ja jag tycker att frissan fick till det den här gången. De silar rök genom rödmålade läppar, läppjar kaffe och äter äppelfrestelser med vaniljsås på Sundmans, sent om hösten 1940. Barnen tar Veras barnvakt hand om, de har det visst inte så gott ställt att de har barnflicka, Martin och Vera Rapp, Tomas tror inte att tidningen är alltför frikostig i lönekuvertet, men nu sitter Vera och Maj och har det trivsamt en timme, bland andra damer här i stan. Ja här i stan. Det är bland annat det som gör umgänget med Vera så lättsamt, att hon heller inte är härifrån stan. I smyg kan de skoja om Örnsköldsviksborna – inte för att Örnsköldsviksborna är annorlunda än annorstädes, men riktigt accepterad... är det inte så de känner, Vera och hon, att hur ingift man än är så kommer man ändå alltid *utifrån.* För Vera är det om möjligt ännu tydligare eftersom Martin inte heller är ifrån stan. Men Vera låter kärleksfull när hon berättar om hur Martin och hon träffades när han låg i Uppsala, hon hade flyttat dit från Arboga för att ta plats i en adjunktsfamilj och där hade Martin hyrt ett rum så... Man kan inte se på Vera att hon... för hon är verkligt flott.

Hur har makarna det vid fronten tro? Till och med om så allvarliga saker kan de skoja. Men det är bara för att varken Tomas eller Martin verkar lida alltför mycket vid flygflottiljen, de har båda marktjänst och det var så de blev bekanta. Och om Vera skämtar och är gladlynt och lite frispråkig – då kan det väl inte vara någon verklig fara med pojkarna? Så tänker Maj. Vera med sitt nylagda, blonda hår i filmstjärnestil och kappa med axelbredd och det går inte att sätta fingret på vad det är som gör umgänget med Vera annorlunda... fast det är ju åldern. Att Vera bara är ett år äldre. Ja det är liksom så roligt att vara tillsammans med henne, de väcker faktiskt uppmärksamhet på stan, de få män som är kvar ler *chevalereskt* eller hur man nu ska säga, *och vad vet Vera om kriget som inte du,* men kan det inte vara Maj väl unt att sitta och ha det trevligt en stund med en jämnårig väninna. På sikt hoppas de att flickorna ska kunna ha glädje av varandra. Maj har noterat att Anita är mindre rättfram och kavat än Veras Gunnel. Försiktig och rätt så blyg, som om det frimodiga från sommaren sakta runnit ur Anita. Delar inte med sig av dockor och nallar, det blir Majs sak att se till att också Gunnel har något att leka med när de kommer på besök. Det är förresten Majs tur att bjuda hem Vera, så utan att tänka efter säger hon hörru du, kan du inte komma över en kväll så får jag bjuda på ett glas och något gott. Vilken bra idé, svarar Vera glatt, så klär vi oss lite snyggt och festar fast makarna är borta.

Vera behöver mig också. Ja, det är det där sökandet. Att inte bli slängd som skal i slasken. Att vara behövd.

Hon måste väl inte förklara för Tomas varför det är taget ur bjudflaskorna? En middagsbjudning som glimrande föreställning... Soppa på kantareller smaksatt med sherry – ja receptet Titti senast bjöd på – och så fläskkotletter med ärter, sky och potatis – toscapäron efteråt! Dem har Vera aldrig smakat. Jo, men det mesta är förberett, dukningen också, och nu ska hon klä om, lägga makeup. Vera är inte rädd för makeup. Åh så skönt att slippa känna sig för mycket, för vågad, vulgär. Liksom leka? Trä på silkesstrumpor och ta boleron över den röda. Det är tunt i garderoben. Brudklänningen – borde hon ge bort den? Så snyggt gjord. Men nu skulle den hänga helt oformlig på henne. *Om det blir fler barn?* Inte redan... Anita måste bli större. *Vore det inte skönt att ha det bortgjort. Du har ju ingen son än.* Det står ett glas vermouth på byrån vid pigspegeln, hon smuttar, grimaserar när hon målar dit sitt mörka läppstift.

Så här gott har jag inte ätit sedan... jag vet inte när, säger Vera och tänder en cigarrett. Hur ska du klara det resten av månaden? Ja, men utan en karl i hushållet går det ju alltid ändå, säger Maj. De har nattat flickorna tillsammans, Vera har sjungit vaggvisor och Anita snodde och for men somnade ganska snabbt där emellan dem. Maj har dukat på soffbordet med Tomas små mockakoppar och bjudit cognac och punsch till.

Du ska ha håret så där, ja en hög valk, det är urtjusigt, säger Vera och granskar henne. Tycker du det? Men nu suckar Vera att hon längtar sig galen efter Martin, finns det något värre än att sova ensam i en stor säng? Det pirrar så när vi ses... Vera blundar teatraliskt, ställer sedan tillbaka sitt glas på bordet. Maj, är det riktigt klokt att fortfarande vara så vansinnigt förälskad i sin egen man?

Pirrar det för Maj? *Frans hand när han tände hennes cigarrett.* Det gick över. En stöt... sedan borta. *Hjälp mig, Vera. Berätta hur det ska vara.* Inte säger hon det rätt ut? Kanske ska hon låta cognacen vara. Klarna av kaffet istället. Maj sträcker ut sina ben, han är ju så kär i dig säger hon, det vill väl Vera höra, och Maj är säker på det, att Martin verkligen älskar henne.

Tomas tål inte sprit va? Maj rycker till, kanske enbart inombords – har Martin sagt något? Så tar hon ändå en klunk ur cognacskupan, att Vera föredrar punsch, *vad spelar det för roll?* Han har fått behandling, säger hon. Hos en hypnosläkare i Stockholm. Tystnad. Så plötsligt börjar de skratta. Åt vad? Maj vet inte. Hon vet bara att skrattet böljar från magen, vrängande kraftfullt, hur Maj gör rullande rörelser med huvudet och blundar för att föreställa hypnotiserad och när hon tittar igen ser hon Vera torka tårar med ryggsidan av handen, skål säger hon och Vera tjuter att hon måste sluta, annars kissar hon på sig.

DUNS – ANITA, skynda dig, det kommer något med förmiddagsutdelningen. Anita stultar iväg ut i tamburen, och Maj jäktar på sig själv för att stöka undan efter frukosten. Vart har förmiddagen tagit vägen? Trögt, långsamt... och Tomas fick sista skivorna av limpan till morgonkaffet. Att havregrynsgröten inte mättade bättre. Borde hon steka sig ett ägg? *Slösa så.* Kanske är det tuggummit hon blir illamående av. Vera tycker det är så bra att tugga mot muntorrhet, och så har man ju alltid säker andedräkt. Nu kommer Anita stolt in till Maj i köket med posten i en tygkasse. Tack så mycket säger Maj, och Anita ler och försvinner iväg med den tömda kassen. Inget särskilt. Bara en broschyr om konservering i kristider, jo men den kan hon titta i om en stund. Ett par kuvert till Tomas. Den nerkissade småtvätten i spannen, och hennes och Tomas strumpor som ska sköljas upp. Långkalsonger som borde lagas... hon har låtit en hel hög med trasigt bli liggande i korgen. Grötkastrullen, se efter vad som saknas hemma. Smör, limpa, makaroner, lök. Sedan julförberedelser... Mamma mela! Tack, säger Maj, och lägger kassen på pallen. Mamma ossä. Ja, hon torkar händer på förklädet, tar upp tidningarna som Anita knölat ner, tack tack. Så far Anita iväg med tygpåsen igen.

Räknar Maj till sjätte, sjunde, åttonde gången Anita kommer med kassen innan hon säger ifrån, ganska skarpt, att nu måste mamma stöka bort. Då skyndar Anita undan, bär med sig böcker från bokhyllan – inte mera saker, Anita! Så släpper hon skinnbanden rätt ner i golvet, Nita diska, tätta – nej Anita, inte idag. Mamma måste få rena strumpor... Jo! Nita kan. Nej. Jo! Maj böjer sig ner, tar böckerna från köksgolvet och går ut till finrummet. Så ställer hon – utan att våga se efter om de blivit fula – tillbaka dem i Tomas hylla. Anita kommer efter och drar ut dem igen. Det där låter du bli! Mamma ful! Mamma dum!

Herregud. Knuffade hon verkligen undan henne så att hon ramlade omkull? For handen ut så där... hårt? Anita ligger på mattan, på rygg, bland utrivna böcker. Och nu gråter hon utan att få luft, Maj står på knä, drar henne upp i sin famn. Reser sig, Anita bara fortsätter hicka fram att hon ska diska. Men Maj går in till sängkammaren, sjunker ner på sin säng. Hur ska hon förklara? Känslan när orden inte hjälper, inte spelar roll? Är Maj fortfarande upprörd – *kränkt* – över att hon knappt kom iväg på Sylvias första adventskaffe för att Anita var så omöjlig... Är det så Maj känner sig när Anita vägrar släppa taget om henne, vägrar ge med sig? *Mamma, mamma!* Hon har så många riktiga ord redan. Svägerskorna noterar och kommenterar. Vad hon pratar! Ja, är det då så konstigt att man i stunden glömmer att man har med en liten, liten person att göra, utan överblick, baktanke... bara detta uppfordrande, vrålande *mamma*. Men hon bits också... Om Anita ändå kunde begripa att allt hörs. Vartenda högljutt ord i lägenheten går rätt ner till tant och Eivor. Vad ska Maj göra då?

Så nu sitter hon här igen, svettig och med uppknäppt blus fast hon tänkt göra annorlunda. Hon får ju inte ge efter, egentligen. Anita tittar inte på henne men sluter snart ögonen. Då sover hon när som helst. Är andra mödrar lika... *Och nu har du en till där inuti. Det vet jag väl.* För det vet hon ju. Den här gången är det ingen tvekan inombords. Visserligen skulle hon fortfarande kunna ha sina dagar utan att det vore anmärkningsvärt underligt. Men hon känner det, tröttheten, hungern, och brösten... Ja, mest att hon inte längre står ut när Anita tar tag, inte för att det värker men *obehaget* när mjölken rinner till, det som kunnat vara en lättnad, hur de knöliga, hårda brösten blir som vanligt efter att hon har låtit henne amma på kvällen, ja som om en dags samlad mjölkproduktion äntligen släpps ut, och nu detta *djuriska* igen. Hur hon blir en behållare för något som vill växa, sluka näring, ta plats. Då kan ju inte Anita också... *suga ut henne.* Fast hur ska Anita kunna förstå det? Hon borde kontakta en barnläkare. Om det är normalt eller skadligt att hålla på så här, *när man är på det viset.* Ja, redan imorgon ska hon ringa och fråga.

Tomas ser sliten ut när han kommer från kontoret. Ögnar igenom posten i tamburens skumljus. Anita har somnat, fast klockan bara är sju. Var hon kanske lite het om pannan?

Måste du fara, säger Maj. Har du inte giltiga skäl... hon avbryter sig. Det är något i ansiktet som hejdar henne från att fullfölja meningen.

Vad för skäl, säger han, ganska hårt. Maj svarar inte. Det är kanske inte så ovanligt med spritande män i det militära. Så att de kostar på Tomas något slags militärutbildning i Stockholm betyder väl att han anses värdefull och bra. Fast att han ska iväg igen när han just *muckade* från beredskapen. Nu gäller det ju rikets säkerhet. Att stå upp som enad front.

Jag är med barn, viskar hon istället.

Men Maj. Han drar henne intill sig. Är det sant?

Jag har alla tecken, men riktigt säker... måtte kriget ta slut snart, säger hon. Men det är väl ändå hennes ansvar, med barnen?

Om man bara inte var så trött första tiden. Anita... försöker Maj, men tystnar. Tomas kan ju inte begripa hur svårt det blir med Anita ibland när man är slut.

Vi sätter oss en stund.

Ja, Maj slår sig ner utan att höra efter om Tomas vill ha mat. Han borde visst ha stannat ännu en stund på firman för att få undan inför resan. Nu makar han sig intill henne, lägger armen runt omkring.

Och snart kommer julen, säger hon. Kan vi inte fira i Östersund i år?

Det låter som en bra idé, svarar Tomas. Lite lugnt och stillsamt.

Nog vet hon att de kommer att bli här. Inte vill mamma ha något ståhej och fabrikörer på julbesök. Inte för att mamma inte skulle kunna ordna fram fin julmat. Om hon var piggare.

Men hur mår du, hur känner du dig?

Man blir hemskt trött, svarar hon. Fast man får väl låta bli att känna efter…

Tur att Anita inte är så livlig, bryter Tomas leende av.

Hon är envis, måste ändå Maj lägga till och då säger Tomas att det nog är åldern. Var inte Henrik hemskt tjurig när han var som Anita? Och Gunnar! Gunnar var väl mycket jobbigare?

Säkert, svarar Maj, säger sedan att hon borde gå och sova. Första tiden blir man hemskt sömnig. Ja förra gången… hon skrattar till.

Lägg dig du, säger Tomas. Jag arbetar nog en stund till.

ANITA TÄNKER INTE stanna hos sjukbiträdet i väntrummet. Det är så där med främlingar, säger Maj, annars är hon så nöjd, och Maj kan inte hejda det nervösa skrattet på det. Anita klamrar sig fast. Biträdet håller en ljus lite snorig flicka i handen. Vi får väl höra med doktorn och hans sjuksköterska om de accepterar att flickan är med då, säger hon stött. *Du borde väl få henne att komma till dig. Du som har det som arbete.* Men syster är snäll. Hälsar på Anitas nalle när de stiger in till doktorn och då skiner Anita nästan genast upp.

Undersökningsrummet, syster visar att hon ska klä av sig och krångla sig upp i en sådan där obehaglig, *fasansfull,* stol med benstöd. Kom ihåg att slappna av, så är det över på ett kick. Och när hon ligger där – tänk att Anita går med på att sitta och plocka med de där grejerna som syster ställt fram – tar syster lätt i hennes överarm. Frun kan spotta här, ja tuggummit... doktorn tycker inte om att man tuggar. *Har hon tuggat?* Maj har inte ens märkt... åh.

Bakåtlutad, med särade ben. Doktorn tar i hand, om man fick hälsa i upprätt ställning i alla fall. Hon blundar, *han gör det här varje dag.* Det gör ont. Den häftiga impulsen att pressa samman låren. Sedan nickar han, syster säger att hon kan resa sig, att åtminstone få vara klädd. Då kommer Anita till henne, vill upp i famnen. Doktorn konstaterar att hon är i grossess. Mycket tidigt. Spontana utdrivningar kan förekomma, säger han, så den allra första tiden gör man klokast i att inte räkna med att havandeskapet fullföljs. Det stannade sist, säger Maj, *fast det var så underliga omständigheter.* Varje grossess lyder under sina egna lagar, svarar doktorn då och Maj vet att hon måste fråga det här om amningen nu, meddetsamma. Min dotter... ibland får hon... Vad det tar emot att säga det, hon måste ta sats... Hon får bröstet, fast hon borde väl sluta? Genast, svarar han. Annars blir flickan alldeles för modersbunden och det blir svårt för frun med det nya barnet. Ja men är det inte så Maj känner också. När hon är *stark.* Man måste kapa och bli självständig. Hur Anita försöker gripa tag för att *aldrig släppa henne fri.* Frun måste ta beslutet och stå fast vid det. Så reser han sig, orkar väl inte höra mer om de *komplikationer* som uppstått då Maj försökt säga nej. Klart att doktorn knappast stått inför ett förtvivlat litet barn, *och vara den med makten att lugna.* Ett upprört, ledset, ilsket, skrämt, utmattat barn som vet att bara jag får amma blir världen hel igen. Anitas värld är väl inte trasig? *Ett barn måste också lära sig tampas med motgångar.* Tåla frustrationer, vänta på behovstillfredsställelse. Hur vore världen om alla skulle kräva sitt meddetsamma? Är det redan ikväll den stora prövningen måste komma? Tomas är ju bortrest. *Tant.* Tant kommer att höra Anita. Om hon ändå åt bättre av vällingen. Då skulle hon väl somna av ren mättnad.

Fast hon var snäll inne hos doktorn. Satt och plockade med det syster tagit fram åt henne. Maj såg inte vad det var. Och nu kostar Maj på dem var sin sockerkringla från hembageriet som ligger längs vägen från lasarettet. Det liksom svartnade genast när de kom ut i kylan och skymningsljuset. Anita nerbäddad i sparklådan – tack och lov för sparklådan i målad masonit som de fått ärva av Henrik så man slipper trilskas med vagnen i det här föret. Maj måste faktiskt bromsa i utförsbackarna, det går undan när hon låter fötterna vila på medarna. Anita tycker om att ligga i lådan. I sin pälsmössa och kappa och ben och fötter tryggt nerbäddade i åkpåsen av fårskinn. Den är annars otäck, kylan. Maj är själv rädd för förfrysningsskador, och så klär hon ju inte alls i mössa eller hatt. Och sjal virad om huvudet... nej men det ser för gammaldags ut. Inte ens mamma hade väl så om vintrarna. Tomas har lovat att han kommer vara hemma till jul, om inget oväntat inträffar. Förra julen – då var Tomas så... ur balans. Väntade på svar från doktor Bjerre. Anita satt på golvet och prasslade med omslagspapper och vackra band. Förstod knappast att sakerna i paketen var till henne. Jo, men de satt ju för sig själva på julaftonskväll. Inte kan hon sitta ensam med Anita i lägenheten på julafton i år? Hon har advent där hemma redan, men det är ingen riktig stämning när mörkläggningen ska dit så tidigt om eftermiddagarna. Annars brukar hon glädjas över fönstren, både de egna och andras, pyntet och pappersstjärnorna. Ibland en elektrisk ljusstake, då vet man att de har det gott ställt. Ja, hon brukar titta på andras fönster och tänka att där inne, i alla dessa hem, råder frid och värme, ordning och lugn. Nej, men så naiv är hon inte. Hon undviker Kjellins konditori, trots att de säkert har fin julskyltning. Det är dumt av henne, för fru Kjellin vill att hon ska titta förbi, gärna med Anita. Men nu vill man bara hem. I bästa fall vaknar inte Anita när hon lyfter upp henne, med åkpåse och allt. Så kallt ansiktet är. Har hon svimmat av kölden? Om hon får pannkakor till middag. Så hon är mätt och glad och nöjd till kvällen. Hon kan inte truga med fisk idag igen, fast Maj mår gott av den. Överallt kan man ju läsa om hur hälsosamt det är med fisk och rotfrukter. Bara hon lossar bandet under hakan, mössan kan vara på. De har det inte särskilt varmt inne heller. Tant vill inte slösa på det centrala. Kan väl inte. Men om Maj drar filten över sig själv. *Man behöver inte tala om för någon att man sover på dagen. Du la Anita och slumrade till. Så ljuvligt att slumra till.* Tomas som trängs bland mannarna på mässen. Eller festar han flott på en Stockholmskrog?

PAPPA BORTA, SÄGER Anita och ser så där ifrågasättande på henne. Ja, men mamma är ju här, svarar hon och ställer grötpannan på bordet, mjölkkannan. Pappa är i kriget, förstår du. Om soldaterna kommer, med flygplan och pangar, då ser pappa till... Tänk om det var Erik som dog där uppe i Norrbotten. Så många döda... inte ens i strid. Hon slevar mekaniskt upp havregrynsgröt i tallrikarna, hindrar Anita från att ta sylt själv. *Du önskar väl inte livet ur Erik?* Nej, inte så. Inte vill hon att han ska vara död. Men inte heller levande. Pappa vala häl, säger Anita och lyckas få en del av gröten till munnen. Tomas har sagt att hon måste få försöka själv för annars lär hon sig inte. Om han bara visste hur havregrynsgröt blir som klister på haklappar och plagg. Det rår vi inte över, svarar Maj. Men pappa vill att du ska vara en duktig flicka när han är borta. Vi ska ju göra julfint här hemma. Anita skakar på huvudet åt smörgåsen. Då tar jag den då, säger Maj som är hungrig förstås, återigen denna våldsamma hunger, *är det inte nästan lustfyllt, det häftiga begäret efter mat*, nej inte när hon inte kan stilla det, fylla sig, och när Maj ska ta en tugga av brödet vill Anita ändå ha sin smörgås. Men som hon slingrar sig när Maj ska tvätta av hennes mun och kladdiga syltfingrar. Pappa tycker inte om dyngiga flickor, säger hon argare än det egentligen var tänkt. Pappa borta, skriker Anita då och springer iväg. Då får du vara en lortgris, ropar Maj efter henne. Det där hårda blanka bultandet drar igång så snabbt. Tomas tycker inte att Anita ska ha smisk. Man måste resonera, säger han. Men var här och resonera då. Maj plockar undan gröttallrikar, glas, assietter. Halva smörgåsen kvar, minst. Snart sovdags. Ja, hon ser fram emot den där lugna stunden då hon får stöka undan utan att bli avbruten. Hon kokar lite vatten, häller i en skvätt mjölk och tar honung i koppen. Det varma lugnar en aning. Vad drar Anita fram nu då? Kom får du kaka Nita, ropar hon. Ja – det går hem. Då kommer hon släntrande med dockan i handen. Om du får kaka måste du låta mamma tvätta dig. Några hastiga blask över ansikte och händer, det får duga. Det går ovanligt snabbt att fästa på henne nattblöjan och ta ett nattlinne. Samma saga igen. Men Tomas ska väl vara nöjd att hon läser för henne i alla fall. Hårborstningen hoppar hon över. Den striden får vänta till imorgon. Får mamma en godnattkram? Ja, Anita omfamnar henne. Nej, nu klamrar hon sig fast, vill inte att Maj ska gå ut ur rummet. Men mamma måste diska, säger hon. Sopa golvet och göra snyggt. Ändå blir hon sittande kvar. Den där handen som griper så hårt i blusärmen. Vyssan lull, försöker hon. Inte vyssa lull, säger Anita, ruski. Är den ruskig, säger Maj. Sockerbagaren. Ja, då sjunger hon En sockerbagare om och om igen. Anitas lätt öppna mun, det lyckliga leendet när Maj sjunger. Och ingen som klagar på rösten.

Att stå och se på henne när hon till slut sover. Maj lägger täcket över axeln, där halsen är bar.

Är det meningen att det ska vara hårt? Kan man skriva fram en annan mamma? Som ligger kvar, som sjunger, som tänker att det mesta ordnar sig om det får ta den tid det kräver. Med avvänjning och nattrutiner. Med bråkigt trots och stark vilja. Med blyghet och känslor som bubblar upp och är svåra att bära. Vill inte Maj Anita det bästa i världen? Vet hon? Är tanken ens hennes egen? Det måste gå rätt till. Och ta sig bra ut. Ja, *se snyggt ut.*

Hur ska Maj annars kunna ge samhället de barn som efterfrågas? Det nya samhällets barn. Folkhemmets barn. Varför vill inte mödrarna självmant föda fler barn? Fyra, allra minst om befolkningsunderlaget ska klara kommande, krävande, utmanande uppgifter. Maj vill inte ha fyra barn. Två, och ha det bortgjort. Skulle Maj – om hon bara fick – lämna sitt barn till barnhagar och för ändamålet lämpligen utbildade kvinnor? Som vet hur man på rätta sättet fostrar för samhällets framgång och nya, sköna tid. Eller vill Maj bara för allt i världen att Anita ska älska henne, *mest på hela jorden?*

Fast Maj har ju bara blivit med barn. Igen. Men det syns inte, det gör det väl inte där Maj sitter vid kaffebordet med saffransbröd och pepparkakor hos tant, och hon har ju inte ens drabbats av häftiga uppkastningar om morgnarna, bara det molande illamåendet som stillas om hon får i sig något salt. Tant ber Maj hjälpa henne med eld till en cigarrett och Maj sätter tändstickan mot plånet, ser friden över Teas ansikte och hur handen skälver en smula. Sedan ler Tea och säger att ibland är en rök precis vad man behöver. Ja, nickar Maj, och trots att det tar emot att röka så här i graviditetens början – för hon blir en aning vimmelkantig – så tar hon en och gör tant sällskap. De röker i tyst samförstånd. Åh – hur Maj måste spara på dessa tillfällen, *som också finns,* av tyst samförstånd med Tea. Om hon förtroligt kunde berätta för tant att den här gången har ju Tomas och hon faktiskt talat om saken. Inte planerat. Inte alls så. Fast strax efter att månadsblödningarna kom tillbaka och Tomas var hemma igen, fast det vill hon väl ändå inte att Tea ska veta – så banalt, *romantiskt* – jo men i mörkret, att känna hans varma, vuxna kropp... det bara blev. I stunden klamrandet, andhämtningen, *viljan att möta honom,* och när han somnat... samma nerbrytande... skam? Och Tomas... jo men tidigare under hösten hade de pratat om det här att Anita inte skulle behöva växa upp som endabarn. De är överens om att endabarn – även om de får ärva allt och har alla möjligheter – ändå tycks bli mer... – ja Tomas kan nog använda ordet *sårbara,* fast

Maj säger hellre *mindre rustade* kanske, för livets påfrestningar. Just så. Om de inte från början har fått lära sig att tampas med ett syskon. Blir de då inte veka, bortklemade, lite *eljest* till och med? Överraskande nog tycks Tomas ändå inte vilja ha en hel drös med barn. Han som har så många syskon. Men en liten grabb och kanske en på sladden sedan. Ja, så har hon alltså gått och blivit gravid mitt under brinnande krig. Så lyckligt lottade som de är ändå. *Hur kunde du missa att du väntade Anita? Tröttheten, den metalliska smaken i munnen, illamåendet och vrålet av hunger i din mage – visste du inte i själva verket vad som skett redan när hans säd rann nerför insidan av dina lår?* Det vill Maj inte tänka på vid tants salongsbord, tant som inte längre släpper ifrån sig elakheter i tid och otid, nej, de delar vetskapen om Tomas brott, inte så att de talar om det, aldrig så, men kanske är tant ändå tacksam över att Maj trots allt blev kvar. Tant har magrat. Det hjälper inte att Eivor gör vad hon kan för att få tant att äta ransonerna av fett och sött och kött – hon blir allt mer lik en fågel. Näsan, de klolika händerna, klänningarna som stora flaxande vingar. Och något luciafirande ordnade tant inte om i år, *pojkarna är ju ändå inte hemmavid.* Fast det är bara Tomas som är borta.

Nu vill tant att Maj ska hämta Eivor, för Eivor hör visst inte trots att tant ropar hallå flera gånger på rad. Eivor står på en stege och torkar taklampan i köket, hon kliver ner men Maj kan inte höra någon suck, nej Eivor följer Maj till salongen.

Det drar så hemskt, säger tant och Eivor hämtar fler sjalar och ser efter om något fönster står på glänt. Hon tar med sig koppar och kakfat ut och Maj säger åt Anita – Anita som suttit med en lång stund och plockat med Teas stuvbitar – att ta farmor i hand – hon gör det faktiskt – så ska de gå upp till sig igen. Men då vill inte Anita gå själv i trappen. Jo. Kommer Maj med mutor? Så skriker Anita till. Vänder och går nerför trappan mot fröken Julin och Nordenmarks. Och Maj som är tillsagd att inte bära tungt springer efter och lyfter bryskt upp henne, skyndar uppför trapporna och släpper sedan ner henne med en duns. *Vem är det som bestämmer här egentligen? En tvååring går väl an, men tänk när hon är tio och du ska släpa...* Ja, kanske låter det så. Grina så där utanför farmors dörr, suckar Maj, förlåt mamma, svarar Anita. Du vet mamma får inte bära, säger hon och försöker låta övertygande. Så torkar hon lite snor som rinner ur Anitas näsa.

Med ett ryck vaknar hon av eftermiddagsutdelningens smäll i brevinkastet. Anita sover, på rygg, med öppen mun. Maj stryker sig över ansiktet, huttrar. Tänder lampetterna i tamburen. Till fru Maj Berglund. Ett brev, till henne? Det är inte så ofta, för hon slarvar med att själv skicka post. *Till min älskade lilla fru på bröllopsdagen! Från din längtande soldat.*

ÄR DET VERKLIGEN Gunnel som bett om att få ha julgransplundring? Anita har inte pratat om det... vet hon ens vad det är? Själv är Maj inte så pigg på att ordna barnkalas så snart efter den hektiska julhelgen. *Det gick väl bra i år?* Jo. Fast Vera vill nog gärna bekanta sig med de andra mammorna på Lasarettsgatan och så bjuder hon dessutom in Anita och Maj. Anita har den skotskrutiga julklappsklänningen, finskor, luggen uppsatt med en likadan rutig rosett. *Som en docka.* Vera som också väntar barn, ändå orkar hon ordna om en eftermiddag fylld av stoj och lekar. Visst är de fina? Anita och Maj. Hur hon bara kunnat gå till fröken Holm med Stilmönster och beställningar och så har hon sytt den här påkostade klänningen åt Anita, blusen till Maj. Att inte behöva förhandla, ta trappstädningen istället, eller fönsterputsningen för att få blusar och kjolar sydda. Ja, Vera frågade ju om de kunde byta, för Vera är fin på att sy. Klart att Maj sa att hon kan hjälpa Vera med fönstren ändå. Fast först måste våren komma, nu är det ju på tok för kallt.

Vilket liv! Hur många barn har Vera plats för? Är det tio... hon tar emot dem i tamburen, rödblommig, kom in, hej Anita, skynda dig så du hinner vara med och leka. Maj hänger av sig pälsen, tar av Anita mössa, vantar, halsduk, yllebyxor, det blir väl roligt att leka? Anita svarar inte. Skakar bara knappt omärkligt på huvudet. Gunnel kommer springande efter en större flicka, Anita backar in mot skohyllan och kapphängaren, blir stående där. Sedan sträcker hon sina armar mot Maj – jo men Maj bär henne in till de andra barnen. Vera har dukat vid både soffan och matsalsbordet, och barnen verkar leka kurragömma för det är bara en pojke som far omkring i finrummet och rycker i dörrar, nej – Anita vägrar att släppas ner. Men det är ju roligt, säger Maj. Som om hon själv skulle vilja dråsa ner mitt bland främmande människor och sätta igång och leka. Fast ett barn... Nog tycker Maj att de ännu är för små. För de där större pojkarna och flickorna passar kanske organiserade lekar på ett kalas... Vera vill ta Anita från Majs famn, dina kamrater är i sängkammaren, säger hon och verkar vilja låta lockande på rösten – blir Vera stött när Anita sparkar allt hon kan för att inte fångas in av hennes armar? Förbannade svett. Ja hur Maj blir alldeles het... Tycker flickan inte om att leka? Frågar en främmande fru förvånat så, utan att de ens har hälsat på varandra? Hon är nog bara lite trött... försöker Maj. Vill inte en del av Maj bara ta Anita därifrån och gå. Gunnel tycks ju inte ens känna igen Anita. Inte törs Anita som inte fyllt två leka med de där stora, bråkiga pojkarna och flickorna... ändå ska mammorna dricka kaffe, barnen få saft vid sitt eget bord, det ska dansas runt granen, tävlas – köas till fiskdammen dessutom. Ja först vid fiskdammen går Anita med på att lämna Majs famn. *Fan ta era självbelåtna leenden, hur ni minsann lär era barn att leka fritt och ohämmat... ja utan att de besvärar er i onödan vid kaffebordet med osjälvständigt gnäll och trams.* Eller blir Maj bultande arg på Anita. Aldrig mer gå bort med mamma om du inte uppför dig som man ska. Då stannar vi hemma. Sitta i knä och sabotera Veras omsorgsfulla schema och program. Nej. Maj är gravid och vill faktiskt skydda Anita från de där flickorna och pojkarna, *som tränger sig före i kön för att få fiska fram en gottpåse eller present.* Inte bara en av dem, tre, fyra... så att Anita hamnar sist tillsammans med en liten ljus pojke som stått längst fram och väntat. En av pojkarna ropar att han är bäst på att meta – måste Maj hejda impulsen att springa fram och rycka honom tillbaka sist i kön? Är det passande att låta stora barn knuffa undan de mindre? Säger Maj så, rätt ut till den där frun som undrade om Anita inte tyckte om att leka. Även i lekar ska man väl följa *vanligt vettigt hyfs.* Nej, det törs hon inte fast hon vill. Men Maj går ändå fram till Anita. Tar hennes hand och den ljusa pojken i den andra handen och viskar att era platser var här framme, Nita. *Nu tar vi gottpåsen och går hem.*

Efteråt, på Stora torget, är yrseln och hjärtklappningen där. Hade hon kunnat smälla till de där barnen på kalaset? *Jag ska aldrig mer tvinga dig ner i lejongropen Anita, aldrig mer mitt lilla lamm.* En kort stund så. En kort stund våldsam, beskyddande vrede. Inte bara Anita som felar och borde förändras. Klart att ett kavat barn vore trevligt. Som visar framåtanda, är morsk, försigkommen. Men att knuffa småbarn ur fiskdammskön? Det kan väl ändå inte vara något att stå efter.

DEN KALLA VINTERNS väg mot vår. Och nu äntligen eldens lågor mot valborgskvällens ännu ljusa himmel. Så många som samlats när elden tänts tidigare än brukligt. Anita går inte för nära i sin nya kappa, stickade basker och skor i skinn. Också hon känner väl hettan slå emot, furiös, snabb. Manskörens sånger, som ska mana till mod, är det inte så, men stämningen är dämpad, liksom högtidlig. Inte heller Henrik springer för nära elden. Han håller i Tittis hand. Titti har redan frågat om de vill komma förbi på lite enkel förtäring efter brasan, *vill du verkligen Titti, vill inte även du stoppa Henrik i säng och själv sjunka ihop i soffan?* Naturligtvis har de tackat ja, det blir trevligt. Tomas har varit orolig i vår, Maj har förstått att Sverige trots allt kan utsättas för stor fara. Tysktågen som passerar Östersund med sitt utsatta läge, Tomas har tvekat inför hennes planer att de ska åka dit igen, *och så är hon med barn,* handen som instinktivt kupas runt magen, han blir så livlig om kvällarna – om något skulle hända när Tomas är inkallad, *då får du luta dig mot din stora släkt,* inte skulle de bara lämna henne vind för våg, *fast jag skulle vilja fara hem till pappa och mamma.* Är det dags, frågar Titti leende, vi ska väl inte bli för sena. Jo men Maj slipper ju ordna om vickning eller fina smörgåsar hastigt och improviserat, sno ihop, plocka fram. Titti orkar. Fast Titti har säkert bett nya hembiträdet om hjälp, kanske är allt redan framdukat. Georg och Tomas pratar lite lågmält en bit bakom dem, *bry dig inte om att försöka höra,* Henrik frågar Titti varför elden är gul och Anita somnar i vagnen på väg till villan. Tack och lov. Om Anita blivit övertrött och uppjagad just som de skulle sätta sig till bords.

Nästan genast när Titti har bjudit dem att sitta ner i soffgruppen i herrummet säger Georg att imorgon ska han gå i tåget för första gången. Sedan skrattar han. Tomas fyller liksom i att det ska han också. Visst tusan måste man ställa upp för freden i det här medborgarmötet. Georg brer smör på en bit knäckebröd, säger att man inte hade väntat sig att arbetarna skulle vika ner sig, så helig som första maj är. *Mamma och pappa som kanske inte går med, men står vid sidan och ser på, vinkar.* Kan Maj säga det, här, jag tycker det är pampigt, med fanorna och sångerna, och som jag skämts över att jag aldrig protesterade, aldrig bråkade i Åre, då skulle någon annan fått jobbet som nissa, den där upprepade ramsan, *passar det inte står tusen på tur,* och där sitter ni, i flott möblemang och med ständigt mätta magar och låter dem inte ens ha tåget, ordnade former en gång per år, fy fan, fy fan för er högfärdighet, att skjuta assietten med omelett och krabbstuvning ifrån sig, fy fan vilken högfärd – klart att hon inte säger det. Hon har inte läst tidningen. Först nu får hon veta att det ska vara ett medborgarmöte för freden i hamnen, självklart ska de vara med på det. En hustru röstar som sin make. *Tomas, Tomas, tror du inte på rättvisa och solidaritet?* Hon är kissnödig, ja Titti lägger handen på hennes mage – du ser trött ut Maj, är dina värden bra? Hon nickar. Han är så livlig, skrattar Maj, jag känner sparkarna hela tiden, så fort jag sätter mig eller ligger ner kommer en armbåge eller häl. Och du förstår, Anita ska bara bäras. Mamma bäla, säger hon, och sträcker upp sina armar, nu är hon inte så lätt precis. Men tänk att de somnade så lägligt, båda två, skrattar Titti, och så bjuder hon på en cigarrett.

Har hon ändå inte nya krafter? Ja, hur hon kan vila i havandeskapet nu, inte den där tvingande tröttheten… Vad vi har det oförskämt bra, säger Titti plötsligt, och även Georg nickar allvarligt, och Maj blickar ut över rummet, elden i den öppna spisen, *hur en bomb skulle kunna rasa rätt ner och utplåna allt,* klart att Maj också är rädd. Tomas ansikte när han lyssnar på nyheterna eller är försjunken i tidningen, och är hon också lite, lite ledsen att han inte delar sin oro med henne? Tror han inte att hon kan förstå? Han har rätt i att långa, snåriga texter gör henne orolig. Obekanta ord. *Fruntimmer ska inte lägga sig i politik.* I så fall bara frågor som rör *det lilla livet.* Tomas låter alltid lite överlägsen när han kommenterar socialdemokraternas planer för befolkningen. Om han börjar argumentera mot henne... Klockan är över tio. Får de snart gå hem? Titti gäspar i alla fall och säger att vårtröttheten visst blir värre med åren, men så har vintern också varit ovanligt kärv.

HON ÄR DÖD nu. Jag var inte hos henne.

Pappas röst som inte går att känna igen.

När?

Imorse. Halv fem. Nu får hon väl äntligen ro, säger han, tvivlande. Den finaste av människor.

Och Stig, säger Maj, hur går det för Stig?

Han är duktig, svarar pappa.

De lägger på. Anita har vaknat i sängkammaren, blöjan är våt, kall. Hon måste ju vara helt pottränad och torr tills babyn kommer. Men när Maj inte har orkat med extra arbete med nerblött sänglinne, lakan. Fast hon har en tvättfru som hjälper henne. Mamma hade väl aldrig hjälp av någon tvättfru. Grannfruarna hjälptes åt. Först sin egen smuts, sedan den andras. Ja, hur de delade bördan, gick från källare till vind. Klappade på bryggorna i vätan från Storsjöns iskalla vatten. *Mamma.* Mamma ska fara på begravning, säger hon när hon lyfter upp Anita. Nu ska du få lite mjölk och bulle. *Mamma är död.* Till mors dag skulle Maj vara hos henne, och nu är hon död. Hur ska pappa klara sig. Hon prövar det alldeles konkreta, hur tuberkulosen till slut tar henne. *Tar henne?* Det var väl inte konkret. Dödsorsak: Kvävning till följd av… Maj vill inte veta. Hon vet bara att hon inte var hos henne. Inte pappa heller. Det kommer inte som en överraskning. Men nu vet hon att benen bär, trots beskedet. Ja, en dröjande overklighetskänsla eftersom det nästan är som vanligt. Nu behöver hon aldrig vänta det här samtalet mer. Det är över. Hon torkar av bordsskivan, låter duken vara eftersom den ändå sölas ner så snabbt när Anita ska äta själv. Men tack och lov att inte Tomas är inkallad eller bortrest. Det känns inte riktigt pålitligt, det här stela lugnet. Hon ska ringa till honom. Det verkar väl underligt om hon dröjer med ett sådant besked till middagen. *Pappa telefonerade till de andra före mig.* Mormor är död, säger hon till Anita. Hon kan ju ändå inte förstå. Barn begriper inte. Att få vara barn och inte begripa!

Hon måste ha ingredienser till mammas kaka. Den på två ägg, två koppar socker, ja om hon så ska ta alla kuponger ska hon baka den kakan. Hon får tvinga sig att sitta ner vid bordet när Anita ostadigt dricker sin mjölk. Ska du bli lika duktig som din mormor? Anita ställer ner glaset med båda händerna, mela mölk, säger hon. En liten skvätt till då. Ljuset som faller in på ett särskilt sätt vid köksbordet. Det är så otäckt, ljuset, så här års. Innan träden har fått sina löv. Allt är grått. Brunt. Visset. Torrt och dammigt utomhus. Och så det där illvilliga solljuset som begär en grundlig städning, allt som vinterns dunkel härbärgerat släpps fram, till allas beskådan. Hon drar för gardinerna. Sorgband, sorgdräkt – hon kan inte gå klädd så här. *Du får inte möta min pojke.* Det är en pojke den här gången. Det är hon säker på.

Tomas blev upprörd. Han lovade komma meddetsamma.

Hur känner du dig?

De sitter intill varandra nu, i soffan. Han har hällt upp en cognac åt henne, själv dricker han sodavatten.

Jag vet inte Tomas, svarar hon, sväljer en klunk som blev större än hon tänkt. Att hon aldrig fick se Anita, säger hon. Om hon gett Anita sin välsignelse. Varifrån får hon det där? Det blir plötsligt så sant. Men Tomas försäkrar henne att inget hade varit värre för din mor än om hon smittat ner Anita. Det är för bedrövligt att våra barn inte får ha sin mormor, jädrigt orättvist, men det är ju ingens fel eller förbannelse.

Förbannelse? Varför säger du så?

Jo, men att min svärmor aldrig fick se Anita hade med hennes sjukdom att göra. Bara det.

Hon stryker med handen över det svarta kjoltyget.

Jag måste ordna med sorgband också. Meddelar du dina syskon?

Naturligtvis.

Anita rör i en kastrull, kommer för att bjuda dem på mat.

Inte nu Anita, säger Maj och reser sig upp.

Fast inte heller liggande på överkastet kommer gråten. Det är så underligt tomt. Hur hon än försöker kan hon inte mana fram mammas ansikte. Hon borde ha ett fotografi. Det där från ateljén, där mamma är så söt. Ser frisk och fin ut. Pappa kan väl inte neka henne ett porträtt att hänga på väggen i hallen. Borde hon ringa Ragna? Kan inte Ragna höra av sig till henne? Men hon har ju sina livliga pojkar. Gunnar och Björn. Om hon bara får ligga raklång en stund ska hon ringa sedan. Nu är Anita vid sängkanten med sin kastrull igen. Mamma lessen? Mamma smaka. God kaka.

Hon vänder sig bort på sidan. Anita går visst ut igen. Mm, hör hon Tomas säga. Utsökt.

Det här är straffet. Att hon inte kan sova. Fåglarna som är som galna där ute i gryningen, men hon måste ha fönstret på glänt annars får hon ingen luft alls. Tomas somnade *som om ingenting hänt.* Det är ju inte hans mamma. Har inte ens träffat henne. Ja. Att mamma skulle säga vad du gör det bra, Maj. Jag ser ju hur ren och snygg du håller både dig själv, ditt hem, din dotter. Det gör mig stolt. Pappa också, fast han har svårt att säga det rätt ut. Du vet vissa har så mycket lättare att kritisera. Så mycket besvärligare med berömmet. Hur kommer det sig egentligen? Att kritiken befriar något, medan berömmet stjäl. Ja, som om kritiken bygger upp, berömmet raserar. *Om jag ger av mitt goda – vad blir då kvar? För när du får av mitt hårda – då är väl det mjuka kvar hos mig?*

Ja, hur kritiken kommer att bli det som även du vilar mot hela livet. Kanske handlar det om rädslan att förlora sitt ansikte inför den andre. På tu man hand. Så bara hemtjänstens flickor får höra hur mycket du uppskattar Anitas besök. Hennes delande av medicin i dosetten, hur hon kliver upp och ner på köksstegen av lättmetall och sorterar de översta hyllorna som det aldrig blir någon vettig ordning på, torkar och gnider fast hon påpekar att det inte är smutsigt. Går med dig på stan fast du blir så yr och måste stanna mest hela tiden. Du kan bara inte låta bli att klaga på din dotter. Men vem ska annars ta emot dina anklagelser?

Maj kommer ihåg hur hon låg sömnlös när hon väntade Anita också. Trycket på kissblåsan, vadkramperna, fast det var väl mer på slutet. Om hon kunnat bära fram sin son till mamma, hade det inte förändrat något?

Ragna gråter i luren. Stammar att hon ångrar att hon inte visade mor hur mycket hon höll av henne när hon var i livet.

Ja nu är det för sent, svarar Maj liksom dröjande. Anita sträcker dockan mot henne, ta av, säger hon och Maj låter luren vila mellan axel och öra, knäpper upp dockans småblommiga klänning. Sedan talar de om var mamma kan tänkas begravas och Ragna är säker på att mamma ville till Sundsvall, men det kommer väl aldrig pappa gå med på. Men nykyrkan… där har ju mamma aldrig varit ens. Så känner Maj hur hon vill lägga på. Anita måste ha hjälp på pottan, säger hon. Ragna snyter sig.

Hon kan ju inte bara gå och lägga sig. Och visst ringer Titti och säger att hon vill komma förbi med lunchmat och så kanske barnen kan leka lite. Hon lovar ta med något svart från garderoben dessutom.

Jag lägger det här uppe, viskar Titti och placerar bromet och veronalen på en av de övre hyllorna i skafferiet. Tack ska du ha, säger Maj. Lilla vän. Titti tar omkring henne och Anita står intill dem och trampar. Hon blir alltid så till sig när Titti kommer. Har tusen saker hon ska visa. Henrik han bockar, stora karln, säger Maj. Fem år. *Då är de förlorade för en.* Nu ska vi ha mat, säger Titti och dukar upp. Köttbullar på fin färs. Ja, inte utblandade så att de mest smakar skorpströ. Och hon har ingredienser till kakan. Socker, ägg, riktigt smör. Åh, vad mamma skulle ha tyckt om att få så här små köttbullar, säger Maj. Har pappa att äta nu då? Jo, men mamma har ju varit borta länge. I perioder. Så han har nog varit tvungen att laga maten själv många gånger. Eller gått på mjölkbarer. Hon vet inte. Hon vet inte hur pappa har klarat sig med maten. Om den där Anny... Anita och Henrik äter också med god aptit. Ja, om de visste hur bra de har det.

Rör inte smeten seg när mjölet blandas i och öppna inte ugnsluckan för tidigt, hon vispar, ja hon som inte brukar ha tålamodet vispar så mycket luft i äggsmeten, hela sockerransonen – nästan i alla fall – och så äkta smör. Hon ska inte släppa smöret med blicken en sekund. Om det skulle brännas. *Sådant slarv skulle du aldrig förlåta.* Men det är för sent för förlåtelse nu.

Nej, den kan inte misslyckas den här gången. Så många kletiga, torra, halvdana sockerkakor. Den här blir perfekt. De äter den ännu varma kakan, som fågelungar i deras kupade händer, ja kanske ser de inte just den bilden, men något ömtåligt, heligt, kan man tänka så om en kaka, de äter under tystnad, andakt. Sedan ber Henrik och Anita att få gå från bordet. Titti och Maj tänder var sin cigarrett. Säg till om du behöver hjälp, säger Titti. Lova det.

ATT TA EN lugnande klunk ur en plunta på tågets toalett. Ser Tomas skammen i ögonen när han möter sin spegelbild? *Men jag har inte gjort det!* Bara tänkt tanken. Tankar är förrädiskt farliga. Bjerre avrådde ju från bromet också. Det har han inte helt låtit bli. Bara vid behov. Vid starkt pressande situationer. Bäst är att undvika uppjagande händelser helt. Inte utsätta sig. Men det här borde väl räknas till det man måste tolerera och stå ut med, trots att det är en nervpärs. Svärmors begravning. Klart att det är värre för Maj. Och han vill verkligen vara ett stöd för henne, men hon ser inte åt honom när han åter slår sig ner på sätet mitt emot henne. Helt kontrollerad. Det förvånar honom, att hon kan vara så behärskad. Eller gör det honom verkligen förvånad? Han förstår visst hur mycket hon försöker kontrollera. Och känslorna för sin mamma... Tomas har inte fått intrycket att de stod varandra nära. Till och med undrat över detta att han aldrig blev presenterad för henne, för i början av hans och Majs bekantskap var hon väl inte så sjuk? Nu tar Titti Anita över natten. Maj tror inte att det kommer gå vägen. Menar att hans frånvaro under våren har oroat Anita. Hur hon upprepat att pappa är borta. Det är väl förståndigt? Att uttrycka sig så redigt just fyllda två. Han erbjöd sig att vara hemma med henne, men då svarade Maj bara att jag kommer inte hem med mage utan äkta man vid min sida.

Jisses vad varmt det är här inne.

Han säger det rätt ut och Maj frågar om han inte har näsduk att torka sig om pannan med. Hon har extra, ifall han behöver.

Den hon räcker honom är helt torr och doftar svagt av hennes eau-de-cologne.

Det är ju ingen värme i luften, lägger han till.

Nej, hon vill verkligen inte prata. Det måste han väl respektera? Men han gruvar sig för det här. Kan inte komma ifrån känslan av skådespel eller teater - han har ju aldrig träffat människan! Klart att Maj har hans fulla förståelse, medlidande, sympati, men det känns så förbannat märkligt att delta i en begravningsakt och vara så *utanför.* Han vill inte verka känslokall inför dem. Det är han ju inte. Tur att de har kupén för sig själva i alla fall. Första klass. Det talar vi inte om för Ragna, sa Maj när de steg på. Är det Ragna och Edvin han känner sig olustig inför? Ja, besöket där slutade väl inte med någon succé. Att han flyttade i förväg, fast det var ju bara för deras skull. Och efter det har de inte ens träffats.

Det gick ju så bra sist. Med svärfar. Bra och bra. De hade inget att prata om. Men det var inte... det var skapligt. Om han bara fick trösta och ta hand om Maj. Då hade han i alla fall en uppgift. Det enda hon har upprepat sedan de reserverade biljetterna är att hon inte kommer hinna städa ut efter mamma. Eftersom de far hem mitt på dagen redan imorgon. Men Maj klär i svart. Att sitta och tänka så när hustrun har sorg. Maj har ju varit sorgklädd sedan beskedet och han har till och med sagt åt henne att hon är snygg i svart. Hon tog inte illa vid sig. Och när hon sitter där och tittar ut genom fönstret med sorgflor och ett helt slutet ansikte kan man fantisera om en personlighet och själslig karaktär... som kanske inte alls finns där. Det är ju tilltalande med ett visst mått av mystik. Så blir man närmare bekanta och kan inte längre blunda för det som *är*. Han måste hejda den där ilskan som vill tränga fram och säga att hon ändå borde kunna bjuda till. Be om stöd! Låta honom lägga armen runt och säga att han aldrig ska svika henne. Kan det inte få vara lite bra med sådant man säger för att slippa tystnaden. Men så pass har han ju lärt känna henne att det är klart att hon är stoisk när det kommer till att visa sorg, eller saknad. Om han tordes fråga henne mer, hur svärmor var, men även där kommer detta enda att hon var duktig. En arbetsmänniska. Och sjuk.

Jag hinner ju inte ta rätt på mammas kläder och skor.

Nu tittar hon på honom, dröjande och liksom uppfordrande.

Vi kan ju försöka boka om biljetterna, svarar han men då avbryter hon honom med att säga att de måste tänka på Titti också.

Men vem vet vad Ragna kommer att göra utav det. Det är väl mest gammalt som borde eldas opp. Inte ska någon annan gå i mammas gamla kläder.

Tomas svarar att han inte vet hur noga man måste vara med smittan. Förr pratade man ju om att röka ut lungsotsbostäder.

Sch! Hon hyschar honom. Inte så högt.

Då tystnar han igen. De är ju ensamma i kupén. Trots trängseln i andra vagnar. Plötsligt känns det så olustigt att vara i svärfars bostad. Med smittan och smutsen han kanske inte har fått bort, ja Tomas klandrar honom inte, men det var säkert länge sedan någon städade från grunden där hemma. Ska vi vara hos er eller på lokal efteråt, frågar han och Maj säger att hon redan har talat om att de ska samlas hos pappa. De närmsta. Medan bekanta och avlägsnare släkt kommer direkt till kyrkan. Men hostande manskap i tågkupéer eller på förläggningar är troligen en större risk. Han kan ju inte gå och dö ifrån Anita i förtid.

Det syns på träden att det är senare här.

Tycker du, säger Maj. Kanske det. Nog hade det känts bättre om det inte var så vackert väder.

Jo, han nickar. Det är en så fruktansvärt strålande tid. Fågelsången, lövsprickningen, hur hela jorden skälver av att få leva. Sedan säger Maj att de borde få något i sig i restaurangvagnen. Det blir ju bara något lite hos pappa före begravningen.

De tar var sin ägg- och ansjovissmörgås, kaffe till. Om jag kan äta hela, säger Maj. Nu syns det att hon är med barn, men mest på magen. I övrigt är hon tunn, men de flesta har väl magrat under kriget. De har låtit sy en svart sorgkappa med vidd. Hon tycker om den, svängde faktiskt runt för honom när hon mannekängade.

Jag har sånt vatten i kroppen redan, fortsätter hon och spretar med fingrarna åt hans håll. Jo, han kan se att huden bucklar sig vid vigselringen. Och Maj fingrar på den, säger att hon bara kommer att ha den över begravningen, att hon får sätta den i en kedja om halsen nu på sommaren. Annars kan den ju fastna helt.

Det syns inte på dig i övrigt, säger han och lite hårdkokt äggvita ramlar ner på hans svarta kostym.

Om jag inte äter kommer jag aldrig klara kyrkan, suckar hon och spetsar rågbrödet med gaffeln. Edvins mamma tar visst pojkarna, sa Ragna. Ja, Ragna sa att hennes svärmor hade kunnat sköta om Anita också, men hade det inte sett bättre ut om hans föräldrar närvarat vid begravningen?

Mamma kommer ju inte med, säger Tomas och då fnyser Maj att det är en annan sak, de var ju inte bekanta.

Kaffet är oväntat smakrikt. Vilket gott kaffe, säger han och Maj håller med. Så är han nära att säga att idag skulle man vara ute på landet, men han kommer på sig i sista stund och frågar istället om hon är färdig med smörgåsen så att han kan tända en cigarrett.

Ragna som inte tålde röken när hon väntade Björn. Minns du i Abrahamsberg? Jag fick gå ut och röka fast det var så kallt.

Plötsligt ler Maj, och han vet inte om han borde släcka cigarretten.

Han ska komma ihåg att tala om för svärfar att Anita är så för möblerna. Det är hon. Hon leker inte ordnat med dem ännu, men tar ofta fram dem och ställer dem på golvet, flyttar runt soffa och säng. Men han får inte glömma att svärfar just mist sin hustru, människor kan ju reagera på så många olika sätt i sorg. Och Maj sträcker sig mot honom när hon kliver av tåget. Tomas fångar upp henne och håller tag under hennes arm.

Ingen annan än Majs moster Betty kommer fram och presenterar sig i trängseln och den tunga doften av liljor. Lilla Maj, utbrister hon och kramar om henne, men Maj bara trycker handen för munnen och skakar på huvudet. Till Tomas säger Betty att det är roligt att äntligen träffas, men så sorgliga omständigheter. Fast Elin behöver inte lida längre. Elin. Han har inte vågat tala om för Maj att han har glömt hennes mors namn. Inte haft mage att fråga. Men när de aldrig har setts! Och när de var hos svärfar sa de väl bara mamma om henne. Jo, men det tycker han om. Det är så formellt att kalla mödrar vid tilltalsnamn. På det stora bordet är det dukat med vit duk och kaffekoppar, assietter och glas, men Betty som följer honom in säger att de har bestämt att dricka kaffe först efter begravningen. På en byrå står ett fotografi av Elin som ung, ja där är hon knappast trettio, ett ensamt ljus brinner intill vasen med vita liljor. Hur ljuslågan nästan försvinner i dagsljuset som inte stängs ute av de tunna, bleka gardinerna. Är Maj lik henne? Porträtt säger inte så mycket. Men kvinnan på bilden ser snäll ut, håret lite luftigt uppsatt, något ljust, glatt och tillitsfullt. Inte alls som porträtten av Tea, hans mamma. Den där strama benan och det skarpa över munnen. Fast han vet ju att mamma tycker att hon ser fånig ut när hon ler på fotografier. Därför ska bara det raka strecket till mun bevaras åt eftervärlden. Så kan man väl också försöka tänka när man blir porträtterad. Att det är för de andra, inte för en själv. Att andra ska kunna känna igen och minnas hur man en gång såg ut.

Hon blev alltid så bra på bild, Elin. Inte som en annan. Betty skrattar till, men tystnar. Så svårt att veta hur man ska vara en sådan här dag. Ragna och Maj är redan försvunna i köket, men här är helt rent och prydligt vad Tomas kan se och det hettar av hans tidigare tankar på smuts och smitta. Svärfar sitter i gungstolen, han nickar och trycker Tomas hand, bröderna står strax bakom honom, stelt svartklädda med vita flugor – vi ska väl snart röra på oss, säger svärfar, det är bättre att vara ute i god tid. Är det en lättnad för honom? Hon måste ju ha varit sjuk så länge. I kyrkan finns det handbuketter åt de närmsta, säger han och bröderna nickar, Tomas nickar också, borde han ha ordnat en egen, ja åt barn och respektive, lägger fadern till. Han blir stående intill bröderna. Det blir väl tid att presentera sig för resten av släkten efteråt. Han vet inte vem som är från pappans eller mammans sida, men det är knappast passande att slå sig i slang och vara pratsam. Ett fönster står visst på glänt, gardin och ljuslåga fladdrar till.

Vi ska elda mammas kläder, viskar Maj när hon kommer fram till honom. Ragna tyckte också det. Fast det är synd på det som inte är nött.

Pappan och de fem barnen ska gå främst när de promenerar till kyrkan. Ja, efter hästen som drar vagnen med kistan på. Det är visst ingen lång bit, och det mumlas om att droskorna är så svåra att få tag på nu och Allan är ju mer för hästar. Man vet inte riktigt, inte heller Tomas kan tala om hur det är brukligt under begravningar, men han tror att de närmaste ska vara tätt samlade och han får finna sig i att ta en plats strax bakom. I kyrkan är det reserverat längst fram naturligtvis. Men på trottoaren utanför huset blir det osäkert kring om någon verkligen släckte ljuset. Ragna lovar att hon gjorde det, men svärfar skickar ändå upp Per-Olof för att se efter så att inte gasen är på. De står i skuggan, Tomas fryser inte men längtar till den solbelysta väggen på andra sidan. Efter den här helvetiska vintern är solvärmen så hägrande, ja han tycker om värmen. Jan ser ut att leta efter ett paket röka, Tomas fiskar upp sina egna och bjuder männen laget runt. Och Stig?

Som bara är femton, men jo han bockar och tar en cigarrett när Tomas bjuder. Ja, så går stunden i väntan åt till att stryka eld på tändstickor och hålla dem brinnande trots blåsten, sedan är Per-Olof ute igen.

Ingen fara, säger han och så fimpar de sina orökta cigarretter, men sparar dem, och går makligt mot kyrkan. Ja, man skulle kunna säga att de skrider mot kyrkan. Maj går arm i arm med Stig som redan har växt om henne. Ragna och Jan. Per-Olof och pappan går först. Borde inte Allan sitta med på kuskbocken? Betty bjuder sin arm till Tomas, han tar tacksamt emot den, hon ser trevlig ut, knappast mycket äldre än Titti, lång och smärt och Tomas frågar lågt om Elin var mycket dålig mot slutet. Betty svarar oh ja, hemskt dålig, då blir Tomas lättad, så underligt som det varit att Maj inte träffat sin mor. Jag är så glad på ett konstigt vis att hon slipper lida mer, säger Betty och så torkar hon sig med en näsduk under näsan. Sa hon någonsin ett ord om mig, vill Tomas fråga, fast det inte är passande. De går alldeles bakom Maj och Stig. De som måste vara Sara och Knutte kommer efter. Han hör Sara, Elins äldsta syster, säga högt att Elin skulle väl velat begravas i gamla kyrkan. Men Betty, som är yngst, viskar att Elin nog kunde tyckt om att vara bland de första i nya storkyrkan också. Kanske borde Tomas och Betty ha tagit platsen bakom dem. Han vet inte.

I kyrkan får han i alla fall sitta intill Maj. Men här på den nytillverkade bänken och med den intensivt moderna altartavlan i fonden för kistan känner han sig plötsligt skakig igen. *Herregud så ung hon var när hon blev sjuk.* Och nu död. Inte ens femtio. Fyrtiosex? Ett så försvinnande kort liv. Fan ta honom om han inte kan greja det och ta livet tillvara. Med en dotter, ännu ett barn på väg och fru. Arbete, bostad, hälsa – allt vad man kan önska. Och så tyskarna som bara trampar närmare. De kan vara här när som helst? *Skulle du tordas gå in i motståndsrörelsen då?* Så lätt att säga ja, men i praktiken... det rister i honom, av frossans och den kvava värmens underliga blandning, kyrkorummets rymd och tätheten med de församlade människorna runt ikring honom. Tårarna strömmar nerför Ragnas kinder, inte Majs. *Du vet att hon skulle skrika om hon släppte det lös.* Ja, han vet det. Han önskar ändå att hon grät. Hanterliga sorgreaktioner, att räcka henne sin näsduk. Det rinner redan från hans egna ögon, och det är inte hösnuvan. De måste ju ta vara på allt! Det liv som är deras. Majs far stryker näsduken över ansikte, ögon, psalmen och darriga fingrar som ska bläddra fram rätt nummer, så sjunger de faktiskt En vänlig grönskas rika dräkt trots att det kanske inte är en begravningspsalm, så mycket vänlig grönska som fattas världen och vem vet om ett år... Maj bara mimar. Till hösten ska hon föda igen. Hur hon ligger blek och livlös – men både Elin och Tea klarade så många havandeskap. Om han skulle bli ensam med barnen. Maj är ung! Ung och stark. Men mager.

Kanske är Tomas mest i ritualerna. Hör prästens ord om en trofast maka och mor som lämnat oss i evig sorg och saknad. Hennes mamma och pappa måste inte vara med om att mista sitt barn. Vet man säkert med fadern? Kanske finns en far som ovetande låter sin dotter gå i jorden. I Australien? Brasilien? Amerika? Eller bara Fagersta, Skinnskatteberg, Hagfors, Stockholm, Söderhamn, Sandviken – så många platser som kan sluka en frånvarande far. Fast det vet väl Tomas inget om. Ingen talar om Elins enkla oäkta bakgrund. Fast Betty skäms inte. Betty har tagit sig bortom skammen och ser sitt liv och dess villkor ungefär som det är. Systrarna Sara och Elin har på sätt och vis alltid varit av ett bräckligare virke. Så måna om att alltid passa in. Plikttrogna, ständigt arbetande, allt tröttare med åren. Vad vet han om Bettys tankar! Hon låter inte skammen synas, det är allt man kan säga. Öppnar sig inte för dem som vill kleta den på henne.

Jo, han tänker på sin mor också. Som rätt vad det är kommer att vara borta. Borde han vara en bättre son? Det är klart. Han skulle kunna sitta lite längre hos henne. Men kan hon inte begripa att allt skulle vara enklare om hon var vänligare inställd mot Maj. Ibland blir han rädd att hon har rätt. Att hon ser något hos Maj... Och han vet att minsta försök att påtala... brister hos sin mamma bara resulterar i kraftiga försvarstal och anklagelser att illvilligt missförstå varje vänligt försök till omtanke och omsorg. Han kan nästan höra henne fråga om det är Maj som klagat och bussat honom på sin gamla mamma. Äh, vad vet han. Ibland den där farliga dragningen att låta sig tas om hand på nytt. Är det så konstigt att mamma inte kunnat släppa taget om honom, när han är minst? Borde hon inte ha skickat en krans till begravningen i alla fall? Som en snygg gest? Han har talat om för henne att de ska på Majs mammas begravning. Han är inte säker på att hon hörde på. Talade om att hon har fått tungt i bröstet, att hjärtat när som helst... ja men så är det ju faktiskt rätt så ofta. Hur andras sjukdom och död aldrig kan vara riktigt lika drabbande som det egna helvetet.

Det är ganska glest i kyrkan. På pappas begravning låg kransarna i drivor. Kanske är Elins antal mer brukligt. Borde han säga något till Elin där framme? Klart att han vet att hon är död. Men hon finns ju ändå där i kistan. Det är hans första möte med henne. Jo, nu vet han vad han ska mumla. *Jag ska ta hand om Maj, Elin.* Det ska han. Han prövar *jag ska aldrig svika Maj,* men nej, det går inte. Det har han ju redan gjort. Han måste säga något han verkligen menar.

Prästen kommer med på kaffe. Tomas frågar Maj om han kan hjälpa till och hon ber honom faktiskt att placera ut de köpta tårtorna. När Betty dukar fram sina medhavda mjuka kakor ser Tomas ändå hur Majs ögon tåras. Har du gjort mandelkransarna, säger hon, det är ju dom jag kan, säger Betty, och jag som har sådan halsbränna, utbrister Maj, värre än när jag gick med Anita och då var det hemskt nog – tänk att du har bakat kransarna. Som jag har längtat efter dom!

Han vill inte att hon ska prata så högt om sjukdomar och symptom. Ja det är ju alldeles uppenbart att det påminner om mamma. Men också… det tråkar ut honom. Tänk så mycket onödigt tal om sjukdomar så länge man har hälsan. Sedan…

Tomas hamnar intill en liten och spenslig kvinna som visst har varit arbetskamrat med Elin på regementsbespisningen. Det var ju jag som tog med henne till klubben, säger hon och skrapar chokladglasyr från assietten på skeden, men jag hade inte lov att bära fanan idag, det var svagt. Bara för att Elin låg efter med avgifterna. Hon kunde ju inte vara på möten då hon var sjuk, eller hur?

Tomas håller med, det låter rimligt.

Det var en så duktig människa, säger hon. Tomas tycker inte alls om henne. Han vill prata med Betty eller bröderna eller till och med slå sig ner med Ragna och Edvin, varför ska han sitta här med en människa han aldrig någonsin kommer att träffa igen och som dessutom inte är uppriktig. Ja, inte menar han att hon ska bekänna något, men han tror inte på henne. *Vad vet du om henne, Tomas? Kanske var hon den enda som besökte Elin på Solliden?* Men han vill veta något på riktigt. *Duktig, snäll och omtyckt.* Så blir vi alla till sist som döda. Och det kan väl få vara bra så.

VISST BLIR MAN lite avundsjuk på dom som har morsan hos sig för jämnan, säger Vera och torkar av Gunnels ansikte och fingrar vid det solbelysta matsalsbordet. Anita har redan tultat in till Gunnels rum för att ordna kalas. Jag menar jag har väninnor, lägger hon till, som får hjälp flera dagar i veckan av sina mammor och ändå klagar på att det är jobbigt.

Dom är bortskämda, svarar Maj, bortskämda och lata.

Hur är det för dig nu, säger Vera med lägre röst, sedan din mamma...

Det är inte så stor skillnad. Maj tänder en cigarrett. Hon var ju aldrig här, vet du. Har du svällt mycket över fötterna?

Om, säger Vera och visar fram sin ena fot. Jag kan inte ha högklackat längre och Martin retas med mig. Tjock som en kossa har jag blivit, hur man nu lyckas med det så här i kristider. Kan knappt gå längre. Isterhakor! Vera trycker hakan mot halsgropen och det veckar sig faktiskt. Annars är det bara fint, lägger Vera till.

De skrattar och Vera tänder en cigarrett åt sig också.

Det här får man ändå glädjas åt, säger hon, ungarna leker och vi kan sitta och pusta ut.

Fast då hörs skrik från barnkammaren. Vera tar stöd mot bordsskivan och vaggar lugnt iväg, viftar åt Maj att sitta kvar, men Maj passar på att plocka bort från bordet, bär disken till köket, spolar upp vatten – Gunnel brukar vara så duktig på att dela med sig, fast idag var det visst omöjligt. Men Anita sitter och ritar nu och Gunnel håller på med sin docka.

Det blir Anita som håller henne uppe – och Anita som hon inte orkar med. Det är så diffust... Är det här sorg? Eller är det bara graviditetens vanliga vedermödor, hur varje morgon, ja hur medvetenheten nyper henne hårt i kinderna, fast det är ändå i magen det känns, *mamma borta,* blir det så medvetet eller är det bara kroppens yviga och påträngande gestik? Andnöden, bultande huvudvärk och de tröga rörelserna när hon ska stiga upp, Anita är redan vaken, mamma, mamma, ja Anita måste bli av med kalla kissblöjan, hon ska tvättas, det ska bäddas rent – ut, ja de måste komma ut varje dag men armarna, ögonlocken... *Det är sorgen,* viskar rösterna runt ikring, man kan ju inte vara pigg och glad och käck när mamma har dött, ändå kanske det är det mest troliga, att Maj visst är pigg och glad och käck och precis som vanligt inför alla utom Anita. *Är hon inte beundransvärd som tar det med sådan fattning?* Gå och lek, säger hon och vänder sig på andra sidan. Mamma måste vila. Och Anita drar upp sina dockor och djur, småmöbler, tygbitar och finsaker i sängen – ja bara hon håller sig sysselsatt. Snart måste hon få något att äta. Om Maj har blivit allvarligt sjuk. En tumör, eller hjärtat, kan det vara njurarna, som hon kissar, det kan vandra upp i njurarna, åh att bara mista all sin kraft så här, när arbetsviljan är det man har att luta sig emot, att då bli matt och svag och klen – *ta dig samman för Anitas skull åtminstone* – nu sjunger Anita högt och falskt och påträngande – *sluta opp med det där* – det måste visa sig på hennes värden, hennes värden kan inte vara bra.

Nu ska ni ju fara ut på landet, Maj! Jo men hon vet att hon ska packa och planera och ordna om. Skicka packlårar med Express, *fast ingen kräver något extra av dig nu när du har sorg.* Bara Anita. *Har hon inte rätt att kräva att du ser?*

VAD KOMMER HON att minnas av den här sommaren? Lantställets somriga charm, där tant och Eivor installerar sig på nedre plan och Maj, Tomas och Anita tar trappan upp. Tänker hon fortfarande att de borde reparera och få fint? Eller har de nötta tapeterna och den skavda målningen blivit hemtrevligt bekant och ingenting hon noterar. Inte kan Maj stänga av sin blick så. Och klädd till sorg med växande mage undgår ändå inget hennes granskande öga. Men det är dag för dag. Promenaderna till handelsboden då Anita i bästa fall somnar i sittvagnen på vägen tillbaka. Lunch eller kaffe hos Titti. Vardagens måltider med Eivor och tant. Midsommarfirandet med all sin uppsluppna glädje, bräckta lax och lekar runt stången. Tomas som får bära Anita på sina axlar när hon inte vill dansa. Minns Maj inget av detta? Ingenting? Raderas sommaren för henne, eller blir allt bara skrämmande likt som vanligt. Men de sömnlösa timmarna när hon mödosamt vänder sig i sängen stiger bilder upp, eller skrik, *utan att någon hör.* Tomas tycks ha bra sömn. Han snarkar när han ligger på rygg, men hon väcker honom inte. Ibland trevar hon ut till köket för att skopa upp lite vatten att dricka mitt i natten. De månar om henne, svägerskorna. Visst ordnar hon kafferep för svägerskorna eller lunch för Vera och Martin som kommer med båt från hyrda stugan vid viken tvärs över, Anna och Bertil, ja i alla fall när midsommaren är avklarad och passerad. Naturligtvis är hon fullt sysselsatt av att sköta om Anita. Inte för att hon stoppar i mun eller rusar ut i vattnet, men ännu kan hon ju inte lämna henne utan uppsikt några längre stunder. Måltider, tvätt, disk… allt som tar extra tid här ute fyller hennes dagar *och hur skulle det vara om inte? Att handlöst falla ner i ett hål, sorg över allt det som aldrig var. Syner i det inre som inte tröstar, värmer, bara nya frågor.* Så finns där inte en tacksamhet över göromålens regelbundenhet, rytm. Men hon orkar inte skriva till Ragna. Pappa och hon har talats vid ett par gånger efter begravningen. Det går, har han sagt. Det måste gå.

Tomas stannar inte i stan den här sommaren. Tomas kommer med båten. Tomas tar Anita i handen och går ner till stranden när Maj ordnar om middagen. Säger ingenting om att hon somnar när hon nattar Anita. Vet han att hon vaknar ett, två och inte sällan kommer ingen mer sömn den natten? Han fotograferar Anita och Maj när Anita gyllenbrun men myggbiten leker naken i den tidiga kvällssolen. Ja, Henrik badar också naken ännu något år. Maj bär inte sin stora mage öppet, döljer den i vida bomullsklänningar, men låter armar och ben bli bruna. Håret är åter kraftigt, solblekt. Visst är där tusen små irritationsmoment kring tant och tants vanor, men också en spirande kontakt mellan farmor och hennes yngsta barnbarn. Ändå vill Maj bara få dagarna att gå. Bara så kan mammas död hanteras. Att tiden går. Sedan kommer barnet. Då har hon inte tid med sorgen mera. Då börjar livet på nytt.

Tomas trivs väl så bra här ute? Klart att Maj märker hans oro. Hur han spelar över när de träffar släkten för att leka, tävla, släppa loss en stund. Roddloppen basar han över med nitisk precision, simtävlingarna… Han har ju ingen avslappnande punsch eller nubbe i blodet. Ja, när de kryper ner i var sin säng i gråljuset fram emot midnatt säger Maj att ingen kräver att just han ska stå för hela underhållningen. Men det är bara roligt, svarar han lågt. Ungarna tycker om när det är lite livat. Jo, Maj ser att småkusinerna Henrik, Sture och Ellen är förtjusta i honom. Annars har Maj ju alltid fullt upp med Anita. Ja, Anita lämnar henne inte en sekund utan vakar över henne och magen. Är du sjuk mamma? Mamma är trött, svarar Maj. Varför kan hon inte säga att hon är ledsen. Känner hon inte det ledsna? Titti säger så till Anita. Mamma är lite ledsen just nu, men det går över. Men varför har Maj sagt att hon är sjuk till Anita, när hon bara är med barn? Natten då hon måste ha skrikit till när sendraget satte in igen, hårdare och mer styvnackat än vanligt, och Anita vettskrämd kom in till henne, det var väl då hon sa att hon var sjuk. Jämrade sig? Mamma har ont! Ett barn vill inte se sin mamma ha ont. Det borde hon förstå. Titti tar sig i alla fall tid med Anita också, fastän hon är ganska jobbig nu.

Men en kväll när Tomas kommer från stan har han med sig ett oväntat livstecken hemifrån, ett kort brev där Per-Olof och Jan meddelar att de tänker komma och hälsa på, men de tar tält med, så de vill bara försäkra sig om att Maj och Tomas är hemma i fruntimmersveckan. *Varför ville aldrig mamma att vi kom hem?* Det är klart att pojkarna är välkomna och de får sova var de önskar. Tomas förstår genast att de tänker sig ett äventyr och då lockar nog tält och sjöbodar mer än resesängar och barnskrik i övre hallen. Ja, inte får Maj känslan av att det är för Anitas skull de kommer. För hur roligt det än ska bli så känns det också... gruvsamt.

Tomas har lovat möta bröderna vid tågstationen och de ska ta Express ut, så pojkarna får känna på havsluften meddetsamma. Maj med Anita klamrande på höften och magen i vädret står nere vid båtbryggan och väntar. En farbror kommer fram och säger till Anita att hon var en grann en och henne får ni nog vakta för kavaljererna framöver. Och Maj niger och tackar, som om det var hon som skulle ta åt sig äran. Så stora de har blivit! På ett par moderlösa månader. Vuxna. Ser inte Jan oväntat glad ut när han får se henne och Anita? Pratar barnsligt med sin systerdotter av bara farten – hejdar sig först när han märker att Per-Olof minsann inte tänker tramsa. Om de sörjer sin mamma syns ingenting utanpå. Vi ska väl få oss lite mat, säger hon och så går de hemåt. Blir brödernas ögon stora eller är det avundens smala springor? Tycker de inte mest det är festligt att ha en släkting att besöka så här i semestertider, som har tillgång till sommarnöje, båt och bil, *man skulle gifta sig rikt, finns det några fria fruntimmer här* – äsch, de har nog fullt upp med att tänka på hur de för sig, de också. De vill ju inte komma och verka bortkomna och allmänt ohyfsade, absolut inte. Hon har lagat pannbiffar för det vet hon att de tycker om. Stått och grinat över den rårivna löken och varit tvungen att badda ögonen kallt. Drygat med lite väl mycket skorpströ. Bröderna är tyvärr inte så mycket för fisk. Så smörstekta flundror eller kräftströmmingen... ja, hon har lånat köttkvarnen av Titti. De skulle bara veta vilket besvär hon har haft för deras skull!

Men de äter med god aptit, fast de är magra. Jo, de har varit inkallade, Maj hör hur Tomas frågar ut dem, den här sommaren jobbar Jan i skogen igen, sätter plant åt bolaget, men Per-Olof har mot alla odds fått plats i en mekanisk verkstad, kan nog så småningom avancera till svetsare. Är de också rädda för kriget? Man är ju närmare Norge där de bor. Berättar de om byteshandeln i Östersund, tysksoldaterna, den tysta dramatiken, svenska soldater som är utplacerade att övervaka stationerna västerut... Eller tiger de, av blygsel, osäkerhet eller bara ren ovisshet. Klart att det går rykten och att man ser en del bara av att bo just där. Men törs de snacka på, avslöja för Tomas – honom känner de ju knappt.

Slås de av hur flott deras syster har fått det? Eller har de bara räknat ut hur det blir en billig semester om de har mat och husrum hos syrran och hennes snubbe, gubbe, karl – ja, vad de nu säger om Tomas när han inte kan höra dem. Varför måste misstänksamhetens tagg sticka till när de trevande försöker skapa en god stämning vid köksbordet. *Kanske har de längtat efter dig. Sett hur snabbt en familj splittras och hur man måste anstränga sig för att hålla ihop. För visst måste man väl hålla ihop?* Maj vet inte. Men de kom till hennes bröllop! *Tycker ni om mig?* Hon säger att huset ser större ut från utsidan, att det bara är knappt femtio kvadrat de rår över. Det är ingen herrgård precis, försöker hon skoja, men det blir liksom fel. Tant och Eivor håller ju till nere. Nej, så märkvärdigt är det inte om det inte vore för att det bara är ett lantställe. Nåja. Det blir inte otrevligt, inte alls, och Tomas bjuder på nubbe och pilsner. Själv dricker han svagdricka utan att kommentera det. Pojkarna vet förstås. Förresten är det inget ovanligt att vara nykterist. Men nu är det ju i alla fall en lördagmiddag. Och pojkarna ser generat förväntansfulla ut när Tomas slår i glasen – visst tusan vill de ha en sup. På unga mäns vis kan de behöva lite förstärkning av självförtroende och talförmåga och kanske sitter de med gråten i halsen. *Men de hade inget med sig.*

Hur många gånger i framtiden kommer Maj att bjuda på köttbullar, tunnpannkaka, Flygande Jakob, fiskgratäng, räksoppa och annat till den närmsta släkten *utan att de har något med sig.* Av tanklöshet, av bortskämdhet, av blicken som är lärd att inte uppskatta och värdera. Bara ta det dukade bordet för givet.

Per-Olof är inte överdrivet förtjust i vatten – han kan inte simma – men det är klart att det blir något att berätta för gubbarna i verkstan hur han *gira och for* med motorbåten, Tomas har lite motyl på lager och... man skulle förstås kunna komma bröderna mycket närmare än så här. Lite yxiga och mer som två tunna typer från Jämtland. Men Maj känner dem inte heller. Och under de här intensiva småbarnsåren... Som om de avlägsnat sig på riktigt nu. Hon har trott att de som vuxna ska kunna... vara en familj igen. Nog lär man känna varandras egenheter när man bor i ett rum och kök. Och varför minns Maj bara vreden över att behöva passa upp på dem? *Eller förvandlades det omärkligt till underdånighetens glädje. Aldrig jag, bara du och ditt bästa. Var det inte så de fostrades, flickorna vid nittonhundratalets början. Hur din glädje är att tjäna honom. Hur hans storhet får vara lyckan i ditt livsverk.* Mammas oroliga omsorg att pojkarna måste få... Alltid pojkarna. De får väl bo i sitt tält, fara på dans, ut på sjön, äta mat och dricka kaffe med dem i huset de här dagarna. Hon vet inte hur länge de planerar att stanna. Fast nog kunde de haft något med sig. Hon är inte snål men det är lätt att känna sig utnyttjad och de skulle bara veta vilket arbete som ligger bakom att fylla plåtskrinen på bänken med vetebröd och sockerkaka när mycket går på kort och hon samtidigt har Anita som kräver sitt. Hålla rent och diska undan. Ja, nu börjar det igen. Koka blöjor och annan småtvätt. Och än är det bara första kvällen. Tomas är ansvarstagande värd och bjuder på cigarretter och båttur. Om hon bara kunde få Jan lite avsides så skulle hon kanske kunna fråga... hemmavid... hur klarar pappa det – den här Anny...? Till kvällskaffet säger Per-Olof att de ville fara till Ragna i Stockholm men det blev så dyrt med biljetten. Är Jan så känslig att han snabbt lägger till att de ville hinna med bådadera?

Så överraskar de henne med att säga att farsan skickade med några gamla grejer. I en kartong ligger Josefina, hennes tygdocka. Nej ingen sådan där fin köpt med ögonhår och stel kropp, utan en hemmasydd med gult garnhår. Fast klänningen är gjord i ett snyggt, rutigt tyg, hon har spetskantat förkläde och till och med livstycke och små spännen för att hålla fast strumporna. Det är moster Sara som sytt den. Och pappa har skickat ett kort: *Till lilla Anita med kära hälsningar från morfar till minne av mormor.*

Maj står med dockan i handen, vill fråga om mamma letade fram henne innan... men så räcker hon den till Anita, vad ska Maj med dockan till, lika bra att Anita får ha den att leka med, här ute har de inte så mycket leksaker.

Tomas lånar ut cyklar, ger dem en detaljerad vägbeskrivning till dansbanan. Ja, men annars missar ju grabbarna lördagsdansen! Jo, visserligen. Men första kvällen här. *Vad skulle ni ha hittat på då? Vad skulle ni ha pratat om?* Maj blir ändå besviken över att de så glatt – och vingligt – trampar iväg. Ska de träffa flickor nu? Gör de oskyldiga flickor med barn? Långt hemifrån, utom synhåll för pappas kontrollerande blick. Ja, pappa vill väl inte att pojkarna ska ställa till det för sig heller. *Men det är värre om en flicka.* Minderåriga, oförståndiga, rädda, rebelliska flickor. Hon har svårt att tänka sig att Per-Olof med sitt stela, strama sätt har haft någon flicka. Att han skulle klara av att *vara intim. Delar vi inte skräcken för vämjelig närhet?* Men Jan gick ju med Theresia Nylund ett tag, fast det tog visst slut – inte lät väl Theresia honom ligga med henne? *Det är bara du som tillåter männen… Jag trodde att Erik och jag skulle gifta oss! Det var bara därför.* Hur är det, Maj? Tomas rör lätt vid hennes arm. Jag tycker liksom att jag har ansvar för att det inte händer något när de är här, säger hon och sträcker sig mot sitt glas med ljusgul vermouth. Ja även hon fick ju en liten en i glaset och då är det trist att avsluta kvällen med mjölk, och Tomas tröstar henne med att de faktiskt är vuxna. Och det verkar vara rejäla pojkar, så det går bra. Men om de hamnar i slagsmål, usch vad olustigt allt känns.

Fast fram på förmiddagen dagen därpå kommer de in och tackar inte nej till kaffe och smörgås och Maj grälar lite på dem att det blir otakt med mattiderna nu, de ska ju snart ha lunch. De ber att få en matsäckskorg istället och så ska de ge sig ut igen, det är skapligt väder och Maj vill försäkra sig om att de kommer till middagen i alla fall. Gör hon ängamat på Julias primörer ska de väl inte ha grönsakerna. Äsch, nu står det still. Och det ska väl vara något extra på en söndag. Kroppkakor kräver vinterpotatis – kan inte falukorvsbiten som Titti stack åt henne häromdagen duga åt bröderna när de fick köttbullar igår? Korten ryker, men Tomas kan nog – om han bara vill – ordna något extra.

Överraskande kommer bröderna hem med två liter blåbär. Visserligen får hon rensa dem – men att de gjort sig besväret. Så hon får nog koka lite sylt och steka pannkakor ändå. Även om det inte är mat för *karlar.*

Några dagar går så rasande snabbt. Hon vill inte missa måltider och kaffestunder med att sitta inne på kammaren och krångla med Anita. Inte krånglar hon så förskräckligt. Men påklädningen, underbyxor som kissats ner, jordiga fingrar som måste tvättas, naglar hon inte vill låta Maj klippa... Om Anita kunde förstå att morbröderna snart kommer att åka igen. Då har mamma tid på ett annat vis. Men magen som växer. Och inte får hon ro att sitta ner och prata, förresten tar pojkarna inte upp mamma heller. *Men de kom resande till dig. Även de måste bära förlusten...* Särskilt Jan plirar då och då mot Anita, gör tokiga miner, lustiga pruttande ljud. Men innan Maj har hunnit få i både flickan, sig själv och de tre männen mat om dagarna så har bröderna hunnit avsluta måltiderna och rest sig. Och svägerskorna tycks leva upp av brödernas besök, kommer klivande med kaffekorgar och finaste dopp, föreslår trivsamma utflykter och Jan kan vara riktigt rar och artig. Per-Olof är naturligtvis mer avvaktande och stel. Men Jan bockar och tar i hand och berömmer till och med bullarna och säger att de smakar som förstklassiga wienerbröd. Och så är det dags för avsked, och de tar Express in till stan och är borta. Hälsa pappa och Stig! ropar hon, medveten om att de inte kan höra.

HUR SNART KOMMER inte hösten? Vinden i trädens tunga kronor. Lövmassorna som kommer att ändra färg, falla, singlande mot marken. Men ännu är det grönt, sent i augusti, och de är tillbaka i lägenheten i stan. *Nu ska du föda, Maj.* Det kan väl gå många veckor än... Anita har fått följa Henrik och Titti hem till dem. Anita ville först inte, Titti sa att mamma måste få göra bort innan babyn kommer. Handen om magen, halsbrännan – augustinätterna på landet med beredskap för kramp och vakenhet, *det går ju över, räkna, slappna av,* men hon har det inte lika svårt i handlederna den här gången, fast hon tycks samla på sig så mycket vatten. Solbränd, svullen, Tomas säger att hon är vacker. Det klär dig, att bli lite fyllig. *Frans...* I år firades surströmmingspremiären inom familjen nere hos tant. Men gud så hon fick smaken av lök och strömming i munnen efteråt. Kan hon minnas Anita i de här små, små plaggen hon plockar fram från lådan i klädkammaren. Jo, hon minns hur Anita var klädd när Tomas... märket i dörrposten påminner henne också. Det har inte blivit av att måla över, för i övrigt är målningen i lägenheten inte särskilt sliten eller nött. *Så här är det, Maj. Det blir ett barn, två. Du klarar det, du också.* Det är ju inte tid att gruva sig. Och de säger att det kan gå mycket fortare nu. Inte alls säkert att det blir långdraget med utmattning och kraftlöshet som följd. Det var väl normalt med Anita? Sådant som Maj samlar på, *det var helt i sin ordning, en normal förlossning.* Vera har fått en flicka. Så lik Martin att man nästan... Maj och Anita var upp till dem häromdagen med blommor och trikå. Hur Maj inte lyckades hinna med och besöka henne på BB. Att ta sig in från landet… Vera förstod. Det gjorde hon väl? Fast de borde kanske haft något till Gunnel. Gunnel är så stolt över sin syster sa Vera, men Anita ville inte titta på babyn.

SOV NU NITA. Maj sluter ögonen, låtsas somna. Ligga på dagen. Om mamma visste. *Mamma!* Anita blåser luft på hennes ansikte, lite spott landar på kinden, hon hejdar handen från att torka bort det, ler när hon ropar pip. Saga mamma. Läsa mera saga. Redan riktiga r? Maj blundar, fortfarande leende, *man får inte vara stygg och elak i ansiktet för jämnan*, de har haft en fin förmiddag, Anita hjälpte henne att koka gröt till lunchen, på sitt lilla vis, hon har inte varit bråkig och tjurig, men Maj är ändå tvungen att säga att de måste sova nu. Vi blundar. Annars törs inte sömnfen komma och strö sovpulver över oss. Inte på Nita, säger Anita högt och ställer sig upp i sängen. Maj ska inte bli arg idag. *Tålamod.* Anita är ju så glad! På gott humör. Hon vinglar på Tomas sänghalva, titta mamma, sömnfen når inte Nita, jo men sömnfen når överallt, men hon kommer bara om man blundar, upprepar Maj. Snart kan det gå överstyr. Om hon inte sover middag. Du vet mammas baby vill också sova. Lillebror tycker att du ska lägga dig bredvid honom. Maj låtsas lyssna mot magen, men Anitas ansikte mulnar nu. Och så hoppar hon i sängen, eller tar snarare ett skutt som gör att hon ramlar omkull. Nej Anita – nu måste du sova. Annars blir mamma ledsen. Mamma läser en saga till. Och så får Maj dra över Anita till sin sänghalva och hon hakar tag med armen runt om så att Anita ligger tätt tryckt intill henne.

Vi måste kamma dig, suckar hon, de där tjorviga trasslorna som blir på bakhuvudet, dem måste Maj reda ut. Men då blir de osams. Då är all god stämning som bortblåst. Och det är ju ingen idé före tuppluren. Mamma läsa. Maj börjar – herregud så trött hon är, ändå har hon inte ökat så mycket i vikt den här gången – är det blodbrist tro? Hon borde laga blodmat, palt, blodpudding, lever… nej, hon längtar inte efter det. Nu sparkar han, känn lillebror viskar Maj och tar runt hennes handled, men Anita drar åt sig handen, gnider den mot ögonen, då sover hon snart, när som helst. Maj läser med lite långsammare, lägre röst – hon kan sagan utantill nu, vem är det som trampar på min bro, och så ringer det. Anita rycker till, spärrar upp ögonen, tilefonen, säger hon, mamma tilefonen. *Förbannat!* Vänta, säger Maj och häver sig så att hon kan sätta ner fötterna – Anita är redan ur sängen. Det krampar till när hon försöker skynda sig, ja hallå svarar hon och så hörs Tomas uppspelta röst – hon måste avbryta honom, säga att hon håller på att lägga Anita, men Tomas fortsätter ändå ivrigt att boken har kommit, pappa är omnämnd på flera sidor, med bild och allt, mamma också, ja så han ska springa förbi Sundmans och köpa bakelser om hon kan ordna om kaffet. Han bad mamma komma upp till dem, så har han lovat läsa högt för henne nu när hon ser sämre. Men Tomas, Anita har inte vilat middag… Du kan ju gå undan med henne, säger han glatt, du vet det här kommer göra mamma på gott humör i månader framöver. Varför måste just du Tomas… nej, hon säger inte så. Men ingen av svägerskorna har smått och bara dagar kvar till förlossningen dessutom. Det finns väl fler i familjen som kan ordna högläsning. Jag kan ju inte garantera att hon låter bli att skrika, säger hon torrt och Tomas avbryter henne meddetsamma genom att tala om att de är hemma om en halvtimme. Anita har hällt handskar och halsdukar ur spånkorgen och bäddar åt apan i den nu. Bättre att låta henne hållas, tar hon korgen ifrån henne skriker hon säkert. Farmor kommer, säger hon till Anita, nu är det bråttom – hur stökigt är det egentligen i lägenheten sett med den här utifrånblicken som alltid slår till – sängen är förstås i oordning och bäddkappan slarvigt slängd över fåtöljen, Anitas leksaker, böcker, förklädet de tog av innan vilan. Och i köket står lunchdisken bara hastigt avsköljd i hon, grötkastrull och allt, det som hon i lugn och ro skulle ta sig an när Anita sov, och hade hon själv slumrat till kunde hon ha gjort det till smörgåsen och mjölken som Anita är van att få när hon vaknar.

Men hur snabbt kan man inte ordna i oredan när man är så illa tvungen. Bara kokkaffet grämer henne, tant som inte vill ha det bryggt. Ja, det får ju bli uppblandat med surr, inte tar hon hela ransonen åt tant. Det var då ett jädra surr om den där boken också. Vädra måste hon göra, och blanka tvättställ och toastol. Ren gästhandduk. Jo, men hon kan ge sig på att tant tvunget ska uppsöka wc. *Är ni inte sams nu, du och Tea?* Men det är väl ändå Tea som måste visa den *största generositeten*? Tant skickade inget till mammas begravning. Tomas tänker inte heller alltid på att hon fortfarande har sorg. Har hon inte rätt att inte bara vara *sol i sinnet*? Men han räknar med att hon anstränger sig och dukar snyggt och färskar på den torra vetelängden i ugnen. Inte kan hon lägga bullskivorna i äggstanning och steka upp dem för hon har inga ägg och det blir... hon kan inte grädda våfflor heller. Sockerskorporna, fast de är kardemummastarka, och Tomas tar nog napoleon åt dem alla, de är goda, men omväxling kan ju också vara bra. Nej, Anita har öppnat linneskåpet, ryckt ut manglade diskhanddukar, nu måste hon säga ifrån, aja baja skåpet Anita, du får inte ta därifrån, och Anita håller bara hårdare i linneväven och viftar och viker, men vad är värre än att hon storgråter när tant kommer hit.

Och så är de här. Hon hör stegen i trapphuset, Tomas höga, glada röst, och så det korta, *illvilliga*, plingandet. Det har bara gått tjugofem minuter sedan han ringde. Så det hasplar ur henne att det gick undan. Tea har ju ingen kappa eller hatt och med ett iande läte har Anita sprungit och gömt sig. *Fast farmor kommer inte att leta efter dig. Farmor vill prata ostört med pappa, ser du.*

Maj vet hur Anita ska konstra och göra sig till – för så pass känner hon sin flicka att hon förstår att det är hennes sätt att försöka få kontakt. Man kan inte begära att en tvååring ska niga och ta i hand. Hur konsekvent man än fostrar. *Mormor skulle väl haft hand med dig, letat efter dig under sängen eller bakom dörren, det skulle hon väl?*

Stig in tant Tea, var så god och slå sig ner i rummet, säger Maj – hörs det att hon är på dåligt humör? *När som helst kan jag föda, Tomas,* ja känslan av att vara avskärmad, tung... har hon inte redan fått så där fult tjocka läppar? Tomas leder sin mamma in till soffgruppen, men tant vill sitta i emman med benen på fotpallen och ha ett eget litet bord för sin kopp och sitt fat. Här, säger han åt Maj och räcker henne bakelsekartongen, *här,* som om hon var en byracka, fast inte tänker Maj att maken kan väl duka fram bakelserna själv. Det är *en kvinnas lott* att ta fram förskäraren och snitta snöret, lyfta locket varsamt och hoppas på att bakelserna hållit formen under färden hem. *Är det Frans som har bakat dem?* Ett rosa lock har halkat på sned. Och det är bara tre. Ska Anita bli utan? Men Maj och Anita får väl dela på den trasiga då. Om hon skär den försiktigt med en sågtandad kniv. Och så skorporna och det uppfärskade vetebrödet. Mjölk till Anita. Jo, men hon måste få sitta med vid kaffebordet. Det är inte att tänka på att hon och Anita ska kunna fortsätta vilstunden i sängkammaren nu. När Maj kommer ut till dem med brickan springer – tultar – Anita fram och tillbaka över rumsgolvet. Vad du kan Anita, säger Maj även om det kanske retar tant. Henrik har också sprungit över golvet och det har tant tålt. Hon vill ju bara att farmor ska titta på henne. Ja, Maj ger ifrån sig en suck när hon serverar kokkaffet. Hur är det, frågar Tomas och Maj svarar att det är svårt att få åt sig andan när fostret trycker så hårt mot lungorna. Och då säger Tomas att det ändå är gott med äkta kokkaffe också. Jaså, säger

Maj, nej har man blivit på dåligt humör är det svårt att bara mjukna och vara mild meddetsamma. *Som en hustru ska vara gentemot sin man.* Tog du inget åt flickan, säger Maj lågt, åh, svarar han, jag trodde inte hon tyckte om, tycka om och tycka om, nog vet han väl att Anita vill ha lika på sitt fat. Men nu måste Tomas få läsa. Det är visst ingen måtta på hur fantastiskt framlidne fabrikörn framställs. Nog borde det här firas med ett släktkalas! Är inte det att förhäva sig och göra sig märkvärdig så in i norden? Det kan Maj tycka i alla fall. En sådan underlig kombination av skrytsamhet och framhållande av mer blygsamma ideal. Festen skulle ju hur som helst bara hållas inom familjen.

Fast Maj kan också höra hur märkvärdigt och makalöst det är. Arbeta fjorton timmar vid brädgårn och sedan hem och syssla med sömnad och skinn... *Du är bra lat. Lat och oduglig.* Men hushållsarbetet, om man räknar på det, går väl också upp emot en fjorton timmar? Inte sant?

Tomas och tant har inte tid med Anita nu. Fast Anita står där och sträcker fram boken. Ja ha bok osså, säger hon. Va sa, svarar tant och ser plötsligt hjälplöst mot Maj. Hon säger att hon också har en bok, precis som tant och Tomas, svarar Maj halvskrikande, med klapprande hjärta. Anita som pratar så rent för att vara bara två.

Det var duktigt, svarar tant då, nu får vi höra vad pappa läser om farfar. Farfar var en viktig farbror ser du...

Kanske säger tant inte så. Men mätandet och vägandet som är så åtråvärt i alla sammanhang, nog ska Anita redan i koltåldern veta vad som är aktningsvärt. Sedan ser de på porträtten av alla andra betydelsefulla gubbar och tanter i stan. Så många gånger Maj kommer att höra deras namn... Jo, men hon ska lära sig. Hon kommer att kunna den här stan, både människor och byggnader. Gå på Chic och Salong Charmé, till bosättningsbutiker och charkuterister, nog kommer hon att bli en uppskattad kund i stadens livliga handelsutbyte. Så drar vi alla vårt strå. Hur Maj kommer... inte slösa. Aldrig så. Men glädjas åt nytt, snyggt och modernt. Kedjas vid tingen, skapas av tingen, bländas av tingen – tingen är du. Nu ska vi inte vara sådana trista moralister. Gå i gammalt och vrid klockan tillbaka då! Vad ska människan leva av om inte arbete och konsumtion? Inte ens de frikyrkliga i staden har något emot handel. Tvärtom. Riv ut det gamla.

Nu sitter Maj i soffan med Anita tätt intill sig. Läser tyst ur sagoboken parallellt med Tomas tydligare stämma. Svanskotan. Det är fostret, svårigheten att sitta stilla i ett läge när det liksom trycker ner mot... vad heter det egentligen, bäckenet, blygden? Och plötsligt märker Maj att Anita sover. Hon är kissnödig efter kaffedrickandet. Men hon håller sin arm om Anitas kropp – med henne hör hon i alla fall samman. Om hon bara hade fått dela henne med mamma. Hade inte mamma glatt sig? När pappa till och med har visat sig mjuk och tunnhudad i relationen till sitt barnbarn. Jo – mamma skulle ha hållit av henne. Så nu sitter hon där hon sitter. Med Anita så nära. Nog kunde tant ha undrat hur hon har det... i grossessen. Fast vad är en graviditet i jämförelse med en egen rörelse som utvecklas till något stort och strålande. *Om vattnet kunde gå just nu.* De blir faktiskt en smula självgoda i tonen när de bläddrar och ser på alla näringsidkare och köpmän som tillhör bekantskapskretsen. Så låter det i alla fall. Att den här lilla hålan – nej – den här på sitt sätt avlägsna platsen – ja från huvudstaden mätt – lyckats så till den milda grad. MoDo och Hägglunds har ju egna kapitel, men alla övriga rörelser som tunnbrödsbagerier, mejeriet, mekaniska verkstäder och bilhandlare, plåtslagare, konfektions- och bosättningsaffärer, elektronik och papper – ja allt vad man behöver kan man få tag på här. Det är bara på trädgårdssidan bygden som helhet får underkänt. Det finns visst en biodlare åt Moliden till som fått pris för sin honung.

Men grönsaksodlingen bör utvecklas, säger Tomas, särskilt i tider som dessa.

Finns det något vackrare än ett barn som sover? Anita blir alltid så varm. Hon trodde inte att små barn svettades, men i sömnen fuktar sig håret vid hårfästet och kanske är det därför det blir tjorv där bak. *Nu struntar vi i tant och pappa, Anita. Vi bryr oss inte om dem.* Det är ju synd om tant också. Maj vet ju att avund och svartsjuka kan vara så skavande tungt att bära omkring på.

Men just som tant har tackat för sig och Tomas följt henne ner får Maj en bestämd och pockande känsla av att de – strax efter dörren slagits igen – sänker rösterna och att tant viskande undrar hur Tomas egentligen har det. *Sköter hon om dig? Får du ro att vara verksam med ditt i världen? Är hon alltid så där omogen, ja rent av barnslig? Får du mat, sömn, uppassning?* Varför skulle det annars dröja så innan han kommer upp till Maj och Anita igen? Att tant och Tomas har *umgåtts*, bara varit upptagna av sitt hela stunden i Majs hem, hindrar dem tydligen inte från att tvunget fortsätta samtalet i trapphuset eller i tamburen hos tant. *Fast jag snart ska föda och kanske är rädd.* När han till sist kommer tillbaka vill hon att han med mjuk röst ska säga att hon har ordnat det bra, ja hur mamma sa att jag måste vara så lycklig och tacksam att jag har fått tag på dig – men Maj vet att han aldrig säger något sådant. Som nu, när han slår sig ner i emman med en suck – oj, vad hon sover idag, håller hon på att bli förkyld? – och Maj ser på honom och säger sakta tänk vad tant måste tycka illa om mig – då svarar han bara att det inte är något vi kan ändra på eller göra något åt. Det viktiga är ju vad jag tycker. Eller hur?

Kanske skulle mamma inte ha tyckt om Tomas. Menat att han var opålitlig, smilfink och supandet sedan. Men Maj inbillar sig att Tomas genom att vinnlägga sig om att aldrig verka högfärdig skulle kunnat blidka mamma. Det är ju ändå för sent! Och när hon flyttar sig vaknar Anita. Det är dags. Annars blir det svårt att komma till ro ikväll. Pappa läsa, säger hon och sträcker sina armar mot Tomas. Och Maj lyfter över henne till hans knä, reser sig och borstar smulor från klänningen. Vaggar ut till toa. Måste stanna för sammandragningen som hugger till. Usch vad ful hon blir i den här vida mammahistorien. Titti har berättat att Chic har riktigt trevlig konfektion, men att det är för ungdomligt för henne. För Maj däremot... När Maj är sig själv igen kanske Vera och hon kan gå dit. Fast alldeles förtjust är hon inte i alla spräckliga fladdriga tyger och mönster. Men vad det tar emot att börja med maten. Plötsligt tycks den där rotsakslådan hon skulle prova idag alldeles för omständlig. Stångkorven blir dessutom mer som ett tilltugg. Tomas och Anita kommer in till henne i köket, vi borde kanske odlat mer på landet, säger han, vi, svarar Maj utan att lägga till att du menar väl att jag borde ha odlat mer, hur jag borde ha grävt upp gräsmattan och gödslat och vattnat – äsch, varför retar hon sig så på Tomas nu. Hon längtar ju efter honom när han är bortrest. Men när han är hemma igen går det liksom inte an att slarva alls. Hon hade ju kunnat ta sig något enkelt till kvällsmat, soppa till exempel, det tycker hon faktiskt om, bara på potatis och lök, mer behövs inte – kålsoppan däremot, då måste det vara riktigt gott salt fläsk i för att få bort det där lite fadda från kålen. Och så kroppen som ständigt påminner henne om att det faktiskt finns en riktig människa där inne som vill ut. Alla säger att det är lagom med två år emellan syskon. Då blir de lekkamrater och störsten fordrar inte längre så mycket skötsel. Kan hon ens föreställa sig en till? När Anita fortfarande måste ha hjälp på pottan, inte vill sova, när hon nu visar vilja i alla sammanhang och vägrar ha vantar så fruarna som får se henne ute höjer så där snorkigt på ögonbrynen... Fast hösten är rätt så mild. Tomas var tydligen så *snäll och behändig* som liten. Men Maj? Sa inte mamma att Maj måste tygla sitt häftiga humör som hon hade efter pappa. Temperament, det var för fint. Temperament, ljudar Maj inom sig, Anitas temperament. Kålrot, morot och potatis. Som ska kokas, stötas med mjölk, kokspad och matfett efter tillgång och sedan bakas moset i måttlig ugnsvärme. Vore det inte bättre att bara göra rotmos?

Tomas är tankfull och säger inget om hur det smakar vid middagsbordet. Men Anita äter faktiskt. Både korven och den här hälsosamma lådan. Pappa var verkligen duktig, säger Tomas mellan tuggorna, det förstod man ju inte som barn, vad han egentligen åstadkom, och i ärlighetens namn har jag väl oftast tänkt att mamma överdriver. Men det vore väl själva den om jag inte skulle kunna...

Ta mer korv, avbryter Maj. Jag ska inte ha mer. Kanske är det en flicka ändå. Eftersom hon inte ökar mer i vikt. *Då måste ni få fler.*

Tänk att på varje lyckad människa går det hundra hårt kämpande som aldrig nådde fram. Det är Tomas som säger det, och så lägger han till att han inte vill göra någon besviken. Nog märker Maj att han anstränger sig. Att vänta på att bli inkallad och så ta igen det som hopat sig under frånvaron, det är förstås inte lika lätt att ligga i framkant och få undan. Ofta har han med sig papper hem på kvällarna. Hon vet inte riktigt vad det är för papper. Redovisning, fakturor, fördjupning, svarar han kanske när hon frågar vad han läser. Inte blir det så mycket tid över åt de där studierna Bjerre föreskrev. Maj vet att hon borde stötta och uppmuntra. Sätt dig med böckerna du. Men är det så underligt att hon är tacksam om han kan leka en stund med Anita så hon får stöka bort ifred?

Två tomma händer, säger Tomas med ett kort skratt. Vad vi älskar det här också. Inte bara *over there*. Två tomma händer, initiativkraft, visioner, framåtanda och hårt arbete. Om det inte vore för att de flesta som arbetar gör det hårt.

SÅ BLIR DET dags för ännu en förlossning. Lika dramatisk, ordinär, *naturlig*... För Maj är den förstås unik. Kanske bara en aning mindre skräckinjagande än förra gången. En annan beredskap? Ändå kommer det överrumplande. Vattnet som går, eller blir det bara tilltagande födslovärkar, brådskan in till BB. Sa hon ens hejdå till Anita?

En lycklig förlossning? Maj vill fortfarande inte vara till besvär eller leva om. Viljan finns kanske... men att tillåta sig? Även skammen kan ha gradskillnader. Skammen finns där över den nakna underkroppen, det utsatta läget liggande på rygg. Men inte en förödande skam över att hon blivit med barn.

DE FÅR INTE ta honom ifrån henne. Inte den här gången. Han är ju så vacker. Håret, de blå ögonen, den näpna näsan, hakan – han kommer få en grop i hakan, *dig ska jag älska villkorslöst och heligt,* är det dag eller natt, mörkt ute, ett septemberbarn som lyser som solen. De drar väl honom inte från bröstet? Han gnäller lite, han var inte färdig, säger hon, såja frun, svarar biträdet, nu måste tarmarna få vila.

Hon vill att de ska telefonera till Tomas genast. Tala om att det blev en pojke! Ja, telefonera till tant också. Även till pappa i Östersund. Ser de inte besvikna ut, fruarna som fått flickor? Är det samma sal som förra gången? *Minns du Anitas skrik när du for in?* Nej, inget skrik. Hon gömde sig bakom sängkammardörren, *ni sa aldrig adjö,* Maj kommer inte ihåg riktigt, bara känslan av att det var dags, tydligt och klart, inga fjuttiga små sammandragningar, nej värkar, regelbundna, eller hur, han ville verkligen komma ut, eller var det hon som så gärna önskade det den här gången, hon är så upprymd – försök att sova nu frun, säger biträdet, frun måste passa på att sova mellan måltiderna.

Att besökstiden är en ynklig timme varje dag. Hur ska de hinna se honom? *Är du manisk, Maj?* Ingen ställer frågan så. Men en vag känsla att hon gick miste om… moderslyckan förra gången. Moderslyckan? Ja men den där lätt förvridna synen, euforin, mitt barn är vackrast i världen, bland alla fula spädbarn är mitt så vansinnigt vackert. Och så den fladdrande lättnaden att allt har gått bra. Ingen äggvita i urinen, ingen livshotande långdragen förlossning. Bara att babyn är här, som är hennes barn. Tio fingrar, tio risgryn till tår. Och nu vill hon visa Tomas att hon också kan känna på riktigt. Det var så overkligt med Anita. Minns hon? Bara de kommer i tid så biträdena inte bär iväg med honom för att byta, bada eller sova.

Kunde de inte ha informerat att man inte skulle ta med syskon?

Tomas är upprörd, Anita borrar in sitt huvud mot hans hals. Maj ser hennes tjocka ben krama om honom. Vad stor hon är – borde de hålla diet? Det är kakorna, att hon inte kan låta bli bakverken. Nu är vi visst här på nåder, fortsätter han. Maj sitter med babyn i famnen, han har ätit, somnat. Ska ni inte komma och hälsa på lillebror nu, försöker hon för Tomas har ännu inte gått fram till henne och verkligen tittat. Tomas bär på en blombukett och kasse i den ena handen, med den andra håller han hårt Anita i sin famn. Vad ska jag göra av det här, viskar han, som om han plötsligt märker att de inte är ensamma på salen. Lägg det vid fotändan, svarar Maj, hon vill att han ska släppa ner Anita så att han verkligen kan skåda barnet – han är så bedårande säger hon, titta Tomas – ojoj, hej på dig lilla vän, säger Tomas och killar lite på pojkens hand, ska du ge presenten till babyn, viskar han till Anita, eller ska jag? Hon nickar, fortfarande med ansiktet bortvänt.

Är du inte glad att träffa mamma och lillebror, säger Maj, han är så fin och äter duktigt redan. Tomas tar fram ett vitt, ulligt lamm med gul rosett om halsen ur påsen – så smutsigt det kommer att bli – det är Anita som har valt ut det, säger han, och så sparkar Anita med fötterna att hon vill komma ner. På ett ögonblick har hon sprungit ut i korridoren och Tomas vill gå efter, men Maj säger åt honom att han måste titta på pojken i alla fall. Ska du inte hålla i honom – det blir tid till det också, säger Tomas och får bråttom ut. Låt Anita vara ifred en stund, vill hon ropa. Det blir visst bara du och jag, viskar hon till pojken, du är ju finast i världen.

Vi går hem, säger Tomas sedan till Maj när han har fångat in Anita, det var hemskt trevligt att få träffa dig lillebror, men vi måste få ta det i små portioner.

Vilka typer, mumlar hon till pojken när dörren stängs. De har talat om Lars-Åke eller Britt-Inger. Ja, Lasse. Mjukt, men manligt. Bestämmer hon sig inte redan här, *vi förstår varandra på ett särskilt sätt, vi liknar ju varandra du och jag,* och nog borde väl Anita vara ganska nöjd nu, när hon får ha pappa helt för sig själv. Men hon måste säga åt honom att hålla Anita snygg. Borsta håret, tvätta ansikte och händer, och hon kan för allt i världen inte bestämma klädsel själv. Det kändes inte bra inför biträdena och fruarna på salen att Anita såg så... ovårdad ut. Ändå säger biträdet när hon kommer för att ta Lars-Åke ifrån henne att fru Berglund har en så söt dotter. Ja, men hon kan vara ganska besvärlig. Då skrattar biträdet att det är åldern, jag vet inte det jag, svarar Maj.

Hon vill faktiskt vara med honom dygnet runt. Redan andra kvällen är hon på benen den här gången. Då får hon förstås skäll för det också. Fast hon ger svar på tal – sist fick jag skäll för att jag låg raklång, nu får jag skäll för att jag står opp. En fru som låter bli att äta rullas ut till en annan avdelning. Själv vill Maj se till att både dricka och äta sina portioner så att hon kan ha gott om mat åt pojken. Ber Tomas ta med frukt eller chokladbitar – särskilt på kvällarna är hon så vansinnigt hungrig. Det känns bra att veta att brösten inte alltid kommer att vara så här... stora, som de blir den här gången också. Och hon får lite ont i bröstvårtorna, men ingen ska anklaga henne för att inte härda ut. Hon deltar så gott hon kan i salens sociala liv. Ja, hon tänker på Signe Malmdin. Att de inte höll kontakten. Men det var ju hösten när Tomas... nej, det bara blev så. Och i tysthet räknar hon minuterna till varje möte med pojken och dagarna tills hon får gå hem.

Ändå var det inte så här det skulle bli att ha två små. Märker Maj det redan första dagen när hon är hemma? Anita är varken glad eller lycklig, tycks nästan inte bry sig om hennes hemkomst eller vara intresserad av sin söta lillebror. Inte heller blir det lika mycket ståhej kring Lasse som det väl var kring Anita. Som är det bara den förstfödda som verkligen ska firas. Jo, de tycker att han är gullig, Titti och alla svägerskor, men det är ett annat jäkt nu, de tittar bort för snabbt, lämnar pojken ifrån sig så hastigt, ja vissa ägnar sig dessutom överdrivet mycket åt Anita. Hon som har fått så mycket uppmärksamhet. Ja, nog är det dags för henne att träna på att inte vara i centrum. *Varför är du så hård mot Anita? Jag är väl inte hård? Hon har ju Tomas. Räcker det inte så?* Usch. Ska man bli så där underlig igen. Och rätt vad det är har Anita börjat kissa ner sig på nytt. Som de har pottränat. Räcker det inte för mamma att ha ett blöjbarn, suckar hon.

Det är så lätt att glömma handen, armen, famnen. Så mycket med att hålla om det minsta barnet. Det tunga huvudet som måste stöttas, sladdriga ben och tunn kropp som kräver stadga ikring. Att då samtidigt ha arm och famn och knä åt en *klumpedunsa.* Anita har blivit så tung och sitter inte stilla i famnen. Det är svårt. Och som Anita tittar när hon ammar Lasse. Det blir kletigt i henne. Ja, som vill hon ta en trasa med hett rent vatten och göra sig själv ren och snygg. Få bort det där klibbiga. *Hos vem?* Tomas håller ju mest av flickan. *Är det inte mer rättvist om jag ägnar min tid åt pojken?*

Som om det var rättvisa det gällde. Barnen med sina behov.

VI ÄR VÄL bara med på jullunchen hos Julia i år, säger hon och kavar av sig pumpsen innan hon drar upp benen och halvlägger sig mot soffans armstöd. Hon har serverat kvällskaffe. Diskat bort. Barnen har somnat för kvällen, hur gärna skulle hon inte sova hon också, men de måste reda i julfirandet eftersom de redan har andra advent. Tomas, säger hon därför, du vet att Anita inte kommer att sitta för sig själv vid ett barnbord och jag kan ju inte tvinga Lasse att sova en bestämd tid. Nej det går bara inte. Vi var ju inte med första julen med Anita heller, påminner hon och Tomas håller suckande med. Det känns fel att fira när sorgåret inte är över, lägger Maj till även om det kanske inte är helt... sant? Men svägerskorna har glömt. Hur de har så mycket saker som små barn kan ha sönder eller göra sig illa på. I julfirandets tumult kan vad som helst hända. Inte så att hon längtar efter att stå med julmaten i år – ja fick hon vara för sig själv – men med två som ska ha hennes uppmärksamhet. Om vi absolut måste kanske vi kan vara med en stund hos Nina och Ragnar också. Men julaftonskvällen hos Dagny och Kurre... det går bara inte. Vad fånig Tomas är som inte kan lägga undan sin tidning. Jaha... säger han dröjande – har han inte hört vad hon sagt? Vi kan inte utebli från mamma på juldagen, säger han då. Då är det ju bara att vi går upp till oss om det krånglar. *Vi!* Ja men då sitter jag hellre ensam här med barna i så fall, utbrister hon, och reser sig hastigt från soffan. Lugna dig, säger Tomas. Aldrig i livet att hon lugnar sig. Hjärtat som hamrar i nattlampans sken i sängkammaren. Varför är Anita så mörkrädd? Borde de inte vänja henne av med att sova med lyset tänt? Så blir det strängt, igen. Tomas kommer inte efter, har inget behov av att reda i julbestyren. Om hon tar barnen med ner till Ragna? Fast om Ragna far upp till Östersund? Kan Maj också? *Till pappa och Anny.* Nog vet hon att det inte går. Hon kan ju inte komma dragandes med sina små, särskilt inte om Ragna och Edvin ska ha Gunnar och Björn med sig dessutom.

Varför kan hon inte förklara? Att ensam med barnen – det går så snabbt! Ja, men det är klart att hon vet att hon bara har två och har det bra, men *hon klarar inte upp det.* När Anita bevakar varje amningstillfälle, vägrar somna om Maj inte ligger intill, nu när Lasse inte längre sover timmar i sträck i korgen, om Tomas visste hur hon byter och tvättar och lagar till mat och *inte kan följa sin inre kompass och planering.* Det går bara inte! Och att då följa med i julfirandets fastlagda schema… gå undan och amma och parera Anitas utbrott, det är klart att hon inte vill vara omöjlig, men när hon inte har ork?

TOMAS KOM HEM NU! Jämrar hon sig högt, eller är det bara Lasse som gallskriker, spjärnande i hennes famn? Hur hon står lutad mot sängkammardörren, *klämdes Anitas mjuka fingrar när du drämde igen den mitt framför henne,* det är ilsket röda bitmärken - lila, blå - på Lasses knubbiga överarm, mamma, skriker hon, fölåt mamma - hjärtat som bultar så hastigt att... Han ska få amma, det har inte gått fyra timmar det vet hon, bara hon lyckas sjunka ner på golvet med sin kroppstyngd mot dörren, *hon bits,* Anita får inte komma in, då kommer Maj att slå henne ifrån sig, om hon vill upp i hennes famn, drar henne i kläderna och skriker som hon gjorde alldeles nyss. Skäms, väser Maj ut genom dörren och Lasse bara gastar, vrålar, hon öppnar blusen, hasar ner behån, hur äcklet övermannar henne, att kasta sig ut från fönstret, släppa Lasse skrikande på golvet, hålla för öronen och bara vråla själv, han spänner sig, tar inte tag, men när han till slut ligger där hummande och upprörd och kluckar så kan hon inte höra Anita. Var är hon? *Vad har du gjort?* Om hon virar in sig i rullgardinssnoddarna, klättrar på bokskåpet och det välter med alla tunga böckerna, sätter på plattor... herregud. Nu rinner det tårar, mjölk, snor. Hon stryker bort det med ovansidan av handen. Vem talar man om bitande barn med? Ingen. Ingen får veta. Smällde hon till henne? *Jag for inte illa av lite dask.* Det brukar ju låta så. Ena stunden - Lasse på sin filt, Anita med sina leksaker. Hur hon lämnat Lasse gråtande i vagnen när Anita vägrade gå trapporna upp. Burit henne och matvarorna. Sprungit ner, hämtat Lasse. Blöt av svett, själv överrumplande utsvulten, illamående, hastigt skivat en bit av bullängden och gett till Anita, tagit skalken själv, en knapp timme kvar tills Lasse skulle äta, Anita och hon som måste ha lunchmat. Gröt och mjölk. Men först var hon tvungen att vrida ur tvätten, hänga den på tork och så plötsligt detta gallskrik från rummet. Lasse har somnat i hennes armar, Maj reser sig och lägger honom i vaggan. Rodnaden och märket från tänderna har gått ner. *Mamma, hjälp mig.* Är det inte så det ska vara. Hur det finns någon annans hand eller famn för det barn som blir över. Som säger lägg dig och vila en stund så tar jag vid. Hur hennes armar inte ens kan räcka till två. Så stark är längtan till den där sängen. Att gömma sig i det där vidriga kviltade överkastet som hon inte gjort sig av med. Att snora rätt ner och sedan bara dråsa bort i dvala. Men hon snyter sig, ordnar behån, knäpper blusens knappar. Trycker ner dörrhandtaget. Det är tomt i tamburen. Anita sitter vid sina grejer på rumsgolvet som om ingenting hänt. Då tog hon väl inte skada? Är det inte en mors plikt att visa att man aldrig får göra ett mindre barn illa? *Som du själv gjorde.* Åh!

Nu sover lillebror, säger hon. Anita tittar inte upp. Viker och vänder på tygsnuttarna hon har till sina djur och dockor.

Behöver du kissa, frågar Maj, vet att hon måste påminna, *måtte inte mattan blivit våt,* Anita nickar, hon tar hennes hand och de går in på wc. Pottan, säger hon, vill fortfarande inte sitta på den svarta toalettsitsen, även om Maj håller i henne. Maj skjuter fram pottan och när hon ska hjälpa Anita att dra ner underbyxor och lyfta upp klänningen kramar hon henne och låter tårar rinna tyst i hennes toviga hår.

Färdig, säger Anita, och Maj stryker av sin kind med handens baksida. Du måste tvätta händerna också, säger hon, beredd på att Anita ska smita ut, men hon låter sig lyftas mot det kalla tvättstället och Maj gnider tvålen mot hennes fingrar. Mamma ossa, säger Anita och Maj nickar, mamma också, och hon tvättar sina händer.

Nu ska vi väl få något i oss, säger hon sedan. Jag är väldigt hungrig. Är inte du?

Man måste luta sig mot ångern. Att det hastigt explosiva följs av eftertanke, om inte ordens, så handens förlåt. Kanske kan inte Maj. Inte då. Kanske blir det svartare, hårdare, mer absolut. En Anita som mest fogar sig, går undan. Väjer för vredesutbrott och utmattningens utspel.

Hur som helst kommer Maj inte kunna berätta om det här för Tomas då han kommer hem. Inte vad som hände. Hon vet ju inte riktigt. Om Lasse tog något för Anita, vägrade släppa. Om hon kanske ägnat Lasse, tvätt, städning, disk och handling hela förmiddagen så att det var ett avigt försök från Anita att säga jag finns, jag också. Är sådan psykologi fjärran för Maj? Är det snarare udda, apart eller normalt som är skalan hon mäter sig själv och andra utifrån? Hur ska hon kunna veta något om hur bitmärken kan uppstå syskon emellan? När hon inte vill minnas den egna kampen i syskonskaran. Både Ragna och Per-Olof kunde väl nypas, knuffas, sparkas, retas och slåss. Och allt detta hur man måste finna sig, *i det som är.* Ändå är yxan... *yxan i huvudet när hon grinade efter mamma och pappa. Per-Olofs barnsligt, farliga ursinne.* Hennes starkaste minne? Det är svårt att stå ut med andras gråt. Inte minst om man själv orsakat den.

Men nu är januari passerad, redan början av februari, bara våren kommer blir det väl bättre? Anita blir större, inte lika mycket kläder ska bylsas på, inte så svårt att få hem varor, om Tomas ändå var här, så pass att hon kunde springa ut själv, badhuset ensam, att skrubba sig ren i lugn och ro, den sura mjölklukten i behå och blusar, Anita som snart fyller tre, hon är ju stor, eller är hon förskräckligt liten, vad kan man kräva av den som ska fylla tre, ja i alla fall inte lika mycket som av den som fyller fyra. Svägerskorna kommer inte ihåg. Hur det är *att ha smått.* Om hon vågade ta upp det här med en jungfru igen. En barnsköterska. Titti som kan torka svetten ur pannan och skicka Henrik till Kajsa. Vad är det då för konst! Och bara ett barn. Just som Anita somnar – det var samma saga idag igen, om pojken och flickan och stocken de leker på som blir en drake, nu kan Anita den utantill, fast den är ruskig och hon slumrar innan Maj kommit till slutet – så märker hon att vaggan rör sig. Hur två små fötter far upp i luften, och händerna som leker tafatt med dem. Ibland sover han två timmar. Idag var inte en sådan dag. Nu är det nästan tre timmar kvar tills han ska ammas. Var det verkligen ett fullt mål han fick på förmiddagen? Han ler mot henne när hon böjer sig över vaggan. Sedan skrattar han på riktigt. Det ska hon berätta för Tomas. Att han verkligen skrattar!

Blöjan är våt, men varm när hon lyfter honom – så lätt om man jämför med Anita – och han grabbar tag i hennes hår och gurglar. Kanske var det att han drog Anita i håret också. Hon ska fråga Anita när hon vaknar. Ordna något gott till kaffet som Anita och hon kan festa på. Bläddra i jästpulverboken som har så många påhittiga kristidsrecept.

Också Anita är vacker när hon sover. Stannar Maj till och tittar på henne där hon ligger på rygg med utsträckta armar? Hon måste ju byta på Lasse. Kanske går hon raka vägen till köket. På wc är det för trångt för att byta. Nu skrattar han igen! Vilken tur att Anita sover, så hon inte ser hur de står där och skojar med varandra.

KOMMER HON ATT komma ihåg det här året när barnen var så hjälplöst små? Tomas kallas åter in under våren – det blir liksom stumt och bortdomnat i Maj när han talar om att han ska fara. Hur länge, frågar hon lågt, *vi behöver dig ju.* Till och med kläder går på kort, men mjölken är fri. Och lite extra matfett fick Maj när hon var gravid, men måste hon klara sig utan när hon ammar? Hur alla talar om att det så snabbt är över. Småbarnsåren. Då ångrar man sig att man inte njöt och tog tillfällena tillvara. Men det praktiska... det blir inte många stunder över att bara vara lycklig ung mamma.

Klarar Vera det bättre än Maj? Ja, är det i glädje eller sammantvinnat kaos Vera och hon träffas med de fyra barnen då Lasse och Lena bara är dryga halvåret och Gunnel och Anita just fyllt tre. Vera och Maj som sitter och huttrar på en bänk i Örnparken, det är blåsigt, årets april kan knappast kallas varm. Men Vera vill liksom Ragna gärna komma ut om dagarna. Lasse sover i vagnen, Lena guppar lite lealöst i Veras knä. Vera sjunger, med stor entusiasm, rida rida ranka och prästens lilla kråka om och om igen, men Maj tycker inte Lena verkar riktigt road. Maj reser sig och skjuter vagnen en bit bort, för Veras sång är så pass hög att Lasse nog skulle kunna vakna. Är hon lite förkyld, frågar Maj när hon slår sig ner på bänken igen, tjockt grönt snor bubblar ut ur Lenas näsa. Är Gunnel också dålig? Anita och hon leker i gruset en bit bort – Anita, ni får inte trampa eller gräva i rabatterna! Både barnen och Maj har ju redan varit förkylda i omgångar efter jul, Lasse började hosta, sedan Anita, och Maj tog dem till doktorn men deras lungor lät visst bra. Typisk rethosta, sa doktorn bara, drick varmt, frisk luft, men inte för kall, vänta ut, vänta in hälsan som kommer åter. Ja, hur Maj måste granska Lenas matta ögon – då har inte Vera varit uppriktig när hon sagt att deras förkylningar är över. Fast de sitter ju i alla fall ute. Det prasslar till i buskaget bakom dem, Maj vänder sig hastigt – en brungrå koltrasthona liksom studsar fram i snåret. Nu somnar Lena äntligen i Veras famn. Så där ja, säger Vera och börjar berätta att Martin har hört på tidningen – mamma – då kommer Anita fram till dem, visar tyst sin handflata som är rödrispad, smutsig. Ramlade du, frågar Maj och Anita nickar. Borde Maj ta med henne hem och tvätta såret? Det är blod, inte bara rodnad hud. Vera är tyst, och Anita klättrar upp på bänken och vill sitta intill Maj. Blev Vera sur för att hon lät Anita avbryta dem? De flesta barn Maj träffar på avbryter sina föräldrar, men de vuxna verkar bli mest irriterade när de ser andras barn göra så. Den där blindheten i samspelet med de egna barnen... Maj har noterat hur både Titti och Vera oftast kvittrar när deras avkommor vill något. Då kan väl inte hon fräsa åt Anita när hon vill att Maj ska blåsa på hennes skrubbsår?

Ändå vill Maj inte alls vara utan Vera. Kanske kan man inte säga att Gunnel och Anita är vänner, men de roas av varandras sällskap, vänder blickarna bort från sina mammor en stund, *det är bara det jag begär, att inte ständigt vara passionens föremål, den som ensam kan göra helt eller sönder, för närvarande eller farligt frånvarande...* och just som hon ska be Vera fortsätta sin berättelse kommer Gunnel, är du kissnödig, frågar Vera, Gunnel nickar, vänta jag ska bara lägga Lena i vagnen.

JUSSI, JUSSI HUR *din stämma ljuder över staden.* Och fast det är krig måste man förstås fira hundraåringen, den ynka köpingen som blev ståtlig stad, blev också din stad Maj, så småningom, dina barns födelsestad, hon har följt med svägerskorna ut den här gången, Titti tar Henrik och Anita i var sin näve, men båda kusinerna ser avvaktande på spektaklet med världsartisten, *avundas du honom Maj, att få folkets jubel, att låta sin röst färdas över världen,* men också Jussi dövar sig med sprit. Nej men Maj tycker det verkar nervöst, om man skulle komma av sig, tappa tonen. Sylvia ser strålande på honom, förklarar för sina svägerskor att nu skrivs det historia, det höga ljudet, kan Lasse sova i vagnen när det låter så mycket runt omkring? Barnen hoppas på sockervadd, ja Henrik har ivrigt talat om för Anita att det är det godaste som finns och Maj nickar medgivande, tar fram mynt ur portmonnän, sjunger han Till havs nu, eller Ack, Värmeland du sköna, Maj ser hur publikens ögon tåras, *prova du också Maj, hur härligt det kan vara att låta sina ögon tåras, sinnen röras,* hon blundar, det gör hon, *kan du verkligen inte uppfatta hur stämningsfullt det är?*

SKA VI GLÖMMA sommaren, Maj? Den som alla längtar efter, strävar efter, stretar mot? Klart att Maj sitter och ser på när Anita tjutande plaskar i vattnet vid sommarvillan, hur hon gräver och vänder hinkar uppochner. Maj gräver också gropar i sanden, och Lasse kryper, reser sig, vinglar, nej, hon kommer inte minnas dess detaljer, bara att det var sommaren då Lasse envist försökte lära sig att gå. Barnsligt vill Maj börja gråta när Ragna och Edvin ber att få komma och hälsa på, *så ogästvänligt, självisk*t, men hur ska Ragna och Edvin kunna samsas med tant och Eivor, ja inte för Eivor skulle ställa till med något, men med två bråkiga – livliga – ja just så – livliga pojkar... Ni är välkomna, säger hon, som om hon inte vet att hon är dem tack skyldig sedan vistelsen i Abrahamsberg. Varför retar sig Tomas på Edvin? Han som alltid tar människor i försvar och försöker se förmildrande sidor hos de mest hårdföra personligheter, men Maj märker att han inte *bjuder till* med Edvin. Har det med ryssen att göra? De är ju överens om tyskarna, men ryssen... de var väl inte oense egentligen? Om de ändå haft en gäststuga. Eller kunnat bädda i sjöboden. Nu ska de ju trängas i var sin liten kammare på övervåningen, Lasse och Anita får sova med Maj och Tomas i sängkammaren och gästerna husera i rummet intill. Ragna är trött. Frågar faktiskt inte om hon ska hjälpa med disk och plock och matbestyr, ser som sin uppgift att övervaka barnen, Maj vet att det också är krävande. Men måste Ragna markera så tydligt gentemot svägerskorna att hon har en annan bakgrund, Edvin också, ja så att det blir riktigt obehagligt när de vid det vackert blomsterprydda kaffebordet hos Julia och

Tyko ska dra upp skillnader i ekonomi. Inte *uttalat*, men i andemeningen, i minspel och kommentarer. När Julia gör sitt bästa för att hitta lättsamma samtalsämnen och bjuder bort hela förrådet av bonästantens bröd.

Och när Tomas ändå tagit med Edvin i ekan och Ragna och hon sitter på en filt vid stranden med barnen ikring sig så säger Ragna att hon förstår att Maj måste vara slut. Att bara vara i lag med sånt folk. Jag är ju i alla fall med mina likar i Abrahamsberg. Det är bara trevliga människor, invänder Maj, du måste väl se hur väl de vill mig, Titti och Eva och Julia... Jag har aldrig sagt att de är otrevliga, jag tänkte bara att deras omständigheter och vanor... jag skulle aldrig orka med det. *Nähä. På det viset.* Men Maj, jag märker ju hur spänd du är, att du inte är dig själv. På det svarar inte Maj. *För hur är man sig själv?* Men när Ragna talar om att de ska fara förbi Betty på vägen tillbaka så skriker ändå något i henne, *ta mig med!*

Och Tomas tycks så vemodig efter kräftor och surströmmingskalas. Hans ansikte speglas i glasrutan mot augustikvällens mörker och han säger att de faktiskt inte vet vad som väntar dem i höst, kanske var den här sommaren en parentetisk nåd utan att han tagit den verkligt tillvara, *sluta Tomas, säg inte så där,* nej men då vaknar Lasse, kanske har han legat en lång stund i blöt blöja, och sedan vill han inte somna om, bara om hon ammar honom. Hon lovar sig själv att skärpa sig med nattmålen när de flyttar in till stan i höst, då ska hon ha mycket större disciplin.

DET KOMMER BUSSAR. Skärmbildsbussar... Tomas tittar upp från tidningen vid frukostbordet. Maj torkar av Anitas ansikte och fingrar, knyter loss den nersölade haklappen. Hon väntar på en fortsättning – vill han att hon ska stå kvar, lyssna, eller kan hon ta gröttallrikar, mjölkkanna och syltkrus och börja med disken, ja – säger hon därför – vad är det med det?

Det är tuberkulosen de vill kontrollera, fortsätter Tomas alltjämt läsande och Majs hjärta bultar hastigt till. Vad då kontrollera, säger hon och borde hon ändå ha väckt Lasse till frukostmaten? Nej, det är ännu tyst i sängkammaren, väck inte lillebror, ropar hon efter Anita, så hon hinner diska undan, koka upp blöjor, och nu måste väl ändå Tomas skynda sig till kontoret.

Det verkar vettigt, säger han, man vill se över befolkningens hälsostatus och stävja spridningen. Genom tuberkulinprov och skärmbildsröntgen... Han slår eld på en tändsticka, tar en paus för att dra ett halsbloss och så tunn tobaksrök genom mungipan, de här bussarna är något slags ambulerande undersökningsrum. Borde du inte, jag tänker, din mor...

Det var inte lungsot, säger Maj kort, hon hör hur rösten låter hetsig, för hög. Var det inte, svarar Tomas förvånat, men låg hon inte på sanatorium?

Det var astma, försöker hon sakta och sköljer de renskrapade tallrikarna under det kalla vattnet. Till och med Anita äter fatet rent från gröt, mjölk. Anita är nog hungrigare än vanligt, hon också, säger Maj, med ryggen till hälften vänd bort från köksbordet.

Hon var väl på sanatorium, säger Tomas, lite mer påstridigt nu.

Astmatiker kan väl också behöva frisk luft och vila, svarar Maj, fortfarande stilla, behärskat – sa inte mamma att hon hade astma, *du vet att hon hade tbc, det var ju därför du aldrig for hem,* och Tomas bryter den hastigt uppstådda tystnaden med att säga att han veterligen aldrig har hört att astma smittar. Vad nedrig han är. Nu vill hon grina ner i diskbaljan som den försmådda pigan i folklustspelet – äsch. Men hon är ju *slut.* Lasse som kräver på ett annat vis, når överallt i ett huj, ja snart är spädbarnstiden över, *om hon fick gå in till Lasse och lägga sig i kammaren,* stänga dörren mot Tomas och Anita, enbart vara bröst och hud och behövd... Han ger sig inte. Istället upprepar han att det ju bara handlar om en kontroll för att kartlägga utbredningen i befolkningen och att upptäcka tidiga fall som ändå kräver tillsyn och i vissa fall behandling. *Men det finns ju ingen behandling. Det är bara att vänta, Tomas.* Med mjuk, *smetig* röst säger han att hon måste vara rädd om sin hälsa. Med tanke på barnen... Jag har inte tbc, svarar hon kort. Vad tror du om mig?

Men vad är det med dig? Man kan väl inte rå för... det är ju en sjukdom. Förstår du inte hur alla inkallade karlar... ja på förläggningarna kan ju en smitta spridas rekordsnabbt. Det står här att man vill att personer som levt samman med smittade ska låta kontrollera sig.

Jag har inte bott med mamma sedan hon blev sjuk. Maj torkar tallrikarna med en handduk som kanske borde bytas. Men när man inte ens har fritt tvättpulver!

Jag går förbi bussen och tar reda på vad som gäller, säger Tomas skarpt. Och då vaknar Lasse. Har Anita ändå levt om där inne och väckt honom? Anita ser förskräckt ut när hon kommer emot henne, Lasse är vaken, säger hon. Vi måste klippa dig, suckar Maj, håret ser så ojämnt ut, hon har ju inte hunnit kamma henne med spänne i luggen. Lasse gastar där inne och Tomas säger tack för maten och lyfter upp Anita, snurrar henne runt. Baba, ropar Lasse när Maj kommer in, han sitter upp i sängen, gnuggar sin knubbiga hand över ögonen, han är våt förstås, våt och kall, bäst att hon skyndar sig att byta. Så därför är det ju helt *naturligt* att hon inte kan ta något ömt avsked av Tomas när han går hemifrån. Ser man så där ilsken ut kan man inte vänta sig någon vänlig vink. Och innan Maj har klätt barnen och gjort dem anständigt snygga för att gå till Titti kommer klockan att vara massor. Visst har hon varit ofta förkyld. Ja, den där långdragna sommarförkylningen var inte trevlig, men den blev ju inte bättre av blåst och havsluft. Hon har snorat ikapp med barnen, fått feber, varit lite svag. Och hon kan inte förneka att hon har rasat i vikt. Tomas tycker inte om att hon blir tunnare för varje dag. Det är ju amningens fel, och korten. Visst sjutton äter hon. Men så illa kan hon ju inte bete sig att hon förser sig med det lilla feta och söta som bjuds och låter barn och make vara utan. Vi har råd! säger Tomas när hon beklagar sig över ransonerna.

Men hon har märkt att även han tycker det känns kymigt med svartabörshandeln. Rena byten tycker han går för sig. Samtidigt vet hon att Tomas vill göra sitt för beredskapen. Det tycker hon om. Det känns... manligt på något vis. Inte kan han helt och hållet länsa lagren på hudar och skinn för att frun ska ha smör och grädde, linne till prima lakansväv. Maj vet väl att hon har så hon klarar sig. Hur många får till exempel gå bort på lunch i en flott villa? Med barn och allt?

Det är en fin höstdag. Ganska stilla. Snart fyller Lasse ett år. Maj går hemifrån i god tid, kör Lasse i vagnen med den ena handen, håller Anita i den andra. Hon har i alla fall inte hört något om att hennes syskon skulle ha dåliga lungor. Även om de alla har fått ärva pappas tunna hud under ögonen. Utifrån har nog pappa alltid sett sämre ut än mamma. *Men nu är det hon som är död.* Anita är så för Titti. Så att bara Lasse får åka vagnen ställer inte alls till det för dem idag, tvärtom nästan småspringer Anita intill henne, Maj måste sakta stegen för att inte komma för tidigt till Tittis lunch. Villorna på rad, några äppelträd som bär frukt, blommande luktärter, astrar, ja vissa tomter har stora trädgårdsland bakom staketet. Det vore ganska fint att ha en odlingslott och dra morötter och lök rätt ur jorden. Sockerärter... För middagsmaten måste Maj ändå tänka ut till ikväll. Fisksoppa och ugnsstekta äpplen? På torskhuvudet ska det visst gå att få en så ovanligt smaklig buljong. Hon hade tänkt sig en äppelpudding till efterrätt, men att puddingar innehåller så många ägg. Men om man drygar ut och gör den på ett ägg? *En husmor måste tänka framåt. Aldrig bara vara här och nu. Planering är A och O. Inte minst i kris- och dyrtider.* Det vet Maj. När villan blir synlig vill Anita skutta i förväg och Maj säger åt henne att stanna på grusplanen, inte ringa på dörrklockan förrän Maj har parkerat vagnen och lyft ur Lasse. Georg är väl inte hemma? Nej, han kommer knappast för att äta med dem. Tar nog en matbit på stan.

Men människa vad du har magrat, säger Titti i den rymliga hallen fast de sågs för en vecka sedan. Har hon lungsoten ändå? *Bara ett år kvar att leva?*

Ser jag sjuk ut, tycker du? Maj försöker låta skämtsam. Men Titti tar frågan på allvar och säger att det nog är dags för en dos fiskleverolja morgon och kväll. Är Lasse för snorig? Han har väl inte feber i alla fall. Maj känner lite hastigt med sitt ansikte mot Lasses huvudsvål när hon tar av mössan. Bara vanligt varm? Kajsa skulle säkert märka på direkten om Lasse var sjuk, och kanske skvallra för Titti. Ja, inte på något elakt sätt, nej men nog verkar han pigg där han genast skruvar sig iväg ifrån dem på golvet. Men vad roligt att ni ville komma, säger Titti liksom ödmjukt och Maj svarar att det är ju vi som ska tacka. Maj var väl inte nödbedd när Titti ringde häromdagen och sa att det blev ödsligt och ledsamt när de for från landet, frågade om de inte kunde komma och göra henne och Henrik sällskap på en bit mat. Och Henriks spatiösa barnkammare på övervåningen rymmer gott ett par barn extra. För Maj tycker det är *underbart* att slippa tänka på lunchmat. Det säger hon till Titti, hur omöjligt det börjar bli att hitta på lite roliga maträtter. Herregud. Var är Lasse nu då? Inte på hallens kalla kalkstensgolv. De glasade pardörrarna in till herrummet står öppna, Maj skyndar dit. Och där – låt bli, Lars-Åke! – han har ålat raka vägen in till salongens eluttag vid golvsockeln, hur många gånger har inte Maj sagt ifrån om det elektriska och ingenting fasar Tomas mer för än att barnen ska peta i kontakterna. Maj också förstås, det är bara att ibland måste en mamma vända ryggen till – ska jag behöva daska dig, säger hon lågt när hon fångar honom, sprattlande och motspänstig. Det är tur att Anita är så upptagen av att berätta något för Titti, annars hade storasyster sprungit fram och luggat honom. Buspojke, skrattar Titti och nyper Lasse löst i kinden. Men det känns spelat, inte riktigt äkta. *Tycker Titti att jag borde ge honom smäll på fingrarna?*

Nu visas de in i matsalen och nog syns det att Titti har ansträngt sig, med damastduk och blomvas med ringblommor och kärleksört, barnen ska visst få äta med Siri och Kajsa i köket. Tur att Anita känner Kajsa också, annars hade hon vägrat gå ifrån Maj. Sjömansbiff! Jag har bara tagit halva mängden fransyska och drygat med morötter, extra lök och potatis, men man blir ju så less fisken, inte sant, jo, håller Maj med, det är köttet man vill ha. Måtte Anita äta bra. Köttet är lite segt och senigt, och då kan Anita vägra. Potatis tycker hon i alla fall om, och sky. Titti talar viskande om att Kajsa har begärt avsked hos dem, jäntan grät nästan, jag vet inte om det var av glädje eller sorg, men hon är nyförlovad ser du. Nyförlovad? Ja, och kanske är det bråttom med vigseln. Varför ska de ha så bråttom, säger Maj mellan tuggorna, det är väl ingen brådska. Jag var nog rädd att bli utan, säger Titti, du vet jag var närmare trettio. Och vill man ha många barn så… Men vem vill ha många barn idag? invänder Maj, två är ju alldeles… lagom. Det är kriget förstår du, säger Titti, folk köar till och med för att få viga sig! Tänk dig att stå i kö, på löpande band! Då skrattar de ihop, och det hettar inom Maj. Och Titti som redan fyllt fyrtio.

Blir det besvärande tyst vid bordet? Nej, Titti håller samtalet igång. Det politiska låter de kanske vara tills makarna är med… eller frågar Titti vad Maj anser om protesterna mot regeringens handhavande av permittenttrafik och tysktåg? Nej. Maj lyssnar kanske på Tittis funderingar kring en ny jungfru. Om hon klarar sig med fröken Siri nu när Henrik snart ska börja i skolan. Fast Titti undrar om Maj inte tror att han får det långsamt, utan ett syskon eller jämnårig lekkamrat.

När de kommer in till Kajsa, fröken Siri och barnen i köket talar Kajsa om att det var lite si och så med aptiten idag. Tänk på krigsbarnen, säger Maj, på andra sidan sjön svälter barna ihjäl. I Alfredshem, säger Anita så allvarligt att Maj och Titti måste skratta. Sedan tystnar Titti och säger att hon har gett så frikostigt hon kunnat – och inte redovisat precis allt för Georg – när det har varit insamlingar för Finlands sak.

HUR TER SIG tillvaron nu när Lasse är året och Anita drygt tre? Ibland leker de. Eller tolererar varandra. Kan Maj se att Lasse faktiskt gör det svårt för Anita? Att han buffar sig fram först, skriker om Anita någon gång kryper upp i Majs knä. Var är Tomas? Borta... Ikväll är det middag på Statt efter styrelsemötet med bröderna. Skulle de äta gås och svartsoppa? Tomas är inte så målande i måltidsbeskrivningarna fast Maj tycker att det är roligt att höra vad de fått.

Lasse är väl en riktig *rustibuss*. Eller bara alldeles vanligt nyfiken nu när han är snabb på att gå. Men att hon varken kan lämna Lasse eller Anita utan övervakning, för i hagen vägrar han att vara mer än möjligen den stunden hon är tvungen att gå på toaletten eller ta telefonsamtal från Titti, Tomas eller tant. Utbrott, utbrott – de får alla tre sina utbrott. Maj som inte borde. Maj som borde kunna behärskning, tålamod, påhittig konfliktlösning, ja hålla sig själv inom vett och sans. Och avstå från cigarretten vid köksbordet nu på kvällen när Anita får sin varma mjölk, fast Lasse vill inte ha sin välling. Då Tomas är hemma kan han ibland vara med dem i sängkammaren och läsa för Anita när Lasse får sitt nattmål – ja bara det att han kan hålla ett öga på pojken om Maj måste hämta något hon glömt.

Men nu är Tomas inte här hos dem. De ligger i dubbelsängen. Maj har blusen uppknäppt, Lasse har kravlat upp på hennes bröst. Ikväll vill även Anita ligga på hennes arm, medan Maj håller i boken. Ruffsi, Tuffsi, Tott. Att Anita aldrig tröttnar på att höra om flickorna som smutsar ner sina nya klänningar och river sönder dem på stängslet i hagen. Men då kan jag inte vända sida, säger Maj. Lasse klipper med ögonlocken, snart kommer han att somna. *Du måste väl även låta Anita vila på din arm. Hon som varje kväll ser på hur handen håller om lillebror.* Ja, då får du bläddra åt mig Anita. Maj låter bokpärmarna luta mot knäna. Blir Anita så tacksamt glad? Hur hon vänder sida, ibland lite för snabbt, men då säger hon förlåt mamma och vänder bladet tillbaka.

Sover de redan båda två? Maj hasar en kort stund ner på kudden, med sina barn på vardera sidan. Armarna rätt ut, de böjda benen sträcker hon på. *Som en korsfäst.* Hon blundar. Men om hon rör sina armar kanske de vaknar. Då får de bara börja om. På söndag har Tomas lovat att vara hemma. Kanske ta barnen på en promenad eller till parken. Hur hon ligger där med bröstet naket när Lasse släppt taget och flämtande sover. Ändå lirkar hon inte loss sin hand för att dra blus och behå i ordning. Kommer hon att fastna i den här ställningen för evigt? *Man ger ju livet.*

TAR VERA HÅRT i Gunnels arm och sliter in henne i barnkammaren när tålamodet tryter? För Vera bor ju inte heller i villa. I en villa behöver man inte på samma vis vara rädd för att ens skrik ska få grannarna att kontakta barnavårdsnämnden för att utreda missförhållanden i hemmet. Ja, om fröken Julin eller Nordenmark knackar på. Men mest skräcken att tant ska skicka upp Eivor, fråga vad som står på när Anita har retat henne till vansinne genom att vägra borsta håret, tvätta händerna, ta på yllebyxor eller vad det nu kan vara. Det känns dumt att dra upp det här när Vera är nypermanentad och har fått vågor i håret så hon inte är sämre än Rita Hayworth. Nästan. Gunnel har också osannolikt kraftigt hår för att vara bara fyra, men lilla Lena har mest fjuniga babylockar fortfarande.

Jag har så dålig ork, säger Maj i alla fall, de dricker surr och doppar skorpor. Ja men gymnastiken då, säger Vera, och sträcker fram sina lite för tunna vader. Du har ju sagt att du ska följa mig till husmorsgymnastiken, det gör skillnad, jag lovar. Så vig Vera är. Reser sig och böjer sig från sida till sida, bredbent och med armarna stiligt sträckta över huvudet. Borde Maj säga något? Hon blir plötsligt full i skratt. Samtidigt besvärad. Vill be Vera att sluta.

Spänstigt, säger Maj och Vera nuddar händerna mot golvet nu och talar om att hon alltid har varit rörlig och när hon rödblossigt reser sig säger hon att i vår ålder går det fort att stelna till. Vera tjugosex. Maj tjugofyra. Jo. Och när Vera åter slagit sig ner vid köksbordet viskar hon att hon till och med har anmält sig på en kurs för att få bli ledare. Tror du inte jag skulle kunna vara en förebild? Maj nickar.

Bara Martins mamma kan komma och bo hos oss, eller om jag får skicka barnen till henne, så... Vera är visst bra på att framhäva sig själv. Lite klädsam blygsamhet har aldrig gjort kvinnan skada. Eller? *Men du törs ju inte åka på kurs och gymnastisera.* Nej, det ligger inte för henne. Att sprattla med ben och armar och skämma ut sig i största allmänhet, ja som på dansbanan. Dessutom är hon i rörelse mest hela tiden ändå. Ja, inte är det ofta hon som nu sitter ner med en kopp kaffe. Så inte är det bristen på kroppsligt arbete det hänger på.

Så många kvinnor. I gymnastiksalen med höga fönster och ribbstolar längs med väggarna. På ett vis är de förbryllande lika varandra, håret valkat och med lite längd, ledigt klädda för att kunna utföra övningarna obehindrat, Maj vill också vara rask och vig och kunna rörelserna elegant men kraftfullt, som Vera, åh så Vera sträcker sig och har hållning som en gasell, amason – måste Maj bli yr här, just nu, svag i benen när knäna ska dras upp mot hakan – ja det är visst fler än Vera som gör gymnastiken med ännu mer inlevelse än frun som leder det hela – sträck – sträck – och så ner... hållningen mina damer, hållningen! Nej, att röra sig i grupp – att inte kunna gruppens sammanhållna rörelsemönster – ska man vara i grupp måste gruppens regler respekteras, vara kända, införlivade i personligheten, ner på rygg för att träna stuss och mage – Maj vill ju också vara slank och smidig – inte tung, trött, yr, klumpig – alla dessa bröst och ben och ändor *du är sjuk* något i kroppen, den tröga andhämtningen, yrseln, huvudvärken. Hon förstår att Vera trivs här för hon utmärker sig med *sin kraftfulla grace* och ändå har hon en för sin längd lite kort och satt hals. Ja, det vet Maj för när Vera förstrött bläddrade i en veckotidning så kommenterade Vera avundsjukt Garbos svanlika hals och konstaterade att hennes egen inte var mycket att komma med. Fram till dess hade Maj ingen åsikt om sin egen hals. Halsen hade gått fri från kritisk granskning. Men ja, nog har hon väl en skaplig hals? Vera har själv sagt att Majs hals är bra. Men här skulle männen må gott, bland allt som skvimpar och skumpar, ligga och sparka med benen så här... blir inte de andra flickorna generade, när Tomas vill... *med Erik då... eller tänker du fortfarande på Frans?* Hon blundar, skinkorna mot golvet, svanken planas ut, magens skålform mellan höftbenen – finns ingen glädje över att ha en kropp? Och så runt på mage, det känns också märkligt värnlöst att sträcka motsatt arm och ben mot taket, huvudet lyft men blicken stadigt mot golvet, alla fötter som trampat, nakna kroppar, ja så ligger de plötsligt avklädda, känns det inte just så... avslöjande. *Ändå är de alla så strålande vackra. Inte sant?* Ja, i livet. Det måste man... jo men måste man inte ödmjukt blotta sin nacke i tacksamhet *över livet?*

Hon orkar många armhävningar. Även de får träna soldaternas och männens styrkeövningar för våldets möjlighet... ja men råstyrkan, styrkan bara – hon häver sig från knästående upp och ner mot golvet. Männen gör det från tårna. Lyfter hela kroppen upp och ner, men här är inga män, bara kvinnor, några ger upp, ja några tunna flickor flämtar liggande på mage, håret lockat i pannan av fukt, svett, men Majs armar tycks märkligt uthålliga – barnen som lyfts upp och ner, såser som vispas, tvätt som vrids, degar som knådas, fulla slaskhinkar som bärs ut – kanske har hon inte dansens rytmiska, koordinerade rörelser, men råstyrkans hävande upp och ner, ja också när armarna stumnar suger hon in luft och fräser ut.

Bravo flickor, ropar gymnastiklärarinnan och efteråt domnar det, pirrar i armar, axlar och Vera klappar henne på ryggen. *Inte för att ett fruntimmer ska ha muskler som en karl.* Men man vet ju aldrig när extra styrka kan komma att krävas.

Visst känns det härligt nu, säger Vera när de går Nygatan fram, vi borde ta ett bad också. Men det hinner de inte. Du kan alltid gymnastisera till morgongymnastiken på radion, föreslår Vera, det gör jag, och Gunnel och Lena får vara med. Särskilt Gunnel tycker så mycket om övningarna. Skulle Anita frivilligt gymnastisera med Maj? Hon som redan är generad i så många sammanhang, *en flicka ska vara blygsam,* men inför sin egen mamma? Sedan talar Vera om att hon skulle vilja läsa till sjukgymnast när kriget är slut, barnen lite större. Ja, Vera kan nog ha fallenhet för att komma folk nära inpå. Men måste man massera, röra vid? Tänk en tjock karl…

Vi har det väl bra som vi har det, vill Maj svara, vad ska du läsa till sjukgymnast för och Maj säger att hon undrar om det inte kan vara ett hinder att vara lite överårig när det gäller att läsa till ett yrke.

Tror du, undrar Vera och ser besviken ut, men vad ska man göra hela dagarna när barna går i skolan?

Maj skrattar till, de där timmarna kommer att gå undan! Vera är förstås inte så mycket för hemmet. Inte så att hon har det snuskigt eller otrivsamt, men hon suckar på ett annat sätt än Maj inför alla praktiska göromål. Ja, en rastlöshet… att hon vill ut… gymnastik och bokjuntor, allt möjligt vill hon pröva på.

Om Maj nu kunde smyga trapporna upp och bara lägga sig och vila. Ingen lång stund. Bara så pass att hon inte riskerar att somna när hon ska natta barnen. Hon kan säga att gymnastiken drog ut på tiden… Nog tycker tant och Eivor om att få rå om dem en stund? Eivor har aldrig sagt annat än att de sköter sig så fint. Unga, friska kvinnor har väl aldrig kunnat lägga sig och vila mitt på dagen. Finare folk kanske… ja, *men har det inte blivit finfolk av mig nu?* Vid tants dörr stannar hon förstås. Knackar på. Borde hon kontakta doktor Lundström eller lasarettet? Yrseln. Hennes rusande hjärta. Det kan vara något i huvudet. Titti som tidigare har försökt trösta henne med att det hör småbarnsåren till. *Men om det aldrig går över?*

TÅGKUPÉN, ÄR LUFTEN tung av fuktigt ylle? Ännu en lång tågresa söderut. Fast Tomas har böcker, dagstidningar han inte hunnit läsa. Ja, Martin sa direkt att han skulle slagga den här resan, flinade och sa att det tar på en att vara tvåbarnsfar. Tomas har låtit bli att söka ögonkontakt med de andra pojkarna i kupén. Då är han bara inne i något samtal som blir svårt att dra sig ur. De verkar så mycket yngre också. Borde han höra av sig till Astrid? Tågresorna med sina påträngande tankar. Han skulle ha tid att skriva ett brev. Och Maj skulle inte veta om det. Fast han skulle väl kunna skriva ett på kontoret också – men då är det en annan sak. Om Axelsson skulle komma på honom... Axelsson som förvånade honom med att tala om att han skulle vilja kallas ut i Tomas ställe. Att han inte är stolt över att inte kunna bidra – fast Tomas försökte säga att det är ju bara åldern. Att Axelsson har åldern inne för att slippa fara, och för firman är han ju helt omistlig. Axelsson svarade inte, men såg han inte lite nöjdare ut?

Det var Astrid som markerade att de inte skulle ha kontakt, efter den där sista gången hon besökte honom när Maj var på BB med Anita. Hade hon velat att han skulle försöka förföra henne? Vad spelar det för roll. Hon visade sin förlovningsring, lite retsamt, såg ut att må bra. Tomas var inte berusad när hon kom, men inte heller helt nykter. Han har bara tänkt på henne någon gång ibland sedan dess. När Maj och han... jo men när det har känts svårt. Om det skulle kunnat vara annorlunda med Astrid – det är klart det skulle vara annorlunda, men bättre...? Nu är han ju nykter. Och han skulle vilja berätta för henne att han varit avhållsam i tre år. Fast han tog henne på orden då hon sa att Sten skulle söka upp Tomas ifall han inte lät henne vara. Ja, nu huttrar han till. Han har väl aldrig tänkt… ja och Astrid hade lagt till att det är Sten som är så svartsjuk, jag menar, vi vet ju att kärleken är över för oss. Ja, herregud, varför skulle han berätta för henne att han är nykter? Att han och Maj har två fina barn. Har de adopterat? Det sa hon också, och det gjorde lite ont i honom, att hon och Sten skulle adoptera. Att hon aldrig tog upp frågan med honom när de var gifta… Är det kriget som väcker den här viljan att göra rätt och riktigt, att inte ha något ouppklarat, nej men han kan inte förneka att han skulle vilja träffa Astrid igen. Be om förlåtelse? Få förlåtelse. Jo, men så uppriktig är han att han medger för sig själv att det är förlåtelsen han vill ha.

Och Maj? Som verkar tro att han bestämmer över inkallelserna. Som om det var så avundsvärt att komma hem och märka att Lasse är reserverad och inte låter honom hjälpa honom med någonting. Att det ändå är svårt… när han vrålar *mamma ska, pappa gå,* ja, att han faktiskt inser att för ett barn är de här månaderna en oöverskådlig evighet, jo men Anita är även hon tveksam, tvär, och tar tid på sig innan de får kontakt. Martin snarkar. Tomas låtsas också sova för att inte behöva vara med och spela kort. Kan han skriva en rad till Astrid bara, eller kontrollerar Sten all post?

SKA MAJ BEHÖVA in i sängkammaren och ta Anita i handen, lite bryskt? Lasse är klädd, och de måste hinna med badet innan han ska sova middag, annars... ja han måste helt enkelt sova då hon förbereder middagen och inte när de är ute på stan. Nu går vi Anita, annars talar jag om för pappa att du har varit stygg när han kommer hem. Hur lealös och tung kan en fyraåring bli i famnen. Snart fem. En stor flicka! Det säger hon. Du är ju en stor flicka! Jag vill inte vara stor, gnäller Anita. Ribbstickad ylle, ja men om de inte är varmt klädda på hemvägen kan de dra på sig lunginflammation och... *Rak, bestämd, omutlig.* Vi går förbi Sundmans på vägen tillbaka om du gör som mamma säger nu. Knapparna i kappan, mössan som ska knytas under hakan, pjäxorna som verkar trånga när hon har de tjocka sockorna på. Det är Majs egna tunna stripor som behöver tvättas också, ja hela kroppen måste ner i karet och skrubbas ren. Herregud, de har inte badat karbad sedan jul och nu har snart januari passerat.

Det är inte långt till badhuset. De tar sparken, Lasse får sitta i lådan, Anita balanserar på medarna, mellan Maj och handtaget. Fast framme vid badhuset är det Lasse som inte vill gå in. Han ska rulla sig i snöhögen och Anita gör likadant. De kan inte längre värma vatten till badkaret i källaren och det är väl ingen sak att tränga sig in i en badhytt om det inte var för att hon vet att de ska kläs av, gnuggas rena, torkas torra, kläs på och... nu sitter de på plats i karet, nej de vill leka och plaska lite först innan Maj gnuggar dem med Palmoliven. Maj sätter sig på pallen, ser på när Anita skopar vatten i Lasses tomma tvålkopp. Tomas har sagt att de kommer få ett eget badrum, bara kriget tar slut ska de flytta och bli sina egna... Om inte Lasse vaknat så många gånger under natten hade hon varit utsövd nu och haft tålamod, visst är det tröttheten som ställer till det, gör att det elaka kommer? Ibland om man överrumplar dem går det av bara farten, om de inte får utrymme för protester, om Maj alldeles utan förvarning häller en skopa vatten över deras huvuden så är det strax färdigt. Vatten i ögonen, skriker Anita och Maj knölar ihop en torr frottélapp och trycker den mot pannan, gnuggar hårbotten medan Anita jämrar sig. Vad mammas prinsessa är håröm, försöker Maj, jag tar ju så försiktigt. Man måste göra rent vid rötterna, annars har man det bara ogjort. Så fort vattnet svalnar dessutom. Fett måste lösas i hett vatten. *Anita har inte fett hår.* Nej, men yllemössan gör huvudsvålen varm och svettig och det kommer mat och kladd i håret som surnar och blir lukt och barn som bara ska dofta rosentvål och talk. Det är härligt att bli ren, säger hon och Lasse vrider sig också undan, men hans hår är så kort att det räcker att blaska lite med handen. Och en pojke – buspojke – behöver inte vara ren och nystruken för jämnan. I nya våningen kan vi bada hur varmt vi vill, säger hon hurtigt när Anita huttrar under handduken. Den tunna kroppen, inte alls tjock längre, kanske var Anita aldrig tjock, men när Lasse var nyfödd, så stor hon verkade, lika gammal som Lasse är nu och han som är så liten... Ni kommer att vilja bada varje dag, säger hon och gnuggar Lasse torr, och mamma måste banna er för det. *Men blir det verkligen en ny bostad, har Tomas glömt sitt löfte...* eller är det bara krigets fel. Maj försöker skratta, men Anita ler inte som Lasse, Lasse kiknar åt hennes grimas och på skoj hötttande finger. Men han vill inte klä sig. Och kläderna tjorvar mot den ännu fuktiga huden. Om du tar på alla kläder själv Nita får du välja vad du vill på Sundmans. Ni får gå ut på gården, Anita du ser till din bror. Jo, då raskar hon sig. Men spretar med tårna så strumporna trilskas. De vaggar påbylsade iväg, Anitas hårtoppar är blöta, kanske borde hon be dem att stanna, vått hår som fryser till is, *ner med dig i badet nu,* tvålen, schampo, kroppen som nästan är för mager, magen insjunken, Maj tvålar fotvalven också, insidan av låren, skötet, hon vill inte att barnen ska titta på då, åh om hon fick ta alldeles rent, hett vatten att skölja med, *skäms du inte som skonas från krig och elände,* Tomas som upprepar att de måste vara tacksamma och glada, hålla fast vid hoppfullhet och optimism.

Varken Bertil eller Anna står i butiken, *om Frans kommer ut från bageriet,* motvilligt får hon ge ifrån sig sina kuponger. Barnen kan inte bestämma sig, biskvierna pekar Lasse på men Maj talar om att han inte tycker om smörkräm och till slut får de med sig vaniljbullar som de kunde fått billigare i mjölkbutiken, men äsch, själv väljer hon wienerbröd och tar även ett till tant. Ser biträdet nedlåtande på henne? Wienerbröd när de allra flesta har svårt att få brödransonen att räcka. Men hon lovade barnen bakverk och hennes håliga mage... Ja, hon tar de billigare holländarna också, när hon ändå står här.

Men Lasse och Anita vill inte gå med in till farmor. Fast Maj tvingar och föser dem framför sig in i tamburen, viskar att de bara ska gå in och hälsa. Och tant tar emot påsen med en lätt förfärad min. Maj säger snabbt att hon får ju lite extra från Bertil. Tant håller barnen i var sin hand, och skickar sedan iväg dem till Eivor i köket. Så talar tant om att hon har besparingar till begravningen. De ska inte behöva tänka på det. Visst hade de kunnat prata om en trevlig bok eller något annat mer spirituellt, men som de dör för tant nu, goda vänner och andra bekanta, klart att tanken på döden inte är långt borta. Och helt litar hon inte på att barnen bekostar en värdig begravning. Vet tant ens om att Majs mamma gått bort under krigsåren? De skulle ju kunna mötas i den här *besvärjande rädslan för döden.*

Dricker han sprit igen, säger tant plötsligt, tack och lov att barnen är hos Eivor i köket.

Nej då, svarar Maj hastigt, men inte vet hon vad Tomas gör när han är inkallad. Mässen, festar de inte där? Absolut inte, lägger hon till, tant Tea förstår att det får han inte. Jaså, då så, svarar tant, tvivlande. Man måste vara på sin vakt. Oh ja, svarar Maj glättigt. Det måste man verkligen.

Varför rädslan? Man skriver, man skriver det man kan. Så reser sig något, kalla det motstånd, kalla det ilningar av skräck. Ingen kompass, inget svar om tystnaden är bättre än talet. Maj, hon tar barnen med sig en trappa upp. Plikten avklarad, tant har inget att klaga på. Är hon så olycklig? *Ett lyckligt liv.* Vet Maj inte om att hon har fått ett privilegierat liv? När tant ber dem stanna på kaffe säger hon att Lasse måste hem och sova middag. Det är sant, men också den nervösa oron att de ska börja bråka, barnen, kivas om något som hon inte ska kunna reda upp och därför är det ett slags lycka att stänga dörren om sig en trappa upp, ta av vantar, halsdukar, mössor, pjäxor, yllebyxor, *jag klarade det…* Lasse orkar precis sitta med vid bordet och lämnar halva bullen innan han låter sig bäras till sängkammaren och somnar intill henne medan Anita bläddrar i en bilderbok och Maj vill så gärna släppa taget och sjunka ner, *man får vara trött efter två förlossningar och mammas död, man kan inte bara vara pigg och glad* – men vem vill vara tillsammans med någon som inte är pigg och glad? Som är tungsint, svårmodig och allvarsam. Eller vad man nu kallar den sorten.

Klarar hon inte eftermiddagen ganska galant trots allt? De samsas efter tuppluren, Anita får hjälpa henne att duka, hon har korv idag tack och lov, korv och kokt potatis, mjölkstuvade morötter och det äter båda, ja Lasse vill till och med ha mer. Och av bara farten efter att ha stökat bort och båda två ritar, Anita uppmärksamt intensivt och Lasse mer yvigt med kritan runt i cirklar, så sätter Maj en limpdeg på samsikt eftersom brödkorten är slut. Mamma brukade väl alltid baka limpor, ja Maj var ju med en gång när hon fick låna regementskökets stora ugn. Men bilden av mammas armar som vant föser degen fram och tillbaka över den mjölade bakskivan, handloven, *borde du inte kunna minnas din mamma utan att vekna nu,* hon trycker bunken mot mellangärdet, stöter sleven fram och tillbaka, ändå blir den inte blank och fin och slät *som en havande mage,* men tar hon allt mjöl ur påsen har hon inget när hon ska baka ut.

Och då hon läst färdigt sagan vid nattningen vill Lasse inte flytta ner till utdragssängen. Anita som lydigt lagt sig i sin säng sätter sig upp och säger att om Lasse inte ligger i sin… lägg dig inte i det här Anita, det blir bara värre, säger Maj lamt. Lasse ligga häl, skriker han och Maj hyschar honom, nu måste du sova. Hon kan lyfta honom till hans säng sedan. Bara de somnar… På två sekunder skulle hon somna. Ja, hon vet att om hon blundar faller hon direkt i sömn, ändå kan hon inte låta bli. *Strunta i disken, låt röran vara tills imorgon, vad gör det…* Samsiktsdegen. Hur kunde hon vara så dum att hon satte en jäsdeg så här sent. Anita sätter sig upp. Mamma jag ska också sova hos dig. Bums i säng, Anita. Hur ska hon kunna förklara att en liten barnkropp går bra, två blir för trångt och gör det omöjligt att sova, Lasse får bara somna här, viskar hon sedan, så lyfter jag ner honom, nej ropar han, men visst är det med glimten i ögat? Lasse har glimten i ögat och inte den där, den där orubbliga envisheten som Anita… hur ska hon kunna ta ur henne den? Du är en stor flicka som inte larvar sig och gnäller som lillebror. Lasse inte lalva, säger Lasse. Anita du vet ju att du sparkar som en fölunge, mamma kan inte sova med en liten häst i sängen. Och nu snusar plötsligt Lasse, hans vakenhet övergår i sömn sekundsnabbt, ibland tycks han till och med kunna somna mitt i en mening. Tomas vill förstås inte att Lasse ska ligga i hans säng. Men nu när Tomas är borta... ja, att Lasse somnar kvickt är ju enkom för att han får sova hos mamma. I lillsängen är det omöjligt. Vi borde väl försöka vara konsekventa, har Tomas sagt, men det är lätt för honom som inte ligger i timmar om kvällarna för att få dem att komma till ro. Lasse jagar dessutom upp sig när han blir trött och... Om han bara inte vaknade så förtvivlat tidigt. Före sex.

Så dåsar hon, snurrar mot sömn, släpper taget om vakenheten, *du får inte, du får inte glömma disk och tvätt och degen som blir förstörd om den får stå i värmen och jäsa sig sur och osmaklig* – så mödosamt att häva kroppen till sittande, så mjuk en säng kan vara, så skön och förföriskt omslutande.

Mamma, när ska du dö?

Nu är hon åter vaken. Frusen, famlar efter koftan som slarvigt är slängd över stolsryggen.

Det vet jag inte, svarar hon huttrande, det kan hända när som helst. *Bara självmördarna vet på förhand när de ska dö.* Men det säger hon inte. Hon sätter fötterna i pumpsen – inte ens hemmavid vill hon hasa runt i tossor – vilken skillnad gör det inte om en kvinna är klädd i en sko med klack. Innan hon stiger upp böjer hon sig ner från sängkanten för att plocka yllebyxor och smutsiga underkläder från golvet.

Imorgon?

Anitas röst darrar till. Men lilla gumman, tänk inte på det. Sov nu. Och just som hon ska gå ut ur rummet ber Anita svagt henne att stanna. Viskar hon att hon är rädd?

Men du vet mamma måste stöka bort nu när Lasse äntligen har somnat. Ändå blir hon stående, säger att hennes mamma var sjuk länge innan hon dog, och... och... man vet inte vad ödet har i beredskap.

Man dör väl bara när man är gammal?

Ja, svarar Maj nu, kanske var uppriktighet inte det rätta. *Mamma fyrtiosex.*

Är pappa gammal? Och Maj måste trycka ner en ilsken impuls att svara ja, nej säger hon, gammal blir man först efter femtio. Vi får inte väcka lillebror nu, tänk om han vaknar och lever om. Då kommer farmor och skäller på oss.

När blir du femti?

Det dröjer i alla fall, svarar hon snabbt, där behöver hon inte ljuga.

Anitas intensiva uppmärksamhet på hennes ansikte. Maj släcker sänglampan, det räcker med den lilla bordslampan på byrån. Hon har lovat Anita att den kan vara tänd, ja hon har Tomas ord på att den får brinna en stund extra på kvällen.

Nu är det sovdags, Anita. Väckarklockans obarmhärtiga visare. Över nio, och limporna måste jäsa på plåten också. Snyftar Anita i kudden? Hon hejdar sig, så yr och torr i munnen. Maj somnade säkert en kort stund ändå, får det där hemska suget när hon vaknar, och sedan blir det svårt att somna igen, då är hon klarvaken när barnen snusar. Anita nästan snarkar ibland, polyper som måste brännas bort, det finns inget att vara rädd för, säger hon lågt och smyger iväg. Varför måste hon alltid vänta ut henne? När Lasse äntligen somnat, ja då är Anita vaken och vill hålla henne kvar, stjäla en stund för sig själv, stjäla en stund måste hon väl få, det är klart, men när ska Maj få undan, bortgjort, färdigt om hon blir kvar i sängkammaren till midnatt?

Borde hon låta Anita ligga hos henne också? När Tomas är borta? Hastigt föser hon ihop degen som vällde ut över bordet när hon vände bunken uppochner. Den kletar verkligen – hon måste strö ut lite vetemjöl. Bara hon har till redningar i veckan. De har inget gott hemma, hon har inte vågat be Tomas ta hem mer cognac.

Han vet ju att hon vill ha något att bjuda svägerskorna på. Men det känns genant... ja själv går Maj inte gärna till bolaget. Även om hon har sin rättmätiga ranson. Kan hon be Titti? Titti som gärna tar en hutt på kvällarna, bara för att komma till ro. Ja, men Maj avskyr tröttheten! Att få vara pigg och rask och effektiv... det är ju själva meningen... och om hon då vrider sig och inte kan somna. Brom borde hon be om. Det tar både tant och Titti. Tomas också, vid behov. En klick smör i degen hade gett god smak. Men man kan inte slösa med smöret i brödet, det vore väl ändå höjden? Och smörransonens ynklighet har visat sig direkt på hennes figur. Hur hon än försöker så ökar hon inte i vikt. Tomas som på något slags ömsint sätt så ofta påpekar att han vill inte ha henne för mager. Det var Erik som vurmade för det slanka. Tomas – på ett annat vis generös. Ja, han tycker till och med att hon klär i att vara lite fylligare. Det har han sagt, men för tillfället är det svårt att få till några former. Jo, nu saknar hon faktiskt honom. Egentligen är han inte så fordrande. Bara när det gäller... hon vet att han längtar efter *ömhet*. Men det kliar i henne när hon tänker på det ordet. Att hålla reda på barn och hushåll... nog måste väl det räknas in också? Att vara smeksam och mjuk, det ligger inte för henne. Hon är inte van. Och att gå i barnens bråk hela dagarna, när det är sådana dagar... då vill man bara svepa täcket om sig när dagen är slut. Degen ska vara fast, spänd, blank – men inte hård. Då blir limporna kompakta. Nu är den i lösaste laget. Jag ska tala om för pappa, väser hon till barnen när hon inte kan få dem att sluta slåss. Oftast är det helt utan verkan. *I viljan måste barnet tuktas.* Så sa både mamma och pappa. Men hur tuktar man?

Tänk att av tusen tillfrågade mödrar är två tredjedelar osäkra på sin förmåga att sköta ett barn. Maj vet inte det. Hur folkhemmets Stockholmsmammor går i sina små lägenheter utan att dela sina tvivel med någon. Bara skrifternas imperativ. Hade den vetskapen kunnat trösta henne? Men i veckotidningarnas frågespalter finns inget utrymme för tvekan – i läkarvetenskapens svar på hur en mamma på det rätta sättet ska handskas med sina barn.

Nu ska Maj knåda degen smidig, knåda den seg. Med båda händerna, starka armar. När Tomas kommer hem från affärsresor och inkallelser frågar han om gullungarna har varit rara mot mor när far varit borta. Och så får de presenter. Chokladbitar, de älskar choklad, kritor och papper, ja ofta har han en vacker bilderbok åt Anita. Och att då förstöra glädjen med att dra upp oförrätter. När Anita kastat sig i pappas famn och Lasse som inte vill vara sämre tultat efter. Då det enda som hägrar är den ostörda stunden i köket. Vila i vetskapen om att nu är de med sin pappa i åtminstone en timme. En stund att snabbt och utan avbrott uträtta något. Hon är rask. Kvickare än någon annan. Som nu när hon delar degen i tre delar med kniven. Med ett hastigt ögonmått blir de lika stora. Sedan handlovarnas stötande mot degbitarna, men hon skulle behövt ännu mera mjöl. Ja Vera, Titti och de andra svägerskorna är långsamma i jämförelse... fast de har hjälp. I alla fall Titti. Som blir vimsig och rörig om hon inte får vara för sig själv och göra allt i egen takt. *Är det därför du håller av henne?* För intill Titti är Maj så pigg och rask och klanderfri. Bara mamma var snabbare vid spisen.

Tänker hon så ofta på sin döda mamma? Eller är det ett febrilt motande... för om hon verkligen formulerar en saknad... Eller är det en lättnad? Utesluter det ena det andra? Kanske är det mer krassa konstateranden av typen att inte heller mamma hade väl någon som hennes ungar kunde klänga sig fast vid när hon behövde få komma bort. Det var först när hon blev sjuk som vilostunderna inträffade. Och då fanns det ju inget alternativ. Kroppen sa nej. Borde hon be pappa komma till dem i sommar? Ska den här Anny följa med i så fall? Bröderna antyder ju att Anny är mer än hushållerska. Det är så äckligt. Hade han Anny... innan mamma... nej, hon måste få degen från fingrarna meddetsamma. Samsikten kletar förskräckligt. Bäst går det bort i kallt vatten, fast då ilar det i fingrarna. Hon blöter upp bakbordet med trasan, har degresterna inte torkat är det ingen mening att vara där och skrapa med kniven. Ja, nu är hon lite uppjagad och då får hon undan. Brandbilen, klossarna, papper, kritor och dockmöblerna som pappa snickrat åt Anita. Hon torkar hastigt av dem med en diskhandduk innan hon sätter ner dem i korgen där de förvarar leksakerna.

När hon går och lägger sig sover Anita hur som helst. Klockan närmar sig midnatt. *Man bakar inte på kvällarna.* Nej, sådant ska man ha bortgjort på förmiddagarna. *Ja men det vet jag väl!* Fast allt kan man inte räkna ut i förväg. Och bestämmer hon sig för att baka en morgon kan barnen vara sjuka och febriga och hon kommer inte loss en sekund. Det är nog mest något Anita har hört, det här med att vara mörkrädd. Ja, sitter man kvar är det ju som om man sa att det visst finns något att vara rädd för. Och det gör det ju, förstås. Men inte själva mörkret. Även om det kan kännas nog så svårt att gå här i lägenheten när mörkläggningen är åtgärdad och inget yttre liv tränger in. Då är det skönt att ha tant och Eivor en trappa ner. Höök och Nordenmarks och Olssons också. Fröken Julin förstås. Fast Höök är lite underlig. Om han skulle få för sig. Klart att han inte. Lasse har kastat av sig lakan och täcke, hon lägger det över honom.

Kan det vara järnbrist? Musklerna, benen, tunga som... ja den tunna kroppen är tung som... för all del sten, bly och ändå pickar hjärtat igång. *Om du inte sover så blir det kaos imorgon.* För varje sekund av vakenhet äts morgondagen upp och kvar återstår vadandet i dy. *Du slipper uniformen, kylan, vätan... du lever i ett land i beredskap, men inte i krig.* Ja. Det måste vara amningen. Hon måste sluta. Han som är så stor. Men när det är enda sättet att få Lasse att somna om på nätterna. Att komma till ro på dagarna. *Du tar död på dig själv.* Hon vill ju bara få sova. I Åre, där kunde hon och Kerstin och Anna-Greta ligga och prata fram på småtimmarna och ändå vara raska i matsalen klockan sex. Vad är klockan när Lasse skrikande vaknar till? Eller är det ett sömnens skrik? Hon tystar det med sitt bröst. *Du måste sluta. Jag vet! Men här behövs jag i alla fall, jag kan lugna, döva* och så sover han snart, hon drar ner linnet, vänder sig på mage. *Tänker du ta ditt liv?* Om bara Titti har brom eller veronal, sömntabletter, vad som helst men inte det här. Halv tre. Om tre timmar kan Anita stå vid hennes säng och säga mamma, jag är hungrig, tills hon tvingas slå upp ögonen, huvudvärken, resa sig... *det är dina barn Maj,* ja, men varför kan hon inte få sova?

HUR SKA VI ha det med mödan, Maj? Du vet att andra blir trötta på att höra dig klaga. Men Maj klagar inte öppet, uttalat. Vissa blir ju uppretade av det. *Dräm näven i bordet då, res dig för guds skull, slå ifrån för fan.* Fast Maj tror ju att andra mammor klarar småbarnstillvaron så mycket lättare – *bättre!* Andra mammor känner ingen särskild längtan att få komma ut – att få låta tankarna vandra långt från veckomenyer, kvällsrutiner eller praktiskt lättskötta kläder och material – vill inte vara unga, fria, leka lite till.

Fast det händer också att Titti ringer och säger nu tar du och jag barna Maj, och far till Umeå eller Härnösand. Ja kanske tycker även Titti att det kan vara svårt att hålla Henrik sysselsatt hela dagarna, så då bjuder hon gärna sin svägerska på bussutflykt med lunch. Härnösand säger Maj, för hon längtar inte riktigt upp till Umeå. Eller ska de helt fräckt lämna barnen hos Eivor och tant? Nej – då riskerar utflykten att inte bli av, om något av barnen skulle börja hosta eller snora.

Henrik och Anita är kanske inte bara snälla med Lasse, men han får å andra sidan möjlighet att vara ensam med Titti och Maj. Det är kallt, men inte snöigt så att sikten störs från fönsterrutan. Hör Maj hur riktigt Anita pratar med sin stora kusin? Jo, här finns det plats för en ljus och trivsam händelse i Majs tillvaro. Dagligen händer förstås sådant som även Maj uppfattar som stämningsfyllt, vackert, roligt – ja som får Maj att fyllas av tacksamhet, ett inre smeksamt sus.

Men om det faktiskt är något fysiskt med Maj? Järnbrist, saknas serotonin, D-vitamin? Ibland kanske en mamma bara behöver vila.

OCH VERA VISKAR att Åslög är så *parant.* Parant tant då, tänker Maj när de kliver in i lägenhetens hall, men Åslög är väl ändå inte uppseendeväckande på något vis, fast inte är det bara utseendet det hänger på, det måste väl finnas andra värden i livet. Ja, att Åslög dessutom råkar vara kortvuxen och lite rundnätt och Maj tycker sig bli stor som ett hus intill henne när de ska ta i hand, det kan ju ingen av dem *rå för.* Men varför skulle hon niga, som om Åslög var en lärarinna i småskolan. Hur tung är inte handväskan på grund av den där boken. Romanen. Vilket idiotiskt påhitt, att vara med i en damklubb som diskuterar böcker – hon kan ju inte andas.

Vera lämnar henne där, i kapprummet, nyper liksom tag i Åslögs viskosblus – jamen inte är det siden, den är sladdrigare än så – för att hinna efter Åslög in i finrummet, Maj har pumpsen på under pampuscherna, *hur kan du vara så dum att du tror...* vad är det nu för illvilliga tankar som ska komma farande? Vera har talat om att det är så trevligt – trivsamt – att *diskutera böcker* med varandra, och så Åslög som håller i det. Åslög som legat i Uppsala och är fil lic, fil mag eller fil kand, så många fina titlar hon kan ha, och Maj är kissnödig – ja hon måste kissa innan hon slår sig ner med de andra i stora rummet. Stilig? Spegelbilden svarar inte. Lite för kraftigt röd färg på läppstiftet, även om det är på modet. Mot vinterglåmig hy, *gaska upp dig,* och Åslög har så många tavlor, flera bokskåp med fyllda hyllor, en matgrupp i ek där kakor och kaffeservis står framdukade, och så ottomanen och udda karmstolar och emmor runt det ovala pelarbordet med *intarsia av almrot.* Ja det berättar Åslög eftersom Maj utbrister att det är så vackert. Där sitter de andra, och Maj måste tränga sig ner mitt på ottomanen. Kliva över ben och klackskor och slå sig ner med en ofrivillig duns. Då så, säger Åslög och tycker att de ska ha en kort presentationsrunda med namn och favoritförfattare, eftersom vi har en ny deltagare med oss idag, lägger hon till. Nu klappar hjärtat, Maj som mödosamt tagit sig igenom Värings bok, och gång efter annan velat lägga den ifrån sig... ja, liksom så levande, den där hetlevrade karln och hans hustru – morfinisten – ja, stal ur medicinskåpet på lasarettet där hon var sköterska... Strindberg, hon kommer inte på något annat namn, men det bultar så inombords att hon inte hör vad de andra säger, varken vad de heter eller föredrar att läsa – när har de tid att läsa? – har de inte makar och barn och svärmödrar och... Åslögs milda, mjuka leende, åhå, han är fin, ja – ja – mycket intressant – Strindbergs böcker, säger Maj, alldeles för högt. Och Åslögs förvånat höjda ögonbryn – men då måste jag få lov att fråga vilka titlar? – åh – flera stycken, svarar Maj och ser trasan fara över bokryggarna – *Giftas, nog minns du Giftas 1 och 2* – om Tomas var här, hur han skulle brodera och veckla ut – Tjänstekvinnans son och Fadren och Ett drömspel och... Jag tycker att Hemsöborna är trevlig att läsa, säger en av damerna – ja, svarar Maj i en inandning – Hemsöborna är fin. Och I havsbandet lägger den rara kvinnan till vänster om Maj till, han är en så kolossalt skicklig skärgårdsskildrare. Maj nickar, hon som inte riktigt trivs vid havet – där på ön, i Värings roman, Maj som bara blev illa till mods av skärgårdsskildringen, att de var så utlämnade till varandra, och kvinnan som klädde av sig naken på klippan... – men nu står nästa på tur och det slår en pust av vitlök ur munnen på Beata, som säger att det mesta av fru Stiernstedt är intressant. Och Maj skulle kunna slå vad om att rummet nu är helt fritt från syre.

Tack och lov ska de få hämta kaffe först. Innan de redogör för boken. Jo då, Åslög har ett skapligt kakfat, men kaffet är förstås surr. Om Vera bara vände sig mot henne, mot Maj. Hur Åslög i sin kortvuxenhet ändå tronar som en drottning - inte har hon någon hållning att tala om och varför klä sig så utslätat trist - det är ansiktet, ansiktets nobla uppsyn, som skulle ingenting kunna bringa det ur fattning.

Jag tycker att den är... intressant, säger Maj och tungan klibbar mot gommen. Intressant? säger Åslög, vänligt men liksom strängt ändå - ja den är ju så otäck, att han har ihjäl sig - ja, men hur tycker Maj att författarinnan har arbetat med sitt stoff - gestaltningen, är den trovärdig?

Åh, nu vet inte Maj vad hon ska svara. Kan hon säga att den liksom klöst henne inuti, med mannen som blir brutal och sinnessjukhuset - den är så otäck, viskar hon, ja... men är författarinnan medveten om vad hon gör eller skriver hon bara rakt ut från hjärtat i ett hopkok av känslor och hämndlystnad? Nu vänder sig Åslög mot hela gruppen av lyssnande kvinnor, talar inte längre rätt till Maj och efter en effektfull konstpaus lägger hon till - vi måste vara medvetna om att författarinnans ärende skiner igenom - just i den här romanen - jag påstår inte att Väring inte har lyckats bättre förut, i tidigare böcker, men i den här boken blir hon i många stycken *alltför privat.* Inte sant?

Jo, håller Vera tankfullt med, hustrun tycks mig dömd på förhand och man ska ha all sympati med mannen som faktiskt blir våldsam. Men, invänder Beata, vilket öde att hamna på Umedalen, vet ni att det går rykten om att patienterna vid en avdelning får virka pannlappar och en annan avdelnings intagna river upp dem?

Så det är bra bara för att man känner då? Åslögs fråga är naturligtvis retorisk och hon fortsätter skarpt. Stilen - saknar inte

Väring känsla för stil? Jag ser många partier som en skicklig redaktör borde ha strukit, låt gå för att texten rymmer viss psykologisk skärpa – men blott det gör ingen konstnär.

Men Väring är visst ordförande i Kvinnornas författarförening, säger Beata, utan att fästa blicken vid Åslög. Och Åslög ler och säger att Väring säkert är en alldeles utmärkt ordförande, men i just den här romanen skiner ärendet alltför skarpt igenom.

Känner Maj sig inte nästan lättad, då var det inte en riktigt bra bok, *fast den fick mig att liksom skaka inombords.*

FINNS DET DÅ aldrig stunder av innerlighet? Ja, en särskild stund av närhet? Inte den vardagliga omsorgen som är så lätt att glömma, bortse från, blunda för. Hel och ren och mätt i magen. Sådant som skaver först när det saknas. Maj kan ge Anita och Lasse allt det, varje dag. Men det andra? Det mer svårbeskrivna, det osynliga vaccinet som bara ska finnas hos *den heliga modern?* Eller bara den vanligt goda modern? En uppmuntrande – men aldrig för skoningslöst kravfylld blick. En öm kärlek – men inte kletigt närgången. En ständig närvaro – men också ett svalkande avstånd. Ett harmoniskt – men också erotiskt tillfredsställande äktenskap, att agera förebild i. En sund själ i en sund kropp. Ett rent hem och helt sinne. Med markerade men inte stålkantade gränser kring *det rätta.* Vad är det rätta? Sådant känner och avläser en god mor. En mild mor. Inte häftig i lynnet! Inte långsint, nervig, ja, nervöst lagd. Inte melankolisk, depressiv, hypoman. Inte sjuklig, svag. Åh – så lätt att falla, falla.

Maj lägger igen sagoboken för kvällen – Lasse sover redan – och Anita ber henne berätta om när hon var liten. Vad ska Maj berätta? Vad som helst när du var fem år – som jag är nu. Anita ser stolt ut. Var Maj fem år när fru Franzén tog hand om henne och Jan då Ragna och Per-Olof var i skolan och mamma måste arbeta? Hon berättar hur det luktade annorlunda i lägenheten en trappa upp och att hon inte vågade be om lov att springa ut och kissa i klosettlängan på gården. Så då kom det i byxorna istället, har du hört så dumt? Men hur gick det då mamma, säger Anita så allvarligt förståndigt, men mamma då, blev dom arga på dig? Maj minns inte. Betty. Hon måste berätta om moster Betty – min moster Betty, hon hade alltid med sig något fint när hon kom på besök, bokmärken, glaspärlor eller billiga broscher och det bästa var att hon inte bara ville prata med mamma. Hon kunde trolla förstår du. Med tidningspapper! Hon gjorde strutar som blev svärd som blev... åh vad moster Betty var påhittig. Jag måste visa dig och Lasse hur Betty trollade. Anita stryker en hårslinga från kinden, tittar på henne, fortfarande med munnen lite öppen när hon blir ivrig, nyfiken. *Säg inte åt henne att stänga sin mun.* Tyckte du om moster Betty mamma? Om, säger Maj och hon lever fortfarande, i Kramfors. Vi måste fara och hälsa på henne. Anita, ska du och jag åka dit? Jaa mamma, nickar Anita ivrigt, jag vill åka dit med dig. Vad dum jag är som inte brytt mig om att fara och hälsa på moster Betty. Du är inte dum, säger Anita, du har inte hunnit. Åh, hon klappar Anitas hand. Hur kan mamma ha fått en så klok flicka? Berätta mera mamma, har du mera mostrar? Ja, säger Maj och rättar till kudden bakom ryggen. Moster Sara, hon tar en snus ibland förstår du, under läppen – fast hon är tant – det tycker min pappa är tokigt, ja att moster Sara snusar, och min mamma fick lova att aldrig tugga tobak, men mamma sa att det gjorde väl inget om Sara tog sig en snus. Men Sara var jag lite rädd för, hon var så lång, kraftig – ja, jag blev ju också lång – jag ville inte bli lång och stor som Sara, och mamma sa att morbror Knutte ville inte att Sara skulle ha klack på skon så han blev kortare – äsch – *kan inte Knutte fått älska Sara i hela sin ståtliga längd, om han blev kortare var det kanske bara i omgivningens blickar förlöjligandet och genansen låg, rädslan att inte uppträda passande,* man kan väl inte rå för hur man ser ut, säger Anita då och Maj skrattar till och skakar på huvudet. Inte rå för men man kan gott göra det bästa av det man har. Jag menar, det vore väl fånigt av mig att gå i långbyxor när jag har skapliga ben. Vad ska hon mer berätta?

Vad minns hon, utan ansträngning? *De hårda orden, avvisandet?* Ja, kanske är det vad hon minns. Men också, om hon letar, hur mamma kokade klippta knäckar till jul. Att de fick hjälpa henne att vrida smörpapper runt varje bit. Och marknadsdagar på torget... det hände mycket i Östersund! Och pappa... vi barn fick åka släde på isen en gång... bara för att det var roligt... och det killade i magen när hästen sprang och svängde... Hur såg hästen ut? Maj minns inte, men säger att den var svart. Alldeles blank, med lång man och svans och kraftiga hovar. Jag har nog aldrig sett min pappa så glad i ansiktet. Han tycker om hästar, morfar. Anita nickar. Och snickra, lägger Anita till, och Maj instämmer, ja och snickra. *Kommer det tårar?* Ja. Måtte hon inte förstöra. *Dröj Maj, dröj. Håll om Anita.* Berätta mera mamma, säger hon och gäspar, hasar ner mot kudden. Min mamma, din mormor, var så rädd att vi skulle ha lort bakom öronen och ner på halsen... Men nu sover hon. Och Maj stryker lätt hennes rödblommiga kind.

När Anita har somnat blir Maj liggande kvar. Kan det vara så här enkelt? Att prata med varandra utan att anmärka på smuts runt munnen eller alltför långa och sorgkantade naglar? Inte gnatigt upprepa att det är sovdags utan viga tiden, verkligen viga tiden åt att viskande vila med varandra om kvällen. Hur Anita låtit bli att tjata sig till att få höra ännu ett kapitel och hur Maj inte bryskt svarat nej. Inte för att disken och smutstvätten och det allmänna plockandet på ett magiskt vis låtit sig göras när hon nattat Anita. Men är det inte viktigare att se det fridfulla när sömnen sänkt sig över Anitas ansikte? Lasse har snurrat ett halvt varv och ligger med huvudet i fotändan, täcket nere på golvet. Maj böjer sig efter det och lägger det över honom, viker om så att det ska hållas på plats.

Är det frånvaron av mörker eller ljus som blir mest lögnaktig? Styrka eller svaghet? *Hur drömmars uppfyllelse också bjuder in mardrömmen att närvara.* Kommer inte Maj att vilja prata med Anita varje dag. *Bry dig om mig, Anita.* Är det en moders främsta synd? Att leva sitt liv genom barnen. Först offra allt för att ge liv, ge plats, ge tid, sedan kliva åt sidan *och skapa sig ett eget liv.* Hur Alva Myrdal i Amerika och Stockholm vid den här tiden vill befria barnen från föräldrarnas tyranni. Fast det vet Maj inget om. Maj som är så ensam i sitt trassliga mödrande, så ensam med alla splittrande känslor.

Så är det förödande enkelt att stänga om det varma. Hur det fina, spröda samtalet med Anita om kvällen inte kan bäras fram gång på gång. Hur rädslan att Maj inte ska lyckas på ett underligt vis får henne att låta bli. Ja, att vara tillgänglig med sitt *jag*. När jaget är så ofullständigt, ångestfyllt, högmodigt eller skräckslaget. Om moster Betty skrotat runt i lägenheten och lekt med Lasse och Anita! Hur Maj skulle stå för allt övrigt hushållsarbete medan Betty reder ut bråk och gnabb mellan syskonen. Med glimten i ögat! Ja, borde inte Maj träna sig till den där glimten i ögat?

VAD ÄR EN mor utan sina barn? Vad är en kvinna som inte är mor? Hur ska Maj kunna svara på det? Vera har Veckojournalen och läser högt för Maj om en yrkesarbetande fru Brunius som uppmanar alla utsjasade yrkesverksamma kvinnor att lämna tröttheten på arbetet när de går hem för dagen. Vem tar med sin trötthet till vänner och bekanta – detsamma bör gälla inför barn och make, säger fru Brunius med ett leende.

Man låter så lätt onödigt grinig, säger Vera dröjande. Den randiga vardagsduken har några röda fläckar, lingonsylt? Man ska helst inte låta fläckar torka in. Kan Maj tala om det för Vera? Hon visar Maj bilden av fru Brunius. Som en mannekäng på fotografiet, pigg blick och pärlor runt jumperns runda halslinning. Nog har hon hjälp, säger Maj. Tror du hon har allt att stå i när hon kommer från arbetet? Vera lägger ner tidningen, tar en kubb från fatet.

Fast jag undrar om det inte kan vara en vila att gå till ett arbete också, säger hon.

Då rycker Maj till. Inget är väl så tröttsamt som mannens arbete? *Hysch! Pappa måste vila. Pappa måste ha tyst när han kommer hem. Pappa vill inte veta av bråk.* Nu är varken Martin eller Tomas så hemskt kinkiga på den punkten. Martin till och med stojar upp barnen efter kvällsmaten så att Vera har världens sjå att få dem att komma till ro. Maj tackar uppriktigt nej till påtår. Det här kaffesurret var inte vidare lyckat, då är hon hellre utan. Och bakverken har den där underligt kemiska bismaken som är så otäck. Kom och ät hos oss på lördag, ber Vera tillgivet. Det är så trist med Martins ungkarlskollegor. Så gärna, svarar Maj och hoppas att Tomas ska ta det från den ljusa sidan, så besvärligt är det väl inte att gå bort *och vara nykter*?

På väg hem över torget tänker Maj att Vera måste vara riktigt kär i Martin. Som hon klappar och smeker honom på ett sätt Maj inte är van. Ja inte inför folk. Varför känns det så stelt och konstigt när hon försöker göra likadant med Tomas? *Varm och mjuk.* Eriks bortvända ansikte. Hur hon klängde... Så ovärdigt. På alla sätt och vis. Hon låter Anita stanna och titta i leksaksaffärens skyltfönster, Lasse som åker i vagnen vill också se. Men så blir hon otålig, och just som hon mutar dem till att slita sig från leksakerna kommer Sylvia, som ivrigt talar om att hon har druckit kaffe hos Julia, ja Titti var också med.

Så roligt för er, säger Maj, nu måste jag ha mat åt maken. Ja, så säger hon, och går därifrån. Varför...? Titti som brukar ta henne med. Då får hon väl låta bli att bjuda in Julia framöver. Men hela vägen hem maler tanken på att Julia inte bjöd in henne och att Titti inte heller – som hon brukar – såg till att också Maj fick följa med.

OM TOMAS TYCKER det är motigt på lördagseftermiddagen vet hon inte. Vera och Martin är ju så lättsamma människor. Intressanta till och med. Med skvaller från tidningen och med blicken lite utifrån. Inte för att Martin talar illa om Örnsköldsvik, det har hon inte hört. Men han kan ibland påminna om att det finns andra platser i landet som också kan vara bra. Har inte Tomas verkat lite ljusare den sista tiden? Kanske för att det visst inte är fullt så nattsvart i världen längre, tyskarna måste ge upp, säger Tomas. Tomas kan inte stänga av. Men om Maj öppnar sitt hjärta kanske hon förblöder? Är det inte en gåva, att känna medlidande utan att själv förgås? Som de estniska flyktingarna. Maj blev liksom... illamående... hur de kommit över havet... att inte se land... som om inte Maj varit vid Skeppsmaln och förstår hur det måste kännas... nej hon förstår nog inte. Fast det var hon som bad Tomas att ta från besparingarna för att hjälpa dem. Hon vet att det fanns människor här i stan som öppnade sina hem. Och Maj gick igenom alla gamla kläder och gav bort dem. Blusar och jumprar och avlagda rockar. Hon har inte svårt att ge bort. Men kom ändå aldrig själv iväg till Folkets hus. Lät Tomas ta kassarna och han var upprörd när han kom hem. *Sjukdomarna...* Jo, de var visst i uselt skick. Bara båtfärden... *Det är så svårt att möta andras lidande.* Vad ska man göra av det?

Och vad tjänar det till att hon klappar om Tomas och frågar hur han känner inför att gå bort och *avstå starkt*. Sådana grubblerier får han klara själv. Inte sant? Är det inte bättre att Maj byter om, gnolande på en uppiggande bit med Sickan Carlsson eller kanske... Alice Babs, ja att Maj vickar på höfterna till Swing it och överrumplar sig själv med att släppa loss – sedan stryker hon hans skjorta, pressar på byxorna och viskar i hans öra att skulle det inte vara trevligt att se sin fru i något annat än den prickiga blåsan hon går bort i för jämnan? Fast sådan är inte heller Maj. *Inte glittrande glad.* Även om hon försöker. Och alla går i gammalt. När kriget är över ska hon få en långklänning, det har han lovat.

Ska du verkligen röka en till?

Tomas sitter i bar överkropp i ungkarlsemman, några laster måste väl en gammal räv få ha, säger han, men det har inte undgått Maj att han tullar på bjudcigarretter och uppenbarligen får tag på smuggel, för tobaksransonen är inte så stor nu.

Jag gör inte annat än tömmer askfat, säger Maj och lägger till ett skratt, för det där lät onödigt hårt. Nog gör han det bra som låter bli. Men Maj kan inte helt avstå från umgänge för att han inte ska frestas. Förresten är det bara Ragnar och Nina som tar någon egentlig hänsyn. Och Tomas vill inte att det ska smusslas, han har sagt åt alla att vara som vanligt.

Ingegerd och Torsten ville bjuda oss på bridge ikväll.

Men jag spelar ju inte, inte du heller..., säger Maj och ber honom att han ska resa sig så hon får hjälpa på med skjortan.

Borde vi börja med det då? Titti och Georg tycker ju om det.

Vi kan ju inte bara umgås med dina gamla bekanta, vill Maj säga när hon målar hallonrött läppstift som matchar klänningen. Som om Tomas inte längre orkar ta in nya människor. *Men jag då? Som tar in nytt och nytt och nytt?* Fast det säger hon inte. Något måste han ju begripa själv.

Eivor och tant ser till barnen. Tomas tänker bära upp dem när de kommer hem ikväll, för Anita kan inte sova borta. Så gråter hon när de ska gå. Stora flickan. Ja, då börjar Lasse också och Eivor lockar med hemkokta knäckar, Eivor har minsann sparat. Bjuder hon tant också? Säkert tar Eivor av de egna korten för att tant ska få. Ta inte efter din systers fasoner, Lars-Åke, förmanar Maj.

Hon blir ju alldeles hysterisk, säger Maj när porten slår igen bakom dem och Tomas håller henne under armen. Vad är det med henne?

Hon är ju stor nog att känna av oron för kriget, säger Tomas. Det kanske är så, att hon är rädd att kriget ska komma hit också. Nu när de publicerar bilder... vi vet ju inte riktigt hur mycket hon kan läsa och förstå. Jag märker att hon kan ljuda sig genom ganska många ord nu faktiskt.

Det är en blåsig kväll, ja träden släpper de gula löven från sina grenar. Kanhända hör Anita också mer än Maj trott när hon är med Maj och Vera vid kaffebordet, eller hos Titti. Farmor skrämmer väl inte upp henne? Tomas suckar. Jag kan tyvärr inte styra vad mamma säger eller inte.

Så här i kvällsbelysning ter sig Martins och Veras lägenhet långt ner på Lasarettsgatan nästan elegant. Vera har också gjort sig lite extra snygg i svart och bjuder på vermouth meddetsamma. Tomas får ett glas äppelmust som Vera köpt av en gumma på torget – vore det inte trevligt om lite verklig torghandel kunde komma igång, säger hon när hon visar flaskan. När vi får våra fruktträd ska vi ta våra äpplen till ett prydligt musteri och fylla hela källaren med flaskor, tillägger hon och smeker Martin på kinden. Ja, säger Martin, vi letar lantställen utåt er, men vilka priser, Tomas nickar, sväljer och säger att hans pappa köpte marken för en spottstyver, då var det ingen som ville ha havstomter eftersom de ansågs svårodlade och utsatta. Man ville hellre ha skogen.

Jo, nickar Martin, det förstås. Och så får han upp ett nickeletui med cigarretter och de båda männen blossar och Maj blir stående i öppningen in till köket – du säger till om du behöver ett handtag Vera, men Vera skakar på huvudet, slå er ner. Köket är litet och opraktiskt, det vet Maj som brukar diska bort när de träffas. Men Vera har också ett matbord i vardagsrummet, som hon säger, och sillen står framdukad. Vera ursäktar den fantasilösa förrätten och Maj noterar att Tomas får fortsätta med äppeldrickan, det är dukat med snapsglas för tre. Nog tål väl damerna en liten en, säger Martin och slår inte riktigt fullt. Vera häller must i Tomas glas, *som till barna,* Maj vet att han är glad om han slipper det söta. Ska hon be Vera om vanligt vatten åt honom istället? Egentligen är det ju inget ovanligt att avstå starkt här uppe. Soldaterna däremot super som svin, har Martin berättat för Vera. Tänk att Tomas inte har sagt något om det till Maj. Inte bara de värnpliktiga, tvärtom sups det över hela raddan på mässen. Piloter som vinglar på förmiddagen när de sätter sig bakom spakarna. Vera har i förtroende talat om att hon är en smula oroad över Martins vanor, ja tidningsredaktioner eller flygflottiljer... Det visar sig, vill Maj säga, i sinom tid visar det sig. Så alldeles enkelt är det kanske inte att vara nykterist i det militära. Hon har varit på vippen att fråga Vera om Martin har sett hur Tomas... sköter sig.

Vad har du för gott åt oss, säger Maj när Vera kommer med skivor av kött och sås och potatis. Jo, men Martin har fått köpa kaninfilé av en kollegas pappa – man borde förstås börja föda upp – Maj råkar rysa till innan hon tar en tugga, men Vera har visst lagt väl mycket enbär i såsen. *Den dominerar ju så starkt, vem sa åt dig att ta varsamt av enbär,* att få sitta vid dukat bord, kött, sås och gelé och där till rött vin i glasen. Man skulle förstås ha rönnbärsgelé, säger Vera mellan tuggorna, men de måste vara frostnupna – står du och kokar rönnbärsgelé, frågar Maj förvånat och känner den nästan söta, leveraktiga smaken av det smuliga kaninköttet – då skrattar Vera och skakar på huvudet. Man snappar väl upp saker, säger hon och vanligt vinbärsgelé fungerar alldeles utmärkt. Skål, säger Martin och Tomas höjer sitt glas. Redan efter sillen var han på väg att tända en cigarrett. Tomas röker så väldigt, förklarar Maj för de andra, så farligt är det inte försvarar sig Tomas, och Vera fnissar att hon måste unna honom något skoj, *vad menar hon,* och så snart Vera plockar bort tallrikarna tar han fram sitt paket röka.

Ibland är vin lika lättdrucket som saft och äppelmust. Köttet var nog ganska salt, ja hon är törstigt torr i munnen, och hon låter Martin fylla på mer. Äppelkompott och mjölk, vispgrädde går ju inte att få tag på, ursäktar Vera, och nu berättar Martin att de har sett Appassionata på bio, den måste ni se. Vera stryker Martin över kinden och säger att han egentligen är så betuttad i Ingrid Bergman och surade över att de inte skulle se något med henne, ja men nog är hon väl charmigare än Garbo, frågar Martin lite vädjande, för min del, säger Tomas då, tycker jag att Viveca Lindfors är verkligt speciell, den kvinnan är otroligt sensuell. Ja, håller Vera med, hon är urtjusig. Tomas nickar ivrigt, inte alls konstlad och stel, jordnära, *som en inföding...* fullföljer Maj i tanken.

Är det passande – att sitta och prata om *skådespelerskor* när man uppenbarligen inte ens är på lyset? Maj tar sitt vinglas, vad blå och ful hon ska vara om läpparna, men det kanske inte gör något eftersom Tomas tydligen föredrar det jordnära.

När såg du den, undrar Maj och ber om en cigarrett.

Det finns inte mycket annat att göra när man har kort permission än att gå på bio. Och jag var ju inte den ende av oss grabbar som föll för Viveca precis. Nu är Maj på vippen att säga att Tomas inte precis är någon grabb. Det har inte riktigt slagit henne att Tomas är ute och roar sig när han är inkallad.

Har du fler favoriter, om man får fråga.

Ja, dig, skrattar Tomas och vänd mot de andra lägger han till att svensk film har begåvats med många extraordinära skådespelerskor.

Rydeberg är inte så tokig heller, suckar Vera, det slår liksom gnistor.

Man måste visst gå på bio och se på underverket, säger Maj och försöker skratta, och så börjar hon istället att hosta av det misslyckade halsblosset.

Jag ska inte rymma med henne, svarar Tomas och blinkar tillgjort.

DU FÅR INTE *blunda, vända blicken bort.* Anitas vettskrämda ansikte. Andas in eter, så bryskt de trycker masken över hennes ansikte, *är det för att Maj inte kunde lova att hon skulle hålla sig lugn?* Svimmar hon? Vem? *Skärp dig.* Men Maj håller väl i Anitas hand? Då så, säger syster, nu kan fru Berglund vänta utanför, så säger vi till när det är klart. Tomas propsade på att polyperna måste bort. Något han läst, och att ingreppet var helt ofarligt. Var här och lugna då. *Jag kunde inte trösta henne.* Nej, rösten blev uppjagad, falsk, och syster och doktorn som irriterat plockade med sina instrument och papper när Anita klamrade sig fast i hennes knä och inte ville sövas.

Utmattad sjunker hon ner på soffan i väntrummet. Torr, men kletig i munnen. Finns det vatten? Kan någon ge henne ett glas vatten? *Det är ju inte du som är sjuk.* Nej. Det är sant. Inga ljud från sjukrummet, hon sover verkligen. Om de feldoserade? Är det helt ofarligt för ett barn att andas in eter? När hon bara tuppade av... Maj reser sig. Det är rent, kalt och säkert alldeles hygieniskt här inne. Till och med krukväxterna ser bonvaxade ut, liksom overkliga. En fru sitter och väntar med sin pojke, han är större än Anita, kortbyxor, knästrumpor. Pojken lutar sitt ljuslockiga huvud mot kvinnans arm. Men kvinnan har alldeles rakt, mörkt och glatt hår under hatten. Toalett? Ja, där inne kan hon kupa händerna, dricka. Känns det inte lite bättre? *Det var doktorn och sköterskan. Deras otåligt uppfordrande minspel. Lugna flickan nu, frun. Vi har många som väntar.* Är ingreppet ens nödvändigt?

Hon kissar, skyndar sig så de inte söker efter henne när hon är borta. Jo, men Maj kan förstå Anitas panik. Kan hon inte? Måtte det gå bra för Lasse hos tant och Eivor. Golvet är blankt så hon nästan kan spegla sig.

Anitas livlösa ansikte, slutna ögon. Näsan svullen, röd. *Vad har ni gjort?* Syster säger att det dröjer en stund innan hon vaknar, och hon ska få något smärtstillande med sig hem. Det brukar aldrig vara några komplikationer, lägger hon till, men Maj kan inte låta bli att fråga om det är meningen att näsan ska svälla upp så där? Doktorn fick böka lite, säger sköterskan med ett leende, *roar hon sig på Anitas bekostnad?* Nej, Maj tänker inte besvara hennes flin. Med dunkande hjärta påtalar hon att ingen nämnt något om det i förväg. Jag vore tacksam om ni upplyst mig, säger hon och sköterskan påstår att alla kirurgiska ingrepp självfallet medför synliga spår. Men det läker naturligtvis. Vill hon krama Anita? Lyfta henne till sin famn och varligt väcka henne? Bara lämna den här sköterskan, *varför blir hon så liten inför den barnavårdande expertisens granskning?* Hon skulle vilja säga att hon inte känner sig alltför säker på att doktorn kunde sin sak. Han verkade hårdhänt, *ja brutal.* Men hon går tyst efter biträdet som sköterskan lämnat den hjulförsedda sängen till. De ska visst få sitta på ett uppvak, en sal där gamla och unga sjuka bara nödtorftigt skiljs åt med draperier. Om Anita dessutom drar på sig någon smitta? Men Tomas menade att polyper kunde leda både till halsinfektioner, öronvärk och andningsstillestånd på natten.

Hon har ju så ont! Hur ska Maj kunna kalla på någon utan att lämna henne här, bland yrande patienter, morfinpåverkade, högljudda, *den där horan, har jag inte sagt att det finns horor här,* men tyst, utbrister Maj bakom draperiet, det är barn i salen, *horungar,* Anitas tysta blick på henne. Bry dig inte om de där tokarna, man blir underlig av morfin, viskar hon, men Anita svarar inte. Blundar.

Och äntligen kommer en sköterska, en vänlig, med saft, och Maj viskar att det pratas fult här inne, ja suckar sköterskan, stackare om de visste vad de säger, blev hon rädd? Ja, nickar Maj, *jag blev rädd.*

Tomas hämtar dem med bilen. Då är Anita blek, men näsan har blivit mindre igen. Fast chokladkakan låter hon vara. Mår du illa, frågar Maj och vänder sig mot baksätet. Anita nickar. Men nu är det bortgjort, säger Maj och tittar ut genom framrutan, *du var modig Anita, säg så till henne Maj, att hon klarade av det bra.*

HAR MAN INTE rätt att kräva *utveckling?* Att en människa går igenom svårigheter, kommer över dem, och på andra sidan är hon för evigt *förändrad.* Men Maj låter ju sig förändras! Ingen ska komma och säga att hon inte gör allt för att *passa in.* Livfull och sorglös? Ja, handlar det inte om normalitetens sugande dragningskraft? Hur individualitet och originalitet är för andra, mer maktstarka skikt i samhället. För den här vibrerande oron... hon är inte *normal.* Inte som andra... se bara på andras barn. Självständiga, kavata. Inte skriker väl andras ungar för att mamma ska bort på kafferep? *Fast hon har just bränt bort sina polyper. Fortfarande omtöcknad, rädd. För döden, precis som du, Maj. Men om jag uteblir från kafferepet... blir jag aldrig mer bjuden då?* Maj vet hur man pratar om dem som ofta lämnar återbud. Hur det är... opassande. Högfärdigt? Nu måste hon rougea sig, lägga på läppstift, stryka blusen och trä på strumpor men Anita bara grinar. Hon är i alla fall feberfri och Ottos och Sylvias Ellen ska sköta om henne och Lasse.

Du vet när jag inte ville låta min mamma och pappa gå bort en kväll och gasta och gick an så slog bror min mig i huvet med en yxa, säger hon och drar in kinderna som man tydligen ska göra för att träffa rätt med rouget. Med lite mjukare röst ber hon Anita att inte sjåpa sig, du vet jag får inte komma för sent till Anna. Inte vill du väl att jag ska säga åt Anna att du sinkade mig och inte lät mig gå? Och fast hon vill få tyst på Anita är det ändå lite obehagligt att hon slutar gråta. Granskar henne med sina stora ögon. Tycker du att mamma är för mager? Hon skakar på huvudet, och Maj slätar till kjoltyget, nog sitter den väl ganska bra, trots allt. Är de andra fruarna också oroliga? *Det går över.* Väl där är det bara att hänga med. Inte prata för mycket. Inte det. Men blir det tyst... hon kan inte med tystnaden. Mamma är vacker, säger Anita lågt när Maj biter av läppstiftet. Tycker du det? Då ringer det på dörren, tack och lov att Ellen kommer i tid. Rödblommig, kvisslig och tonårsrund, men håret är klippt i en klädsam frisyr som Maj kan berömma medan Ellen hänger av sig kappan. Anita hann springa och gömma sig när hon gick för att öppna, så Maj måste ropa på dem, Lasse och Anita, kom och hälsa på er kusin. Men Lasse virvlar runt och låter sig heller inte fångas in. Mjölk, sockerskorpor och vetebröd är framdukat i köket - jag blir inte borta mer än ett par timmar.

Och trots att Annas väninnor är unga småbarnsmödrar som Maj så kommer den här känslan av... ja, hur Anna som bakar eget fast hon kan hämta fulla fat från konditoriet - men jo, några finare bakverk tronar på bordet med sin vackert broderade kaffeduk, en arrakskrans och toscaformar som kommer från Bertils bageri, *har Frans bakat dem...* - ja så kan Maj inte undgå den här känslan av att Anna bryr sig mer om de andra, *är de viktigare för henne?* Och Maj vänder sig till Karin som är vänlig och korrekt men inte så varm som Anna brukar vara, *hemlig,* ja lite fåordig, nu kommer Harriet också, men Anna har inte tid, så då riktar Maj uppmärksamheten mot de andra damerna, vad pratar de om? Renoveringar, nyinköpta möblemang eller vårgarderober? Äsch, inte är det någon som talar högt om investeringar när så många har det kärvt. De pratar väl på om ditt och datt. Ja, också hur det är att ha makarna borta. Greta har följt med i tidningarna och tror att tyskarna snart får ge sig och Maj fyller i att det säger Tomas också. Finns kanske tyskvänliga här ibland dem på kafferepet? Man pratar ju inte gärna politik. Men bilderna av flyende kvinnor och barn... Lilly skakar tyst på huvudet. Sedan blir det väl mer lättsamt och kanske allra mest hur man får trolla med resurserna i kristider. Maj snappar upp och lägger på minnet. Knappast kommer de in på samliv med makar och svårigheter med barnen. Bara anekdotiska lustigheter om vad barnen gjort eller sagt. Det är väl som nu, statusmarkeringar, lagom intima förtroenden, lite allmänt glättigt, inte för allvarligt, tungt, deppigt. Maj vill för all del inte ha det deppigt. Bara att Anna ska se henne. Säga något om den nya blusen. Om Maj berömmer prästgårdsringarna och jitterbuggarna som är så svåra att rulla ihop och skära i snygga skivor – Maj vet, för hennes eget försök med den nya sorten blev allt annat än succé – Anna har förstås kavelmaskinen och expertkunskaperna kring hur fast marängmassan måste vara. Ja, men jag förvarar rullarna kallt – det gör inget om de fryser till och med – innan jag skär dem. Åh, Anna är generös. Med tips och råd för att knåpa ihop de knepigaste av kakor. Sandkakan är tung och lätt på samma gång med sin distinkta smak av cognac. Kaffet, även Anna måste spara till äkta vara, men idag är det inte surrogat. Karin verkar ovanligt frånvarande, nästan lite butter. Gravid? Hon har redan tre. Fortfarande benigt slank, men nu är det inte fullt så klädsamt åt ansiktet till. Visst är hon söt. Ser naturlig och enkel ut. Med det där kraftiga håret som har självfall. Ja, Maj ser att damerna bär diskretare makeup än hon. Sist hade väl Harriet riktigt rött läppstift? Hon borde inte ha rougeat sig så... *men sluta med det där.*

Barnen ja. Bara Lillys pojke har börjat skolan, men det blir inte enklare för det för då måste Lilly passa lillflickan hela tiden, *är det inte mer än så här, livet, har du inte allt du kan önska, hem och make och sällskapsliv och...* arrakskransen växer plötsligt i munnen. Kommer hon att kräkas? Hur ska Anita klara skolan som inte kan vara ifrån mamma mer än ett par timmar? Kan hon passa på att bjuda Anna och Bertil på middag lördag om fjorton dagar? Klart att Anna är populär. Med sitt lättsamma sätt och skötsamma leverne. Trevlig att titta på dessutom, utan att vara påträngande attraktiv – nej, ingen bländande skönhet – mer söt och rar och hemtrevlig. *Om utanförskapet finns hos er alla?* Tvivlen på tillhörighet, rädslan hur orden ska trilla ur munnen, eller är det så obarmhärtigt att hos vissa finns självsäkerheten där från början, den självklara rätten att slå ner, definiera, sätta ramarna och så de andras tvång att vara följsamma, begripa, förstå vad som passar sig... åh, om man fick gå hem och lägga sig raklång. *För att Anna inte berömt din blus?* Ja, men Maj bjuder verkligen in dem på en bit mat. Fast Anna och Bertil är uppbokade långt in i april så det känns nästan larvigt att planera in en enkel middagsbjudning så långt i förväg. Hon har sällskap ut av Greta och Harriet, Karin blir kvar hos Anna. Greta ska ha pölsa idag, Maj har planerat kålpudding och lingon. Harriet utbrister att de är så duktiga, själv måste hon skynda sig och se efter vad hon har hemma. Men de tar adjö på torget trots att de skulle kunnat ha sällskap en bra bit av Storgatan. Maj har aldrig riktigt förstått sig på Harriet som inledde bekantskapen med att fråga om Maj var vid sången, *eftersom fru Berglund har en så gäll röst.*

VÅREN KOMMER OCKSÅ 1945. En vår då Tomas varje dag låter upprymd när han gått igenom tidningsrubrikerna eller lyssnat på nyhetsrapporteringen på radio. Och därför vet hon... Hans ansikte sent på kvällen där han kommer in till henne i köket. Hon ska bara lägga småtvätt i blöt i spannen och det gör hon helst bort i avskildhet. Kanske ser hon uppgiven ut redan när hon vänder sig mot honom. Maj, Maj det är Per-Olof, i telefon. Hur hon släpper de kalla våta plaggen, tar av sig förklädet, mycket lugnt, *vansinnigt* långsamt. Pappa är död, säger hon. Och Tomas nickar med handen för läpparna, näsan. Hon tränger sig förbi honom. Luren i tamburen. Per-Olofs oväntat ljusa röst. Dialekten. Han frågar om hon sitter eller står? Jag vet redan, viskar hon. Hur? Per-Olof och hans röst där igen. Säger att det var blodförgiftning. Från ett sår på foten, han hade inte velat visa Anny den värkande tån och innan man kom till lasarettet var det över. Han var så rädd för läkare, säger Maj. Varför var han så rädd för dem?

Sover hon den natten? Tomas som vill hålla om, komma med varm mjölk. Hur hon bara motar. Bort med bilderna. Bort med pappa i gungstolen, Anita i hans famn. Bort med pappas hukande gestalt på mammas begravning. Bort med pappa som höjde rösten och röt att hon inte skulle springa med pojkar. Klart att hon har minnen! Inte nu bara. Har vi inget hemma, viskar hon. Veronal? Han skakar på huvudet, ska jag ordna det åt dig, ska jag gå ut... men den är över midnatt, jag är så ledsen Maj, jag är så fruktansvärt ledsen, det är så orättvist. Ja, säger Maj. Han var så tjurig Tomas, att aldrig visa sina sår.

HAN HAR LAGT filten över henne. Hon bryr sig inte om ifall hon smutsar ner soffkuddarna med ögontusch och läppstiftskladd. Jag är så ledsen Maj, säger han på nytt, men nu låter rösten lätt, glad. Han kan inte låta bli att lyssna på radion, de har kapitulerat, det är fred, över – han ropar på Anita – i vitögat ser Maj Anita stirra på henne. Granska. Liksom tvekande. Tomas tar henne i sitt knä. Kriget är slut, viskar han, åh han behandlar henne som en vuxen. Maj vill säga att hon bara är ett barn, även om hon är lång för sin ålder. Lasse leker med sitt smutsiga lamm, hur hon än försöker hålla det rent är pälsen grå, solkig.

Pappa är död. Mamma är död. *Jag är död?* Han fick inte veta att det blev fred. Åh, nu krampar det igen. Hon måste hulka fast hon inte kan kräkas. Tomas tittar hastigt på henne, skruvar upp volymen. Men att resa sig upp och gå. De många stegen in till sängkammaren. Att i avskildhet hänge sig... Nej, här ute på sammetssoffan måste hon ha lov att ligga. Medan de fröjdar sig åt freden. Han greppar barnen i var sin näve och dansar runt. Men Maj ser att Anita inte vill ta Lasse i sin hand. Bara inte barnen ska med på begravningen. Hon vill åka ensam den här gången. Bouppteckning och ordnandet med lägenheten. Inte för att det är mycket att ta rätt på. Men det ska göras. Jag är så torr i mun, säger hon, ganska högt. Är Tomas irriterad när han släpper barnens händer för att gå till köket efter ett glas vatten? Hon häver sig upp till sittande, dricker girigt, det rinner över vid mungipan, hon torkar sig med blusärmen. Tack, säger hon och ställer glaset på bordet.

Det ska högtidlighållas i kyrkan, orkar du följa med? Hon skakar på huvudet. Inte när han ställer frågan så, att det bara är att ruska huvudet fram och tillbaka. Om han sagt – nu går vi till kyrkan för att fira freden, Maj. Då kanske.

BEGRAVNINGEN MÅSTE VÄL bli kring pingst. Redan vid kristihim? Ragna snyter sig i andra änden av linjen, hon har så lätt för att gråta. I hänryckningens tid den här gången också. Sorgband, sorgkanter, sorgmantel, svart. Ska hon vara klädd i svart ännu en sommar? Kommer inte modet att föreskriva ljusa, luftiga, lätta klänningar nu i fredens tid? Eller håller fortfarande sorgen och fasan sitt grepp om världen, så mycket raserat, så mycket förstört...

Det är ju vi som måste sköta det nu Maj, vi barn, säger Ragna, nu har vi ingen att lämpa över ansvaret på. Nej, också för Maj är det... svårsmält. Den här Anny, säger Maj, bor hon kvar med Stig? Usch, vad jag tycker det känns...

Ja, håller Ragna med, men samtidigt måste vi vara tacksamma att någon kan vara som en mor för honom. Han kan knappast klara hushållet själv, fast han har åldern inne. Jag tror han har behövt vara tapper sedan mor gick bort.

Varför retar det Maj att Ragna säger mor? De var väl mamma med henne, var de inte? Kan inte Per-Olof kontakta en begravningsbyrå? Som finns på plats i stan?

Ragna invänder att hon tror att Maj och hon själv måste finnas till hands, med det praktiska. Och sedan att ta rätt på allt... Vi som har små barn och familj Maj, det blir svårt för oss att reda i mors och fars kvarlåtenskap... Och du vet att deras vilja var att vi skulle hålla ihop, Maj.

Ja, de lyckades ju inget vidare med det, vill Maj säga, men så ångrar hon sig. Kanske var det så, att de ville att syskonen skulle skydda varandra. Men när mamma blev sjuk... så orkade inte pappa. Vi skulle inte haft så bråttom att flytta hemifrån, utbrister Maj därför, men Ragna säger att det varken fanns plats eller råd för dem att vara kvar. Nog för att de skulle ha uppskattat om vi blev kvar i stan, lägger hon till, ja, så minns Maj pappas ogillande att hon *skulle fara till kusten. Men minns du när han bar ditt sjuka barn?*

Tomas som har hört samtalet säger att de kan passa på att bila till Norge efter begravningen om bensinen blir fri efter kriget. Fira freden med att besöka grannlandet. Nej, säger Maj, inte när jag har sorg. Min älskade flicka, säger Tomas och lägger armarna om henne där de står i tamburen. Nu tror jag att min flicka har alltför mycket att bära. Säg inte så, viskar hon, och så kommer tårarna. *Det var ert svek som täppte igen tårkanalerna.* Nu har jag bara dig, viskar hon. Du sviker väl inte?

Alla orden som inte är hennes. Att tala om känslor på det där sättet de ofta gör på film. Har Maj sådana känslor också? Hon vet inte. Men om något händer med Tomas nu... Har det inte funnits som en *utväg* – ja en onämnbar möjlighet att flytta tillbaka, att börja om med bröderna och deras fruar, äsch, hon har inte haft tid att tänka så. Fast ifall bröderna flyttar så har hon inget... inget kvar i sin hemstad.

Tomas verkar inte vilja smita från sin svärfars begravning. Kanske måste Maj säga åt honom att han inte är tvungen att *konversera* med bröderna så förbaskat. Kanske kan hon säga tala är silver och tiga är guld. *Brukar du kunna hålla mun, Maj?* Så släpper Tomas henne, smeker hennes kind.

Jag vill inte träffa den där Anny, säger hon, tror du att han hade henne när mamma var på Solliden?

Du vet, han klarade sig väl inte ensam, försöker Tomas trösta. Hon kanske till och med hade sett till... hon visste förstås att han inte kunde laga mat, tvätta... Du vet karlar är ju så hopplöst opraktiska när det gäller att sköta ett hem.

Jo, nickar Maj, det vet hon. Men att Anny gick i mammas skåp...

Vi får hjälpas åt, Maj. Vi kan klara det tillsammans. Du behöver inte vara så förbannat *stark.*

Sörjer hon sin far? Hon är rädd för att ha ont. I kropp och... hjärta. Men sorg är väl ett legitimt sätt att dra sig undan världen? När hon inte orkar med barnens bråk och fordringar kan hon snäsa att mamma är ledsen. De tycker synd om henne, på sitt barnsliga vis. Anita kommer med omsorgsfullt gjorda teckningar, Lasse klappar henne på kinden. Ja, nog är hon fortfarande bunden vid barnen. Kan ju inte helt och hållet hänge sig åt att grina och ligga på kammaren. Är det inte bäst att låta allt fortsätta som vanligt? Lasse är inte stor nog att begripa på allvar. Han tar efter Anita bara. Om Lasse vaknar på nätterna och har kissat i sängen igen – då kan hon inte dölja suckarna, hur det rinner ner i madrassen, fast hon ser ju hur Lasse skäms och försöker dölja det för henne. Låt mamma ta rätt på det så tvättar fru Andersson. Barnkiss luktar inte så starkt i alla fall. Att snudda vid tankarna är ju fortfarande farligast, att inte veta om minnena ska dra ner henne i något ohanterligt, svårt... *jag minns så lite.* Satt hon någonsin i pappas knä, som Anita sitter hos Tomas? Bar han henne stolt på sina axlar? Nej, så var det väl inte? Minns Ragna? Något inom henne säger att Ragna och hon ändå inte kommer att prata minnen när de ses inför begravningen. *De är borta för alltid. Är du kanske lite, lite lättad?* Ingen att stå till svars inför, att dömas av, att skämmas för, att svika. Pappa verkade ändå hålla av Anita. Han gjorde ju möblerna... och så hörde hon honom prata mjukt och vänligt med henne när han trodde att de inte hörde på. Och till Lasse skickade han gratulationer på direkten. Var det Anny som såg till…? Kan det inte bara få vara bra så. Var det pappas sätt att stryka ett streck? Det är bara dumt att tänka bakåt. Vad finns att hämta i det förflutna? Framåtrörelsen, det är till den vi måste sätta vårt hopp. Vem sa så? Hon minns inte. Maj behövde ju inte mista dem som barn i alla fall. *Då* hade det blivit svårt i livet. Kan Gud hjälpa nu? Evig frid och hinsides längtan. Pappa ska i alla fall få en värdig begravning. Det måste hon och Ragna se till. De ska väl inte bjuda på kaffe eller mat i bostaden? För då måste de verkligen städa. Ja ett par dagar i förväg, om det ska göras riktigt. Det är ju inte precis bara att fara ifrån. Lämna barn och make… Annars vore det fint. Att få göra i ordning lägenheten som på mammas tid. Tvätta trasmattor, såpskura golvet – *blöt först med kallt vatten, sedan såpa på rotborsten och stå på knä och gno, bräda för bräda, och ve den som inte tar rätt på lorten och låter den smutsiga såpsörjan torka på golvet.* Det var mamma så noga med. Ni måste skölja golvet med rent vatten, flickor! Tak, väggar, fönster. Är tankarna på städning det enda som ger lisa? Det tycks inte bättre. Och kläder… de brände mammas. Pappa grät men de tog beslutet gemensamt, hur ska man egentligen veta när det smittar? Bara ett par bomullsklänningar som gick att koka fick vara kvar. Har Anny kanske städat redan? Hon måste ta kontakt med Stig! Blir han och Anny boende kvar, man kan ju inte köra ut någon av dem på gatan? Men det gör ont i henne att Anny ska vara som en mor för Stig. *Om hon förför honom?* Ja, men måste det inte vara något underligt med en kvinna som flyttar ilag med en änkling som inte har något särskilt att erbjuda. Var de kära i varandra? Vad kan man veta så långt ifrån. Ingenting.

Kom och sätt dig, Maj. Tomas har redan parkerat sig i soffan, till och med dukat fram en tebricka med kex och smör. Han serverar henne, verkar ha bråttom, hon skulle vilja ta den tunna tekoppen med sina båda händer, värmen mot de kalla fingrarna, hon litar inte på att handen ska hålla koppen uppe med det sköra örat. Ja, säger Tomas, sover barnen? Hon nickar, fast Lasse kan vakna när som helst är jag rädd.

Då så. Du förstår Maj, jag har inte velat säga något, *ska du lämna mig, är du så grym Tomas, visar det sig på nytt nu, det brutala…* du behöver inte se så förskräckt ut, det är goda nyheter. Maj, det har gått förbaskat bra för fabriken under kriget. Jag har varken vågat eller velat ta ut glädjen i förskott eftersom… ja, vad har vi egentligen vetat om världsutvecklingen och allt? Men ja, jag vill bara tala om att vi utan problem kan flytta till något större. Vi ska ju inte slösa i onödan, men vi kan ändå våga unna oss lite mer. Jag tänkte att det kanske kan muntra upp dig något när så mycket bedrövelse har drabbat dig. Vill du klä dig snyggt - säg vad du behöver.

Åh, Tomas, säger hon. Ska vi flytta? Han nickar, ler. Du ska få se på ritningarna, vänta… han reser sig så hastigt att bordet ruckas och lite te skvimpar ut, men han återvänder snabbt med sin portfölj, flyttar undan ljusstakar och askfat och brer ut stora pappersark med planlösningar och fasader. Menar du den här med fem rum och kök, viskar Maj, fem rum… det är ju en paradvåning. Nej, han skakar på huvudet, det klassas bara som högre tjänstemannabostad, visst är det lite lyxigt, men varför ska vi inte få… jag menar nu har vi rum både för ett hembiträde och gäster. Vi måste ju kunna ta emot din släkt också, Maj, när de kommer resande. Inte ska de behöva ta ett rum på stan… att bara kunna bädda för dem i hemmet!

Du tänker på allt, utbrister hon, så härligt att vara spontan, levande, *men pappa är död,* det dröjer ett tag innan bygget är färdigt, men det tar nog fart nu, skulle jag tro.

Hon låter sig smekas. Det är som om hon var berusad. Det gör väl inget om barnen skulle råka vakna? Man måste inte känna efter hela tiden. Han kan få röra vid henne. Om hon blundar bort i sin sorg... hon sluter ögonen i alla fall – de tunga, döda – *säg inte så* – nej, men de avdomnade lemmarna, ja hans sätt att röra henne är väl ett försök att göra levande igen, inte sant – att hålla henne ihop, kvar. Maj, viskar han, ner i utrymmet mellan hennes hals och axel, hon kan slå sina vader om hans lår, skinkor – är det så hemskt – hon vet inte, det är förvirringen, soffans armstöd som hindrar hennes huvud att sjunka bakåt. Tomas finns kvar, inte mamma och pappa – nej, varför tänka på mamma och pappa nu – då vill hon plötsligt att han ska vara färdig – och efteråt kurar hon ihop sig mot hans bröstkorg. Hon är tacksam att han är tyst. Då kan hon viska att våningen är underbar. Det kommer att bli mycket att städa. Det kommer man inte ifrån. Men där kan väl livet börja på nytt? *Kan du älska Tomas och barnen på riktigt?*

Allt detta riktiga. Äkta, falskt. Äkta känslor, falska känslor. Är det inte bara virvlande vimplar som än kastas hit, än dit i vindens skilda riktningar och kastbyar? Måste allt vara så förbannat fast förankrat?

Tomas verkar så glad vid morgonkaffet. Men han frågar hur hon känner sig, vill hon kanske gå till kyrkan, tala med en präst... nej, hon skakar på huvudet, en präst... det är inget för mig.

ATT ANNY VAR en så behändig människa, säger Maj när Ragna kliver ner frånköksstegen. För hon kan inte påstå något annat. Och vad ska de göra nu när hyresvärden kommer med hyreshöjningar han menar att han dröjt med på grund av kriget och för att Olausson blivit änkling, men det går visst inte att vänta med höjningen längre. Per-Olof och Jan är ju redan utflugna. Men Stig... Stig som är stor nu ska ändå få bo hos Anny, och hon ska hjälpa honom att söka reda på arbete och egen bostad så småningom. Går han med någon flicka? Ragna håller en tung graverad vas i famnen och visar den mot Maj som vore den ett spädbarn.

Ta den du.

Om allt säger Maj så.

Ta den du.

Varför vill hon inte ha något endaste från sitt barndomshem? Men Ragna behöver kaffeservisen mamma fick på fyrtioårsdagen mer än hon. Så är det bara. Och det är snudd på det enda fina som finns kvar. Pojkarna har tagit rätt på en del, Stig ska faktiskt få radion som pappa fick i julklapp av Maj och Tomas förra året, så lycklig som han blev över att pappa fick den. Per-Olof och Jan har säkert tagit reda på verktyg och stugan finns ju kvar. Jan som är tokig nog att flytta in i den, säger att det inte är någon sak att dreva mot drag och den är ju inte större än att kamin och vedspis räcker till. Så vad ska Maj med kantstött porslin, nötta möbler, tunntvättade bordsdukar. Några manglade linnehanddukar kanske. Mamma var så rädd om dem.

Anny har inte ens tagit specerierna med sig. Jag lämnade det precis som det var när han gick bort, sa hon på begravningen, och det stämmer. Hjärtat brast väl av sorgen, la hon till. Fast Maj tycker att pappa verkade ganska glad de sista åren. Men Anny var aldrig hos honom de få tillfällen de kom på besök. Hade lagat något i förväg, städat, tvättat.

Det är glest i skåpen ändå. Har pappa slagit sönder glas de gånger han har diskat? Kanske Stig har varit långarmad och fumlig. Kastruller, trådvispar, träslevar. Knivarna verkar pojkarna ha tagit. Kaffepannan. Kvarnen till bönorna – den ville Per-Olof ha, det vet hon. Inte kan Maj släpa hem utdragssoffor och fällbord. Zinkhinkar, tvättkanna och fat. Ragna, däremot, tror att hon och Edvin har användning för det mesta i deras nybyggda sommarstuga utanför Enköping. Som hon pratar om den där sportstugan! Som visst behöver köksbord, stolar, sängplatser åt dem och pojkarna.

Ta det, säger Maj. Om inte pojkarna misstycker.

Så lätt det hade varit att bråka. Bli känslosam och minnas tingen då de brukades, hur pappa skopade upp vatten, rakkniven, mammas händer som hanterade kaffekvarnen så vant och vördnadsfullt, men pojkarna får pappas saker, det som de vill ha.

Vad ska Anny få då? Inte vigselringen väl? Klockan? Borde hon inte få pappas klocka, så att de inte bara bråkar om den?

Fast när Maj ser kakskrinet så är det ändå något som... jo, den här tar jag, säger hon till Ragna som av någon anledning måste säga vad ska du med den till? Men hon rättar sig snabbt och säger att den har ett sött mönster, kakburken.

En åkare ska ta möblerna till Enköping tidigt imorgon bitti. Stolar och stege behöver de ju när de städar. De måste raska sig också, för imorgon ska Maj ta tåget hem. De packar, slänger och sorterar. Hur Maj blir uthållig och kvick och ingenting tänker hon stanna upp och gråta vid. Ragna kommer i ett och ska visa. Det är ju bara saker. Hur härligt är det inte att slänga. Bort med det.

Lämna plats åt det nya. Utan feta handavtryck, tidningssvärta, löss eller malhål. Utan minnen, utan historia.

Men Anny har hållit efter. Det är inte särskilt smutsigt. Inte ens bakom dubbelottomanen i alkoven.

En sån här gång är det tur att det inte är större, säger Ragna och Maj håller med. Spis och bakplåtar är lite besvärliga. Man kan gno så händerna blir röda och naglarna går sönder. Och längst in på översta hyllan, där är det svårt att se.

Torrvarorna, utbrister Ragna – ta det du, säger Maj. Inte behöver hon komma hem till Tomas med gamla specerier.

Till Anny kanske, säger Ragna dröjande och Maj tycker att det låter bra.

De kommer aldrig mer att komma hit. Greppar händerna stegens översida? Hon håller hårt när hon kliver ner för att skölja ur trasan. Se så svart den blev, säger hon. Längst där inne.

Hon är ju kortvuxen Anny, säger Ragna, jo, nickar Maj.

Maj stryker en hårslinga från ansiktet, vrider ur trasan. Snart kanske hyresvärden kostar på kylskåp och wc i alla lägenheter. Pärlsponten i köket borde i alla fall målas om. Och en annan stor familj flyttar hit, med sitt drama, eller en änka, änkling, ogift och lever sin sista tid på ett rum och kök. Det är ju centralt och bra.

De väljer den vackraste tiden att dö, säger Maj plötsligt. Fast utsikten från köket är inte så grönskande. Hon ser Jan och Stig fylla eldningstunnan med rat. Så mycket blev det inte, men några kuddar och filtar och tidningsbuntar. Kanske är de också rädda för smittan. Hur mycket baciller får inte Maj och Ragna i sig nu! Fast Maj har inte hunnit tänka så. Bara vigselringarna, mammas halsberlock och örhängen som hon aldrig kunde ha eftersom hon inte hade hål i öronen finns kvar i en ask. Maj tänker inte bråka om det. Låt Anny ta vad hon vill! Yngsten eller äldsten, Maj som är helt mitt emellan kan ändå inte komma och kräva sin rätt. *Jag lämnar! Bara framåt Ragna, bara framåt.*

Nu är lägenheten utskurad. Rummen rena, tomma så när som på möbler som baxats in i ett hörn. Gardinerna nertagna. Men hinken, skurborsten, trasorna?

Du måste väl ha i stugan, säger Maj, och när hon ser sin systers osäkra min säger hon bara – ta det du.

Hon har inte träffat någon bekant den här gången. Inte heller när Ragna och hon går ut i det klara, höga, intensiva kvällsljuset för att gå var och en till sitt. Pojkarna har inte bjudit hem dem. De ska till sina flickor, ja Per-Olof är ju redan gift, Jan är förlovad med Anna-Britta. Kanske har också Stig någon han ska möta, att hantera sorgen hos… kärleken, döden. Ragna bor hos svärföräldrarna på Frösön, där Edvin och barnen väntar. Ragna har bett henne med, lovat att svärmor ville att hon skulle komma dit på kvällsmat, men Maj har tackat nej. Hon ska bara sova. Tomas bokade Grand hotell åt henne, egentligen är det hemskt onödigt. Men Maj har brom och veronal i handväskan. Bara för sömnen. Hur ska sömnen annars komma till henne inatt?

Det är i alla fall fred, snyftar Ragna till när de stelt kramar om varandra. Maj nickar. Du ringer väl, säger Maj, du också, svarar Ragna.

MEN NÄR MAJ kommer tillbaka till Östersund en påsk på tjugohundratalet finns huset inte kvar. Bara bakgårdens stumma fasader är bekanta. Gränden brant mot sjön. Damen som kommer ut ur porten på åttiotalshuset säger att de lyxrenoverar de gamla fastigheterna i kvarteret. Golvvärme, tvättpelare, allt sådant. Så får lägenheterna Stockholmspriser också, lägger hon till. Det blåser så kallt. Grått. Dimman vill ändå inte lätta över Storsjön och det går inte att urskilja några fjäll. Hon håller Anita under armen, har ljusbrun kappa med pälskrage, säger att det är för långt att gå ända bort till torget. Minns inte Maj något alls? Hon vill hellre sitta i framsätet på bilen och titta på träfasaderna, husen som har strålande utsikt mot sjön. Vi far åt Optand också. Det är ju så förändrat... nej, det är för många mil upp till Åre och dessutom fel håll. Och tillbaka i Sundsvall är det ändå lammsteken som intresserar henne mest. Ska du verkligen ta så där mycket vitlök? Förr sa man att lamm smakade kofta. Rödvinssåsen, potatisgratängen med getost. Blir det så här mört bara av den låga värmen? Men ugnsformen får du smörja in med kaffesump, annars får du aldrig bort lukten från den.

HUR TACKSAM ÄR inte Tomas över freden. Att få vakna de ljusa sommarmorgnarna här på landet och veta att världen vilar, läker. Kanske inte just så. För slag i slag kommer nyheter om brutaliteter... ofattbara. Att ändå Hägglunds på sitt sätt bidrog med de vita bussarna. Han säger så när de har Anna, Bertil, Georg och Titti på middag den här vackra lördagen i juli.

Ja, Tomas är så stolt, som om det var vi själva som tillverkade dem, säger Maj och går in med tallrikarna.

Jo men av världens alla biltillverkare, nog är det ganska märkvärdigt att just Örnsköldsvik...? De sitter ute, kvällen är varm, fjärden blank. Maj svartklädd fortfarande, demonstrativt, tycker han plötsligt, kunde hon inte klätt sig i något lättare nu när de ändå bjöd vännerna till sig i sommarhuset. Han vet ju att hon har sorg. *Men så många andra har det mycket värre.* Tomas menar inte att mäta... men han har en smygande känsla av att Maj spelar upp sin smärta, utan att vara i den. Så viktigt med sorgband och mörk klädsel. Anna tar en klunk vichyvatten ur seltersglaset och säger att hon känner precis så. Ja, man nästan skäms över hur skonade vi varit och att då veta att Hägglunds med sin kunskap bidragit åtminstone något lite... Har han inte tidigare tänkt på hur fina Annas ögon är? Hon har mörk hy. Blir genast solbränd, och under den ljusa klänningen anar han hennes behå. Georg säger att Örnsköldsviksborna har all rätt att känna sig stolta. Maj har också fått lite färg, och kommer med efterrättstallrikar, jordgubbar, till och med vispad grädde nu när de har handlat oseparerad mjölk direkt från Bylunds bondgård. Rullrånen hon svor över på förmiddagen placerar hon mitt på bordet. Tomas makar på några drickaflaskor som visst står i vägen. Dröjde Anna med sin blick i hans? Det är tur att Tomas tycker att jag är klädd i svart, säger Maj och skrattar till. Anna och Titti vänder sig mot henne och undrar hur det går, och Maj säger att man får lov att vara stark. När man har smått... Är det inte bättre att ge efter och sedan stiga upp, vill Tomas invända. Känn det onda Maj, istället för att binda lindor hårt om. Men efter Majs uttalande blir det tyst runt bordet. Förstås. Tomas avvaktar. Fastnar med blicken i solens spegling i buteljernas bruna glas. Titti säger att det äntligen är smak på jordgubbarna. Och att Norrlandsgubbar är överlägsna de tidiga som kommer söderifrån. Det håller Anna med om, Frans vill helst inte baka bärbakelser på tidiga sydliga bär när de kan smaka så här himmelskt. Hur mår Frans, säger Maj då, och Tomas tittar upp. Bertil svarar att bättre bagare, eller konditor, kunde de inte fått tag på. Fattas bara att han vill börja en egen rörelse, nu när han är gift. Georg undrar om Titti har cigarretter, jag måste ha glömt mitt paket hemma. Och Titti tar fram sitt, Georg är också gråsprängd, men Titti ser oväntat ung ut. Bertil är ju bara barnet. Trettiofem? Tomas spanar bort över fjärden. Solen, stiltjen, han måste skärma av strålarna med handen. Om man kunde konservera den här bilden. Det är åter alldeles tyst vid bordet. Så vänder han sig mot gästerna. Skål för freden då, säger han.

OCH SÅ GÅR sommaren ännu några dagar i en planlös stiltje. Tant som ska fylla åttio under hösten. Titti kontaktar ideligen Tomas, det blir inte bestämt om deras mamma orkar med någon mottagning eller ej. Eivor tycker att tant ska gå till doktorn, talar om för Maj att något inte står rätt till med frun, och Eivor vill inte ha på sitt samvete att hon inte gjorde vad hon kunde för att hjälpa tant. Nog vill tant Tea firas, säger Maj, för hon kan tänka sig att det kan bli ganska jobbigt om de bestämmer sig för att låta bli. Kan man verkligen undvika bomben, måste inte atombomben vara med? För det här är inledningen på en ny tid... Vad får man reda på av det som har drabbat de japanska städerna – människorna – *går frossan genom sensommarvärmen?* Maj både vill och vill inte att Tomas ska läsa högt ur tidningen. Öka volymen på radion. Inte när barnen är i närheten. Inte när Anita är med.

Blir det ett år i väntan på ekonomisk nergång, kris? Fast firman fortsätter att blomstra. Tant lever vidare och Maj låter dagligen tanken på att de ska flytta spritta i hennes kropp. Ja hur hösten, vintern, våren blir till en förberedelse och förvissning, *bara vi flyttar kommer det att bli bra.*

OCH SOMMAREN 1946 är det nästan overkligt att kliva in i visningsvåningen. Hon måste hålla tag i Tomas när vicevärden öppnar den blankbetsade björkdörren – han lämnar dem där – nog kan ni kika runt själva – ja, åh, hon vill rusa in men istället grabbar hon tag i Tomas, det känns matt och opålitligt i knäna, här har vi hallen, säger Tomas stolt, eller tamburen med sin gästtoalett. Ja, han spolar och visar på det varma vattnet som rinner rakt ner i handfatets vita porslin och sedan korridoren med sin skåprad av rymliga garderober – ja men det är ju fantastiskt – så gott om utrymme och stora rum åt bägge barnen – om Lasse törs sova ensam här – de kan förstås dela till att börja med och ha det bortersta till gästrum – *bibliotek* – som Martin och Vera har, det luktar bara nytt, målarfärg och kanske lite, lite slipdamm – badrummet!

Tomas, jag tror jag svimmar, säger Maj, åh, han spinner som en katt, wc, badkar och kaklade väggar och golv, men ändå har du inte sett salongen! Han skyndar före i korridoren och så kommer de till ännu en hall som leder till stora rummet – så stort – ljust – och öppen spis – parketten... Den blanka, hala, fuxfärgade parketten, det är ju flott som hos Georg och Titti – ja flottare än hos Tyko och Julia – finare än hos tant, för tant har det så gammalmodigt – hur Maj älskar det nya. Ingen gammal smuts. Ingen annans ingrodda fett och dammråttor. Inga flottfläckar från huvudsvålen där sängen stått. Ingen avfrätt färg där handflator hållit om dörrposter. Inga sotsvärtade tak och ventiler. Känn bara målarfärgens löfte om ett liv i ordning... *här kommer du väl aldrig att dricka Tomas* – tänk om hon skulle säga så, helt plötsligt, nu när Eivor har barnen kvar på landet och de får gå husesyn på tu man hand – matrummet, nej matsalen snarare, kanske aningen avlång till formen och lite mörk trots burspråk – *burspråk* – men det är lätt avhjälpt med trevlig belysning och snygg dukning. Fast köket och matvrån, typiskt – en liten – sådan där *barnslig* besvikelse – vilket litet kök. En tarm bara, med spis, diskbänk och skåp. Med ryggen mot matvrå och familj. *Kan det inte vara behagligt? Att få vända sig bort, undan...* Titta, säger Tomas och låter Maj se kylskåpet – det här är något annat än isskåpet det – och ja, det är märkvärdigt, det stora inbyggda kylskåpet som säkert slukar mer el än alla lamporna tillsammans – och nu det bästa, ler Tomas och föser henne ut ur köket, sängkammaren, det tomma, dunkla rummet med sin trevligt småblommiga tapet – här kan jag uppvakta dig ifred, viskar han och omfamnar henne liksom hastigt, lite hårt, lägger ena handen strax nedanför hennes svank, den andra om nacken, kysser henne. Men när hon inte får luft vrider hon bort sitt ansikte, torkar sig hastigt över munnen. Det blir tyst – jo, men sedan säger hon att det är en underbar våning, bättre än hon vågat drömma om – nu är han väl glad? Vicevärden som kan komma när som helst – tokstolle – försöker hon skoja. Men hon noterar hans förlägenhet. *Du måste bjuda till. Men jag kan inte!*

Ändå går de fram till vardagsrummets perspektivfönster tillsammans. De står intill varandra och ser ut över stan, fjärden, paradiskullen, Örnparkens strama siktlinje. *Nu hör du väl hemma här?* Vill hon grina? Brista ut i skratt? Att det här ska bli hennes. Ingen dubbelottoman, utdragssoffa, sängkläder undanstuvade i en för trång garderob. Ingen tvättbalja vid zinkbänken, klosettlänga på gården. *Mamma, pappa – ser ni mig nu?* Tomas, säger hon men får inte fatt i de rätta orden. Tomas, det är så fint.

Klart att hon måste följa honom ut på stan. Promenera en sväng, inte fara raka vägen tillbaka ut på landet. Och känns inte stegen lätta, den här mulna, regntunga, men varma dagen i slutet av juli. Stan semesterloj, ja fast Tomas har inte tagit så mycket ledigt under de gångna sommarveckorna. Nästa år, har han sagt, vill jag ta er till Norge eller Albert Engströms Grisslehamn på riktig semester. Men nu planerar de hur de ska möblera och Tomas talar om att det finns en välutrustad tvättkällare i huset också, med torkrum, sköljkar, maskiner. Och kanske – han stannar till vid Stockholmshuset – kanske kan vi se oss om efter ett hembiträde. Ja, det blir ju trots allt mer att sköta för dig med städning och så... Drömmer jag eller har du blivit alldeles tokig, skojar hon. Jo men det har väl varit lite drygt att sköta barnen utan eget badrum? Drygt? svarar Maj, jag har inte haft något att klaga på. Men nu har vi ju plats för en hel drös med ungar, säger Tomas med ett kort skratt, och Maj kan inte låta bli att berätta att Vera och Martin ska ha en till. Sedan skjuter hon in att det är så tidigt att Vera inte visste om hon skulle säga något, men eftersom hon mådde så illa när hon var hos mig på kaffe var det faktiskt jag som frågade rätt ut och då blev hon röd som en kräfta. I februari, mars, tror hon. Fast jag förstår inte riktigt hur Vera ska orka med en till, säger Maj sakta, hon som har pratat om att hon skulle vilja komma ut och arbeta?

Det blir tyst. Kan hon utläsa något i Tomas solbrända ansikte? Nej, han undrar bara om de ska ta vägen förbi kyrkan eller vända tillbaka mot hamnen och se efter om det kommit in några nya båtar? Hamnen, säger Maj för hon vet att Tomas tycker om att se på skepp. Vill han ha fler? Han har aldrig sagt något om det. Fast han är så för barnen. Kanske har det bara råkat bli för Vera, ja hon har ju sagt att hon alltid längtar efter Martin, som när han var inkallad eller är borta på arbete – när han kommer hem kan de inte låta bli varandra – bara Gunnel och Lena somnar... fast Maj tycker inte riktigt att det är något att tala om. Det får man väl ändå behålla... för sig själv.

SÅ ALLVARLIGT HON tar det. Hela sommaren har hon förberett sig för att börja i skolan, sagt att hon är för stor för än det ena, än det andra, eftersom hon är ett *skolbarn* nu. Ibland har Maj glatt sig åt att hon verkat så förståndig. Men att det far iväg åt andra hållet... hon vill ju inte att andra barn ska tycka att Anita gör sig märkvärdig. Nu har Maj strukit klänningen med bröstlapp och hängslen, den vita blusen som har en så söt rund krage också, nya vackra skinnsandaler som Anita ståndaktigt sparat tills idag. Fast frisyren höll på att förstöra allt. Vilket före. Eller sjå. Ja, just så, vilket sjå att bestämma flätor eller sidbena med rosettspänne, började hon inte grina framför spegeln till och med? Maj har förstås också gjort sig snygg. I småblommig klänning, beige dräktjacka till, skor med slejf och hög klack. Rullat håret, målat sig. Spirellan klämmer lite. Men är underbar när det kommer till att trolla. Är mamma fin, säger hon och försöker ordna munnen så att den ser... ja, hur ska en moders mun se ut? Nu gäller det att vara representativ bland de övriga mammorna. Gärna visa lite klass och *stil*. De andra är säkert erfarna. Vet hur man för sig som förälder i skolan. Om Anita vägrar delta. Inte svarar när fröken ropar upp hennes namn, fast Tomas har förmanat henne att svara ja högt och tydligt. Måtte hon inte vara först. Måtte det finnas minst en Andersson i klassen. Någon Kempe eller Kussovsky ska hon väl inte gå med. Bara i samma skola. Fy så nervöst att ha direktörsbarn på besök hos sig...

Anita ser så orolig ut. Du är snyggt klädd, säger Maj, fast hon väl menar att hon är fin?

Eivor hämtade Lasse redan klockan åtta. Efteråt ska Anita och Maj gå på kondis. Maj kan inte minnas att hon någonsin gick på kondis med sin mamma. Bara hur mamma var lite vrång över att småskolläraren krävde att barnen skulle ha med sig mor eller far till uppropet. Hur mamma hade varit tvungen att be om ledigt med avdrag på lönen för att följa Maj till skolan. Det var ju inte så märkvärdigt eftersom Maj kom som trea. Per-Olof och Ragna hade ju gått före. Ja något i henne vill dit och tala om för Anita att alla barn börjar skolan nu för tiden. Tomas säger att Anita är *begåvad* och har *läshuvud,* jo hon hör att han tycker det är något verkligt fint. Och Anita har ju lärt sig att läsa själv, skapligt, nu i sommar. Gunnel kunde visst redan för ett år sedan. Fast Gunnar tragglar tydligen fortfarande, om hon tolkat Ragna riktigt. Blir det ändå inte lite underligt det där med böckerna? Att försjunka så fullständigt – verkligheten blir ju alltid i jämförelse så… torftig? Nej, inte så. Men bör man inte främst lära sig att handskas med livet *i* världen? Inte läsandes, utanför. Fast Tomas tycker att det är beundransvärt, att ha läshuvud. Då kan Anita bli… lärare. Maj vet inte. Att tampas med tusen bråkiga ungar.

Vad ska hon säga för att Anita inte ska vara så spänd? *Kan hon inte få vara spänd?* Är det inte alldeles obeskrivligt spännande och skräckinjagande att möta dem som ska bli vänner eller plågoandar, den lärare som kanske på ett ögonblick intuitivt placerar in barnen i en rangordning som sedan blir svår att rucka… Som ska bedöma, bestämma och kanske också något lite fastställa… vem du är. I ordningen.

Se inte så rädd ut, säger hon. Jo, men Maj vet ju att det är de rädda man ger sig på. Att Anitas öppna ansikte kan locka till sig elakheter, från både flickor och pojkar.

Skynda dig mamma, säger Anita. Vi hinner, svarar Maj. Hatten. Bara för Anitas skull, så hon inte avviker. Varför är hon inte mer klädd i hatt? Som Vera till exempel. Alltid lite extra elegant när hatten åker på. Är det Majs platta bakhuvud? En hatt låter hur som helst påskina en erfarenhet som inte finns där. Så går de. Det är fortfarande sommarvärme i luften. Tomas har muttrat över att de flyttade in till stan ett par veckor tidigare än de brukar. Men Anita kan ju inte ta sig till och från skolan om de bor ute på landet. Riskera att komma för sent och skämma ut sig. Och då ville Tomas plötsligt följa med på uppropet, men Maj kände direkt att det inte var passande. Inte kan yrkesarbetande fäder ta ledigt för att följa barnen till skolan, det är en mors uppgift. Men vid frukosten gick han igenom med Anita vad som kunde väntas av henne under uppropet. *Varför talade ingen om det för mig?*

Anita drar i henne, vill gå fortare, nästan småspringa.

Lugna ner dig, säger Maj – hon blir irriterad, arg. Som om skolor var det enda viktiga här i världen. Eller är det bara att Anita tar det på sådant allvar. *Världen är inte som du tror, Anita.* Varför vill hon hela tiden tala om det?

Går de så här raskt på solsidan blir hon för varm. Svettig, så att fukten pärlar sig vid hårfästet – ja hon ser framför sig hur det när de når skolsalen kommer att drypa om henne så där som det kan börja göra efter en kraftig, kroppslig ansträngning.

Vi hinner, säger hon därför och rycker lite lätt i Anitas hand. Klämmer till om hennes fingrar.

Aj, säger Anita, ringen gör illa mig! Förlåt, säger Maj snabbt och lossar greppet, det var inte meningen. Men du drar omkull mig. Och nu får de syn på andra mammor och barn. Då stannar Anita plötsligt. Hur är det, säger Maj. Anita svarar inte. Titta, de där barnen blir kanske dina klasskamrater. Och Maj känner hur Anita stelnar. Om Anita bara blir stående här, på trottoaren, en bit utanför skolgården. Hon kan inte se något annat barn som plötsligt blir kvar, utan att röra sig mot skolhuset.

Det blir ju inget kondis om vi inte går in, säger hon, vassare och skarpare än det var meningen. Så synd att Veras Gunnel inte kommer i samma klass. Då skulle de haft sällskap. Toalett, viskar Anita då, jag måste gå hem. Men du, det hinner vi inte, det finns toaletter på skolan också. Kom nu. Och så påminner hon Anita om att hon ju frågade om hon behövde gå innan de gick hemifrån. Gjorde hon inte det? Tänkte hon bara? Nu går vi Anita. Vad ska pappa säga om du aldrig gick på uppropet? Då, motvilligt, följer Anita henne. Kanske blir hennes röst onödigt hög när hon frågar efter wc. Rodnar Anita? De baxar in sig på en trång klosett, Maj hjälper henne, det har väl inte kommit kiss i underbyxorna. Om barnen skulle reta henne för det. Du måste gå och kissa direkt när du känner, grälar hon... nej, inte grälar, förmanar bara, en mor måste förmana, om tusen och hundra ting som en flicka behöver veta och känna till. *Att inte lukta kiss. Att inte ha sorgkantade naglar. Att inte prata med mat i mun. Att aldrig bresa med benen. Att vara nätt, behaglig, mjuk...* En del mammor är redan bekanta med varandra. Har kanske barn i högre klasser. Någon sitter på huk och ömsom ler, ömsom talar tröstande till en pojke som är lång och mager. Flera flickor har flätor. Borde hon ha härdat ut och flätat Anita? Håret är lite för kort sedan sista klippningen. Och Maj har ingen bra teknik. Men är inte Anita en av de sötaste flickorna? Nej, så där trumpen och skrämd ser hon inte söt ut alls. Försök verka lite gladare, viskar hon. Annars blir ju dina skolkamrater rädda för dig.

Två flickor tycks redan vara bästa vänner. Om Anita inte får någon vän? Om hon inte törs räcka upp handen fast hon säkert kan svaret? Den leende mamman reser sig och håller sin hand om pojkens axel. Så öppnas dörren till skolsalen. Och plötsligt är Anita en av alla i barngruppen, de knuffas och trängs, men fröken klappar sina händer och talar om att de ska ställa sig på led, få sina platser i tur och ordning. Mammorna ska stå längst bak.

När Maj tittar på de andra mammorna – en och annan mormor, farmor – tycker hon att de allesammans ler, med blicken riktad mot sitt barn. Som bär de barnen med sitt leende, hejar på dem. Är det så hon borde göra? Alltid le när Anita söker hennes blick? Hon prövar – fast hon vet att hennes leende är larvigt. Och Anita vänder sig inte om i sin skolbänk. Stirrar bara stint på fröken tycks det som, och lyssnar.

På uteserveringen med sockerdricka, kaffe och knäckbakelser säger hon med ett skratt att de andra barnen tittade så kärleksfullt på sina mammor. Ja, har inte alla Anitas klasskamrater i en enda stor rörelse vänt sig om och tittat tacksamt och leende på sina mödrar? *Men du gjorde inte det, Anita.*

Inte heller nu tittar hon på henne, men hon hejdar handen som just ska föra en bit av det sega knäcklocket till munnen. *Vad ska du säga nu, Maj?*

Du såg väl att du var finast klädd av flickorna? Inte hade vi något att skämmas för.

Så kan man också bli rädd för berättaren. Ja, Maj kan minsann vilja dölja sig, gömma sig, föra bakom ljuset. Om det faktiskt mest bara var lätt, lekfullt, skojigt, så där i största allmänhet rätt så trivsamt? Kanske var det så. Inte alls något *olyckligt kvinnoliv.* För det är väl bara kvinnor som har olyckliga liv? Kvinnor som är *duktiga?* Duktiga så att de kan bli sjuka och uppmanas att inte vara så anpassliga hela tiden och måna om att göra rätt. *Är du en perfektionist?* Kan en hustru, husmor, mor må riktigt bra? Det är klart. Eller? I en tid då husmorsfilmer och innovationer på hemmets alla områden ska göra livet lättare. Hemarbetet ska ges viktigt värde i det stora maskineriet, också från politiskt håll. Kvinnor ska läras att handskas med magiska tvättmedel och dammsugarens tusen små praktiska tillbehör. Om också berättaren är rädd? Inte kan man bara påstå det ena och det andra. Är Maj verkligen rädd? Eller bara *obalanserad?*

Men den är hemtrevlig, den här lägenheten också. Tomas lägenhet. *Blev den aldrig din, Maj?* Det har varit krävande år. *Krigets år. Tomas så mycket frånvarande. Mamma och pappa dog. Barnen föddes! Även de åren då jag blev en annan?* Kanske snuddar de tankarna hastigt vid medvetandet innan Maj öppnar skåpluckorna till överskåpen för att se vad hon har att ta itu med inför flytten. Hon vill inte riktigt fråga fru Jansson om hon kan hjälpa till – mot extra betalning förstås. Tomas förstår inte att fru Jansson bara ser sämre och sämre. Har hon starr? Senast de drack kaffe efter veckostädningen försökte Maj helt apropå ta upp hur viktigt det är att få sina ögon undersökta, just med tanke på starr... Kusin Lennart ska få lägenheten. Han har ju fästmö, och de har bett att få komma och titta, vill redan nu fundera på nya tapeter och se om det krävs någon målning eller annan reparation. *Knivhugget i dörrfodret har inte målats över.* Klart att hon noterar det varje gång hon städar. Men inte ska söta Hedvig behöva komma till deras ingrodda lort. Maj kommer så klart se till att skura ut sig ordentligt. *Om mamma och Ragna var med och hjälpte till – skulle de inte ha roligt?* Det är alltid mer än man tror. Städskrubbar, överhyllor i garderober, matkällaren och vindsförrådet, nog har hon det hon gör. Fast idag kommer Vera med barnen på kaffe. I bästa fall leker barnen bra. Alla fyra. Så Maj ska duka snyggt och Vera och hon kan sitta skönt i soffan – eller har Vera det bekvämare vid matbordet nu när magen börjar synas? Maj har köpt äppelkarlsbader men ska bjuda på hembakad sockerkaka som hon har tänkt vispa tjockgrädde över och garnera med konserverad fruktkompott. Några andra sorter också, men det ska inte vara formellt som ett större kafferep med syjunta. Anita hjälper till att placera koppar, assietter och glas vackert, och hon och Lasse kivas om att hinna först till tamburen när det ringer på.

Veras mage har verkligen växt på några få veckor. Eller, kanske ser hon mest ut att ha blivit kraftig. Bara när man vet kan man tyda graviditetens tecken. *Vad dum du är som ska ha en till.* Två är ju alldeles lagom. Två den goda ekonomins gyllene tal. Eller hörsammar Vera det samtida kravet på fyra? Tomas propsar inte på fler. Lasse måste klara sig helt på egen hand först i så fall. Och Tomas? En man kan börja om och bli far i *mogen ålder.* Mognar män? Som ostar kanske, i smak, karaktär. Eller årgångsvin.

Tänk att nu ska du få din lille prins, säger Maj i alla fall så glatt hon kan där de sitter i finrummet och barnen har doppat färdigt och försvunnit iväg in i en ganska högljudd lek. Vera himlar med ögonen och talar om att hon var på kaffe hos en grannfru som hade klippt ut allt hon kommit över om prinsen och Hagasessorna, herregud, vuxna människan, ska de aldrig sluta skriva – det finns väl ändå annat som borde få utrymme i spalterna. Fast Martin säger också att prinsen säljer tidningar som smör... Maj skrattar till. Inte har hon fördjupat sig i de kungliga, men det är ganska trevligt att se efter hur småprinsessorna är klädda. Och lite drogs hon med i glädjeyran över att Sverige fick sin lillprins, att successionsordningen är tryggad – fast det behöver hon inte berätta för Vera. Det känns så himla roligt med den nya våningen, säger hon därför. Vera som sakta stryker sig över magen nu, håller sedan handen runt om. Vi ska flytta in i god tid före jul, så att vi säkert har kommit i ordning till advent. Som jag ska flyttstäda här! Jag kommer ju knappast att behöva gå över nya våningen med skurpulver och polermedel i alla fall, lägger Maj till när Vera förblir tyst. Gunnel och Anita verkar rumstera om i sängkammaren, medan Lasse och Lena bedriver *avancerat spionage* ute i tamburen. Nej – Vera tackar nej både till påtår och en bit till av den nybakade frukttårtan. Inte har hon väl halsbränna redan? Men Vera säger att hon har lovat sig själv att inte bli så tjock den här gången – jag skulle lätt kunna sluka hela kakan! Maj som tyckte att den blev riktigt god. Nu tar inte heller hon ytterligare en bit. Det ska faktiskt bli roligt att skura ut sig härifrån, ja en gång för alla, försöker Maj på nytt. Den där tystnaden. *Ragna skulle väl veta vad hon menar? Förstå viljan att lämna helt efter sig. Inga anmärkningar, bara bocka av protokollet.* Du har väl det du gör innan babyn ska komma, säger Maj liksom *förstående*, det var ju svårare när jag väntade Lasse att få det så där riktigt rent och snyggt, Anita skulle ju ha ständig passning. Och du som har två små... Vera smuttar på sitt kaffe, påstår att hon måste tänka på sura uppstötningar också. Så undrar Vera, halvt på skämt låter det som, om inte Maj vet att storstädning har blivit omodernt. Ja, den sortens städning då allt ska vändas upp och ner och ut och in.

Klart att Maj vet vilken sorts städning hon menar. Höst och vår. *Jul och midsommar?* Då porslin och bestick dras fram ur lådor och skåp och diskas och torkas och läggs tillbaka igen. Först efter att garderober, skrubbar, byråer, byfféer, linneskåp, hatthyllor tömts och skurats, vädrats, försetts med lämpligt gift att ta död på allt det osynliga som huserar. Lister, golv, tak, väggar, element – åh dessa besvärliga skåror – barnens leksaker, möbler, hårborstar, kammar, flaskor, diskbänksskåp, fönster, gardiner, gardinstänger, kuddar, täcken, filtar, korgar, väskor, lampor, stickkontakter, *om du petar där med den fuktiga trasan dör du,* allt som kan dra till sig smuts ska ha sig en omgång. Vad menar Vera med att det är *omodernt?*

Maj behöver visst inte be henne förklara, nu låter hon plötsligt så ivrig, Vera, säger att hon ju inte menar att man ska ha det snuskigt, men man har visst fått vetenskapligt på att storstädningar inte är så där hemskt praktiska och lämpliga som man trodde förr. En husmor måste våga lita mer till det rationella.

Ja, för nu kommer en tid då rösterna är motstridiga. Och Vera, Vera är öppen för det här nya. Hon som inte njuter så där alldeles av att ständigt, varje dag, börja om med dammsugare och dammtrasa. Nog skulle hon kunna undra hur vettigt det är egentligen, att dra fram och blöta ner och vispa runt smutspartiklar som ofrånkomligt går till attack när plymåer piskas för *det är inte nödvändigt att gå ända till de oarterna av husligt arbete såsom städmanin – vilken är en sinnessjukdom – småbrödsdillet, handarbetsterrorn för att se vart besinningslös huslighet bär hän.* Har Vera verkligen en tidning eller bok som hon läser ur för Maj, med den havande kvinnans bakåtlutade hållning? Eller citerar hon den här framstående kvinnliga arkitektens tankar ur minnet? Nej, men kanske skrockade hon åt städmanin som en sinnessjukdom när hon läste artikeln i en mer seriös veckotidning för damer.

Besinningslös huslighet? Det har det väl aldrig varit tal om i Majs fall. Maj hör ju ännu bara historiens locktoner och fasa, texterna som vindlat sig in i kvinnornas kollektiva medvetande med sina poetiskt pockande påbud. *Det gives ännu andra fiender i huset, stilla, men städse verkande demoner, som oaflåtligt söka förstöra, vad därinom finnes. Det fastnar ett litet sand- eller dammkorn i gardinen och nöter av tråden, der tränger röken in och svärtar ner glaset; der kommer malen i möbeltyget; der fördunklas förgyllningen av fuktigheten; der skämmes köttet och härsknar smöret i den starka värmen; der kom en stor, ful fläck på den nya bordduken; der rev den förargliga spiken ett hål i klänningen; der är dörrlåset sönder, klocksträngen nedryckt, osv; icke i dag, i morgon eller övermorgon, utan dag efter dag, oupphörligt, hela livet igenom, i början omärkligt, alls icke mödan värt att bekymra sig över, men i morgon är det redan mer än i dag; och i övermorgon kan man icke längre beräkna skadan.* Hör inte Vera sången, klangen, mantrat? I sekelskiftets skrifter, påbud för kvinnors uppgifter i hem och hushåll. Menar Vera verkligen, hennes närmsta väninna, att hon är *sinnessjuk*?

Det är ju så otrevligt att flytta in hos någon som inte har gjort rent efter sig, säger Maj hastigt, andfått, du vet när jag flyttade in här... ställa sig och torka ur kletiga skåp och ventiler... Men Vera vill ju bara vara modern. Kanske ser hon Majs *upplösta* ansikte där hon sitter med spröda drömmars smulor på sitt fat. Vera vill förklara sig, otåligt, för Maj mal på om korsdrag, hur hon aldrig skulle komma på tanken att bara fösa runt dammet, hon vädrar förstås, sängkläder också, varje dag, och mattor måste naturligtvis rullas ihop och bäras till piskställningen, tror du verkligen en dammsugare ger den fräschör som nysnö skapar? Nu invänder

Vera att hon bara har läst och tyckt det verkat vettigt, att man inte ska göra allt som det gjordes förr, av gammal vana, dagens husmödrar måste tänka nytt, tänka rätt. Hushålla med tidsåtgången framför allt.

Vera ler plötsligt lite *inställsamt* mot Maj. Det kan faktiskt kännas lite krävande att komma hem hit, eftersom du alltid har det så perfekt, Maj. Ja, en annan känner sig ju så... slö och slarvig fast man har att göra i ett. Och har du tänkt på hur lång tid varje dag som går åt bara till att blanka diskbänken?

Det gör så ont i magen. Maj kan inte möta Veras blick. Vera. *Är vi inte bästa vänner?* Krävande. Krävande. Krävande. Se inte så uppgiven ut, skrattar Vera överslätande, för det finns lösningar förstår du. Vera drar efter andan, snorar in – jag har redan blivit täppt i näsan av fostret, lägger hon till, men då förstår du Maj ska man klocka sig under en arbetsdag. Alltså inte förlora sig i besticklådan om det inte står på schemat, även om man råkar upptäcka kladd. Vila i att det är, ja, torsdagens uppgift på förmiddagen. Det är för vårt bästa. Att vi ska vara mer utvilade med make och barn. Om morgonrutinen håller på till lunch då har vi kanske inte ens fått förmiddagskaffe innan barnen kommer från skolan på eftermiddagen.

Och jag som alltid fått höra att jag är så effektiv och snabb. Jag har papper på det, från fru Kjellin, säger Maj, och fumlar med handen när hon ska tända en cigarrett. Ska hon helt sonika dra fram betyget och låta Vera läsa? Nej, men det verkar bara dumt. Vera sitter också tyst. Sedan säger hon att det förstås måste passa ens sätt att vara, vill man storstäda är väl det inte hela världen. Ja, vad de hittar på, säger Maj och försöker le, *hör du inte hur gammalmodig du låter Maj,* jag menar, tillägger hon, man tar väl besticklådorna när man ser att de är kletiga, annars blir det ju bara värre.

MAMMA, JAG HAR inget och göra!

Maj kliver ner från stegen, skjuter igen fönsterrutan och torkar lite smutsvatten från fönstrets karm. Men Lasse, du får väl hitta på något, säger hon, rita, bygg meccano... något kan du väl komma på? Hon var inte beredd på att det skulle bli så här... arbetsamt att vara ensam med Lasse om dagarna. Då Anita är borta på skolan. Vad mycket Anita ändå måste ha sett till Lasse, och nu är ju Anita ganska upptagen av skolarbetet också när hon kommer hem. Ja, hon är förtegen om vad som händer, men läxorna slarvar hon inte med. Ett fönster borde Maj ha färdigt på förmiddagen, sedan kan hon följa med Lasse ut. På bakgården får han leka ensam, men om Maj inte har honom under uppsikt kan han ändå rätt vad det är ha stuckit iväg på stan. Lasse suckar, Maj måste ordna om så att han mer regelbundet får komma hem till någon kamrat. Lena... nej, Maj tänker inte ringa till Vera. Vera som inte själv ringt och tackat för senast eller bett om ursäkt. Inte för att hon måste tacka för senast... Maj menar väl bara att Vera inte har gjort några försök att visa att hon vill att allt ska vara bra. Annars har Lasse och Lena roligt med varandra. Leker nästan bättre än Anita och Gunnel, nej Gunnel är inte alltid en fin kamrat. Fast varje gång telefonen ringer hoppas Maj att få höra Veras röst. Kom över på kaffe, Maj – ska vi sitta i Örnparken med ungarna, ska vi gå ut på torget och titta på folk? Kanske kan Maj ringa lite senare... Eller till Titti. Fast Henrik går ju också i skolan. Tydligen hejar han inte alltid på Anita om han kommer ut på skolgården med hela sin klass.

Fast veckan därpå, när Maj liksom vallar Lasse i parken, är faktiskt en äldre kvinna med en liten pojke där. Frun som kanske är mormor eller farmor frågar hur gammal Lasse är och det visar sig att den här Bernt är lika gammal. Fru Tjärnström passar visst bara pojken några timmar på dagarna, hon har stora, utflugna barn, berättar hon. Men så skönt att slippa underhålla Lasse. Bernt och han börjar nästan genast leka med varandra. Nog för att Maj kan titta på en stund när han hoppar och klättrar och springer, men Anita är faktiskt enklare att vara med. Kräver inte att få vara utomhus hela tiden, och kan roa sig på egen hand. Ja, Maj skriver förstås upp numret till Bernts mamma och så tackar hon fru Tjärnström så mycket, säger att vi ska flytta till en nybyggd våning, och jag har ingenting klart. Oj så flott, svarar frun, *ni bor bra, lort-Sverige finns inom er,* nej men hon säger bara att sedan hennes man gick bort hyr hon på Nygatan, det är inte stort och Bernt tycker allra bäst om att vara ute och leka.

Varje timme måste Maj ta tillvara om hon ska hinna packa klart. Uppe på vinden, i källaren. I vindsförrådet hittar hon en papplåda med brev. Från Astrid. Ja, andra både pojk- och flicknamn står också som avsändare. Men bunten från Astrid är tjock. Fotografier. *Ja, skyll dig själv som ser efter.* Varför har hon trott att Astrid varit i Tomas systrars ålder. Den här kvinnan... elegant. Tjusig. Håret shinglat som det var modernt förut, bröllopskortet – gud vad Tomas ser kär ut... varför har Tomas sparat allt det här? Nej, hon måste låta det vara. Vindsförrådet får Tomas själv klara ut.

Och nu som hon lovat gå ner till tant på kaffe. Kommer hon att se fullständigt uppjagad ut? Eivor ser i alla fall alldeles tagen ut när hon öppnar, ja Maj måste höra efter om något har hänt med tant. Men har Maj inte hört, statsministern... han bara föll död ner.

Vem då mamma, frågar Lasse, nej men jag har inte radion på när jag städar… blir Maj ledsen? Jo, men det känns underligt stort, skrämmande… att Tomas inte ringt och talat om det för henne. Har tant gråtit? Hon sitter i fåtöljen, Eivor har dukat åt dem i salongen, och Tea snyter sig högljutt när Maj kommer in till henne, säger sakta att nu är det slut. Jag känner det förstår Maj, jag hade så onda aningar, och först statsministern och sedan att ni flyttar ut. Bryr sig tant Tea om Per Albin Hansson? Maj vet inte. Tea som nästan inte rör kaffebrödet och just som de fimpat sina cigarretter och Maj tänker att hon suttit anständigt lång stund för att tacka för sig, stiga upp, viskar Tea att hon är rädd. Kunde inte Tomas väntat med att flytta tills jag är borta?

MEN MAJ ÄR ju ingen vemodig sort. Går inte runt i strumplästen i den tomma tvårummaren för att göra avslut, ta farväl. Det är Anita som har varit lite dramatisk och Lasse har härmat henne. Så båda har snyftande undrat om de aldrig ska bo här mer? Nej men nu ska ju kusin Lennart och Hedvig flytta in. Ska ni inte unna dem någonstans att bo? I skrift blir det hårt. Men alla dessa ord som produceras för att det uppväxande släktet ska bli rejält folk. Inte bortskämda, bortklemade, bortkomna. Missunnsamma, blödiga, besvärliga. *Antisociala personligheter. Sociopater. Hysterikor. Neurotiker.* Maj menar väl inget illa, egentligen. Ja, så går flyttlasset och Maj har tagit hela flyttstädningen själv ändå. Att fru Jansson skulle orka med fönster och allt var inte att tänka på – vi kan väl inte sätta gamla människan på att kliva upp och ner på stegar och stolar, sa Maj när Tomas propsade på att leja bort städningen till Jansson och till slut fräste Tomas att fru Jansson kanske hade hoppats på att få tjäna en extra slant. Men tänk på Hedvig, svarade Maj lamt, hur det blir för henne. Och nu vill Maj iväg till nya våningen och inte grina och gå an här. Vad kan Maj veta om en sjuårings mörkerrädsla... att plötsligt sova i eget rum med lång och dunkel korridor utanför, ett eget rum, ett avskilt rum, ett rum för ensliga tankar. Kan inte Lasse ligga la med mig så han inte behöver vakna av mardrömmar på natten, säger Anita till Maj när de äntligen står i nya lägenheten med packlårar, kartonger och allt i en enda oreda. Bara ni inte bråkar, svarar Maj, bara ni kan samsas om sakerna.

Lite snopet är det att upptäcka att köksskåpen är snålt tilltagna. Att städskåpet – nej ingen gammalmodig skrubb under trappan eller så – är smalt. Ganska djupt – ännu inte *svensk standard* – men inte brett. Djupt och smalt är trots allt ganska dumt, det tycker Maj. Även om arkitekten i övrigt har lyckats väl med våningen – men djupt, då har man ju ingen överblick. Hur hinken hamnar bakom sop och sopskyffel, och man ska lyfta över eller krångla fram – så mycket lättsammare med brett och grunt. Allt synligt för beskådan och tillgänglighet. Men kylskåpet... så oförberedd hon är på lukten och kylan som möter henne. Tänk att få fylla det med färskvaror. Och dessutom ett kallskafferi med ventil åt norr. Det är fint. Och spisen. Hon ska verkligen hålla den vita elektriska fyraplattorsspisen med ugn blank. Det kan man känna ren och skär glädje över. Hur diskbänken i rostfritt kommer att bli ett smycke i rätta händer. *Hennes händer.* Och separat bakbord! När hon upptäcker att det smala skåpet längst in är ett utdragbart bakbord vill hon nästan börja skratta. Hur det kan lyftas upp över vasken eller bäras i sitt handtag till matbordet och så har man simsalabim ett rymligt bakbord med plats för mjölpåsar, kavel och armarna kan ta i, ta ut rörelserna helt och hållet – det här ska hon berätta för Vera. Äsch Vera. Vera som inte storstädar, veckobakar kanske inte heller. *Ni har väl råd att kosta på er bageribakat.* Nej, det har Vera aldrig sagt rätt ut. Fast på Tomas tycks det som om det vad firman beträffar är *härliga tider, strålande tider* – skämtar han, för han menar väl inte det som en ironi? Men något måste man ju ha för händerna också. Något livgivande lustfyllt som färskt bröd. När man inte kan handarbeta. Titti har lovat att lära Maj virka överkast. Ett oändligt arbete som gör sig utmärkt på kafferep och syjunta. Ja, varför ska handarbetsterrorn vara så mycket farligare än teknikkraven eller sportfånens fanatism. Hon skulle så gränslöst gärna vilja vara duktig sömmerska också. Men kanske måste man då vara mer *konstnärligt lagd.* Till det som Maj inte har tålamod. Virkningens repetitiva långsamhet kanske kan fungera, inget utrymme för eller krav på egna initiativ. Sömnad och broderi kräver helt enkelt en annan *känsla*. Och mamma kunde ju inte heller sy. Hon har det väl från henne. Om mamma hade fått se våningen... Gästrum och badkar. Att öppna kranarna och låta hett vatten forsa ut. Klart att Maj beundrar de ingenjörer som anses ha möjliggjort hennes nyvunna välstånd. Även Tomas tycks låta sig imponeras – eller är han en smula sarkastisk – när svensk ingenjörsanda kommer på tal. Här i Örnsköldsvik har ingenjören förstås en särställning, men man vet också att verkstadsgolvets praktiska män är väl så viktiga för stadens framtid. Deras ögon är även de skarpa för tekniska detaljer, konstruktioner, innovationer. Men vad hon får ligga på de här novemberdagarna då de nyss har flyttat in för att Tomas ska sätta upp gardinstänger, tavlor, speglar, lampetter, kroklister och annat. Ändå går det rätt så raskt när han väl sätter igång. Vi har ju julen för dörren, säger Maj. Vi ska väl inte vara utan gardiner till advent.

JULEN – DEN kommer förstås i år också. Går det på rutin numer? Var den första julen som gift ett undantag från en regelbunden – närapå trygg – lunk? Nej. Hur Maj än planerar och ligger i framkant gäckar julen. Det kan vara så att Lasse blir liggande i influensa, mässling eller påssjuka andra advent. Sedan Anita och Tomas... På julafton kan Maj stå där, feberhet med bultande halsmandlar. Den här decembermånaden blir det julspel i skolan till vilket det ska sys trevliga dräkter och tillverkas dekor – ja, om Maj ändå kunde sy – Anita gråter när hon ska kläs i vinterälvans skrud – eller får Anita vara en av tio trollungar? Julbasar, julskyltning, Tomas representation och gud vet allt vad som hopas, ja allt sådant trivsamt, traditionstyngt som kan sinka lutfisk och rimmad skinka. Och en flytt är trots allt en flytt. Det ser lite kalt ut i den gigantiska våningen. Men rent, det är det. Tomas vill inte göra det för enkelt och bara gå in på Greens bosättning och köpa nytt, nej, kanske kan de resa till Stockholm på det nya året, det blir så opersonligt och charmlöst om allt bara ska vara senaste mode. Med pynt och julgran ser det ganska trivsamt ut i alla fall. Julen följer visserligen en allt mer igenkännbar ordning, men den kräver sitt av Maj. I ordningen ingår inte hennes familj. Det bara blir så. Visst hade de under kriget kunnat åka hem till pappa och Anny, men Tomas motsatte sig att bo på hotell över julen. Gärna nyår, eller trettondagshelgen la han förstås till, bara inte julafton. Nej, det kunde Maj hålla med om att julaftonsmorgon på hotell... För att tränga sig in fyra stycken i pappas etta... ja, så har det blivit. Nu är också pappa död. Pojkarna får klara sig själva. I sista stund bestämde sig Stig för att åka ner till Ragna och Edvin. *Sved det i hjärtat?* Det kanske det gjorde. Jan och Per-Olof som har fästmö och fru firar hos flickornas familjer. Så lyckliga jäntorna ska vara som får bli kvar *hos mamma* över julen. Undrar om tant orkar vara med överallt i år också.

När själva julhelgen – med födelsedag i mellandagarna och allt – är över borde hon vara lättad och lite glad. Men vad det retar henne att det har snöat så ymnigt och blåst mest hela jullovet – inte ens Lasse har velat vara ute särskilt mycket. Anita och Tomas traskar visserligen iväg när Tomas är hemma från firman, som idag, men Maj har bara hunnit lägga en blus i blöt så är de hemma igen. En knapp halvtimme efter det att de har byltats på står de i tamburen på nytt, i nersnöat ylle. Hon har inte ens hunnit dra runt med dammsugaren hon fick av Tomas i julklapp. Det är ju så roligt att göra rent med den. Nu ska hon hänga upp, torka, stoppa skor med tidningspapper, se till att golvet inte förstörs av vattenpölar och droppande plagg – kunde ni inte lika gärna stannat inne, säger hon halvt på skämt – ska ni ha fotbad också? Anita skakar på huvudet och Tomas tar tafatt upp en halsduk som ramlat till golvet. Tomas du kommer väl ihåg att imorgon är det Odd Fellows julgransplundring. Det vore fint att ha den där klänningen du skulle kosta på mig i födelsedagspresent. Och så blir det inte alls *stämning och idyll.* Som väl också Tomas tänkt att det skulle bli på födelsedagens morgon när han överräckte gratulationskortet. Det gentila i att Maj skulle få pengar till en klänning, ja en påkostad sak, i dessa goda tidevarv, men Tomas hade inte vågat sig på att inhandla den. På något sätt alltför *intimt,* inte kan han Majs mått utantill, mer än på ett ungefär. Och Maj är lättad. Så svårt om det var något hon inte är klädd i. Och att han med det köpet på ett ögonblick skulle avslöja *hur han önskade att hon såg ut.* Nu tar Tomas upp plånboken, och Maj som inte alls vill gå på stan i ovädret får bita i det sura äpplet och pallra sig ut. När hon själv har tiggt sig till en klänning. Hur det pyser, fräser, skvätter. *Är det underligt att man är slut efter helgerna?* Hon kokar choklad, kaffe. Dukar fram saffranslängd, pepparkakor, rullrån, korintkakor och ökensand. Inte blev de sandiga! Hon hade för bråttom när hon läste receptet. Kanske blev smöret också bränt, inte brynt. Det retar henne. Att kakorna misslyckades. Hon hade kunnat köra med det – som gestik. Manipulation – tilltvingad rättmätig bekräftelse? Högljutt påstått inför barn och make att kakorna inte blev bra – men hon tiger. Anita och Lasse tar för sig utan ett ord. *Har de inte redan kommenterat kakorna i älskansvärda ordalag?* Eller kan det räcka att de sitter där – trots allt tindrande – inför kaffebordets delikatesser? Fast Maj bryter upp från bordet innan de doppat färdigt. Jag ska ju ekiperas, säger hon, inför morgondagen. Snälla nån vilket humör hon är på. Är det inte underligt hur humör bara kan stävjas bland *främlingar?* I familjen fritt fram. Men om man alltid skulle behöva hålla på sig? Aldrig visa besvikelse, ilska – ja till och med ohejdad glädje kan gå till överdrift och bör sparas till den *privata sfären*. Vara måttfull. Och om man vill annat? Då får man stå sitt kast. Och kastet är pälskappa, bottiner, yllebyxor, muff och pälsmössa. Raka vägen till Charmé som säljer senaste mode av lite bättre kvalitet och elegantare snitt. Enligt Titti. Även om Titti inte har den rätta åldern för Charmé och föredrar att vara Dagmar Edblad trogen. Inte ens ett smakråd har hon med sig. Hon tänker sig något hellångt. Men att komma instövlande med rinnande näsa och förfrusna kinder, snöstelt hår som sticker fram under mössan. Hon tycks vara enda kunden i butiken. Bland blusar, kjolar, dräkter och plagg *för finare tillfällen.*

Expediten är behaglig. Vilket oväder frun, kom får jag ta rätt på kappan och bottinerna så frun får ha det lite bekvämt. Jag blev så yr av snövädret, men jag är ju bortbjuden imorgon, Odd Fellow... Ja men då, fyller expediten i, då ska det vara något särskilt förstår jag, och Maj lotsas till långklänningarna, hårtestarna är våta. Maj kramar om dem med kalla fingrar. Jag skulle kunna visa frun många modeller, men jag tar fram den vackraste jag har. Alldeles nyinkommen från Stockholm. Beige. Ljusbrun. Sidenglänsande? Sand, säger expediten. En sandfärgad långklänning med stil, klass, smak som hålls fram inför Maj, som naturligtvis måste försvinna in i provhytten eftersom ett så dyrbart plagg inte kan inhandlas *på måfå.* Ja, men den klär ju fru Berglund så utomordentligt väl! Hur vet hon hennes namn? Presenterade Maj sig så när hon kom in? Hur ska klänningen beskrivas? Är det inte som sanddyner, böljande vågor av tyg som rinner från hennes höfter och inte stannar snopet vid anklarna, nej lång så att en klackförsedd sko antagligen bara skulle anas. Draperad över axlarna så att en bit av övre ryggpartiet lämnas bart. Med en håruppsättning skulle nacken blottas – pärlor. Paljetter insydda i den vida halslinningen och en kort, nästan inte ens antydd ärm. Men praktisk, intygar expediten som på ett ögonblick tar ner henne på jorden – det finns modeller som lämnar ännu mer öppet kring armhålan – men vad ska då fånga upp... fukt och ja, inte är det så alldeles passande om man skulle råka lyfta sin arm och visa armhålorna, nej det är det fina att modellen ger intryck av att vara lite vågad, men ändå är alldeles trygg. *En vågad, men trygg klänning?* Kan det vara mer lockande? Långa handskar skulle gå utmärkt till. Men sand? Mot blekglåmig hy? Och kanske tält... på hennes rangliga kropp? Som en mannekäng viskar expediten som vet att strö smicker i sina kunders öron. Nog kan väl Maj få känna sig vacker där i helfigursspegeln. Efter barnafödslar och koltbarnsår. För all del.

Frun förstår att det är baktill den är särskilt elegant. Man kan säga att det är ryggen främst i år – hon skrattar kort – ja är det för att hon inte alls har det strama, lätt nedlåtande som expediter också kan lägga sig till med – särskilt på bättre sortens varuhus – som Maj inte längre tvekar att slå till? Det blir ju extra vackert med ett halssmycke, örhängen... Och cape – det går alldeles utmärkt med en cape över axlarna. Nu är den grå brudklänningen glömd. Dagmar Edblad som la ner så mycket omsorg i detaljerna – Maj går inte gärna dit. Sand går ju alla årstider, slår expediten fast. Inget utrymme för tveksamheter. Och nog har hon rätt i det? Sand som sommar, sand i snö, sand i knoppning, sand i tö – hösten då? Sand i singlande löv, jord, mull...

Riktigt road av klädinköp är hon ändå inte. Klart att en kvinna ska lägga vikt vid sin *apparition* – men det är också gruvsamt att prova, fatta beslut. Så skönt med den här kvinnan som tar beslutet åt henne, och Maj kan se hur sedlarna försvinner in i hennes kassaapparat. Ja, men nog är det bra att det inte blev svart. Måtte det vara nog med svart för ett tag nu.

ÄR HON VACKER som en dag, en femme fatale, en amason, valkyria? Eller bara Maj, hans hustru? Som svävar runt i våningen den här eftermiddagen tjugondedag Knut. I nyköpt långklänning, bleksminkad med puder, rött läppstift och svärtade ögonfransar. Ögonbrynen också. Hon är inte riktigt till sin fördel när hon fyller i ögonbrynen. Han tycker bäst om dem solblekta, nästan genomskinliga som när hennes näsa och axelparti är solbränt, gyllenbrunt, på nära håll fläckat av fina fräknar. Till sommarens solbränna skulle klänningen inte vara annat än... *magnifik*. Nu – visst är hon stilig. De svarta ögonbrynen blir bara lite... hårda. Eller *utstuderade*.

Han vet att han måste vakta orden. Idag är en dag då allt... briserar. Kanske handlar det om att Lasse och Anita ska med på julgransplundringen också. Anita i sin mörkblå sammetsklänning och lackskor. Rosett i det blankborstade håret. Maj slängde borsten i golvet när Anita skrek för att Maj redde för hårdhänt i det nytvättade håret. Sedan gick Maj in i sängkammaren. Blev kvar där. Tomas försökte få Anita att härda ut, säga förlåt, och till sist kom Maj tillbaka till stolen framför hallspegeln, tog upp hårborsten och fortsatte under tystnad. Oj så fin du är, säger han – helt uppriktigt – men redan nästa år kommer klänningen vara alldeles för barnsligt flickaktig för Anitas *ungflickskropp*. Allt sådant som Maj måste råda över. Han kan inte ha synpunkter på passande klädsel för en växande flicka. Hon är större än andra i hennes ålder och kan inte en söt, flickaktig klänning med rundad krage, knälång kjol, vita sockor – som Hagaprinsessorna säger hon själv – göra henne än mer påtagligt... förvuxen? I år går det ännu. Med vit rosett i det blanka håret. Tänker Tomas så om sin dotter? Eller vänder han blicken mot Lasse. I fluga, skjorta, snedbena – han och Maj kivas – kärvänligt? – i det öppna badrummet, sluta mamma, låt bli mamma – så trevligt de verkar ha – själv har han smoking. Han vill lägga armen om Anita, visst gruvar även hon sig – fast hon frågar bara ivrigt när kusin Henrik kommer dit, är han där när vi kommer? Moster Titti och morbror Georg brukar vara i tid, så det tror jag säkert, svarar Tomas uppmuntrande. Nu kliver Maj ut i tamburen i pärlhalsband, öronclips, skopåse – tjusigt, tjusigt säger han plumpt – men det finns ju män, *till tystnad tränade män*, som inte ens skulle utstöta tjusigt, tjusigt till sina festklädda fruar så på det stora hela måste väl Maj ändå vara glad? Jag förstår inte varför jag inte ökar i vikt, säger Maj. Ska jag dricka tjockgrädde? Tomas svarar inte. Om man ändå hade Viveca Lindfors sunda utstrålning, lägger hon till – spetsigt, men utan att titta på honom – vad bryr han sig om Viveca Lindfors, egentligen. Visst är hon tilldragande på vita duken – det tycker han – men herregud, vad har Viveca med deras äktenskap att göra egentligen?

Blir de inte hänförande – påklädda i pälsar, kappor, mössor, halsdukar, vantar – hela hans lilla familj som trängs i hallen? Nu far vi, säger han betryggande. Egentligen är det lite larvigt att ta bilen en så kort bit, men vilken bilägare avstår bilen i detta sällskap av stadens framstående män? Så blir det hurtigt. Behöver inte Tomas upparbeta den här hurtigheten på ett överdrivet vis, eftersom han inte kommer att ha hjälp av spriten. Klart att det strax undertill finns ett stillsamt allvar. En stjärnhimmel en vinternatt i skärgården. Ja det stora hela alltets under och att det ändå ska vara så förbaskat svårt. I levandets detaljer.

Titti smyger ganska snart – efter rappa hälsningsfraser i foajén till Odd Fellows festlokal – intill Tomas och säger åt honom att mamma verkligen inte mår bra. Och nu är det inte bara nerver. Är det mer än mamma som tynger Titti? Som får Titti att framstå som så… frånvarande. Inte alls här, på julgransplundring med tillhörande dans. Anita och Henrik tätt bredvid varandra, nära men ändå en bit ifrån de vuxna. Lasse tjatar på Maj – att hon ska följa honom till fiskdammen, eller gottbordet eller lotteriet – vad det nu är som lockar, och Georg som slår följe med dem, rufsar Lasse i håret – beundrar Lasse Georg på ett sätt som han aldrig kommer att beundra sin pappa – Tomas – *Tomas, du är ju hans far.* Säger Titti så? Nej, men att Georg skulle velat ha fler, det påstår hon, plötsligt frankt, titta vad han har roligt med Lill-Lasse, ja eller en dotter att skämma bort, en liten jäntunge. Fast snart står vi på tur. Har Titti tagit sig något innan de kom hit? Maj ser ut att trivas med Georg. Som en egen liten familj, de tre. En vacker trio.

Hur menar du, säger Tomas när han vänder sig mot Titti som tänt en cigarrett – brukar hon inte mest röka på maten eller kaffet? Ja, men när mamma dör är vi äldsta generationen. Det är ju bara så. Jo. Jo. Men vi är ju yngst, säger Tomas, av syskonen. Lillebror min, ler Titti och sträcker upp sin fria hand mot hans kind. Har du det bra? Kunde inte ha det bättre! Ja, men vad ska han svara då, här, på eftermiddagen tjugondedag Knut. Du gör det bra, säger Titti och formar läpparna till ett o när hon blåser ut rök. Det gör du. Hon har druckit. Eller medicinerar hon? Ska han fråga hur hon har det nu? Men som en tyngd, eller bara ett väsande nej, stiger det fram att han inte vill veta något om sin storasysters äktenskap. Han ser att hon ser hur Georg lattjar med Lasse och Maj. Och kan man säga annat än att det är helt i sin ordning?

Barnen ska följa Henrik hem. Han är tio, snart elva, och med hembiträdets hjälp kan de gott klara en sen kväll utan alltför vakande vuxna. Spela kort, inte leka blindbock väl, få korv och omelett till kvällsmat. Göra slut på smällkarameller och strutar med brända mandlar, polkagrisar och knäck. Ändå vinkar Anita hejdå en lång stund i foajén, halkar efter Lasse och Henrik som kavar ut i snömodden, Tomas följer henne till slut ända till utgången, vi blir inte sena, lovar han, skynda dig nu, hon springer efter dem, upp mot torget, lite klumpigt i kängor och yllebyxor, vänta på mig, ropar hon, och Tomas går huttrande in igen. Titti väntar ut honom vid damrummet – har hon fått reumatisk värk, något med hållningen, så gamla är de väl inte, han fyrtiofyra, hon fyrtisju nästa år – går du regelbundet på kontroll, nej han frågar inte. Inte heller om hon har druckit innan de kom hit. Det kan ju vara enbart trötthet. Jag ska försöka titta förbi hos mamma oftare, säger han. Det blir inte lika lätt när det inte är samma hus längre.

Hon har inte kommit över det ska du veta. Att du flyttade.

Men snälla nån! Lägenheten var trång och omodern och saknade badrum.

Ja, jag håller inte med henne, försvarar sig Titti, men tack snälla om du kunde se till henne ibland.

Har du huvudvärkspulver, magnecyl, frågar Maj när hon kommer fram till dem och utan att hon är medveten om det tar hon Tittis plats som lidande kvinna – *stukad kvinna, sårig kvinna, sjuklig kvinna*… Titti skulle kanske behöva ett pulver, men hon rätar på sig, tar Maj med sig in på damrummet, och Georg och Tomas blir en kort stund stående tysta där utanför, sedan säger Georg att det är fenomenalt att känna hur stan sjuder, ja hur mycket som kan hända, inte bara för Hägglunds med sina elmotorer, varenda en här inne har en stororder eller satsning, och Georg själv är ju så full av visioner och entreprenörsanda – ungdomlig – utan tvivel ung till sinnet, kanske bara aningen mer rondör än förr om åren. Du måste ut och sporta, Georg! Ge Tammer en kvart om dagen!

Den kan Tomas spara till ett tillfälle då Georg pikar honom, ja, så där i glada vänners lag. *Du ska veta, Georg, att med en ung hustru blir man inte yngre. Tvärtom. Gammalmodig, gnetig, alltid rädd att andra män, yngre män, virilare män... nej – nej – nej – men att få ungdom genom en yngre kvinna är en livslögn av det mer... brutala slaget.* Och Georg säger inget om att Maj är en läckerbit i sin klänning, det skulle ju verka alldeles... förryckt. Att han inledningsvis gled iväg med Maj och Lasse handlade kanske enbart om att hans fru behövde få en stund på tu man hand med sin lillebror.

Maj himlar med ögonen, säger att hon är säker på att hon har Bernts förkylning imorgon, var det så vettigt av Bernts mamma att släppa iväg honom hem till Lasse när han inte ens var feberfri. Hon skulle väl på arbetet förstås, och var utan barnvakt. Det svider i halsen och... Tomas förstår att Majs anspända inställning till hosta har med hennes bakgrund att göra, ändå vill han be henne att vara tyst. Det är torr luft här inne, säger han därför, man blir hemskt törstig. Nu är Odd Fellows fester med fruar inga sjöslag. En stark gruppering i stans ledande skikt är ivriga nykterhetsförespråkare, inte enbart på grund av religiösa skäl, med fruar aktiva i Vita bandet, man har Logen, att uppträda berusat här skulle vara snudd på skandalöst. Det är ju inte Statt eller andra mer... vad ska man säga, elegant hårdkokta miljöer. Men så blir det kanske inte heller så vansinnigt roliga julgransplundringar. Människor som ätit och druckit gott hela julhelgen ska avsluta helgerna med att göra detsamma. Man kan komma långt med att upprepa säger du det, så spännande, roligt, intressant, toppen, vad klämmigt, till alla de bekanta man förväntas växla några ord med. Bara aldrig uppriktig. De vill väl inte höra att Tomas känner en gnagande oro för Titti, att han och Maj... Men Maj får sitta med Bertil. Hon borde vara nöjd. En fin människa. Ja, på riktigt. Fast ser Bertil besvärat undan när Tomas söker ögonkontakt? Maj påstår att de håller sig borta från dem, att trots att de alltid har det så trevligt med Anna och Bertil så är de inte längre ivriga att bjuda igen. Ibland har han svårt att hitta samtalsämnen med Bertil. Det går lättare med Anna, jo men hon vinkar glatt åt honom snett mitt emot, fast för långt ifrån för att de ska kunna säga något till varandra. Han tycker om hennes underfundiga, ja, *intelligenta*, humor – den har ofta överraskat honom, fått honom att själv bli rolig, samspelt. Anna ser aldrig dröjande ifrågasättande på honom, *men kanske någon gång på ett annat sätt?* Nej, önsketänkande. Anna är bara en sådan som får det att ila av glädje att hon väljer ens sällskap – när så många andra måste *finna henne förtjusande.* Fast Tomas har bok- och pappershandlare Olssons fru till bordet – vad är det hon heter? Fan att placeringskorten ska vara så smått och sirligt skrivna. *Har du inte varit full inför henne?* Det blir tyst nästan meddetsamma. Måtte de få en skaplig konversation tvärs över bordet istället. De skålar för freden, fädernesbygden, framtidstron och ett gott 1947. Men fru Olsson är inte mycket för läsning, och deras barn är utflugna. Hennes ansvarsområde är kontorsmateriel och presentartiklar. Det är skönt att sträcka på benen innan kaffet, men då plöjer Anton Westin sig fram till honom, säger att han saknats på de senaste sammankomsterna, jag har ju varit så förkyld, säger Tomas, riktigt hängig hela hösten, förstår Anton Westin inte att Tomas bara deltar i de här mötena av plikt. Och nu väntar Maj på honom, hon vill att han ska komma fram och höra hur hon haft det under middagen, kommentera menyn, tjenare, tjenare, säger han kanske inte men något ditåt, ja de som har fått snaps och vin och sherry till middagen har slappnat av och glömmer sig ibland, säger något halvt opassande, alltför rättframt. Tomas skulle gärna växla några ord med Anna och Bertil nu, nej han vill gå hem.

Där är Maj, hon konverserar fru Green, som tagit Bertils tomma plats, Tomas makar sig genom folkvimlet och sluter upp bakom henne just som hon har rest sig upp, sträcker på sig. Hela hennes ståtliga hållning är *anslående.* Visst drar hon blickar till sig? Han följer klänningens urringade ryggparti, ner mot svanken och där, en bit ner på det ljusa klänningstyget syns en ganska stor, mörkröd fläck. Är det rödvinssås, vinbärsgelé – men det är klart att det är blod. Herregud. Och Maj bara fortsätter prata med fru Green. Ska han ta av sin smokingjacka och hänga för? Han kan ju inte säga något inför Greens, ja för nu är herrn där också och ska skaka hand med Tomas. Tänk om det droppar från henne, blir spår på golvet – inte så förbannat trevlig och snackesalig nu Maj. Vi bör väl röra på oss, säger han därför och Maj tittar frågande upp på honom, han gör något slags knyck med huvudet neråt, bakåt, vad är det med dig, viskar hon, blod, väser han, bak på klänningen. Om han slapp se hennes ansikte då. Det verserade leendet som byts till ett barns oförställda upprördhet, hur hon grabbar tag i kjoltyget och samtidigt vänder sig om, instinktivt, *så att alla kan se olyckan,* vi ses senare, vinkar Tomas iväg Greens, vad ska jag göra Tomas? Majs skrämda tonfall, jag tar av mig smokingjackan och håller den om dig så går vi så till damrummet, försök att inte låtsas om något, då märks det inte, du vet ju vad den kostade Tomas, det kommer aldrig att gå bort.

När Maj till slut kan komma in på wc – hur många damer ska inte uppsöka damrummet och Maj som dröjde sig kvar vid middagsbordet till pausen står långt bak i kön – skyndar han iväg för att tala om att de måste bryta upp, värden är förstås uppvaktad, ja är det inte Kempes och Hägglunds och andra höjdare som röker och skrockar, när Tomas till sist kommer fram med smokingjackan över armen för att tacka för en bedårande middag, hustrun har hastigt insjuknat – de tror väl inte att hon är berusad, full, han kan ju för fasiken inte säga att hon blodat ner sig – ja, men Odd Fellows övermästare tycks hur som helst inte särskilt intresserad, vänder sig raskt tillbaka till herrarna och Tomas blir fånigt stående spejande över folkhavet. Titti och Georg måste också få veta, till Titti kan han rodnande viska att det har blött igenom klänningen, och pappershandlare Olssons fru som plötsligt vill veta ingående vad som hänt Maj får han lugna en god stund innan han kan småspringa tillbaka till foajén. Där står Maj tryckt mot väggen. Blek i ansiktet, men flammig på halsen. Han skyndar fram med pälsen, tack och lov att den är knälång. Vad kan Maj sitta på i bilen då, så att inte vinterfällen blir fläckad, tidningspapper, kan han skaka fram en tidning att sitta på, jo men garderobspojken är hygglig nog att låna honom en dagens Allehanda, kanske har han också sett Majs blodiga klänning. De sitter helt tysta i bilen. Tomas lovar att hämta upp barnen, ser Maj sätta nyckeln i portlåset och hon svarar inte när han sträcker sig ut genom passagerardörren för att försäkra sig om att hon klarar sig själv.

Anita och Henrik är rödkindade när de möter Tomas i stora hallen, säger med tillkämpat allvar att Lasse är försvunnen, så de kan inte alls fara från Henrik redan, fan, när man bara vill åka hem och lägga sig, då får vi gå på jakt då, säger Tomas och stampar snö från skorna, Lasse ropar han genom Tittis villa, medan Henrik och Anita bubblar av återhållet skratt strax bakom. Kan han inte bjussa på det här, julgransplundringens afton, när julledigheten är över och långa gråvita månader följer med kyla, mörker, arbete, plikt... Kom fram nu, Lasse! Annars åker Anita och jag hem utan dig. Mamma har blivit dålig och behöver vår hjälp. Då kryper han fram från soffans underrede. Är mamma sjuk? Tomas lyfter upp honom i famnen, så tung han blivit, bara i somras gick det så lätt att sätta honom på axlarna. Vi var tvungna att gå tidigare från middagen, det är ingen fara, men jag vill vara nära mamma om hon måste till lasarettet. Anita springer runt och samlar in sina saker, och säger knappt hejdå till en snopen Henrik, hälsa moster Maj då, säger han när Tomas vinkar hejdå. Skynda dig nu, ropar

Anita till Lasse från bilens baksäte, annars får du inte smaka av mina gräddkolor när vi kommer hem.

Klänningen hänger i badrummet, över det djupa badkaret. Är den förstörd? Han kan se att Maj har försökt ta bort blodfläcken, tyckte han inte redan när hon kom hem med den ljusa klänningen att det var något utmanande, lite provocerande med den? Klart att han inte ska säga det nu. *Är det inte bara din känsla av att klänningen inte var för dig? Inte köpt för dina ögon, din åtrå?* Så ser han den emaljerade hinken med underbyxor, strumpor, ännu svagt rosafärgat vatten. Han hjälper Lasse lite fumligt med toalettbesök och tandborstning. Anita får dra igen dörren och vara för sig själv.

Vilken fru du har, säger Maj grötigt från sin säng. Kan inte ens greja en flottare fest utan att göra bort sig. Har hon gråtit? Han har berett sig på attack. Hur fånigt, högfärdigt det är med den här julgransplundringen, hur han tvingat på henne en långklänning hon ändå inte kan bära upp. Det kommer så mycket, säger hon istället lågt. Att jag inte märkte… jag måste ju lämna in den, se om den går att rädda. Det är väl ingen fara så, säger Tomas, med festen menar jag. Men att du… borde du söka för det, få dig undersökt? Maj snyter sig. Så har jag Bernts förkylning till råga på allt. Fattas bara att jag smittar ner dig, du som har så mycket på firman.

DAGEN DÄRPÅ ÄR Maj verkligen förkyld. Rödnäst och rinnande har hon fått iväg Anita till skolan, och Lasse får allt följa Bernt hem till fru Tjärnström. Ja, Maj drar sig inte för att ringa Bernts mamma och snörvla, säger att Lasse är frisk som en nötkärna men jag ligger i hög feber, så om Lasse också kunde få följa med till fru Tjärnström idag. Det har kommit blod på lakanet också. Så förödmjukande att vara så här... skadskjuten. Kanske är allt bara i sin ordning. Men att man inte kan hålla sig själv och sängkläder rena, det är olustigt, *äckligt*... Klänningen i badrummet undviker hon. När det dagas ordentligt ska hon ta den till ett fönster och granska fläcken. Blir det en ring av vatten för alltid, som en vattenskadad papperstapet?

Hon bäddar, diskar undan frukosten, hänger ut Tomas smoking på vädring. Skakar sängkläder, lägger lakanet i blöt. Bäddmadrassen är också blodig. Hur ska hon skydda sig egentligen? Men att söka upp en gynekolog... Gå i bäddkappa hela dagen går inte an. Fast hon tänker lägga sig igen. Ta magnecyl mot både förkylning och magkramper. Måtte hon ha någon lättsam middagsmat hemma. Så hon slipper gå ut i alla fall. Fläsk och blodbröd med vitsås och lingon. Det skulle hon behöva. Eller kan hon be Tomas köpa blodpudding i charken hos kooperativa till middag. Han är inte så kinkig med var de handlar.

Fast just som hon slumrar ringer det på dörren. Skulle det vara galet att bara ligga kvar? Hon häver sig upp, synar kjolen både fram och bak och går och öppnar. Ett blomsterbud! Fru Maj Berglund, säger pojken, men snälla vän, säger hon, vänta får jag ge dig en slant. Han bockar och springer nerför trapporna. *Krya på dig moster Maj, kära hälsningar Titti, Georg och Henrik.* De är för snälla! Cerise nejlikor med mycket grönt, ja men nejlikor är så tacksamma och snudd på exklusiva när de blandas med lite grönt – det är ingen dålig bukett, nästan som om hon fyllde jämnt, men nu måste hon skynda sig in på gästtoaletten, och allt det här trista som man *ska tiga om,* blodet i toalettskålen, de här pappersbindorna som ska vara så *hygieniska, säkra,* och ändå håller de inte alls tätt. Blir hon rädd? *Är det ett foster jag förlorar ovetandes?* Hon blir sittande, som om det skulle gå att få blodet ur sig med vilje, samtidigt kippar hon efter luft genom munnen, så täppt, *du slipper lukten av levrat blod,* hon måste byta underkläder igen, men inget på kjolen, vad Tomas borde tycka att hon är... besvärlig. Fast han ska inte behöva se det här. Det är motbjudande för att det är så ohejdbart. Att man inte säkert kan gå ut de här dagarna, och det var först efter Lasse det blev så här, innan var det väl mer normalt, kan något ändå ha *gått sönder?* Visst kan kvinnor gå sönder? Kanske skulle hon kunna fråga Vera. Om det blivit så för henne också, efter Lena. Men det har varit underligt med Vera sedan det där larviga samtalet om storstädning. Och Vera kunde ju inte komma på kaffet till Majs födelsedag, bara för att Martin hade sina föräldrar på besök. Hela julhelgen och... Men dagligen får Maj impulser att telefonera till Vera. Det får hon. Fast Maj känner ju att Vera undviker henne. *Krävande att komma hem till.* Som om Maj plötsligt, i den här strålande eleganta våningen, ska ta det lite hipp som happ med städningen för att inte verka *sinnessjuk.* Fast svägerskorna har det städat också. Blommorna! Sa Tomas till Titti och Georg att hon *blödde?* Har Titti berättat det helt otvunget för Georg och bett honom ordna om ett blomsterbud? Det var ju trevligt hur Georg tog sig an Lasse igår. Förstod han hur trist det kan vara att hänvisas enbart till barnens aktiviteter på julgransplundringen, ja hur trivsamt det är att få med sig en vuxen att småprata med, och nu när Anita tydde sig så till Henrik passade Lasse på att tigga om att få göra allt möjligt på festen. Men något genant, lätt rodnande kommer över buketten ändå. Hon är ju faktiskt inte sjuk, bara lite förkyld. Rart var det hur som helst – *underligt?* – *nu ringer du Titti,* hon svarar, hur är det Maj, hur mår du, men vad du låter dålig, du har väl inte tagit magnecyl idag, det tunnar ju blodet, åh – då är det därför, gläds så länge det varar, säger Titti sedan, för mig är det förbi. Oj, svarar Maj bara, ja just nu ser jag väl ingen glädje i det, men en dag, avbryter Titti, är det över och då är det trots allt inte så muntert. Om du var kurant skulle jag be dig med till mamma på kaffe, men oh nej, svarar Maj, tant som är så rädd att bli smittad. Så nyser hon lägligt, prosit säger Titti och de lägger på.

MEN GLÄDJEN? FINNS inte en gnutta stolthet när det ringer på dörren och Håkan står där utanför en söndag i slutet av januari – en charmig pojke i grannhuset som går i Anitas klass – ja, lite omständligt undrar han om Anita händelsevis är hemma? Se hur hans ögon blänker och glittrar när hon kommer ut från sitt rum. Att hon är så *omtyckt*. Skrattet inifrån rummet, en stund senare hur de båda rödblommigt undrar om de får gå ut och åka kana nerför slänten? Nog säger Maj kom in sedan då, så har jag färsk sockerkaka och varm choklad. Maj får bråttom, ugnen, smörja formen, stöta skorpströ, bröa, knäcka ägg, vispa, smälta smör, sikta mjöl, jästpulver och vanillin. För Anita tycker om det. Bara Maj är försiktig med vaniljsmaken så att den inte blir för dominant.

Finns inte stoltheten över orden också? Alla ord Anita kan och behärskar. Fast hur gammal är hon när hennes ord mest blir märkvärdiga och svåra – bara Tomas kan begripa dem utan ansträngning, bara Tomas kan förstå. Paniken när Anita vill ha hjälp med rättstavning. De där frågorna om ords betydelser – ja då är det lätt att säga ska det vara nödvändigt med ord som man ska ha studerat ett helt liv för att begripa. Ungefär så. Är det så konstigt att Maj måste luta sig mot annat än orden? När det blir trögt, stumt, ja det lättar bara en aning efter en cognac eller nubbe. Då man kan låta det rulla på. Härma. *Bedårande, underbar, magnifik!* Då folk inte håller så förbaskat noga reda på vad det egentligen är man häver ur sig.

LEVI NILSSON KAN väl inte mena att Tomas ska sitta med den tysta luren i handen och vänta medan han diskuterar något med en annan kund? Axelsson har gått för dagen. Väggklockan visar på tio i fem. Nu vill han lägga på luren och få besöket hos mamma överstökat. Nilsson är lite hal, men ingen skojare direkt, vet bara hur han ska göra för att få ut fullt pris. Dessutom har han rätt i att hans hudar alltid är prima. Men Otto tycker att Tomas ger sig för lätt – fast om Tomas vägrar gå med på offerten så tar den tjurige Nilsson sina varor till en konkurrent. Ändå lägger Tomas bara på. När Levi Nilsson dröjer så länge med att komma tillbaka till luren. Nog är det närmare en kvart han har väntat? Ja, minst. Och Tomas ser framför sig hur Levi sitter vid sitt skrivbord där i byn utanför Skellefteå och håller luren på en armlängds avstånd. Leende tar en rök. Tomas får väl ringa upp honom imorgon, säga att samtalet bröts. Rodnar han, blir plötsligt varm? Nu måste han telefonera hem till Maj istället. Han ser sig själv i fönsterrutan, det bleka ansiktet, vecken vid mungiporna – Maj har kanske rätt i att kontoret har ett ovanligt otrevligt lampsken. Becksvart utanför. Än är inte ljuset på väg tillbaka. Du, jag lovade Titti att gå över till mamma, säger han på en hastig inandning. Och Maj låter faktiskt inte stött, gör det, säger hon, och ha med dig något åt henne, då blir hon glad. Fast innan han har lagt ihop sina papper och klätt sig i överrock, halsduk, pälsmössa och skinnhandskar har den hunnit bli över fem, han hinner inte handla. Kan han ge Eivor en slant istället och höra om hon kan köpa hem något till mamma?

Nu känner han lukten i trapphuset. När han bodde här fanns den liksom inte. Är det underligt, att komma till huset han bott i hela sitt vuxna liv? Men han har inte tid att fundera. Eivor öppnar, säger att Tea är i sitt sovrum. Jaha...? Han hänger av sig, att han inte fick med sig något ändå. Ja, nästan som om Eivor står och väntar på att han ska ge en henne en blombukett eller kartong med bakelser som hon ska ombesörja vid diskbänken. Han kan ju inte ta fram några kronor och be Eivor springa ut i mörkret och kylan nu. Borde han fråga henne om mamma är dålig igen? Nej, Eivor talar om att hon är i köket ifall det är något, vill han ha kaffe, eller tänker han äta med dem? Bara om ni har en bit mat över, svarar han, inget extra besvär för mig.

Ligger mamma till sängs? I hennes sovrum vill han inte vara. Inte för att det brukar ligga underkläder framme. Eller vara instängt, ovädrat. Likt förbannat tycker han att det blir intimt. Mamma sitter i sängen, uppallad mot gaveln, filten över sina ben. Han känner hur hans ansikte blir... som en irriterad grimas. Ta en stol och sätt dig här intill Tomas, säger hon och gör en gest med handen mot sitt nattygsbord. Hur är det mamma, frågar han, och går tvärs över rummet för att hämta karmstolen med stoppade dynan. Dröjer en stund där vid fönstret, med ryggen mot henne. Gardinerna är fördragna, det går inte att se ut. Stolen är oväntat tung, otymplig att bära på. Kom och sätt dig, upprepar hon. Hur han inte orkar höra vad hon har att säga. Han vet ju genom Titti att hon är besviken. Ändå placerar han stolen alldeles intill hennes säng, försöker låta snäll. Men mamma, säger han – hon hyschar honom – Tomas... nej, säg inget, nu är det faktiskt jag som vill tala ut.

Brukar hon inte få göra det då? Kanske är det ändå något i tonfallet som är lite annorlunda, ja inte lika uppjagat som det oftast är, som han hör det, utan mer sakligt. Men nu är han ju faktiskt här, sitter vid hennes säng och är beredd att lyssna.

Kan du inte bara berätta vad det är som har hänt, mamma? Det är inte meningen att låta forcerad. Han känner sig illamående, vill tända en cigarrett. Ser hon inte piggare ut än sist? Lite färg på kinderna.

Men jag försöker ju Tomas, du avbryter mig. Nu är det så här att jag har varit till lasarettet och det finns inget att göra. Det har spritt sig. Doktorn sa att har man fått fylla åttio… Men jag trodde inte att jag skulle behöva bli lämnad ensam här i huset innan jag dött.

Fan. Han blundar. Tittar. Ser plötsligt medicinburkarna, flaskorna… Undviker han hennes blick? Nej, det är hon som ser ner på sina händer.

Men mamma varför berättade du inte… att du är sjuk. Då hade vi väl kunnat dröja med flytten. Hon svarar inte. Säger att det troligen ändå blir sjukstugan på slutet, men så länge kan visst någon hemsyster hjälpa Eivor – fast nya lasarettet lär jag väl knappast få uppleva.

Vet de andra?

Jo, flickorna har väl misstänkt, åtminstone Nina, men jag har bara haft säkert besked i några dagar. Ja Eivor… om jag inte hade Eivor.

Han vill resa sig, men benen är fortfarande mjuka, svaga av beskedet. Hur snabbt blev han inte torr i munnen, magen…

Ska du inte åka till Stockholm då, säger han och hör att rösten hörs tjock. *Så bra att jag inte låter iskall.* Vad tänker han? Nog måste vi kosta på en specialist, fortsätter han, vad heter det, i Stockholm – Sophiahemmet? Hon skakar nästan häftigt på huvudet, ja så griper hon efter hans hand. Tomas, det är inte bara att kosta på… man ska orka också. Nej, jag vill vara hemma här.

Börjar han gråta? Hon verkar samlad där hon sitter lutad mot sänggaveln, säger sakta att hon faktiskt är lättad att få veta. Maj har ju talat om för mig att Eivor har varit orolig, säger han, ja Maj har tyckt att jag skulle ta dig till sjukhuset... Visst är det så? Att Maj faktiskt har bett Tomas att bry sig lite extra om sin mamma. Och nu är det slut? Rycker det i mungiporna, till en grimas, skratt, tårar... de är inte sådana som plötsligt bara kramas. Men han flyttar förstås inte sin hand från hennes där på täcket. Något kan vi väl göra för dig mamma, försöker han ändå, hon nickar, vi vet ju inte om det kommer att dröja ett tag eller gå väldigt fort, men doktorn har lovat mig den smärtlindring som finns att tillgå. Och vissa saker vill jag förstås hinna klara opp.

Nu tystnar hon, ber Tomas om en cigarrett. Kan jag också, undrar han - hon ler, Tomas när ska du bli stor? Han tänder cigarretter till dem båda - vad ska han säga? Kommer han att sakna henne? När han kände sådan befrielse att flytta... Sedan säger hon att då hon är borta kommer hon ju inte kunna hjälpa honom. Men inte en till skilsmässa Tomas, ett äktenskap håller man ihop. Nu tar du hand om din familj.

Det är klart att jag ska mamma, det är klart.

Vid middagen i matsalen fortsätter samtalet som om allt var som vanligt. Har mamma bett Eivor att laga pepparrotskött en tisdag bara för att Tomas har sagt att han tycker om det någon gång? Han har ju ingen aptit idag. Inte mamma heller. Och han tackar nej till kaffet, skyller på Maj, att han måste hem. Att Maj har en kvällsjunta hon ska på, han har lovat henne att se till Lasse. Ja, ja, svarar mamma, ta du och skynda dig till ditt.

Inte till Statt, men något annat ställe. *Sluta Tomas.* Bara pröva tanken? Hjälper det att se Anita och Lasse framför sig? Snön, mörkret, han kommer att gå raka vägen hem.

BORDE HON INTE ta itu med lådan med recept och tidningsurklipp? Lasse och Bernt bygger en tågbana inne på Lasses rum och det är några timmar kvar innan Anita kommer från skolan. Inför flytten hann hon inte gå igenom kartongen – och nu när de skulle få större ville hon inte vara för snabb med att bara slänga allt. Så kartongen fick följa dem hit som den var. Hon bläddrar lite förstrött bland broschyrerna och flygbladen som trycktes under kriget, ja med tips om hushållning, sömnad, inköp och annat. Det var Vera som först visade henne dem, *kan det vara därifrån Vera fått sina nya tankar om städning* – Vera som bjöd in henne på kafferep med några andra fruar förra veckan, men ställde in för att Gunnel var så sjuk. Och då lät i alla fall Vera lite ångerfull, sa till Maj att de måste ses så fort Gunnel blev av med sin feber. Jo, men Maj har också haft glädje av några skrifter, ibland tar ju egna idéer helt slut. Hon plockar upp en tunn handbok där man får hjälp att planera hemmets möbelinköp, en annan om barnens kläder. Maj bläddrar, läser lite här och där. Hur man ska låta funktion, möblerbarhet och bekvämlighet gå före tradition och vana. Ja, att låta finrummet stå tillbaka för att istället göra dagligt bruk av hela bostadens yta. Men kan inte *vardagsrummet* få vara lite stiligt också? Maj vill gärna ha en smula elegans. Ja, som en blandning av Tittis och Georgs och Veras och Martins inredningsstil. Vera har liksom lite *fräsig* smak. På något sätt annorlunda. Titti... alltid flott. Men här i skriften förordar man så lite dekor som möjligt. Rena linjer, lättskötta material. Björkens ljusa trä ska visst passa särskilt bra i nordiskt blonda hem. Eller var det träslaget som var blont?

Jo, fast mörk mahogny är väl också... Och förgyllda speglar, just förgyllda speglar tycker både hon och Tomas så mycket om. Även om de är knepiga att damma. Maj bläddrar vidare, på bilderna ser det lite väl luftigt ut. Knappt en krukväxt, prydnadssak eller ljusstake i fönstren. Inte ens gardiner? Var det kanske på grund av krig och kristid? Hur ändamålen helgar medlen eller hur var det nu? Rätta mun efter matsäck? Hör Maj den tvärsäkra tonen? *Måtte den obligatoriska svarta gungstolen ha gjort sitt i de svenska hemmen.* Pappas gungstol. Här finns ingen plats för en gungstol. En bekväm fåtölj, intill bokhyllan, golvstaken som ljuskälla – en plats för Tomas att kunna förkovra sig.

Fast då hon vill visa Tomas skrifterna när han kommer från tant till kvällskaffet granskar han dem ganska ingående, bläddrar och säger sedan dröjande att det var väl det här institutet som gick in och styrde pressen under kriget. Ville de inte tysta Segerstedt också, och nu ska de bestämma hur man ska ha det i sängkammaren till och med. Han lägger dem slarvigt ifrån sig på soffbordet, smeker henne hastigt på kinden. *Det är väl inte så tokiga tips?* Du får inte gå på vilken... propaganda som helst, säger han med ett kort skratt. Så då talar hon inte heller om att Vera har följt med i flera av deras häften, att Maj också... men reklamkatalogen från NK, som Tomas gärna vill få sänd till sig... Jag vet inte, säger hon, det står lite vad man kan tänka på när man handlar möbler. Tomas rör med skeden i koppen, ilsket plingande. Du har väl bra smak, det måste du ju lita på. Vi får fara till Stockholm och titta på deras utbud, du hittar säkert något som passar.

Nej men så här hade inte Maj tänkt. Har Maj ens funderat över vem som står bakom trycksakerna? Statens informationsstyrelse. Är det Tomas eller hon som beter sig dumt? Vera var särskilt entusiastisk över näringsläran: skala inte potatisen Maj, då far C-vitaminet ut med kokvattnet. Du får skörbjugg. Så log hon retsamt, men tydligen gör det skillnad. Ändå råskalar Maj nästan jämt. Hon reser sig. Ska hon slänga broschyrerna? När Tomas blir så ovanligt öppet motvalls. Sitter bakom tidningen, samtidigt som radion raspar på ganska hög volym. Ska han sitta så där ända till de sena kvällsnyheterna? Det lyser hos Anita. Då tjuvläser hon, fast Maj har sagt att hon måste släcka klockan åtta.

Tomas kommer ut till henne medan hon går över diskbänken en sista gång för natten. Vi har fina bosättningsaffärer och möbelhandlare här i stan också, säger han lågt och med oväntat tjock röst. Jag ska se när jag kan komma ifrån så vi kan titta på en matsalsmöbel, ja ny soffgrupp också. Dux kvalitet kan man ju alltid lita på, och till matsalen... du har ju sagt att du tycker Ragnars och Ninas vitmålade möbel är vacker. Det är väl ingen brådska, svarar hon, hänger förklädet i städskåpet. På sätt och vis är det ju mycket mer lättskött utan så många tunga pjäser. Han fångar in henne, säger att hon ska få det precis som hon vill ha det – *vet du alltid vad du vill Tomas, kanske en skrift från Aktiv hushållning bara vill vara en husmors hjälpande, stöttande, uppmuntrande hand,* så man inte behöver ångra sig så hemskt när man gjort som man ska och konsumerat oss ur efterkrigstidens risk för kris – och komma på när det är för sent att soffans klädsel är så känslig för fläckar, hur dammsugarens munstycke inte kommer in under sängunderredet utan att man får lägga sig raklång och skjuta in röret från golvläge, eller att matsalsbordet är byggt så man bara får in fyra stolar utan att på olika sätt behöva knöla med sina eller gästernas knän. Nej, hon slänger inte skrifterna. Lägger dem långt bak på den översta hyllan i städskåpet. Tomas har inte för vana att se efter där. De andra får också bli kvar, sorterade i sin skokartong.

I mörkret viskar hans röst Maj. Maj, mamma är svårt sjuk. Jag vet inte varför jag inte sa något meddetsamma. Men så ser det alltså ut. Och sedan är Tomas tyst. Maj hör hans andetag. Blir hon kall? Rädd? Obehagligt tom på känslor. Jag tror jag är lite tagen av det, tydligen är det inget de kan göra. En ny paus. Maj väntar. Avvaktar, vågar inte säga något. Hur ska hon låta till tröst? Det har spritt sig från bröstet till skelettet, ja Eivor tror det kommer att gå fort.

PÅ FETTISDAGEN TAR Tomas igen sig i fåtöljen vid vardagsrummets öppna spis efter middagen. Han gör sig bra i det nya vinröda plyschmöblemanget, det kan hon se när hon kommer tillbaka med kaffekannan för att servera påtår. Han har egentligen inte varit ovanligt frånvarande sedan beskedet från tant. Titti är ledsen. Och Maj har gått upp till Tea, ja nästan varje dag tittar hon förbi om hon ändå har ärenden på stan.

Men det här... *uppkörda.* Hon hade trott att kaffet skulle hjälpa, att liksom lösa upp... det som proppar igen – inte riktigt förstoppning, mer i mellangärdet... och hon slår upp en full kopp till sig själv efter att ha serverat Tomas en halv. Ser hon att rummet är vackert? Jo men nu har ju Tomas talat om att hon har säker smak. Överlastar inte, det är förstås inget konstnärligt, intellektuellt hem, bara den borgerligt bildade mannens blandade bokhylla och stilrena möbler. Något engelskt, något skandinaviskt, bondrokoko, ja trivsamt på ett sätt som inte blir alltför stelt – nej inget av detta tänker hon just nu. Hon dricker kaffet hetsigt, snudd på att hon bränner gommen sårig, tycker att det fortfarande känns fett från fettisdagsbullens vispade grädde, fast de åt dem vid middagsbordet i matvrån. Mår du bra, frågar hon Tomas, som ser upp från sin bok, han nickar, tar hennes hand och säger att det var fint av henne att fråga och hon lägger till att hon har en underlig känsla i kroppen... svullen, ja det kan hon väl få tala om, att hon känner sig svullen. Som en ballong. Som om tarmarna långsamt fylls med luft utan att hon kan pressa ut den med vilje. Jo, så därför reser hon sig, ser Lasse sitta och trycka utanför den stängda dörren till Anitas rum, hon öppnar och säger att Lasse måste få leka med dem, han har ju ingen kamrat hos sig, Gunnel tycker säkert om att få vara med din lillebror också. Grimaserar Gunnel med munnen? Kanske hade det varit bättre om hon tagit emot Bernt nu när Vera måste hålla Lena hemma för att både hon och Lena haft sådan hög feber. Maj fick inget tydligt svar om de kontrollerat för äggvita och Vera ville snabbt lägga på. Och Maj kände ju det här underliga redan på förmiddagen, ville inte ha hit Gunnel just idag. *Man måste ställa upp.* Anita vädjade verkligen, ändå brukar hon bli så orolig, uppjagad, när Gunnel och hon har lekt klart. Fast Vera och Maj... det är ju egentligen löjligt. De har verkligen inte träffats på tu man hand sedan... städdispyten, för Vera och Martin har varit så förkylda. Ja eller deras barn. Vera har heller inte haft det där utlovade kafferepet. Om bara Gunnel var... lite mjukare till sättet. Hon är så oförskämt stursk. Maj rodnar hastigt, *jag brukar inte neka deras kamrater,* men hon orkar inte med Lasse heller. Pappa kan läsa, säger hon, struntar i om Tomas vill sitta med den där När Var Hur ifred. Sedan försöker hon på toaletten i tamburen, men blir inte sittande någon lång stund för hon tycker att det luktar... urin och trycket mot skulderbladen lättar inte – den underliga rastlösheten – kanske finns det sodavatten i skafferiet. Har vi sodavatten, frågar hon Tomas trots att han knappast vet mer om det än hon. Se efter i kallskafferiet eller kylskåpet, svarar han, mår du så dåligt? Hon skakar på huvudet och plockar med sig de urdruckna kopparna, ville du ha något till kaffet, jag tänkte vi hade ju fettisdagsbullarna till efterrätt... nej, nej, Tomas viftar avvärjande med handen och stryker eld på en tändsticka, tänder en cigarrett. Det värker i övre delen av ryggen, säger hon och Tomas föreslår en promenad, Lasse kan ju få åka spark. När Anita har Gunnel här, då skulle vi ju kunna... men Maj invänder att Anita aldrig skulle tillåta dem att gå ut nu när det har blivit mörkt. Gå du, säger hon, så lägger jag mig en stund när jag har diskat bort. Ja, han reser sig, men efter att ha varit ute en sväng på balkongen säger han att det friskar i och kanske är det blankis. Spenatrester och ett halvt ägg. Det är svårt att ligga raklång med Tomas i våningen. Han kan till exempel börja slamra i köket eller komma och fråga efter något, ja någon ro får hon inte. Brukar du bry dig om vädret, säger hon därför och han svarar att han kanske vill vara hemma om hon inte känner sig bra. Då rinner det ändå varmt genom henne, *du vill ju att de ska bry sig om dig,* hon smeker honom hastigt över kinden, han hade kunnat sucka och säga inte nu igen Maj, inte nya symptom och krämpor och underliga åkommor som ingen läkare känner till. Men ska hon vila vill hon trots allt vara ensam. Vill du vara rar och köpa katrinplommon, jag såg att vi var utan och det är det enda som hjälper. Du är väl inte... han gör en hastig gest mot magen till, men då skrattar hon, hur skulle jag kunna vara det?

Väl liggande på sängen vill hon bara resa sig igen. Hur hon än makar sig trycker det mot stället mellan skuldrorna och hon försöker på toaletten på nytt. Snart ska det vårstädas. Vad Vera än säger. Hon får ta ett rum i taget om hon ska göra det verkligt från grunden. Våren dröjer förstås, men ljuset är på väg tillbaka. Skamlöst obarmhärtigt. Sitt ansikte undviker hon.

När Martin äntligen fått med sig Gunnel hem stoppar Maj fem plommon i munnen på en gång. Tuggar och tuggar, kanske måste de blötas upp för att ha någon verkan. Och hela tiden när hon läser kvällssagan hoppas hon att det ska börja röra sig i tarmarna, men det är en knut där inuti som bara dras åt mer och mer, ja har hon inte svårt att få åt sig luft nu också? Vatten, toabesök, vaggvisa. Och så till slut, de sovande ansiktenas vilsamma frid. Fast det kan hon inte se ikväll. Vrider om låsvredet på wc, nya försök. *Det är väl tur att Tomas är hos dig?* Jo, för all del. Men något i henne vill bara vandra runt och kvida, ja som gråterskorna på sydligare breddgrader, något så tokigt och främmande och galet, ändå är det vad hon önskar, *aj, aj, aj, aj, aj, aj* med svart huckle och stort tygsjok svept om sig *aj, aj, aj, aj, aj, aj.*

Tomas, han kan sova han. Fast smärtan inte är långt från förlossningarnas obarmhärtighet. Det är bara det att det sitter högre upp. Hon sjunker ner på golvet, mellan sängarna. Vrider sig från sida till sida och kanske skriker hon verkligen nu, för Tomas tänder sänglampan. Men snälla, du är ju alldeles grå i ansiktet! Och hon hör hur han ringer. Han låter arg när han upprepar att det är allvarligt. Väck inte barnen, viskar hon när han är inne hos henne igen. Bara inte barnens skrämda ansikten. Inte den här gången. Den här gången vill hon inte ha dem här. Avlägsna röster. Kniven. Kniven där inne som vrider sig genom… ja, nu vet hon att hon kommer att spricka, jag dör nu, viskar hon verkligen det, och Tomas reser sig och försvinner bort.

ANSIKTET, EN KLAPP på kinden, *kan döden vara en befrielse också, så snabb, så... är det förbi?* Nej, hon ligger fortfarande på sängkammargolvet. Tomas har lagt över henne en filt och makat en kudde under huvudet. Är det Eivor som reser sig? Sedan två män. I dörröppningen. Bär de på en bår? Hon blundar, smärtan... har det onda verkligen gått över? *Ska jag säga något?* Hur de rullar henne från sida till sida för att hon ska hamna rätt. De bär nerför alla trapporna, hon försöker hitta ett fäste för händerna att gripa om under den grå yllefilten, de grymtar något till varandra och i mörkret kan hon känna det ymniga snöfallets våta, kalla flingor mot ansiktet. Men värken? Chauffören kör snabbt, mjukt, knappt har hon stuvats in i bilen så ska hon bäras ut. *Jag kan ju inte komma till lasarettet utan smärta.* Sköterskan som känner på pulsen, Tomas trygga röst som skaver ändå, men kniven, hon kan inte känna kniven – har det verkligen gått sönder, är hon bedövad av att blodet bara forsar fram, hur hon töms, är båren våt av blod? Nej. Hon vill inte titta. Inte förrän systers röst säger att doktorn är här nu, åh, vad ska de tro, men Tomas förklarar, hur vackert det låter när han berättar att hans hustru vid middagen klagat på obehag och sedan snabbt blivit grå i ansiktet, jag vaknade av ett hemskt skrik förstår doktorn, hon brukar inte... Nej, nej, doktorn nickar och så får Maj efter bästa förmåga förklara var det smärtade och tala om vad hon ätit och alltför snabbt konstaterar doktorn att det med största sannolikhet var ett gallstensanfall frun hade. Jaha. *Bara så där?* Inget som brustit, svämmat över, gått sönder? De är i stunden mycket smärtsamma och i sällsynta fall också ytterst riskabla och kräver kirurgiska ingrepp, men det här tycks vara över. Frun får bli kvar över natten för observation. Hon är snart återställd, säger han lugnande till Tomas, så herrn behöver inte se sig om efter en hushållerska! Han skrattar lite, men då Tomas inte flabbar med blir han snabbt allvarlig igen.

Ska hon redan åka hem? Just när hon slumrat in i omsorgens dvala, en provtagning här, ett knådande på magen där, *det var ju inte inbillning den här gången, eller hur, det var något verkligt, en verklig kniv, sten i magen,* hur ser hon inte den vassa stenens spets i tarmarnas ömtåliga kanaler, hon vet ju att hon är sjuk. Men gamla lasarettet har inte kapacitet för utmattade husmödrar, och nog finns andra som har mer trängande behov av vila, för att inte tala om krävande kirurgiska ingrepp som ska övervakas och läka i renhet och fru Berglund mår efter omständigheterna mer än väl. Doktorn låter så uppmuntrande när han försäkrar henne att ett kraftigt anfall sällan åtföljs av ett lika besvärligt strax därpå. Frun har säkert några små som helst vill ha sin lilla mamma hemma hos sig!

Och Lasse störtar i hennes famn, medan Anita inte tar blicken från papperet, kritans intensiva tryck. Nu är jag hemma, säger hon glättigt och Eivor lovar att stanna tills Tomas kommer från kontoret. Sätt sig, säger Eivor och drar ut köksstolen där Maj sjunker ner, frun ser allt bra blek ut. Ägg och spenat och grädde! Det är att tigga om ett anfall det, det vet Eivor för farmor hennes hade åt gallan. Ja, Tomas mor har också haft känningar ibland. Det hade visst kunnat gå illa, svarar Maj matt, gå bort i ett gallstensanfall ännu inte fyllda trettio... Frun blir snart kurant, säger Eivor lugnande och stryker hastigt Anita över kinden. Vi har väl varit lite oroliga här, vakna av att mamma är borta och bara tant Eivor... men vi har bakat bullar och spelat kort, de är hejare på bägge delarna. Jo, Anita skiner upp och säger att hon vann, och Eivor ställer försiktigt en kopp silverte med honung på bordet. Kamomillte kan också vara avslappnande, men vi var utan.

Är den till mamma? Anitas ritande upphör kort, sedan nickar hon. Vad Eivor är talför helt plötsligt. Det är förstås en lycka att Eivor kunde rycka ut, Titti ser visst till tant medan Henrik är i skolan. Är du inte glad att se mig, säger hon när Eivor gått in i köket, kanske kan man tolka huvudets rörelse som en nick. Maj reser sig och går ut till Eivor, hon tärnar potatis smått, smått, säger att hon hade tänkt stuva kål, men kål får Maj nog också akta sig för. Tack snälla, säger Maj matt, tack snälla. Ska Eivor behöva ha två som ska ha extra passning nu, det var ju inte meningen.

Vad är meningen då? Det kan Maj inte svara på. Annat än att allt ska vara som vanligt. Men gallstensanfall är trots allt ovedersägliga. Man får dem, man kan dö. Det händer. Någon gång, i alla fall. Man måste hålla diet, man blir en ömtålig sort. Åtminstone ibland. Ibland glömmer man dieter för att dieter per definition är trista. Och aptiten… den återvänder. Glupande och livshungrig. Så snart är allt som vanligt igen.

HUR MAN ANORDNAR *ett barnkalas.*

Äntligen har hon sagt ja. Vill... eller går med på att bjuda in sina klasskamrater på kalas till den åttonde födelsedagen. Ja, tidigare har kanske även Maj hållit kalasplanerna en smula tillbaka, eftersom gamla lägenheten varken var rymlig eller erbjöd en separat barnkammare. Men nu. De sitter i matvrån och Maj har dukat fram vetelängd och mjölk till Anita efter skolan, Lasse också förstås, hon dricker kaffe. Vad är det för sak att ordna något i den här stora, modernt planerade våningen centralt i stan. Så mycket gott de kan hitta på att bjuda barnen på! Saft, kakor, bullar, tårta – fast Anita är inte förtjust i marsipan. Maj ser annars framför sig Prinsessornas gröna, med skära rosor och fint utstansade blad. Nej, den vill Anita inte ha. Napoleon kanske, säger Anita då, men napoleon är ju inte bakelser för barn.

Lämpligt antal och kännedom om kamraters vanor hemifrån underlättar planering och genomförande och minskar risken för tråkigheter och missöden.

Lasse släntrar iväg när han förstår att kalasplanerna inte riktigt inbegriper honom. Då ska jag panga alla, ropar han från inre hallen innan han viker av in mot sitt rum. Ja, Maj tänker sig enbart flickor. Tio anses vara en övre gräns, och med pojkarna i klassen skulle det antalet med råge överskridas. Håkan också, säger Anita som ivrigt lovat rita egna, vackert dekorerade inbjudningskort. Fast Håkan är ju ändå en pojke, försöker Maj lite skämtsamt, men Anita biter av bullskivan, sväljer innan hon säger att om inte Håkan får komma tänker jag inte ha kalas. Ja, Håkan som verkar ha blivit Anitas bästa lekkamrat i klassen. Gunnel, säger Maj. Anita skakar på huvudet. Hon är inte snäll. Nej, Maj har märkt Gunnels behov... vilja... sätt att ta varje chans att triumfera över Anita, gärna tala om vad Anita misslyckas med. Alltid göra avancerade hopp och skutt och klätterövningar som Anita inte klarar av.

Men Gunnel har ju alltid bjudit in dig.

Det skulle ju bara vara klasskamrater? Anita räknar förstås ut orimligheter. *Inte Håkan i klassen, men Gunnel.* Vera kan behöva vila när hon ska föda så snart, säger Maj mjukt. Vi bjuder Gunnel och Lena, så har Lasse också en kamrat. Ja, Håkan också.

Vikten av trevlig dekoration och dukning kan inte nog betonas. Klipp girlander i färgglatt papper, fäst ballonger i snören, duka med en lekfull men ej dyrbar servis. Servietter i papper, kulörta lyktor, här kan Ni verkligen få utlopp för hela Er fantasi.

De gröna faten med guldkant? Anita tittar lite skyggt på henne när hon ställt frågan, det är de finaste jag har, vet du, ja väldigt dyra, svarar Maj, *du är dum om du dukar med dem,* jag lovar att leta fram några andra fina, Anita nickar, tar en klunk mjölk, girlander ska vi nog klara av, fortsätter Maj, vi dukar väl i matsalen och då kan vi fästa såna och ballonger... Dukningen borde väl inte ställa till det, dukningen ska hon väl ordna om bra.

Lekar bör vara organiserade och följas av alla. Kurragömma, blindbock, frågesport av enklare slag. Men undvik i det längsta fri lek, då den på kalas lätt kan gå över styr.

Vad vill du att ni ska göra på kalaset? Rita, svarar Anita snabbt. Jo, men ni måste nog hitta på något mer än att rita. Fast jag har papper och kritor så det räcker till alla. Vi kan väl fundera, programmet behöver vi ju inte bestämma i förväg.

Spara inte möda på inbjudningskorten och sätt på dem ut tydliga tidsangivelser och klockslag. Dessvärre finns det mödrar som av skilda skäl vill vinna sig litet extra tid, och därför dröjer med upphämtandet av sina barn om man på inbjudan underlåtit att skriva sluttid.

Tror du två timmar blir lagom? Ja, nickar Anita. Inte mer än två.

ETT GOTT, GLATT avledande humör bör Ni som lekledare i första hand använda Er av i besvärande situationer. Hejda bråk innan de blir svåra. Stäm upp i sång, spela något humoristiskt teaterstycke, berätta en spännande saga. Kanske kan Ni något litet trolleri?

Ja, men Maj har övat. Hur hon nu efter tårtan och kakorna och saften har en hel drös med barn som tittar på när hon utför Bettys konster. Det blev lite jäktigt just när barnen doppade, men inte mer än ett saftglas rann ut, och flickorna skickade kakfatet till varandra och bara ett par ville inte ha någon tårta. Hur Maj ett kort ögonblick stod stilla och tittade på dem, flickorna i sina klänningar med puffad ärm och rosetter fästade i håret, Håkan och Lasse också de finklädda i skjortor och med slätkammade frisyrer. Så härligt att servera dem, fylla på saft och skära upp mer av vetelängden när det tog slut på fatet. Ja, att hon kan ge sin dotter ett eget födelsedagskalas. Girlanderna kanske inte blev alldeles vackra, men de hänger där, färgglada. Anita såg väl lite lidande ut när flickorna – ja Håkan och Lasse också, Maj förstås – sjöng och hurrade, men det är ganska svårt att sitta när alla andra står, ja att bara oblygt ta åt sig av hyllningar. Men det är enkelt att uppträda inför dem. Roligt! Hon har plockat fram gamla mörkläggningsskivor för att skapa stämning och undvika att avslöja konsterna i februariblekt dagsljus. Tänt levande ljus på spishällen och placerat en golvstake med svagt sken just där hon framträder. Hon är varm, men har serverat finklädd i den röda klänningen, med ett nystruket förkläde över, rött läppstift och håret lite utstuderat lagt sedan papiljotterna suttit i under natten. Ja, nu har hon klätt ut sig i ett gammalt svart plommonstop, kanske från Tomas pappa, och tagit sin vida svarta sorgkappa över axlarna. Anita tyckte att hon såg ut som en riktig trollkarl när hon prövade inför henne i förväg. Lasse och Lena sitter storögt i skräddarställning och håller varandra i handen längst fram på mattan. Som Maj viker, vrider, vänder, trollbinder dem med de här tricken av vanligt tidningspapper och spelkort. Ja hur kortleken frasar när hon blandar, hon blir inte nervös, har dem ju med sig. Vill att det ska få ta tid, inte vara över meddetsamma. Därför dröjer hon, avleder barnen med magiska ramsor. De är helt tysta. Någon gång missar hon lite, men Gunnel säger kan du inte flera trollkonster tant Maj, när Maj redan sett på klockan att det börjar bli dags att runda av. Ja, säger några andra flickor, men presentöppningen, Anita, sitter inte Anita där längst bak i publiken? Hon kan inte få syn på Anita. *The show must go on, Maj.* Sim-sala-bim, trollar hon, bockar, och med ryggen mot publiken sveper hon ut i hallen, tar av sig hatt och kappa, tänder takbelysningen och frågar barnen när hon återvänder vad som har hänt här. *Anita sitter inte i publiken.* Kanske är de lite för stora redan. Men Lena utbrister att det har varit en trollkarl här, och Maj rufsar med handen i det lätt fuktiga, tillplattade håret. Nu måste ju födelsedagsbarnet få sina presenter, säger Maj, har trollkarln rövat bort henne, försöker hon, men en liten blond flicka, Sonja, säger att Anita och Håkan gick in på Anitas rum.

Ändå fortsätter Maj att trolla. När Lasse efter skilsmässan på åttiotalet träffar en ny kvinna med barn från ett tidigare äktenskap – Maj tycker inte riktigt om henne – *står du ut med någon av Lasses kvinnor?* – då trollar Maj trots allt för hennes barn. Pia och Lasse sitter bakåtlutade i hörnsoffan medan Maj befinner sig på golvet och viker tidningar till strutar och svärd. Både pojken och flickan håller sig stilla, härjar inte runt eller grinar, nej hon vinner dem fullt ut.

Sedan kommer hon att undra vad det blev av de där barnen. Om Pia gifte om sig med någon annan karl. Hon törs inte fråga Lasse. Men ibland tänker hon på Pias barn.

SÄTT DIG, SÄGER Tomas och ser blek ut. *Barnen.* Jo, det första Maj tänker är det. Hur det har hänt något med Lasse. Han har sprungit framför en bil, ramlat i en vak, fallit från ett träd på baksidan och duns med det tunga huvudet först i iskanan – vad är det! Hennes ton är brysk. Hon är så fruktansvärt rädd. Hur man ser ansiktet hos den andre... miner, tonfall, den ofrivilliga spasmen, ryckningen kring munvinkeln – allt kan läsas av sekundsnabbt och leta sig in till hjärtat, magen, hjärnan – så vet man utan ord. Tomas är för all del inte svår att läsa av. Hela han en känslokarta – ja också glädjens spontanitet kan Maj läsa tusen nyanser i –

Vera är död.

Nej, säger Maj. Först måste bilderna av Lasses spräckta skalle försvinna. Hur där är lättnad som ska ersättas av isande insikt. *Jag tyckte ju om henne!*

Jo, nickar Tomas, inatt. Barnet också... en flicka... och Vera... havandeskapsförgiftning.

Vad skulle hon med ett till... de var ju så för varandra! Kunde det inte ha räckt...

Maj, säger Tomas, Martin sa att vi var de första vännerna han meddelade. Hon var utom räddning, har doktorn redan konstaterat. Det gick visst så förbannat fort. En frisk och stark människa. Ung.

Vera som var så glad, säger Maj. *Varför blev vi inte sams, Vera?* Det är inte riktigt att en ung och stark människa med små barn... Nej – rör mig inte! Hon far plötsligt ut med armen när Tomas sträcker sig mot henne.

Har vi cognac hemma? Det vet hon ju. Inte svävar Maj i okunskap om sprittillgången här i skåpen.

Du får förlåta Tomas, men ge mig en cognac.

Åh... hon jämrar sig nu. Om bara en stund ska hon väl vara samlad igen. Som vanligt. Bara ett kort tag måste hon få grina. Fast det kommer inga äkta tårar. Inte inför Tomas. Bara hulkanden, jämranden, och bilder av Martin och barnen. Kommer de att klara av att bry sig om Martin nu då? Flyttar han ifrån dem, söderut? Anita som var så för Vera. *Fast Vera ibland var kort mot Anita.* Säg inget till Anita, vill Maj ropa, klart att Anita måste få veta, hon ska be Anita bry sig extra mycket om Gunnel och Lena nu – åh starka, skarpa, bärnstensfärgade – eller mer bara vanligt rödbruna – cognac. Hon sveper den, Tomas fyller på en till. Drick du, tycks han säga, i mitt ställe också. Folk gör ju allt möjligt för att komma till ro, gå ner i varv, stilla upprörda känslor.

Är det en förbannelse? Att de bara ska gå och dö för henne? Några årtionden tillbaka så *dog de som flugor*. Ännu ett sätt att språkligt distansera... hur människoliv släcktes. Det enda liv som erbjöds. Men Vera och hon tillhör ju dem som just hunnit över till andra sidan – nej inte så, bara passerat gränsen till välfärdens land, ja hur de här decennierna har banat väg för en ny ordning. Mer avancerad sjukvård, vaccin, lustgas – penicillinet inom räckhåll.

Vad hade Vera för glädje av lustgasen! Hon hade inte behövt dö om inte Martin gjort henne på smällen!

Såja Maj, säger Tomas utan att röra henne, men han reser sig för att ställa undan flaskan.

Så jag ska inte ha mer, anser herrn?

Men snälla du, lägg dig en stund, det är chocken.

Ja men om havandeskapsförgiftning... om vi inte rår på det ska man väl inte ha fler när man redan fått två! Riskera livet. För att Martin prompt skulle ha en pojk!

Men snälla Maj, var det inte Vera som ville...

Var Vera dum? Menar du att Vera hade svårt med förståndet?

Är det inte så, med spriten? Ut med det bara. Allt det där undertryckta som man aldrig säger i nyktert tillstånd. Nog får man vara elak? Allt elakt som kommer med spriten. Hos vissa. En del blir kanske mer sliskigt sentimentala. Men att åtminstone slippa... kontrollen. Att slippa passa på vartenda ord, varje formulering – var Vera en idiot kanske?

Maj som inte bar sig åt när mamma dog. Eller pappa. Nu vill hon bära sig åt. Gå med ciggen i ena handen och groggen i den andra och vråla ut hela alltets orättvisa ordning.

Och vi – vi ska bara leva vidare, i vår fåniga familjelycka. Medan Vera går och dör!

Nu står Anita i dörröppningen med rädslan i blicken.

Maj, vi lugnar oss, viskar Tomas. Kom, säger han till Anita, vi går ner och ser om fru Kallander har några karameller i bonbonjären, *bonbonjären, karamellskålen för fan,* mamma är bara lite ledsen, det går snart över.

Maj hör hans röst men tar sig till porslinsskåpet – varför gömmer de flaskorna där, varför kan de inte ha en egen hylla i skafferiet – hon river ut sherry, cognac, brännvin, punsch och ställer på konservhyllan istället. Slår mer cognac i glaset. Fy för klistrig punsch. Då mår hon bara illa. *Vera som ville ha punschen!* Och så... blir hon liksom borta. När hon svalt ner det sista. Kan snurra in i sängkammaren och sjunka ner. Glömma om hon fimpade cigarretten eller bara la den... på köksbänken. Nog kastade hon den väl i vasken? Hur glöden fräste till och släcktes.

Hon ber inte om ursäkt dagen därpå. Fast hon har sovit genom kvällsmat och natt. Till frukosten är hon som vanligt på benen, inte ens med huvudvärk. Kokar varm choklad, brer smörgåsar. Kaffe förstås. Fast hon fick smak för te under kriget. Men hon orkar inte tala om för Anita att det är bra nu. Det är väl inte bra! Nu börjar bara dagarna utan Vera.

Rädslan för döden. Längtan? Vad längtar man? Maj vill slippa skräcken. Den tickande oron. Kan de lugna veta hur det är att leva med tickande oro? Om Tomas och hon kunde dela den där ängslan. Men Maj tål inte se oron hos Tomas. Var stark! Var lugn! Var trygg! Vad ska man sitta samman med sin oro för? Dystergök, döderhök. Så heter det väl inte? Vad bryr Maj sig om uttryck och ordstäv. De dör och Maj måste leva vidare.

JA, HUR OCKSÅ hans mamma dör den här våren, några månader efter det att Tea talat om för Tomas att hon fått sin dom. Förvånar det honom att Maj tar sig sådan tid att besöka Tea på lasarettet? Går upp med kaffebröd, kokar skära karameller, som Tea vill ha trots att hon tappar sin aptit. Ja, hur Maj kan vara upprörd över sköterskors slarv eller hur hon nitiskt ifrågasätter överläkarens förmåga att ställa diagnoser. Men inte heller Tomas undkommer alltså på nära håll sjukdom, hotande död. Martins hjälplösa ansikte… *det finns ingen rättvisa, bara slump,* och Tea som fått så många år, så många överlevande barn, men hon är Tomas mor och nu dör hon. Enas man om att det var *barmhärtigt att hon slapp långvarigt lidande.* Ja, försvinna in i morfinrus, förlora tankens klarhet, bluddra, bli grov. Vad blir det av Eivor? Ska Tomas erbjuda henne arbete hos dem, skulle hon vilja det, fast nej, Eivor får det inte riktigt ur sig, men kanske kommer hon att flytta till Härnösand. Tomas ser plötsligt hennes krokiga fingrar, har Eivor fyllt sextio eller är hon närmare femtiofem? Han måste se till att Eivor får det hon ska ha efter mamma.

Lasse håller för öronen när de ska berätta att farmor har gått bort. Anita nickar allvarligt, borde han säga att mormor, morfar, farmor och Vera får träffas i himlen? Är det en tröst? Han som inte tror.

Nej, men inte ännu en begravning. Fast syskonen bidrar alla på sitt sätt. Eivor går motvilligt med på att bara närvara, inte servera och ordna om kaffet och gravölet. Känner han sig fri? Han vet inte. Hennes blick, hennes kärlek, hennes rädsla för hans fall... har han det inte för alltid inpräntat? Hur Tomas delar syskonens och Eivors vilja att ordna det som deras mamma skulle önskat. *Hennes ansikte mot kvällssolen när han som sjuttonåring rodde henne ut i ekan. Den grårosa klänningen mot hennes solbrända hud. Håret ännu inte helt grått, fortfarande många mörkt bruna strån. Varför skulle hon slå upp ögonen och säga: Du kommer väl aldrig att göra mig besviken?*

HON SER DEM lägga ut, puttra iväg. Så glada de tycks henne. Vackra! Saradagen ska ju firas hos Eva, och Maj har svårt att utebli för en vanlig badutflykt till Ön. Men är det inte så att hon hade följt med dem om de bara bett en gång till? Då hade hon haft överseende med oron på det guppande havet – Lasse som ska vingla i båten och Tomas som tycker om att låta motorn gå för fullt på öppet hav. Hon har ju ändå gjort sällskap med dem ner till bryggan, med kaffekorg, smörgåspaket, mjuk kryddkaka och vetelängd. Vinkar. Men de vänder sig ganska snabbt i riktning mot Ön, där de ska tillbringa dagen i bästa badviken beroende på vindriktning och solens läge på himmelen. Kommer ni hem till middagen, ropar hon högt efter dem, och bara Anita vänder sig hastigt om och vinkar. Vad ska en mor göra när hon har huset för sig själv? Tvätta småtvätt? Utmärkt torkväder. Bädda rent? Ja, över fjorton dagar har lakanen legat i. Bouppteckningen efter tant i våras... Tomas for illa av den. Tants andel av sommarhuset... Maj la sig förstås inte i. Men i slutändan blev det nog så att Tomas betalade i överkant. *Måste inte det mest älskade barnet göra så?* Ja, för att få lantstället som enskild egendom så att inte övriga syskon skulle ha dispositionsrätt till nedervåningen. Maj sa nej. Hon håller visst av alla svägerskor och svågrar men hur ska man dra en gräns? Kusiner och deras barn? Ha pensionatsverksamhet och organisera hur en hel släkt ska komma och gå lite hur som helst och när de vill. De är ju inte lottlösa i övrigt. Om Maj bara hade fått... nog skulle hon kunna lägga fram synpunkter som ingen annan tagit i beaktande. Räkna på ett och annat. *Du som var så dum i räkning.* Var Maj det? När hon tycker att det är så lustfyllt att se pengar öka i värde. En fast egendom till exempel. Men att Tomas knappast tog upp husets värdeminskning ifråga om eftersatt underhåll. Att frivilligt betala i överkant, *för att slippa bråk,* det tycker Maj är att gå för långt i generositet. Tant har ju inte kostat på huset någonting! Men en del lösöre blev det efter tant, när syskonen tagit sådant med stort affektionsvärde. Ganska mycket var skrivet i testamentet – så typiskt tant. Och Tomas fick servisen. Att tant trots allt indirekt accepterade att Maj fick den måste ändå betyda att tant tyckte *att Maj var den värdig.* Inte sant? Den där servisen det var så mycket prat om jämt. En hel del av sommarhusets lösöre fick de ju också *ta rätt på.* Som den här stora skänken, eller byrån, med lakan och sänglinne, i så stora tröga lådor att de alltid hakar fast när Maj ska skjuta in dem igen. Hon vet ju att lakanen är rena, eftersom Eivor och hon har tvättat allt linne varje försommar, *såg ni inte bara till att det hämtades till Järveds tvätteri?* Så kanske det var. Men också det ska skötas om.

Vad vill Maj – den här barnfria dagen i slutet av juli, timmarna innan hon ska gå över till Eva? Åh... Baka? Inte när solen ligger på i köket. Sola? Inte tålamod. Städa? För all del – men det *är* varmt. Läsa veckotidningar? Bläddra lite hastigt. Planera middagsmat? Det ingår i dagsverket. Rensa ogräs? Jo – hon knyter en scarf över håret och går ut i sina shorts och kortärmad blus och rensar. Så tillfredsställande – att se omedelbart resultat. Vinbären som börjar rodna. Kunde de inte bett bara en gång till att hon skulle komma med ut på sjön.

Inte i shorts till svägerskorna. Hon har blaskat av sig vid tvättfatet i sängkammaren, och byter till småmönstrad klänning och slejfskor. Fäster sorgbandet... *både Vera och tant.* Men inget helsvart, även om Titti och systrarna kanske fortfarande klär sig så. Tant var ju inte Majs mamma. Hon ordnar hjälpligt till håret, bättrar färgen på läpparna. En bukett ska hon plocka med sig, mer behövs inte för ett namnsdagskaffe, och nu måste hon raska sig så hon slipper springa i högklackat för att inte komma sent. Men när hon snabbt ska ta trappan ner vinglar hon till, får in klacken under ripsmattan och vänder sig halvt för att komma loss – djävlar också! – *hon faller handlöst, med ryggen först utför trappan.* Hon får tag i räcket samma sekund som hon ser framför sig hur hon dråsar baklänges nerför, *blir liggande längst ner med knäckt nacke.* Pulsen som dundrar. Sedan hela kroppen lös. Larvigt kraftlös. Hon kniper ögonen, ja, det svartnar faktiskt. Grimaserar hon ofrivilligt? Biter sig i underläppen. Det gör så fruktansvärt ont i benet. Som ett skärsår, djupt och vasst ristat i skinnet under strumpan. *Om hon slapp se efter.* Hon jämrar sig, kvider till för att bli fri från smärtan. De båda händerna som krampaktigt griper om ledstången. *Du klarade dig från fallet.* Har axeln hoppat ur led? Nej, det är vaden. Skenbenet som bränner. *Utav bara helvete.* Svär inte! Hon måste ju ha rivit sig på något vasst. Pumpas blod ut genom den ljusa silkesstrumpan? Så hjärtat hamrar, dunkar, slår – och de slappa benen som högst ovilligt tänker ta henne vidare. Hon måste sätta sig till rätta just där, högt upp på ett trappsteg. Långsamt och lätt vridande sträcka ut vaden, se efter. Strumpan upprispad. Men inte röd. *Om du inte fått tag i ledstången.* De höga klackarna. Hon törs inte ställa sig upp här. Om hon skulle svimma. Tappa balansen på nytt. Ingen hemma. *Du måste trä av strumpan och undersöka såret.* Borde hon inte haka loss skon också? Fast vristen, vristen kan hon vrida, flexa fram och tillbaka. Rev hon sig på en nubb? Mattan i övre hallen i oordning. Hon hasar nerför trappstegen på stjärten, blir kort och hastigt full i skratt – om någon kom och såg henne så här – som om hon skulle åka kana utför. Hon hasar vidare. Drar sig upp till stående igen. Det går att stödja på benet. Axeln ömmande. Hon linkar långsamt ut till köket, skopar kallvatten i ett glas – det är inte riktigt friskt, gott – mer ljummet, svagt dyigt, med ett stänk av järn. Sedan tar hon kökshandduken och torkar inbillad eller verklig svett ur pannan. Att behöva be Tomas om pengar till nya strumpor, igen. Den revan går ju inte att laga. Hon lossar strumpebandet från korsettens hållare, rullar ner. *Om hon legat i hallen svårt skadad, utan att någon visste om att hon var här, i dödsryckningar. Tomas, nej Lasse springer först in, Anita efter* – hon ger sig själv ett hårt slag. På kinden. Sjunker ner på stolen. Fast hjärtats hamrande – och huden är verkligen ordentligt avskavd vid skenbenet. Men bara kraftigt rött och redan svullet, inget blod. Vita fransiga flagor av hud. Det går nästan att se hur det sväller upp. Borde hon utebli från kafferepet? *Nej, nu ger du dig av på tårtkalas i fruntimmersveckan. Ingenting är ju brutet.* Fast hon kan inte gå dit i trasiga strumpor.

Se hur de reser sig och välkomnar dig, Maj! Smet Tomas och barna – de skrattar – inte smiter någon frivilligt från jordgubbstårta och wienerkrans – mår du bra, Maj? – nu kan hon vara uppriktig – jag föll i trappan och jag vet inte vad det är när jag får sådan yrsel – sådan yrsel de har sedan, svägerskorna, men det är övergångsåldern – fast när Maj visar fram sitt trots allt otäcka skrapsår, då ojar de sig. Det där gjorde ont, säger Eva generöst, snavade du på mattan? Man kan förstås inte vara utan hemmets textilier, men sladdriga bomullsmattor är förrädiska. De tycker att Maj måste gå till doktorn på kontroll. Är det en tumör, säger Nina torrt, ja Nina känner sig kanske manad att ersätta tant som vass sanningssägare. Prata inte om tumörer, säger Julia och Nina svarar att hon inte kan låta bli eftersom hon vet hur yr mamma blev mot slutet, och så sa vi bara att det var nerver. Mamma, säger Julia då, vi tänker på dig och Titti är tvungen att torka en tår med den fint hålsömsbroderade kaffeservetten. Man var så less på henne och nu grinar jag ändå, säger hon med ett skratt – jo, det är väl ingen direkt hemlighet att hon kunde vara besvärlig. Fru Jansson tyckte att tant Tea var underbar att arbeta för, säger Maj – lite oväntat också för henne själv. Jag är visst mer krävande.

Nu doppar de och Maj får mest höra hur fint Gunilla och Marianne klarar sig på stenografikursen och Lennart och Hedvig, ja frågan är om vi inte har tillökning snart, Bertil är så fin på backhoppning – hemska sport – varför ska de ha en hoppbacke i Örnsköldsvik, är det utförsåkning står de i alla fall med fötterna på snön. Ellen och Henrik gör väl också nya framsteg, *på sina arenor,* och husmorsföreningen vill gärna ha fler medlemmar Maj, kan du inte komma med? Hur ska hon förklara att hon saknar talang för föreningsliv? Så rädd att bli tillfrågad om mer ansvarsfulla uppgifter och avslöja sig dum. Stavning, räkenskaper – bara jag får ordning på yrseln, säger hon – det vore fel av mig att ta på mig något utan att vara riktigt kurant. Så sant, nickar Julia, man ska inte dra på sig mer än man orkar med. Julia, som bara har kraft för sina blommor.

Klockan är ganska mycket när hon är tillbaka i det tomma huset. Benet... Ja, det gör faktiskt riktigt ont. Hon sopar ändå köksbron och verandan ren från björkfrön och går även över balkongen där uppe. Fågelbajs på räcket måste torkas bort – svårborttaget blått av blåbär – blåbär, att hon inte tar sig ut och plockar, *du är ju dålig Maj, föll i trappan, om du ensam i skogen...* nej, det är bäst hon riktar in sig på middagsmat och plock. Så många ljud. När det blåser opp. *Är det tants smygande genom salongen?* Vad löjlig hon är. Hjärtat som rusar till, skenar iväg. Som på nätterna. Hjärtats ursinniga hamrande om nätterna. När hon inte kan sova. Hon går mycket sakta nerför trappan nu, griper om ledstången och det är klart att det bara är korsdraget. Över fem och hon har inte borstat potatis. Vad ska hon egentligen bjuda på idag? Kooperativa förbundets kokbok. Så behändig egentligen. Rediga, rimliga recept till bra pris. När Prinsessornas far iväg i överdåd. Fast kräftsoppa, det vore väl något att bjuda på i augusti? Det borde hon skriva upp. Anna och Bertil på kräftsoppa och lite annat smått och gott. Kantareller! Till små fina biffar av kalvfärs? *Chateaubriand!* Hjärtat lugnar sig en aning. Pickar mera ivrigt, mindre skrämt. Fast nog måste hon ha middagen klar när de kommer och de borde vara här vilken sekund som helst. Fläskkotletter vore gott idag, men det har hon ju inte hemma. Makaronipudding. Utmärkt, då går både korvbiten och det salta fläsket åt. *Det är bättre att vattna ur en för salt skinka, än att salta den så litet, att den ej behöver vattnas ur, utan istället surnar. Minns du det, Maj? Jag är väl inte rädd saltet!*

Mjölk som ska kokas upp utan att brännas, *då får du vila benet, bara stå där vid spisen och vänta,* ja sedan makaroner som ska svälla däri, vad är klockan, en pudding är inte gjord i en handvändning. Lite obetänksamt med ugnslåda i värmen. Små, små tärningar av fläsk och korv, som måste få lite färg i stekpannan, ja men man kan väl inte säga att stekt fläsk luktar illa, ägg, riven ost, salt och peppar och nu vet hon att hon måste smörja formen ända upp annars blir det så svårdiskat sedan. Hur mycket disk blev det inte av den här *läckra puddingen.* Bunkar, byttor, slevar, vispar, mått. Duka här i köket – borde byta bordsduken – ibland saknar hon köket där uppe. En övervåning har ju trots allt alltid trevligare ljus. Var är de? Inte för att puddingen kommer att vara färdig före sex, men att de inte ens syns till ute på havet? Halv sju har puddingen ännu inte riktigt stelnat i mitten, men den är vackert gyllenbrun på ytan och en pikant doft av gratinerad ost. *Har det hänt dem något?* Den får täckas med en plåt och vila på eftervärme, medan Maj slår sig ner på verandan och spejar mot Ön. Nu är hjärtat otäckt igen. Till sju kan hon sitta, sedan äter hon. Det är nedrigt att inte passa mattider. Blåser det? Går vita gäss? *Gå i matkällaren efter lingon.* Men i den jordluktande svalkan finns inga fjolårets lingonburkar kvar. Så typiskt.

Halv åtta. Ännu ljust. Varmt, här i kvällssolen. Hon har ätit. Varit två gånger till bryggan, fast benet ömmar. Telefonerat till Titti. Om bara Georg varit hemma skulle Titti ha skickat ut honom på sjön. *Var är ni? Jag älskar er!* Säger hon så – rätt ut i sommarkvällen – förbannat farliga vind!

DEN ÄNNU VARMA, låga kvällssolen. Barnen som far upp och ner ur vattnet - leker - ja, de har byggt en hel stad också, gångar, kanaler, Tomas skärmar av med handen, Lasse dyker upp genom vattenytan för att hämta luft, sedan Anita. Är det för att Maj är kvar hemma allt känns så… fridfullt? Det blir en annan oro när hon är med. För hon vill för det mesta ganska snabbt fara hem. Hon har ju mattiderna över sig. Han klandrar henne inte! Eller? Klart att de måste vara hemma i tid så att hon hinner med. Och idag… det gör väl inget om de kommer sent till maten när det är en osedvanligt fin sommardag. Så blåsigt och kallt och småtrist som det faktiskt kan vara. Det blåser här också, men pålandsvinden gör ju vattnet härligt ljumt. Och i den lena sanden är blåsten inget otyg. Jo, nu kommer de drypande upp, brunbrända och blå om läpparna. Nu måste vi, säger Tomas lamt. Mamma har maten – bara ett dopp till vädjar Anita och så kastar de sig åter i. Inga fler dopp för honom, trots att de tjatar, för nu fryser han, ja det ömmar i knäskålarna på ett sätt det inte gjort förr. Men det är fint så man kan grina. Har inte Tomas tusen saker att tänka på? Jo. Men arbetet är där det är. På kontoret. Får han inte sådana dagar som idag om sommaren så… Att vara del av *elementen*. Kommer Anita och Lasse få vara i världen också *i framtiden?* Eller kan allt bara utplånas, ta slut? Det är hastigt fladdrande tankar. När det mesta från år till år är sig någorlunda likt här i landet. Som sandviken i solnedgång. Var han av annat virke skulle han kanske gått in för det politiska. Men han skulle utmanövreras meddetsamma. Det är ju bara det höga inom honom som skulle klara en verklig insats. Det låga… eller kanske det *sanna,* vill bara vara här. På Ön. Maj och barnen då? Nej, de skulle inte få plats i hans liv här ute. De kräver annat. Som han inte heller vill vara utan.

På plats i båten huttrar Anita och Lasse, omsvepta i badkappor och med filten över sina knän. De mumsar på de sista bitarna av vetelängden. Och ljuset! Men är det redan höst i vinden? Nog hinner de fara ut någon gång mer i sommar. Han sveper blicken över stranden, kan vi åka imorgon igen, undrar Anita, vi måste höra med mamma, säger han, om mamma har något annat bestämt. Sedan tystnar de i snurrans stötvisa jakt över fjärden. Nu måste de skynda sig hem.

De skuttar i förväg, Tomas tar ryggsäcken, filten, bara en kort stund på bryggan med pipan. Kollar tamparna, drar till, Lasse är duktig när han försöker med knoparna, men hans händer är fortfarande små. Svalorna flyger så högt, mellanlandar då och då under sjöbodens nock med ett svirr. Precisionen! Då kanske de kan fara ut imorgon också. Och han går mot huset, känns det ändå lite av höst? Nej, inte ännu. Men Anita sitter på verandan, fortfarande i badkappa, när han kommer upp. Hur är det, säger han, ska du inte ha någon mat? Hon skakar på huvudet, mamma ligger redan, han kränger av sig ryggsäcken, fan också, hallå ropar han in i huset utan att få svar. Lasse är i köket och slår i skafferidörren, var är mamma, frågar Tomas, uppe, säger Lasse, jag vill ha mat, Tomas tar trapporna upp, kammardörren stängd. Måste han knacka? Han får inget svar. Hon ligger på sängen, låtsas inte sova men har rullgardinen nerdragen. Är du sjuk, frågar han, hör hur det blir anklagande, ja, han vill anklaga, hur är det, upprepar han när han inte får svar.

Jag föll i trappan, säger Maj, ändå gick jag till Eva. Och sedan linkade jag så snabbt jag kunde hem för att ha mat åt er. Jag fick inte tag på någon som kunde fara ut och leta. Och så kommer barna och säger att ni har haft det underbart, utan tanke på hur jag har haft det här. Det finns makaronipudding som ni kan göra vad ni vill med. Jag kommer inte ner.

Men Maj, de hade det verkligen fint, de grävde och byggde och badade… jag trodde du förstod att vi skulle vara ute en stund när det var så fint väder. Maj lägger sig på sidan, med ansiktet in mot väggen. Om du inte begriper kan jag inte heller förklara, säger hon lågt, men han kan ändå uppfatta orden. Snälla du, försöker han, sedan går han nerför trappan.

De äter maten kall, klockan är snart halv tio. Mamma hade känt sig dålig idag, säger Tomas mellan tuggorna, han har inte hittat någon lingonsylt och törs inte gå upp för att fråga.

ÄR DET IDAG sommaren tar slut? Nej, men om en vecka börjar skolan, och Maj har sagt att hon vill flytta in till stan redan på onsdag. Han har förhalat... behöver de fem dagars förberedelse i lägenheten? Men han får ingenting gjort här ute heller. Hur kan en hel förmiddag försvinna utan att man får något enda litet uträttat? Och nu ska Maj iväg på sin damlunch. Klart att han unnar henne det. Få gå bort utan barn. Till Kallanders sonhustru, det är via Titti hon har blivit introducerad för henne och nu har hon sprungit i bäddkappan hela morgonen och velat ha hans åsikt om hur hon ska vara klädd. Något märkvärdigt skimmer, kring sonhustrun särskilt, Tomas har kanske inte riktigt hört på när Maj har berättat. Hon ska visst vara så ovanligt elegant, men de har lantställe ända bort på Nötbolandet, utåt Gullvik, och Titti ska köra bilen hela långa vägen över stan idag. Maj vill inte fara i båten. Inte är det Majs fel att han har låtit bli färgpytsarna. Inte bytt om till målarställ – det rör sig bara om det omålade räcket till nya balkongen, men det såg verkligen oroande grått ut imorse. Den här blåsten. Och det får inte vara fukt i virket. Men oredan i sjöboden. Att få ordna om och rätta till. I sjöbodar, verkstäder och garage. Där en man kan få ha sina saker i fred. Som om han inte märker hur Maj ändrar ordningen vid skrivbordet när hon är där och dammar. Det gör inget. Men sjöboden låter hon vara. Idag skulle han börja där. Han skulle ha satt igång redan till midsommar, men när allt annat... har tagit och krävt sitt av honom. Det blev mer arbete än väntat på firman. Ja, en lite trasslig affär också, som väl redde ut sig till sist. Och han har visst hört hur

Maj i förbifarten talar om vad som är nytt och påkostat hos andra. Hos Titti och Georg, till exempel. Eller bara en nytjärad brygga hos Pettersons. Det kan också vara omslipade golv, solkiga tapeter som spacklats över och täckts med färg eller nya våder. Aldrig att Tomas skulle säga *se dig om efter en annan karl då.* Men just nu, i handfallenheten här i sjöbodens dunkel, ilar tanken ändå upp från magtraktens sveda. *Se dig om.* Känner han leda inför det gamla huset vid havet? Nej, han håller verkligen av det. Som plats betraktat. Inte tänker han så särskilt på mörkare skavmärken på dörrposter, foder och lister. Flagnade fönsterbågar, repiga golv. Om han inte blir påmind, uppmanad att se just detta *förfall.* Att balkongräcket inte ska stå omålat över vintern begriper han förstås, men att ständigt reparera här ute när de har en alldeles nybyggd våning i stan.

Maj förklarar och förklarar att det har med hygienen att göra. Att efter en viss tids slitage kan man inte längre med mekanisk rengöring åstadkomma tillfredsställande resultat. Då måste man byta ut. Där! Regndropparnas runda ringar på vattenytan. Han går ut på bryggan, det är ännu bara milt strilande. Men då gjorde han rätt i att låta målningen vara på morgonen. Tomas! Majs röst. Tomas! Han kliver fram från baksidan av boden. Jag kommer, ropar han, lite vresigare än det var tänkt. På stigen upp mot huset kan han inte märka av något regn. Hon står på altanen, i kjol, blus och dräktjacka, ljusa handskar till. Han ska säga att det blir bra så där, med kläderna, vad gör du, frågar hon då, *ifrågasättande,* röjer i sjöbon, svarar han. Han ska. Nu blir han ju avbruten. Anita och Lasse sitter med en kortlek vid verandabordet, anklagar Anita Lasse för fusk? Han tycks försvara sig, högljutt och Maj avbryter dem, ni får kräm och smörgås till lunch, jag kan ju inte gå bort och lukta stekt strömming.

Just idag vill inte Tomas vara ensam med barnen. Inte när molandet – att han inte har fått något gjort. Om Maj var hemma skulle sjöboden vara rensad till ikväll. Är det inte lite udda att bjuda på damlunch en söndag? En brasa för all bråten. Lasse spiller på sin ljusgröna skjorta, rödvinbärskräm, kan han ta med barnen till Fanny Dalén i Skeppsmaln? Han har lovat att titta förbi i sommar, och nu är sommaren slut. Nästan. Ska vi ta och fara till Skagshamn, säger han och brer ännu en spisbrödssmörgås. Fortfarande blir båda entusiastiska inför en biltur. Och det är ju ändå inget badväder. Maj skulle bli oändligt glad om de gav sig ut för att plocka blåbär eller kantareller... men det kan komma kraftigare skurar. Bättre med en biltur då, att de alla tre kan sitta tysta och se ut. Stillas inte rastlösheten bakom ratten? Jo, att hålla händer i styr, blicken på vägen. Unnar han inte Maj att gå bort? Jo. Bara inte just idag, när det känns så... en blåsig augustisöndag då sommarens avräkning är här. När det mest bara blivit plats för festligheter och pliktfyllt umgänge. Så få lediga söndagar under en sommar. Hur många sommarsöndagar har han kvar, *i sitt liv?* Är det bara åldern, den här tröttheten i armarna, att han inte har ork att få något gjort. Nu räcker Anita ut tungan åt Lasse. Tomas reser sig, samlar ihop djuptallrikar och smörgåsassietter, staplar på bänken i köket. Majs allt tydligare veck mellan ögonbrynen när hon undrar vad han hunnit med. Är det nu han skulle behöva plats för en hobby? Högre värden? Leken, spelet, den lustfyllda andligheten, ja det *spirituella? Som Bjerre sa.* Kanske har han inte sörjt mamma. Bara låtit henne gå i jorden utan åthävor. De var inte så många på begravningen i aprilmodden. Fast han lovade att hålla kontakt med Fanny Dalén som bor sommartid ute i Skeppsmaln. Och om han har barnen med blir det till en ursäkt att inte dröja sig kvar för länge. Spank! Kottar mot köksingångens plåttak. Då är det höst. Oroande sus i björk, asp och al. Han tar vatten ur spannen och fuktar en trasa att gnugga bort fläcken från Lasses skjortbröst. Torka mun och händer så far vi! Snart ska Lasse börja skolan också. Ja, om ett år. Han har ju inte tålamodet att sitta still. Anita är flicka, henne passar det att knepa och knåpa koncentrerat vid en skolbänk. *Som du?* Ja, för all del. Lasse bräs kanske mer på Maj.

Renfanan som svartnat, björken på sina ställen gul. De bråkar i baksätet. Ett revir som överträds – sluta, ropar Anita – aj! – hon sparkade mig – nu lugnar ni er, säger Tomas så skarpt han kan, Anita du är stor och Lasse låter bli! Men... protesterar Lasse. Ska vi vända hem direkt? Neej, ropar de i kör. Det är sydostlig vind. Stark, ännu någorlunda varm. Vad gör han om de börjar bråka hos Fanny? Ju närmare Skeppsmaln, desto mer tvekan. Fanny är kanske inte hemma en söndag så här. Och som det friskar i här ute! Barnen vill förstås ut på klipporna vid fyrvaktarbostaden. Modernt byggd. Kanske Lasse måste få rasa av sig, men väl uppe efter den branta backen tycks båda tagna av vinden. Tomas – en kort stund lugn. Han slår sig ner, svårt att få fyr på cigarretten. Pipan blev kvar hemma. Kanske behövde han bara komma hit och se havet. Utomskärs. De leker en stund, sams. Runt två är det väl lämpligt att knacka på. Säga att de hade vägarna förbi. För mammas skull. *Vi är lika ensamma, Fanny och jag.* Var mamma verkligen ensam? Hur skulle han ha hunnit besöka henne oftare på slutet? Nu vill de inte sluta leka. De samlar pinnar, bygger något slags koja. En liten stund till då. Sedan måste de gå. Anita smyger sin hand i hans, Lasse kutar före i backen. Hur farten ökar, de bara knäna i kortbyxorna, om han faller här, men nej, han står stilla och andas hastigt vid backslutet. Vilken fart, säger Tomas, Lasse nickar.

Fru Dalén är faktiskt ute på gården. Men är där en hastig grimas innan hon torkar av händerna mot förklädet – har vi storfrämmande idag, det var ju inte så Tomas menade, bara att få bocka av, innan sommaren ger sig – vi skulle ju träffas i sommar och nu har vi snart hösten... Och barnen, plötsligt blyga, tar motvilligt Fanny i hand, Anita knuffar Lasse framför sig upp på bron när de blir inbjudna, ni ska väl ha kaffe när ni kommit så långt ifrån – för blåsigt att sitta ute och Anitas och Lasses slängiga ben och armar tycks växa flera meter så snart de har placerats i fru Fannys finrum – akta, får Tomas säga om allt, porslinspjäser, snäckor, blomkrukor, dukar, piedestaler, mattor, tofsfransade draperier... Och Fanny är ingen ungdom, hon är tvungen att hålla sig i karmar och annat när hon går in till köket, där hon blir kvar en lång stund. Han måste låta barnen gå ut igen, undersöka den lilla trädgården med sitt vindpinade äppelträd och bärbuskar. Se er för bara, kliv inte i rabatten och plocka inte blommor, det är märkligt med de här rummen, pendylen, gardinerna, byffé och rakryggad ottoman – ändå ingen plats för en människa? Likadant i mammas finrum. På sitt sätt är det väl trivsamt här. Men i ett kök kan man vila armbågarna mot bordsskivan utan att en duk rivs ner – kan han plötsligt förstå Majs nervösa oro när barnen skulle vara med och doppa hos mamma? Rädslan för spill, kladd, oreda?

Nu kommer Fanny med fullastad bricka. Säger att hon ju har en jänta till hjälp men att hon fick ledigt den här söndagen – Anita och Lasse syns inte till, han måste resa sig för att ropa på dem – jo de kommer lommande, Anita håller hårt i Lasses hand.

Så fastnar de i blåsten. Som samtalsämne. Om det är verkliga höststormar på ingång eller bara vanligt väderomslag. Lasse och Anita staplar kakor på hög på sina tunna porslinsfat – jag ska ha husmorsföreningen på kaffe på tisdag, så det är alldeles färskt – ta för er, var så goda, säger Fanny roat – och Anita går över kakfatet en omgång till, bara rullrånen hoppar hon över, men Tomas tar artigt ett till sitt fat. Om han inte var så trött. Nu minns han inte vad Fannys söner heter, eller var de bosatt sig fast Fanny påminde honom på begravningen. Linköping? Gävle-Sandviken? Fanny erbjuder honom en cigarrett. Tea och jag brukade få var sin till kaffet, skrattar hon. Ja, och gärna en liten cognac. Så hejdar hon sig – vet hon om? Klart att mamma har berättat. För sin närmsta väninna.

En cognac till kvällen är väl tant väl unt, säger Tomas högt och artikulerat – bara för att rädda situationen, låtsas att Fanny är gammal och gaggig – och kanske är det i den uppstådda förlägenheten Fanny bjuder kakfatet runt en gång till. Och Anita fyller assietten igen! Anita, vill han säga, det är ju inte meningen att länsa faten. Lasse orkar visst inte mer, han har halkat ner på ottomanen, kaksmulor rasar utför hans fläckade skjortbröst – inte fick Tomas bort det röda – att de bara trängde sig in och tog för sig – glaset sträcker han mot karaffen när han hasat sig på plats – nykokt svartvinbärssaft, informerar Fanny – Anita ser ut som om hon aldrig fått mat förr och Tomas låter lamt Fanny fylla hans tomma kopp.

Maj och jag måste få bjuda Fanny på lunch eller kaffe – fast Maj tycker inte om Fanny, tror att mamma har talat illa om Maj med henne, påstår att Fanny har ett ont öga – ja, det är ju därför Tomas bestämde sig för att åka hit just idag – Anitas kakhög tar aldrig slut – hur många kakor – tjugo, trettio – nog för att Tomas tycker om kaffebröd, men nu skäms han, det är ju ingen rim och reson – fast Fanny fortsätter att le mot Anita – bara inte Fanny bjuder från fatet en fjärde gång. Vi ska väl ta och fara hem till mamma, säger Tomas dröjande och otåligt på samma gång och Anita bara mumsar. Märker hon inte hur hon är den enda här som stoppar i sig?

Vad du doppa, säger han snäsigt när han backar ut. Har inte mamma lärt dig att det inte är meningen att ta om varje gång man blir tillfrågad. I backspegeln ser han henne ruska på huvudet. Men Lasse säger att det är fjantigt att fråga om man inte får ta. Knäppt. Ja, det är knäppt svarar Tomas, men det är som det är. Nu blundar Anita. Och ansiktets ryckningar – nej han måste hålla blicken på vägen. De är alldeles tysta där bak. Nu vet ni i alla fall, säger han och försöker med ett skratt. Anita svarar inte. Måste han inte fråga Maj om hon alltid doppar så där? Det kan ju inte heller vara sunt. Maj har förstås inte kommit hem. Fan! *Lugna ner dig.* Fan!

Anita blir kvar på sitt rum. Han kan väl inte börja med kvällsmat? Nog har Maj tänkt ut något till dem? Så jädrans klantigt att bråka om bullfatet. Men det där glupskt måttlösa… inte kan han lämna dem ensamma i huset heller. Han vill gå! Långa rundan. Den knappa milen. Nog för att Anita borde vara stor nog att ta hand om Lasse ett par timmar. *Gå upp och krama om henne.*

När Maj kommer är hon inte riktigt nykter. Inte berusad. Det har väl bjudits något till kaffet – vad vet Tomas om damlunchers drycker? Klockan är halv sex. Drygt. Barnen har inte tiggt om mat. Inte efter den kakfesten. Men Tomas har skrubbat tunnskaliga potatisar och slagits av hur snabbt knogarna började värka i det kalla vattnet. Sedan – skulle de ha stekt korv eller sidfläsk och stuvat späda morötter? Hur har Maj tänkt egentligen.

Åh – vi blev så flott bjudna, säger Maj upprymt och han går efter henne uppför trappan till kammaren. Hur blir det med middagsmaten, säger han – så trist han låter – det är för sent att måla nu för snart faller daggen – dräktjackan på galgen – hon låter honom stå i dörröppningen och se på – blusen – kliver ur kjolen – ska han bli kåt nu också bara för att han är en karl som ser en kvinna klä av sig – nej, men kanske för att hon plötsligt oblygt låter honom se på. Som en *mogen* kvinna. Han ska inte säga något. Bara titta. Hur hon rullar ner silkesstrumporna, ber om hjälp att knäppa upp korsetten. Är hon helt oberörd av att han är där? Hon tar en behå ur byrålådan, en enklare solklänning, kofta. Ah, pustar hon. Gud så skönt att få byta om. Säger att hon inte törs hänga dräkten och sidenblusen på stången på balkongen när det stormar. Men det har nog mojnat, invänder han. Han är tacksam över att hon inte påpekar träräckets utsatthet för väta och vind. Tänk om de bara sköt igen sängkammardörren och dråsade ner... Vi fick kantarellstuvning och smörstekt franska, sedan en väldigt trevlig låda med... rökt sik och purjolök, potatis, ja och så baba au rhum med fruktkompott och grädde, det var starkt, men ja... hon hejdar sig, nej han kan för fan inte äta baba au rhum, vi var sex damer fortsätter hon, och de bor inte så märkvärdigt, mindre än här nu när vi har bägge våningsplanen, fast nybyggt, i ett plan och stor öppen spis och ett enormt fönster i stora rummet... Han avbryter henne med att fråga hur mycket Anita brukar doppa när hon följer Maj bort på kaffe.

Va? Maj hejdar sig. Varför frågar du om det? För hon skämde ut oss – oss? – hos Fanny Dalén idag. Tog väl en trettio kakor, alla gånger. Det är inte riktigt meningen att låta triumferande arg. Men när han nu bara söker stöd och förståelse hos sin fru – hon kan väl inte mena att man kan låta flickan äta ohämmat när hon är bortbjuden – det skulle aldrig mamma ha gått med på – jag har aldrig märkt att Anita doppar mer än andra. Hon är då inte fet, bryter Maj av. Utan ett ord tränger hon sig förbi honom i dörröppningen och går nerför trappan. Till mammas större kök där de numera tillagar sina måltider. Det handlar väl inte om det, vill han skrika efter henne. Och just där och då tar han beslutet att gå sin väg. *För alltid?* Nej, för tusan. Eller? Bara promenaden. När han nu har *gjort bort sig igen.* Han säger inte hej när han skjuter till ytterdörren. Mot Stubbsand och kanske längre ändå. Han kan vandra tills det skymmer. Fast det är myggigt i skogen.

NU MÅSTE MAJ ta till orda. Ska Anita sättas på någon form av diet? Om någon ska ha synpunkter på Anitas figur så är det väl i alla fall Maj, som mor? Kunde han inte ha hämtat in mer färskvatten. Ska hon tvunget ut till pumpen? Tomas, ropar hon, men får inget svar. Två spannar, för balansen. Diska undan efter lunchen innan maten. Som reflex, reptil? Men potatisar har han oväntat borstat men inte riktigt täckt med kallvatten. Nåja, nästan. Stekta inlagda strömmingsflundror tillhör inte barnens bästa – inte dillkött heller. Men det är söndag och dillkött får det bli. Hon förberedde faktiskt middagen redan imorse, ska bara smaka av såsen nu. Nog kunde han ha kokat potatisen och värmt köttet så de fått middag klockan fem. *Hade du verkligen väntat dig det av din make?* Hon är ju inte alls hungrig. En aning ättika, en nypa socker. Borde hon hackat dillen finare? Så Tomas skäms över Anita. Som bara gjort som hon ska och doppat flitigt. Var håller de hus förresten, Anita och Lasse? Hon går uppför trappan, knackar nätt på Anitas dörr. Hon sitter vid skrivbordet, ritar. Isprinsessor, med muff och korta volangkjolar som visar benens position och piruetter. Vad duktig du är, säger Maj. Har ni haft det bra idag? Anita rycker på axlarna och Maj fortsätter utfrågningen – var ni till farmors väninna i Skeppsmaln? Fick ni saft? Nej, Anita svarar inte. Bry dig inte om vad pappa säger. Jo, så uttrycker sig Maj – visst förstår Anita vad hon menar? *Att han skulle ta ifrån henne glädjen att smaka andras kakor.*

Ingen av dem tar rikligt av dillköttet. Alla tre petar de bland potatis och morötter, mjölkig sås, trasslig dill och trådiga köttärningar. Vart for pappa då, suckar Maj och känner en lätt huvudvärk smyga sig på. Det är inte bara att festa loss en augustisöndag redan till lunch. Man ska orka ha mat på kvällen också. Baba au rhum. Hon tackade inte nej till hallonlikören fru Kallander gjort själv och bjöd på till kaffet. Den kunde visst ha dragit lite till, men ändå. Nu är det huvudvärk och Tomas är försvunnen utan ett ord. Ska vi ta ett kvällsdopp, säger Maj då – bara för att göra deras trumpna ansikten som hänger ner över pärer och kött lite gladare. Det har effekt. Jaa – ropar de – tittar fnissande på varandra – som var de små igen, inte skolbarn – ta på badkläder då medan jag diskar bort – så långt kan hon inte gå att hon låter bli att diska bort – men Tomas tomma tallrik tar hon undan.

Badkappor, baddräkt. Inte har hon lust att bada. Fast sjutton grader i luften är inte illa i mitten av augusti. Och inte längre alltför hemsk blåst. Brasa och varm choklad efteråt. Bada ruset av sig. Så farligt är det inte. Sisten i är en surströmming, ropar Maj, och Lasse och Anita kastar sig i, men Anita hinner först. Maj blir strömmingen förstås – morrar inte ens åt dem fast de stänker innan hon lagt sig raklång i och efter några simtag sprider sig en känsla av... frid? Lasse kan inte riktigt simma ännu, bara några simtag under ytan. Han dyker och plumsar där han bottnar, Anita simmar med hastiga armtag och högburet huvud längre ut.

Hon sätter sig på hällen och tittar på när de leker. Fryser förbannat. *Skulle hon klara dem på egen hand?* När Anita till sist kliver upp ser hon efter. Är hon tjock? Lite rund över magen och stjärten kanske. Fast är det inte värre med utmärglade, magra barn som får hosta och feber stup i kvarten för att de inte har något att ta av? Anita är fin. Nu vill inte Maj tänka på sin egen ihärdigt kritiska blick. Bara se den huttrande flickan och tack och lov få hålla badkappan öppen och beredd. Är det inte vad en mamma ska göra – hålla badkappan öppen och beredd? Och så snart Anita gett upp det kalla vattnet kommer Lasse drattande efter – också han blir omsvept. Nu kokar vi choklad, säger hon. Vi har lite tjockgrädde kvar i matkällaren också. Och en halv vetelängd.

Förlåt, viskar han när han kommer hem. Det är becksvart ute, och så gräshoppornas kanonad av sång, spel, gnidandet mot grässtrån. Fönstret på glänt. Jag förstår faktiskt inte hur du menar, säger Maj från sin säng. Hon har legat på rygg, sett mörkret komma, inte kunnat somna. Hört stegen i trappan, slamret från gamla köket. Det var dumt, svarar Tomas grötigt. Ja, säger Maj. Det var dumt. *Och du hade aldrig sagt så till din dotter? Nej!* Det är väl att hösten är här, säger han då. Göra bokslut. Att man inte hunnit med. *Vad har det med kakorna att göra?* Äsch. Vi badade och drack choklad och hade det trevligt. *Då du inte var här.* Det var styvt gjort, skrattar Tomas lågt. Att bada nu. Han kryper ner i sin säng.

SKÅDESPELAREN. HÄR I Örnsköldsvik. Han sitter ensam. I matsalen på Statt. Det är inte Niven, det är det ju inte, skrattar Titti och skakar på huvudet, de kan inte komma på hans namn, fast han är berömd, det vet de. Det vore något om det var Niven som bor i Amerika och har hittat vackra Hjördis i busstationskiosken i Örnsköldsvik, åh, det snurrar lite lätt, behagligt. Tomas dricker lingondricka, ser ut som rödvin – de har superat fint, flott. Georg säger att han är mindre i verkligheten, på film blir alla så imponerande, såja, säger Titti och klappar honom på handen, skål lilla Maj, säger hon, och de skålar. Snart börjar dansen, orkestern värmer visst upp. Ingegerd och Torsten. Där, i utkanten av dansgolvet. Ingegerd har en snygg klänning, det måste man säga, har ni sett Lagerwall, viskar hon, jo, är det inte Lagerwall, Sture va, de nickar, fan vad dom blir till sig, damerna, säger Torsten och klatschar sin fru på rumpan. Tomas ger Ingegerd eld, du är artig du Tomas, säger hon, till skillnad från vissa andra, jaså det är artig man ska vara, säger Georg och så skrattar de övriga vid bordet. Slå er ner, säger han, ja en servitris kommer och ordnar med stolar, ursäkta säger Maj och reser sig, jag måste pudra näsan. Torsten skyndar upp för att flytta ut stolen, det var väl artigt, flinar han och lite måste hon anstränga sig för att gå genom lokalen. *Rak i ryggen, Maj.* Är hon inte rätt så elegant, *i sin sandfärgade klänning,* vad skulle hon annars ta på sig, fläcken som nästan försvann helt hos kemtvätten och nu skvalar det när hon kissar – *stadig på handen när du bättrar på läppstiftet.* Tittar han på henne? Hon vänder bort blicken, men känns det inte som om han följer henne över golvet, hela vägen fram till deras bord – där fick du visst en beundrare skrattar Titti och Ingegerd lägger till att det är typiskt karlar att bara bry sig om småflickor – då inbillade Maj sig inte. Hon vet ju att hon har lyckats ikväll, makeupen är annars ett vågspel, kan bli kladdig och för mycket, men med vackra smycken och sin eleganta långklänning – ja har inte både Titti och Georg sagt att långklänningen klär henne – första gången hon känner sig riktigt glad sedan pappa och Vera dog – *tant* – man får bli glad åt en filmskådespelares blickar – det betyder ju ingenting. Men hon sitter med ryggen åt hans håll. Tack och lov. Då behöver hon inte bry sig om att titta upp eller ner eller åt sidan – han får ju inte tro något – Tomas skrattar till och säger syrran om du ursäktar så får din väninna första dansen, och så tågar han iväg med Ingegerd. Georg bjuder upp Maj, ja, han låter handen vila strax ovanför hennes höftben, har Tomas talat om att de nästan aldrig ligger med varandra – det är något med den där handen. Äsch, jag låter honom ha andra bara han sköter det snyggt, nej hon kan inte förstå Titti, som att säga till alla att man ger upp. Vi är beroende av varandra båda två, säger Titti, på olika sätt, *herregud vad du är klumpig på dansgolvet, Maj.* Georg är väl heller inte så dansant, vad du doftar härligt, säger han, försöker du förföra mig, svarar hon, *vad säger du människa*, jag skoja bara, lägger hon till. För blir han inte lite stelare. Hon har överträtt något. Man får väl ge en komplimang. Naturligtvis, svarar Maj, naturligtvis. Då ser hon Tomas och Ingegerd svepa förbi, de verkar trivas bra de där två. Titti och Torsten, ja, de tuffar också runt. Torsten är lång och Titti så liten, det är tur att Titti har så mörka, pigga ögon, Tomas och Ingegerd dansar vidare, jo det blir en vända till för henne och Georg också – hon kan inte riktigt få till takten, att vissa har så lätt för rytmer. Har det väl i blodet. Att äntligen få slå sig ner med en cigarrett. Men att dessutom bli varm och kanske lukta svett. Och på tu man hand med svågern, för nu tar visst Tomas Titti till dansgolvet och Ingegerd och Torsten virvlar iväg.

Georg beställer en grogg och en vermouth, hon borde inte dricka mer, hur går det, säger han lågt, för Tomas, med att låta bli... ja jag har ju inte sett eller hört något, men inte hemma heller? Maj ruskar på huvudet, oh nej, det går så bra. Han är ju lite nervös ibland, men då promenerar han.

Ja, han gör det bra som klarar av att vara ute så här – Georg nickar uppskattande åt servitrisen – nu får väl jag skåla med dig också – ja de skålar. Latmaskar, säger Titti när hon är tillbaka, det är ju så bra för hälsan att röra sig – min bror är minsann stark som en... elmotor från Hägglunds. De skrattar. Små smuttar vermouth. Det har nog blivit ganska många glas under kvällen. Hon vill inte utmana det här lätt snurrande illamåendet. Så tystnar det vid bordet och Maj känner en hand på sin axel. Får jag lov? Kan hon svara nej? Hon vänder sig om – åh herregud – där står han ju, Skådepelaren – hon får inte mål i mun och nu tittar han visst på männen vid bordet, ja inte mig emot svarar Tomas, ja tack, svarar hon fånigt. Men du milde vad benen skakar.

Han måste känna hur hon är i otakt. Bara hon inte trampar honom på tårna. Hon skulle inte ha tagit den där vermouthen. Tycker han att hon luktar – borde hon säga något – ska hon fråga vad han sysslar med? *Alla på dansgolvet följer er med blicken även om de försöker dölja det.* Varför säger han ingenting, visst är det han som ska föra samtalet och dansen, Maj vet inte. Hon törs inte titta ut över lokalen. Men inte heller blunda. Han är varm, har han dansat många danser redan, så underligt att hålla i hans hand. Hur lång är en dans – *han bjöd upp mig* – och nu är den slut. Han följer henne till bordet, bockar, *med sina vackra lockar bakåtstrukna.*

Att vi inte bad honom sitta ner, säger Titti. Vad oförskämt av oss.

Han har bra smak, säger Tomas. *Fråga inte om han blev sur.*

Tomas sitter nykter och kämpar med allehanda demoner. Men mina demoner då?

Vad pratade ni om? Titti blåser röken åt sidan.

Ingenting, svarar Maj, alldeles uppriktigt, men de andra börjar skratta, var det så hett, säger Georg, vadå hett, snäser Maj, nu vill hon gå hem. Inte sitta här med barnsligt bultande hjärta och matta ben. Torsten och Georg blir visst kvar. Men Tomas har en kolossalt bra bok där hemma, och Ingegerd och Titti ser väl ganska så mörka ut under ögonen. *Du kan inte bli kvar och vänta dig ännu en dans.* Men han bjöd upp henne. Varför bjöd han upp just henne? Ja, så går tankarna när rockvaktmästaren håller upp hennes kappa, god afton och välkommen åter säger han och Tomas tar henne under armen. Han är tyst, de klapprar över torget, hoppsan säger han när hon snubblar till – lite lätt spydig? – gå själv i såna här klackar, säger Maj sårat, vill hem till Ellen och barnen nu. Ja Ellen säger att de har varit så snälla, Anita och hon har mest ritat och så har de klätt ut sig alla tre och faster Majs köttbullar var jättegoda. Tack snälla Ellen, säger Tomas – jo han betalar bra – vilken duktig flicka, säger han när hon har slagit igen dörren, hon kan nog gå långt, ja men hon har inte utseendet för sig, säger Maj, fast det rår hon ju inte för. Hon är kanske ingen mannekängtyp, säger Tomas dröjande, men… Maj hör inte på. Skådespelaren bjöd upp henne. Han vet förstås inte att hon har två barn. Han ville bara dansa en dans. *Men han såg på mig!* Hon som inte ens är särskilt intresserad av film. Anita är redan tokig i film. Hon ska berätta det här för Anita, då blir hon nog imponerad, hon som jämt ska på bio. Maj har lagt märke till hur hon har börjat gnugga sig i ögonen, och så gör hon ofta en grimas så hon ser underlig ut, inte grimasera Anita, får Maj påminna. Men mamma, säger hon då. Nu sover de, båda två. Att det är just Ellen Anita är så för. Carola och Gunilla och Marianne som är så käcka förebilder – fast de är ju vuxna. Varför säger inte Tomas något om Skådespelaren? Hon tvättar sig, byter till nattlinne och bäddkappa, Tomas sitter och läser i salongen, blev du sur för att jag dansade med honom, säger Maj. Tomas lägger ner boken. Tittar upp. Han skulle se dig nu, säger han, och nästan genast förlåt Maj, du är alldeles blank i ansiktet av den där krämen bara, nej jag är inte alls sur, men det var tråkigt att vi inte dansade. Du bjöd ju aldrig upp mig, säger Maj och gnider med händerna över kinderna, det kunde du faktiskt ha gjort.

Då bjuder jag väl upp dig nu istället, säger Tomas när han kommer in till henne i sängkammaren. Hon blundar, låter honom komma till hennes säng. Det är inte det att hon inte vill att det ska fungera. Han vet att hon inte vill ha fler barn. Skulle det vara annorlunda med Skådespelaren? Hon kan inte se honom framför sig när hon blundar.

Efteråt börjar hjärtat rusa och fara igen – har hon något allvarligt hjärtfel? Rubbningar, dubbelslag... Hon försöker djupandas utan att Tomas ska märka det. Sedan säger hon att Titti tror, eller vet, att Georg har andra vid sidan om. Äsch, det är nog bara prat, svarar Tomas. Men du borde väl veta hur det ligger till, berättar han inte för dig, undrar hon. Jag lägger mig inte i, svarar han kort. Ja, hur folk löser sina privatliv.

Så du tycker att det är i sin ordning att man har annat vid sidan om, säger Maj och hör att rösten är upprörd. Det har jag aldrig sagt, invänder Tomas, men sitt äktenskap får de lösa själva, vi har väl nog av vårt.

Hon går upp, ut till köket, spolar kallt vatten i ett glas. Om inte hjärtat bultade så förbannat. Benen mjuka, armarna däremot underligt tunga. Men imorgon ska hon berätta för Anita att Skådespelaren valde ut henne bland alla på Stadshotellet. Det ska hon.

Dagarna därpå tänker hon nästan oavbrutet på Skådespelaren. Han hade kunnat välja Ingegerd eller Titti. *Du vet varför han inte gjorde det. Du är ännu inte fyllda trettio. Aldrig vackrare än så...* Fast snart kommer man att tala om Garbo som gammal, så Maj... inte ser hon i sig själv ett slätt ansikte, en kropp som inte förändrats *så markant* som man brukar låta påskina efter barnafödslarna... klart att hon inte ser sig själv som ung. Men att han... Skådespelaren, valt ut just henne ger Maj en kort frist i självkritiken. Tjusig? Grann? Parant? Frappant? Snygg? Stilig? Något ditåt. När hon klätt sig och lagt makeup. Ingen ska få inbilla henne att Garbo är anslående utan makeup.

Jo, mitt under arbetet med att mangla linnedukar och lakan hos mangelfrun som Anita kallar henne – att de ännu inte har installerat en mangel i den annars så *bekväma* tvättkällaren – då fantiserar hon om att Skådespelaren ska kontakta henne. Fast Anita är med henne och hjälper till. Och frun som förestår mangeln måste ju också undra vad det är för drömskt fru Berglund har över sig. Men om han efterlyser henne i Allehandan... till allas beskådan? Han får väl ha en anständig förevändning i så fall. Det är inte erotiken hon tänker på. Mer en plötslig längtan efter tindrande uppvaktning. Att vara vald när så många andra blir bortvalda. Det är en hemskt rar fru som har mangeln. Hon vill prata lite – ja nog är det fånigt att gå runt och tänka på främmande män. *En mor är en mor är en orm.* Ändå har hon på tungan att berätta för frun att hon blev uppbjuden av en känd skådespelare. Sture Lagerwall. Tur att Anita är med som skulle skämmas ögonen ur sig om hon verkligen tog till orda. Det är på en gång varmt, fuktigt och svalt här inne. Precis som Maj känner sig. Och inte kan hon ta upp det med Titti heller, för Titti var ju med och har inte sagt ett ord om det sedan dess. Inte ens Anita tyckte att det var något märkvärdigt. Vad sa pappa då, blev han ledsen? Barn som är så lojala.

Äsch pappa. Inte bryr han sig om det.

Jo, nog kan han bli lite svartsjuk kanske. Fast ett dansgolv är ju den där underligt legitima platsen för kavaljersbyten. Plötsligt ska man ställa upp, stå till förfogande för allehanda klämmande händer. Det är väl bara roligt att ta sig en *svängom*.

Kaffedags. Hon har packat med sig en korg och ska bjuda mangelfrun också. Kryddiga krokar och en vetelängd. Sitter hon här och är *pirrig*? Som Vera. Inte alls sugen på knapriga söta kakor och mjukgräddad bullskiva. Anita doppar. Och frun hämtar en ambrosiakaka som hon har på lut. Hon oroar sig visst en smula över att vart och vartannat flerfamiljshus skaffar mangel. Bara villakunder räcker ju inte. Och Maj säger storsint när hon smakat den apelsinglaserade kakan att hon ska komma med sänglinnet och dukarna i alla fall, bara ta småtvätten på lillmangeln.

När Anita har gått in på sitt rum och potatisen kokar, torskbitarna panerade – färdiga att steka à la minute – då ringer hon till Ragna. Otåligt lyssnar hon till Ragnas långsamma redogörelse för sin tillvaro. Sedan får hon äntligen tillfälle att tala om att hon blev uppbjuden av *Skådespelaren*. Ja, Sture Lagerwall. Då hör hon Ragna säga något till Björn. Ganska länge hjälper hon Björn med vad det nu kan vara. När Ragna är tillbaka i luren säger hon att hon aldrig har hört talas om honom. Men hon och Edvin har ju inte direkt möjlighet att komma iväg på bio. Och att fara på dans! Det måste vara trevligt att gå på dans tillsammans.

Det blir väl något om bröderna också, sedan måste Ragna ta korvlådan ur ugnen. Hälsa!

Med en tyst lur i handen blir Maj stående en kort stund, lägger på.

EXPLOSIONEN! DÅNET – Maj springer till fönstret – herregud, det är en bomb! Har ryssen attackerat Örnsköldsvik? Hägglunds – hinner hon verkligen tänka att det är Hägglunds verkstäder som är målet? Eller rusar tankarna till skyddsrum? Tomas som är på kontoret. Anita i skolan. Och Lasse hos fru Tjärnström med Bernt. Det brinner. Svart rök stiger mot himlen från fjärden österut. Väller ut. *Ska hon ensam bli sönderbombad? Radioaktivitet, strålning* – Tomas rädsla. Tomas upprepningar om vansinnet med bomber. Atombomberna kommer att ta ihjäl oss alla. Se vad som hände i Japan. Det går inte att komma fram på linjen. Radion – det knastrar. Sedan rösten. Varning – storbrand i Örnsköldsvik. Shells oljecistern i lågor. Invånarna i Örnsköldsvik uppmanas stänga ventiler, fönster, dörrar. Stanna inomhus – invänta vidare information. Maj springer till kallskafferiet, fönstrens ventiler, köket, öppna spisens spjäll – kan hela Örnsköldsvik fatta eld? Barnen! Vad Anita ska vara rädd. Den tjocka svarta röken. Lukten. Som en gigantisk oljelampa, den där cisternen. Ändå en hastig lättnad. Ingen bomb. Ingen osynlig radioaktivitet. *Inget anfall från Ryssland.* Bara detta svarta sot som kommer att sippra in och smutsa allt med sina mikroskopiska partiklar.

Gud så hon hoppar till när telefonen ringer. Det är Tomas, ta det lugnt Maj, hör du det, gör inget förhastat, bara vi får klara besked om utegångsförbud eller inte kommer jag hem – Maj – stäng fönster och ventiler, det har jag redan gjort, säger hon stolt – bra – ha radion på – men barnen Tomas, snälla ring till rektorn och fru Tjärnström, gör det när vi har lagt på. Jag ska, svarar Tomas, men jag kan inte lova att det går att komma fram på linjen.

Befolkningen i Örnsköldsvik kan komma att evakueras. *Evakueras?* Föras bort! Tomas måste hämta barnen och komma hem. Vart ska de föras? Hur giftig är röken? Tomas låter skärrad när han ringer igen, vi måste invänta besked, ingen av oss bör vistas utomhus utan gasmask. Anita tas omhand i skolan och fru Tjärnström är ju vid sina sinnens fulla bruk. Vi får inte gripas av panik.

Ett glas får hon ta sig när läget är akut. För hjärtat och nerverna. Vad spelar ingen roll. Bara lugnande. Så att hon kan packa – höra vad som sägs. Att inget få veta! Det rinner skarpt, stärkande till bröstet, magen. Nu så. Packa ner underkläder, ombyten, hygienartiklar. Ska det vara nödvändigt att dra med mat? Virkning. Något för Anita och Lasse. Böcker, kortspel, kritor, block. En bok till Tomas också. Evakueras! *Gå emot benens gelé. Räta på dig. Utför dina sysslor.* Herregud så lågorna hugger. Som utfall mot himlen. Hur ska ynka brandbilar rå på något sådant?

Om Wikmans längst ner ovetandes öppnar balkongdörren? Mor och dotter som är lite udda, eljest, ja, de är som de är, men borde hon inte gå ner och ringa på? *Ja, Maj!* Det är civilkurage. Hon tar trapporna ner – det dröjer innan hon hör steg inifrån tamburen. Dottern öppnar – skrämd, upprörd – ni har väl radion på – jo men nu ler hon lugnande – vi sitter klistrade – då så – tack som frågar. Maj nickar och går tillbaka upp mot sig. Kallander också – ja men hon ser förvånad ut – har legat och sovit – det brinner hos Shell, det är ingen panik, men vi måste kanske evakueras. Att inte sonen har ringt till sin mamma. Sonhustrun Ann-Mari som är så tjusig och sonen måste ju tjäna bra. Maj som är skyldig Ann-Mari, räcker det att bjuda på kaffe när Maj fick komma bort till Nötbolandet på flott lunch? Sonen vet säkert mer, säger Maj, ring till sonhustrun om han inte svarar, och fru Kallander nickar.

Fröknarna på nedre botten är underrättade, *underrättade,* Kallander får komma upp till mig om hon är rädd, ja, inte är det trivsamt att vänta ensam i våningen. Det är det inte.

Nu ska de visst avvakta i väntan på besked om evakuering. Ja, plötsligt får Maj tid att se hur denna sot, denna svarta oljiga rök... överallt. Gardiner, tapeter, mattor. Tak, textilier, glasrutor. Så svart det ska bli. Så sotigt. Värre än när de försökte elda i öppna spisen. Kan de inte få pli på branden där ute någon gång. *Men om människor är svårt skadade? Elden sprider sig?* Eller borde hon börja med middagsmaten?

TOMAS TAR UT stegen när han går uppför backen hem från kontoret. Han har skjutit det på framtiden. Att anställa en flicka till hemmet. Maj har inte propsat... Kan Tomas minnas mannen från Idbyn, som inte ville låta dottern arbeta i ett hem där det serverades starkt? Kanske är det därför han dröjt med att hjälpa Maj att hitta ett hembiträde. Efter Shellbranden, ja det oroar honom faktiskt att Maj får så kraftiga symptom. Hon har sagt att det känns svårt att vara ensam i lägenheten när hjärtat skenar iväg i en attack. Tomas har till och med insisterat på att hon ska undersökas av en läkare. Han trodde ju aldrig sin mamma... Men när de har det ekonomiska utrymmet och kanske skulle det underlätta för Maj på allvar. Nu är jag hemma, ropar han i tamburen, men det dröjer innan han kan höra något hallå till svar.

Det är klart att det vore underbart med hjälp. Här hemma – ja om du vill ha mer representation och middagar...

Ler Maj mot honom? När han tar upp det här med en jungfru vid middagen, om Maj skulle vilja att de anställde en flicka som hjälp.

Ska nån bo här, frågar Lasse upprört, var då? Inte i mitt rum.

Ät lite mer ärtsoppa du, om du ska få pannkaka till efterrätt, säger Maj och försöker skämtsamt nypa honom i näsan.

Nej men bara för att man har hjälp behöver de inte bo hos en, som Eivor gjorde hos farmor, bryter Tomas in och sköljer ner soppan med mjölk.

Men tänk om hon inte är snäll, säger Anita och Lasse håller

faktiskt med henne, hon kanske är jätteknäpp och ful...

Såja hörni, säger Maj, det är ju ändå mest mamma som ska vara med henne på dagarna, och vill hon bo här får vi väl ordna om ett rum.

Och det går lätt att anställa Siv Karlsson från Björna. Maj sköter ansökningarna helt på egen hand, och så många intresserade hör inte av sig. Siv vill inte ha husrum, bor hellre inneboende hos en faster i Ås. Tomas tycker det låter lite drygt att cykla eller promenera, och bussar... men Maj säger att det verkar vara en sportig flicka, och hon har ju gått i skolkök så hon är ingen fullständig novis. Nitton år, ska fylla tjugo, ja redan i nästa månad kommer hon hit.

EN MEDICINE DOKTOR. Är det vad han är, den här mannen? Bara hon nu lyckas förklara. Hur hon blir alldeles *matt.* Och hjärtat... det rusar och far och tycks inte alls följa någon tydlig och taktfast rytm. *Förstår doktorn?* Ser han snäll ut? Respektingivande är väl viktigare i så fall. Det är doktor Lundström som har *remitterat* henne hit. Till den här kliniken. Och nu har han informerat henne om att hon ska svara på ett *testbatteri.* Förtydligat att det är en rad frågor som han behöver få svar på. Han har vit rock. Är inte så gammal. De har visst inte funnit något fel på hjärtat. Men vad kan de egentligen veta. Så fru Berglund har det bekymmersamt? *Bekymmersamt?* Oh nej, svarar hon, jag har det så bra. Med det ekonomiska och... jag har inget att klaga på.

Han har ett anteckningsblock framför sig på skrivbordet, men han låter bara pennan studsa lätt mot det randiga bladet. Fru Berglund har sökt för yrseln och hjärtat och den här mattheten, så på så vis tänker jag att hon har det bekymmersamt. Jo, nickar Maj, det är obehagligt att just som man ska dra åt sig luft så... ja, så finns ingen luft att få. Mamma hade ju astma, säger hon också, och då avbryter han henne lite bryskt med att tala om att tuberkulinproverna är helt negativa – ja de visar inte på något onormalt. Så det ska hon inte oroa sig för. Nej, jag förstår, svarar hon. Vi kan inte finna något somatiskt... kroppsligt eller medicinskt fel på er. Men det är inte alltid att man kan göra det. Den här viktnedgången och mattheten är oroande symptom. Blir hon lättad? Att han oroar sig? Hon är mager och svag, *som en kvinna ska vara.* En riktig kvinna? Egentligen är hon ju så matglad. Ändå har det gått och blivit så här med henne. Kan det vara kräftan? Ja, hon ställer frågan rätt ut när han faktiskt har talat om att han oroar sig för henne. Det finns ingenting som pekar i riktning mot tumörsjukdom, säger han, och låter åter lite kort, sträng. Hur pennan vrids och snurras i handen. Och blicken når liksom över henne när han ber henne att berätta om sig själv. Vad tänker ni kring er tillvaro, förutom att ni har det bra... ja, jag menar ni har kommit hit för andnöd, yrsel, hjärtklappning. Är det något särskilt som har hänt?

Att man ska bli nervös. Känna att det blir varmt och svettigt trots aluminiumklorid. Och i värsta fall... att det ska komma *odörer*... från könet. Ja, men det är så förbjudet. Då kommer det ilande tankar. Sittande på tu man hand med den här rätt så tjusiga karln. Är han tjusig? Kanske snarare lite *imposant*. Det här att han blir så *intim*. Han har papper som gör att han vet... kanske *ser* han vad hon tänker? Tror han att hon är tokig? Det är hon inte! Eller? Är hon en liten smula galen? Att vara kvinna är väl vansinne på något vis – äsch är det så konstigt att man är rädd för att dö? Att vilja dö? Nej! Att plågas... Hjärtfel, kräftan, att vrida sig i smärta, branden i raffinaderiet... och doktorn bara tittar på henne med sin uppfordrande men ändå stumma blick. Vi har gott om tid, tycks den vilja säga, men den säger ändå slarvigt *skynda dig nu*. Så då säger Maj att det som bekymrar henne är att ingen tycks förstå att hon har fel på hjärtat. Ja, gallstensanfallet – då dog hon ju nästan. Och hur hon föll i trappan.

Döden kan vi dessvärre inte hejda, säger han. Men vi ska väl ha ett värdigt och rikt liv medan vi lever, inte sant? Det stjäl kraft från er att vara så orolig för att hjärtat ska gå sönder. Vi måste lita till att kroppen hjälper oss att... härbärgera själens smärtor. Kanske är han inte medicinare i hjärtat. För han tillägger att frun inte ska behöva misstro sin kropp. När den är så ung och stark. Men kroppen kan... om man får lov att vara en smula bildlig – försöka tala om för oss när vi kanske inte vill kännas vid oro, ilska, lust... Ja, även en medicinare i Örnsköldsvik kan ha snappat upp lite psykoanalytiskt tankegods och vilja pröva. På kvinnor är det särskilt lockande att testa. *Vore det inte bättre om du diagnostiserade dig själv lite strängt och skarpögt?* Om han faktiskt vill hjälpa den här nervösa och på sitt sätt attraktiva frun. Hur ska hon förstå att han menar lust till livet, i vidare bemärkelse. Eller? För det är klart att Maj rycker till. Herregud, sitter han och talar om lust? Åh, nu rodnar hon. Som om det här rusande hjärtat hade med det erotiska... Nu vill hon inte prata mer. Och det märker doktorn. Då börjar han istället att ställa frågor efter en mall. En hel del kan han få reda på, bara genom att fråga så där rakt på sak. Fast hon inte har *lust* att svara. Om Tomas, barnen. Mammas och pappas bortgång. Sjukdomar – ja de där frågorna vill visst aldrig ta slut. Han vill veta om äktenskap och samliv också. Inte så att han frågar hur ofta – tack och lov – men hon ska visst svara på vilken grad av tillfredsställelse hon upplever i sitt äktenskap. Hög, måttlig, låg. Kan hon säga annat än hög? Fast hon vill brista ut att doktorn ställer bra fåniga frågor. Men en gift kvinna och tvåbarnsmor kan väl inte vara annat än glad, nöjd och tacksam? Och nu dricker inte maken. Han sköter sig och är framgångsrik i arbetet, förser såväl henne som hemmet med allt de behöver. Men hon tänker inte tala om att även Vera dog. Uppväxten, var stämningen i familjen harmonisk, konfliktfylld, vet ej? Vet ej, svarar Maj, säkert. Pappa var ju sträng. Och mamma... trött. Men det var ju inte slagsmål. Harmoniskt? Hur är det då? Som papperstrycken från Sundborn – vad vet vi egentligen om deras *harmoni* – tänk om Maj sagt det rätt ut. Så många frågor. Nu ska hon titta på bilder, tala om vad hon ser. Åh – hon vill inte, men förstår att hon måste. Det är en styrka att säga nej. Nej – jag tänker inte delta. Vissa kanske bara ser det avvikande. Och Maj törs inte. Hon försöker. Fladdermöss, monster, blommor. Kladd, fult, inte vill hon ha dem på väggen där hemma. Är det ett barn som har målat, frågar hon, och doktorn skrattar faktiskt till, noterar. Om han visste hur otäckt det är med någon som sitter och noterar. Tunghäfta, svada – försök själv att tala med en som tiger och noterar.

Doktorn säger sedan att tillvaron med små barn och hushåll kan upplevas som både betungande och ensam. Barn är ju inte kamrater. Nej, inte ser hon på Anita och Lasse som kamrater. Men ensam är hon inte. Tvärtom har hon så fullt av kafferep och bjudningar att det snarare blir jäktigt.

Hon ska få återkomma, så ska doktorn fundera ut någon hjälp. Kan hon bara en gång till försöka formulera vad hon vill ha hjälp med?

När Maj kommer hem säger hon till Anita och Siv att hon är sjuk och ordinerad att vila. Kan Siv stanna bara ett par timmar extra? Innan Siv säger nej tar Maj hennes hand och tackar. Så stänger hon dörren till sängkammaren. Nu vet barnen att de måste låta mamma vara. Hon hör hur Siv hejdar Anita från att gå in till henne, eller är det Lasse som lever om? En underlig explosion av… hur hon måste hålla sig i sängkarmen, åh, hon jämrar sig, kanske är det inte hjärtat. Bara jämrandet som måste ut. Har hon skämt ut sig? Hos den där doktorn? *Är det bara vanlig oro, ångest, diffus smärta, sveda-, värk- och brännkärring?* Fast det är väl först senare det uttrycket myntas av en doktor. Vad är det med kvinnor och alla deras diffusa symptom? En kärring ska ha en smäll på käften så hon inte blir så svår i humöret. Var kommer de ifrån, alla tysta antaganden som en kultur bärs upp av, bara knappt dolda i myllan… mullrande… masochistisk personlighet… ja, men bättre är väl ändå att njuta av lidandet än att bara ha ont… gnällkärring, surkärring. Maj tänker nu inte alls på det viset. Men det tar på hennes krafter, det här. Hon måste ha stängd dörr. Hon ska ju strax dö. Nej – är hon verkligen så rädd för det nu? Eller är det ett slags skrik av… skam över hur hon har talat med den här okända karln som klätt av henne naken. Som sett hennes tankar. Hennes hopplösa, fåniga, galna tankar. Så spärrar de in henne! *Skärp dig! Nu får det vara nog!* Vad skulle mamma… gå ut och piska mattor så mår du strax bättre. Din arvedel är inte ångest – den är att arbeta i ditt anletes svett.

FRU BERGLUND SKA få möjlighet att ta del av en ny, mycket intressant och effektiv – ja ytterst lovande – behandling som rönt stor uppmärksamhet i utlandet.

Så här glad såg han inte ut sist. Det blossar om kinderna och den där pennan han tycks så fäst vid snurrar snarare lekfullt runt mellan hans fingrar än slår hårt mot blocket på skrivbordsunderlägget i mattslitet skinn.

Men – här gör han en paus – behandlingen kräver sjukhusvistelse och medicinsk övervakning. Något med insulin, halter som stärker och lugnar – ja han har kommit fram till att hela fru Berglund måste stärkas, öka i vikt, återfå aptit. Säger han något om att en hustrus plikt gentemot sin familj är att ha kraft att utföra sina moderliga omsorger och bestyr? Ja även som köpmanshustru tillkommer väl åtaganden... Kanske säger han inte så. Men inte kan Maj tacka nej till vilsam sjukhusvistelse och stärkande sprutor – *att få tala om för alla att jag är i behov av vård* – bara för att tusen kvinnor före henne aldrig har fått vila. Siv får förstås rycka in med lite påökt, bo hos dem, bli som en mor, *men inte hustru väl?* Ibland tänker hon att Tomas träffar någon, men Siv är för ung.

Doktorn underlåter att tala om att man vid Umedalens hospital har praktiserat metoden med framgång. Oroliga patientgrupper har blivit betydligt lugnare, *letargiska* till och med? Det kan väl ändå inte vara fel att pröva en ny behandling på ett brett symptomspektrum? *Om ni bara visste hur svårt det är att inte ha något att ge. Att bara ordinera vila och näringsrik mat,* nej det är inte tillräckligt.

Morfin, veronal, brom, insulin. Att en läkare vill läka, leka, lindra, göra livet möjligt på nytt och på nytt – är det så underligt? Maj ser hans blossande upprymdhet. Han är inte vacker, men rörande. Ska han inte få injicera något i hennes alltför magra kropp? Så nära förra seklets svältår ännu att kvinnor definitivt kan anses för magra. Inte vackert med synliga höftkammar och nyckelben. Som mor och relativt välbeställd maka ska man inte gå omkring som ett vandrande skelett. Inte för att Maj är så tunn. Men utan klädsamt hull. Och alla underliga symptom. *Så tråkigt att Maj ska vara en av dessa med symptom.* Redan nästa vecka har hon en plats på lasarettet. Han passar på att berätta om hur planerna för det nya sjukhuset röner stor uppmärksamhet och framgång – världen över. Nåja. Åtminstone en och annan utländsk delegation. Maj har inget emot det här planerade bygget. Tomas menar att man vandaliserar stan på sin skönhet med alla nybyggen. Hur vackra, välbyggda träkåkar mejas ner… Tomas är väl ingen bakåtsträvare? Nej, nog vill han ha den nya tidens bostäder med ljus och luft. Men ska det inte kunna samsas med det gamla?

Maj skulle för allt i världen inte vilja bli inlagd på ett gammalt sanatorium. Somt måste bort och lämna plats åt det nya.

Så – nu är det inte oron som tynger när hon ska ha middag åt familjen. Kåldolmar med skalpotatis och lingon. Det äter alla, även om magen blir lite bullrig. Vitkålen är ju fin så här års. Hur härligt är det inte när alla äter utan att klaga! Till och med Maj känner en upprymd aptit. Bara Anita rycker till när Maj säger att hon ska fara på lasarettet. Hur hon ska få en ny, berömd behandling. Sa han inte så? Att den var berömd? Tomas är förstås van att höra sin mammas litanior. Män har också symptom. Allehanda krämpor och vaga förkylningar. Tomas är emellertid hälsan själv. Med sin muskulösa mage, raska promenader i alla väder, nykterhet och väl avvägd kost. Är själen sund dessutom? Det vet väl varken Maj eller Tomas. Nog tvivlar Tomas. Vegetarianism och att avstå från bakverk vill han i alla fall inte. Bara man går. Går och går. Att Maj magrar trots gräddsåser, kafferep och fläskkött är... en smula oroande. Ändå har Tomas tänkt att om man inte hittar något, bör man då inte slå sig till ro med det?

Nu är Maj rusig. Ja, som har den här läkaren och Maj ett alldeles särskilt lyckosamt band emellan sig. Hon kryper till och med ner hos Tomas när barnen somnat. Ligger på hans arm och viskar, frågar med till viss del spelad oro om han tror att hon kommer att bli bra. Sedan älskar de. Men efteråt säger Tomas att han trodde att insulinbehandling främst var för att lugna oroliga patienter. Så lägger han hastigt till att det är en nyhet för honom att man använder det i den somatiska vården.

Fast varken doktorn eller Tomas nämner Umedalen i sammanhanget. Varför inte ge en kraftlös kvinna insulin här på Örnsköldsviks lasarett?

INSULINKOMABEHANDLING. NÄR HON sitter på sin järnsäng, sin kliniskt rena sjukhusbädd, i väntan på att prover ska tas, känns det ändå en smula... *aningslöst.* Är det inte aningslöst av henne att gå med på det här? Doktorn har talat om att de risker som finns är små, *även om de också omfattar döden,* alla sjukhusvistelser bär döden i sin ränsel, ett felaktigt ingrepp, förhastat beslut, en onödig avvaktan, en sköterska som slarvat med handhygienen, ja även doktorn som går från patient till patient – eller är Maj bara innerligt tacksam? De har lyssnat på henne, *hon är lovad hjälp.* Vilken överblick kan hon ha när doktorn pratat så varmt för insulininjektioner? Är hon inte också en liten aning stolt över att vara *utvald. Så betydelsefull är jag, att man vill att jag ska må bra.* Ändå mest det praktiska. Hur ska det hela gå till? Hon blir liten på den här sängen, en säng som är så *privat, så intim,* och doktorn – överläkaren – har förklarat att insulinsprutorna som kommer att ges om förmiddagarna i första hand är till för att återge fru Berglund aptit, vilket i sin tur gagnar viktökning med ökad ork som följd. Ungefär så. Maj tänker inte bråka. Fast det är en annan doktor – underläkare Nylander – som ska genomföra själva behandlingen med en syster Gunhild. Och kan Maj rå för att hon inte tycker om honom? En sprätt. Inställsamt leende – *fast föraktet skiner igenom.* Han siktar mot Karolinska, Akademiska, Sahlgrenska – inte ska han bli kvar på lasarettet i Örnsköldsvik. Även om det ska bli nytt så är det utan traditioner. Ja, nu ångrar hon sig. Just som doktor Nylander och syster Gunhild efter en kort, hård knackning kliver in. Kanske blir doktor Nylander en aning kränkt. Kvinnor brukar tjusas av honom. Alla sorter. Han är ännu inte trettio. Blonda lockar, hullet i ansiktet kvar. Ska Maj behöva klä av sig i underkläder inför honom? Eller får hon ligga lojt nerbäddad när insulindosen sprutas in i hennes blods vindlande färd genom kroppen.

Tänk, så fånigt det blir genast när man ska undersökas. Hur lätt det blir fel. Hur Maj måste pressa lår och vader ihop, bli anständig på alla sätt och vis i den här kritiskt granskande miljön. Hon har väl tvättat öronen? *Ska du inte stiga upp och fara hem?* Men Siv klarar barnen. Anita gör som hon blir tillsagd, men Lasse – med en sexårings explosiva energi?

Ja, vad händer med barnen när en mor är sjuk? Maj om någon måtte veta. Fast hon har talat om att hon far bort för att bli frisk och stark. *Precis som mamma sa.* Ja, om det i själva verket är… en obotlig sjukdom. Visar ens värden verkligen allt? Hon får kvällsmat, på bricka. Flytande, hon ska visst vara fastande inför första injektionen. Så hon är hungrig när hon ska sova. Vaken hör hon de andra patienternas snarkningar och susande andetag. *Snart är lidandet över.* Snart kommer allt vara bra.

VARELSEN STÅR DÄR, vitklädd, alldeles intill nattygsbordet. Tomas får grepp om sänglampans snöre, stryker sig över ögonen – jag kan inte sova, viskar hon, får jag ligga i mammas säng?

Hade du mardröm, frågar han, Anita svarar svävande, kryp ner nu, så somnar vi om. Drömde han om sprutor? Ja men som Maj har pratat om de där sprutorna, nästan vällustigt, som om det handlade om morfin och inte insulin. Det är ovant att Maj sover borta. Sist var när hon tog rätt efter Allan. Allan och Elin. Det är ett känsligt kapitel, Allan och Elin. Ja, efter Bjerre har han ju ändå tagit del av vissa psykologiska rön, fast Maj vill inte se sin oro i samband med uppväxten, föräldrarna. Men den där... ja bristen på känslor? Eller är kylan en känsla? *En kylig kvinna är en defekt kvinna.* Nej, så tänker väl inte Tomas. Tänker han att Majs viktnedgång och nervösa oro har med hennes sociala situation att göra? Om hon enbart råkat bli en sådan sort? Äpplen, päron, plommon. Bara behandlingen går bra. Det är så svårt att riktigt förstå vad hon går igenom. Klart att tbc:n har skrämt honom, när barnen hostat, eller som i våras då hon gick och torrhostade i flera månader. Men hon har försäkrat att tuberkulinproverna var bra. Hur ska han nu kunna somna om? Anita snor sig inte längre i Majs säng, ligger alldeles stilla. Bäst att gå upp och kissa. Fan att så fort man tänker inte kissnödig så måste man gå på natten. I hallen står Lasse och snyftar att han vill att mamma ska komma hem, Tomas viskar att han bara ska på toa, behöver du? Jo, Lasse också, sedan bär Tomas Lasse till sängkammaren, fast han börjar bli tung, och bäddar ner honom i fotändan av Majs säng. Imorgon kommer Siv redan sju. *Om Maj verkligen dog?* Skulle han gifta om sig med Anna? Ligger han här i mörkret, med två varma, mjuka sovande barn, och indirekt anklagar Maj för att inte vara en god mor? Hjärtat rusar till. Men före de verkliga barnen ser man det så märkligt *fiktivt*. Modern, barnen, granen. Modern, barnen, maken, bilen. Inte alls detta vindlande, liksom skälvande, katastrofer, kaos, kamp? Ganska sällan harmoni, lugn, ro. Inbillar han sig att Anna skulle ge honom *en inre trygghet?* Bara för att hon är så *behaglig*. Det är ju rätt ofta futtigt och banalt. Tänka så bara för att Maj har talat om att Anna sagt att han är en fin man. Hur glad han blev! Sedan, den där lätt äcklande skammen.

ÄR DET MAJ? Han borde ha hälsat på henne redan häromdagen. Men nu ser hon på honom, halvsittande i sjuksängen med en filt över benen, ler lojt och säger att här har man det bra. Talar hon otydligt? Han har konfekt med sig, brända mandlar som hon tycker så mycket om, tuggummi mot muntorrheten och druvor. De var dyra. Så han lät bli blommor. Du får buketten när du kommer hem, skojar han, ja men nu kommer du väl snart? Hur mår du?

Man blir lite underlig av sprutorna, men jag har ju aptit. Ser jag inte lite fylligare ut? Jo, nickar han, fast är hon inte mest svullen? Som om också läpparna ändrat form, vigselringen ser alldeles för trång ut på ringfingret. Han vet inte. Jag bara ligger, säger hon och drar efter andan. Härligt, säger han, och lägger till att hon är efterlängtad. Men Siv är fin på att sköta om oss. Och barna är inte ett dugg besvärliga, nu blundar Maj, verkar slumra till. Han drar stolen intill sängen, sätter sig, borde han redan gå? Väcka henne?

Tror du att de har det så här skönt, alla våra döda? Hon har öppnat ögonen, blicken allvarlig, det kippande ljudet när hon fuktar läpparna med tungan. Får jag lite vatten? Jo, han skyndar upp, spolar nytt vatten i karaffen vid tvättstället. Häller i glaset, vad tung hennes hand verkar när hon tar emot det. Hon dricker, tömmer glaset, sedan blundar hon igen, och han lirkar glaset från hennes fingrar, ställer det på sängbordet. Nu sover hon väl? Han går så tyst han kan därifrån.

Här ska också du ligga en dag, Tomas. Pappa och mamma. *Far och mor.* Är det Majs ord som tvingar honom dit? Kyrkogården är ju så nära lasarettet. Palmqvist, Hägglund... nästan alla namn är bekanta, ja som namn. Pappas sten är pampig. Blir han ändå olustig inför familjegraven? *Fabrikör Arvid Berglund. Makan Tea Berglund.* Att platsen redan är tagen i anspråk. *Förberedd.* Mamma. Alla motstridiga tankar. Hur han inte jagas av samvetet, *men skulden?* Hur den är tyngre, mer ihärdig, omöjlig att bestrida. Nu kan han aldrig göra något mer för henne. Inte gottgöra samvetet med att sitta en extra stund. Men att Maj måste bli sjuk när han har sitt sorgeår. Kan han inte få ha sin förbannade sorg utan att ta hänsyn till henne. Snyftar han till? Svedan i mellangärdet, *bara ett glas.* Nej! Stadsträdgårdsmästaren som har ordnat den här begravningsplatsen så fint. Eller är det kyrkorådet? *Gå på graven.* Hur Maj kommer att gå till din grav. Din mammas och pappas. *Men går ni någonsin till Elins och Allans gravsten?* Du behöver inte oroa dig mer nu, mor. Svarar hon? Vinden i björken. Hon tyckte Ornäsbjörken skräpade ner grusbädden. Fast idag ser det krattat och fint ut. Borde han ta omvägen via Skyttis? Promenera raskt förbi villorna, upp mot skogen. Siv sköter barnen. Siv ser till dem. *Du lever ju Tomas.* Ja, han lever.

HON ÄR HEMMA i god tid till fars dag. Mår hon fint nu? När hon har ökat flera kilo... känner hon sig på ett annat sätt loj? Siv som talar om att Lasse och Bernt är ganska duktiga på att härja, hur Anita har varit med henne och bakat, ja de har klarat det bra, men det är skönt att frun är tillbaka. *Frun. Jag är bara en flicka Siv, som du.* Lite ändrad ordning är det i skåpen, Siv är kanske en liten smula hastig, för snabb... men mamma, vet du att Sivs köttbullar är nästan lika goda som dina. Fast bara nästan, säger Anita vid middagsbordet när Siv faktiskt fått gå tidigare hem.

Nu måste vi ordna om till pappa, säger Maj på lördag eftermiddag när Tomas är kvar på kontoret men Anita har skyndat sig hem från skolan. Vi ska rita kort, baka en tårta, borde vi ha en present? Men pappa tycker om napoleon, säger Anita, ja nickar Maj, kan du och Lasse springa till Kjellins och köpa napoleon... nu ska hon ju vara världens bästa fru? Som uppvaktar far med kaffe på säng.

Som de ritar, båda två. Vad de måste älska sin pappa. Älska... som om man bara kan svänga sig med det uttrycket hur som helst. Men de går verkligen in för det här med fars dag. Lasse ritar motorbåten, säger att ekan får inte plats, även om pappa också tycker så mycket om ekan, och Anita tecknar ett grönt hus med flaggstång, sol och björkar, jo men Maj ser att det är deras sommarhus exakt.

Vad ska Maj ge honom? *Sig själv i sidennattlinne,* nej men någonting ska hon väl klura ut. Steka dyra laxkotletter, stuva spenat. Hon har ju fått sin behandling. Återfått sin aptit. Så då är hon väl rustad att klara julen? Då är väl allt i sin ordning nu.

DET GÅR VÄL lätt – ändå? Våningen utstrålar jul, luktar rent, några prydnadskuddar har kanske fått fettfläckar efter juldagens kakkalas, men inte värre än att det sannolikt bara är hon som ser dem. Några göromål får lov att sparas till vårstädningen också. Hon borde känna sig *helt lugn*. Siv och hon planerade in bjudningen redan på Anna-dagen, Aina vidtalades, ett schema för festen noterades – bara hastiga kråkor för minnet. Inte för att man brukar slå på stort redan vid trettio, men en trevlig gest från henne borde det uppfattas som. Ja, att Maj ställer till kalas i mellandagarna, när alla haft fullt upp och gott kan få glömma sitt eget och gå bort. Tant är ju död. Svägerskorna säger aldrig annat än hur de uppskattar Majs middagar. Med sina vallningar och humörsvängningar och spröda hårtoppar, *nu är du elak*. Men Maj vet att hennes tid kommer också. Det är inte meningen att… glänsa på andras bekostnad. Hon ska hur som helst inte servera julmat. Till sist beslutade hon sig i samråd med Siv och Aina för en hönsconsommé och tillhörande ostpastej, kalvkotletter au Polignac – jo men Tomas syskon är inte rädda för svampen – Aina tar sherry som smaksättning istället för *vin blanc*, som kan bli i suraste laget. Gröna ärter och potatis till, samt päronen till efterrätt. Maj tycker visserligen mycket om poularder, men Aina talade om att hon inte kan garantera saftiga poularder, för henne har kycklingar en olycklig vana att bli torra och trista. Nej, Siv kom heller inte med några uppmuntrande förslag. Maj listade kalvbräss, gratinerad fisk, kalvstek, färs i form… Siv verkade trumpen, de brukar väl annars komma överens. Det blir gott, allt det döra, sa hon bara på Tomas-dagen då menyn måste bestämmas. En kalvstek är ju alltid lätt att få mör.

Kotletter känns hur som helst lite... annorlunda. Men Siv tror att Aina tycker det är besvärligt att steka dem *à la minute.* Maj har sagt åt Aina att hon får efterputtra dem i ugnen, men hon kan inte bestämma om hon ska slå såsen opp på eller inte. Då blir det liksom två gratänger efter varandra. Är hon här snart tro? Klockan sex kommer gästerna, och middagen beräknas serveras halv sju. Kanske i senaste laget, men Aina hade en lunch inbokad på Villagatan, och Maj vågade inte kräva att hon skulle avböja den. Vore det inte enklare om hon och Siv snodde ihop... nej, inte när alla tackat ja. Även Gunilla och Marianne och Lennart med respektive. Lennarts fru Hedvig är dessutom förtjusande rar. *Kan hon bli din vän, på riktigt?* Men Nina ringde återbud redan imorse, just när de avslutat kaffet på säng. Hon menade att Ragnar inte orkar med sällskapsliv som förr. Maj invände att han såg så pigg ut igår, men då sa Nina bara att han är en så skicklig skådespelare, han fick henne nästan att ställa in deras eget kalas i sista stund. Hur skulle det ha sett ut, hade Nina visst sagt åt honom. Hon lovade att komma förbi under veckan med någon sak, så då måste väl Maj ha kaffe och tårta. Det är lite... nedrigt att fylla år i mellandagarna. När den stora tröttheten sätter in. När alla bara vill pusta med praliner och julklappsböcker. När nyåret ska planeras och man ska ordna om klädsel och annat till det. Ändå blir de tjugo till bordet. Det är egentligen för många. Men man måste ju också bjuda igen. Inte gå och vara skyldig i evinnerliga tider. Marianne, Gunilla och Lennart har alla haft påkostade bröllop.

Tomas har handlat på bolaget. Han har aldrig sagt att han har något emot det. Sherryn är en ny sort, kanske borde hon smaka av den så att den passar till svampen. Nu blir det lite jäktigt de närmsta timmarna här hemma. Jo då, den är fin. Borde hon haft sin sedvanliga kaffebjudning istället? Hur ska Aina hinna? Om hon kommer tre. Är sherryn för söt? Hon slår i lite till. Kanske en aning. Det får hon be Aina att se upp med. Rödvinsflaskor, och vad bestämde de till buljongen? Åh, hjärtat bultar till och hastigt blir benen mjuka – inte har hjärtat lugnat sig helt efter insulinet – nog har de dricka till buljongen? Vermouth? Sherry? Och sodavatten.

Anita har Ulla-Britt hos sig. Det är en ny kamrat för terminen, som Maj inte känner så väl. Lasse är ute med Bernt igen, det är jullov och han passar mattiderna, så hon kan inte säga något om det. Anita och Lasse hade gått ihop om en eau-de-cologne, Tomas måste ha hjälpt dem, och Anita hade tecknat ett vackert kort. Ändå hade hon inte ro att dricka morgonkaffe någon lång stund, det är ju alltid att göra när man ska ha folk...

Siv och hon ska i alla fall duka i god tid. Med tants finservis. Att Maj fick den. Ja, egentligen Tomas då, men tant måste ju ha vetat att den ändå skulle bli hennes. Hon vet att Titti kommer att titta tårögt på den ikväll, *men jag vill inte ge bort den.* Tant önskade kanske att den skulle stanna i familjen. Hos Berglunds. Siv ser sur ut igen när Maj kommer ut till henne där hon plockar bland linneservetterna. Vad är det med henne? Är hon med barn? Just nu kan inte Maj ta reda på vad det är. De hinner inte. Hon låtsas inte om att Siv tjurar. Säger lite lättsamt – speglarna blankade, behöver glasen gås över och kan Siv vara snäll och bryta servetterna i någon trevlig form? Franska liljan? Som en svan, näckros? Nej men frun, jag får inte till det, suckar hon och Maj säger att de gott kan nöja sig med en solfjäder.

Toscasmeten gjorde hon redan imorse. När morgondisken var bortgjord. Ibland vet hon inte om de bara vill vara snälla. Åh, Maj, vi får väl päronen... *mor Majs knäckpäron.* Tror Georg att hon gör dem för hans skull? Så kanske det är. Precis som att hon gör köttbullar till Lasse, lax till Tomas, och Anita... vad gör hon extra åt Anita? Något brukar hon väl hitta på. Hon låter alltid Anita ta hem kamrater. Ulla-Britts mamma har visst ett fordrande förvärvsarbete på kommunkontoret som gör att hon ogärna ser kamrater hemma hos dem, eftersom det blir så dragigt. Stökigt. Och det blir det visst här också. Men Maj låter ändå Anita... hon ska be Siv duka fram något gott åt dem. Borde Siv sätta fram moccakopparna i salongen redan – nej men ser det trevligt ut att ha dem framme så långt före kaffet? Som om man vill ha det bortgjort, överstökat, vi kan lika gärna ta kaffet vid aperitifen och hoppa över det andra. Det kan ju kännas så, ibland i alla fall. Hur man vill, och ändå inte. Har hon inte utvecklats till en utmärkt sällskapsmänniska? Hon vet inte säkert hur man ska vara för att kallas så. Glad och lättsam. Se alla. *Själv bli sedd?* Det är väl inte det centrala. Nog brukar gästerna säga att man har det bra hos Tomas och Maj? Men hon har inte lärt sig att dölja jäktet. Tomas har sagt att hon inte måste ha så bråttom. Det får gå tid mellan rätterna och kaffet. Men Eva som brukar klaga på den där väninnan som är så långsam. Hur man ska vänta på att gå till bords, vänta på mat, vänta på kaffe så att man är alldeles slut när man kommer hem för man har väntat sig genom hela tillställningen.

Om Siv och hon raskar sig kan de slå sig ner en stund med kaffet sedan. Matrummet ser snyggt ut. Inte sant? Plyschmöblemanget, julgranen som är synlig i dörröppningen mot salongen – ja vardagsrummet då – modernt folk säger ju inte salong eller finrum, *men salong-balkong, nog låter det vackert på ett särskilt vis,* och tomtelandskapet som Anita ordnat om på fönsterbrädan i matsalen är verkligen gjort med tålamod och precision. Vadd, porslinsfigurer, stanniol. Julgransljusen i små stakar. Tomas har lovat att elda i öppna spisen, för stämningens skull. Han har fått upp tekniken under december månad, ja barnen har velat elda nästan varje dag. Men inte glögg. Den är man less nu. När man går mot nyåret. *Vad mer kan du begära?* Det känns rejält att fylla trettio. Nu är ungdomen definitivt över. Unga män sveper förbi henne med blicken som vore hon genomskinlig. Så är det. Mognare män kanske dröjer en smula ibland, men Maj är inte den som flinar upp sig. Tomas och hon har liksom närmat sig nu. Trettio eller drygt fyrtio om man räknar snällt är väl... sak samma. Syskonen däremot, det går undan. Tur att Titti ännu inte fyllt femtio.

Siv småspringer mellan matsal, salong och kök, sammanbiten, och nu ska Maj ha mage att be henne ordna om något ätbart åt Anita och Ulla-Britt. Men Siv måste också sitta en stund. Maj noterar verkligen att hon inte sölar, Siv är inte alls en sölig sort. Förberedd! *Aldrig som första gången med tant.* Man skiljer agnarna från vetet på dem som jäktar i sista stund eller kan slå sig ner med ett glas eller en cigarrett i soffan innan gästerna dyker upp. Om Siv dukar fram något gott åt flickorna så tar jag över servetterna, säger Maj så uppmuntrande hon kan. Vi måste ju se till att lägga benen högt en stund innan gästerna stormar in. Fräscha till oss! Siv nickar, *suckar hon?* – går mot köket. Maj pressar, viker, borde förstås klämma på dem med ett strykjärn också. Hon skulle gärna ha långklänningen ikväll, men det verkar kanske lite... *värdinnan får inte överglänsa gästerna.* Nej, just så. Ständigt denna balans. Kapprummet – det kan hon se över själv. Om Tomas och hennes ytterkläder är undanhängda i garderoben, galgar, Ulla-Britts kappa ser ut att vara av finare kvalitet, pjäxorna ställer hon undan. Maj har väl inget otalt med Siv? Inte är man väl missnöjd om man bjuder på kaffe i sitt hem på trettondagen? Siv fyller ju också år tätt inpå julen. Och Maj gör fortfarande det mesta själv. Men med Siv i hushållet kan hon hinna med allt det där extra och det är ju gudomligt att inte vara ensam om disken efter en bjudning. Och Tomas håller sig på kontoret tills det är dags.

Askfaten, står de framme – man måste ställa ut dem lite överallt i våningen för så är herrarna vana – ja då frågar Siv var det finns fler och Maj visar i byffén i matsalen – tack frun.

Flickorna har fått lite extra på fatet, Ulla-Britt är visst också förtjust i sött. Men varför fnissar inte flickorna längre? Det var så nyss de alltid fnittrade, nu är det bara det där viskande tisslandet som Maj inte kan undgå att ta illa vid sig av. Är det om henne? Hur Ragna och mamma kunde tystna hastigt när hon kom in till dem i köket, säga något tillgjort och högt. Vilka goda kakor, tant Maj, säger Ulla-Britt, ja det är klart, för henne är hon en tant. Vad roligt att du tycker om att doppa, säger Maj och frågar om de vill ha mera varm kakao.

Sopar Siv upp efter flickorna så att inte Aina… ja, hon är ju så bestämd att allt ska vara i ordning när hon kommer, så det går väl inte an att slarva med matvrån. Nu gitter Siv inte ens svara. Är det för besvärligt, frågar Maj därför – men ångrar sig genast – hon vill inte bli osams, och hon betalar ändå i överkant, Tomas betalar, men de har jobbat sedan nio imorse och nu är klockan faktiskt över tre – var håller Aina hus? – ta lite rast redan nu Siv, så snyggar jag till mig lite. Förse sig med bröd också. Siv niger.

Men när man är spänd tänker man inte på mat. När man är spänd blir det kanske darr på handen då man ska måla läppstift. *Är du så spänd? Nu?* Ja, vad ska hon svara på det. Lite nervöst är det fortfarande med kalas. Kanske finns det de som enbart gläder sig. Inte för att hon vill vara utan tillställningar. Inte så. Men det kan ju vara lite uppjagande att gå bort också. *Du som är en sådan sällskapsmänniska, Maj!* Jo, men det kan verka så. Efter en liten cocktail. Då slappnar man av. Ansiktet är fortfarande slätt. Är svägerskorna och Tomas goda vänners fruar avundsjuka? För att hon är så slank? Ibland tycker hon att hon hör vasst elaka kommentarer, åtminstone blickar. Men se på Gunilla, Marianne. Söta, välklädda. *Välformulerade?* Nja, är det så viktigt. Gladlynta i alla fall. Le mot spegelbilden, Maj! Och bit av det där läppstiftet mot ansiktsservetten. Se, hur det gnistrar i blicken bara man ser glad ut. Och nu är småbarnsårens jular över. Det är inte klokt. Anita och Ulla-Britt kommer om bara några år få former och vara försvunna på riktigt för henne, ja hon hör hur de viskar. Snart blir de aviga, bortvända. Ska Anita bli ännu svårare i humöret. Hon är ju så känslig. För allt. Tänk på Ellen, som surat så länge Maj varit i familjen, men så plötsligt steg hon fram som en artig och fin flicka – inte strålande snygg... fast Sylvia är så ståtlig på ett vis. Att flickor ska ärva på fädernet, där det kan vara si och så med... hur man ser ut. Det räcker ju inte med utseende för en karl. Det är inte enbart det som det hänger på. Tomas har djupare skrattrynkor nu. Men på en man... då är det bara klädsamt. Att han var så kolmörk innan det blev grått. Anita borde klä sig snyggt också, även om de ska äta i köket med Siv. Hur ska det bli för Anita... man trodde att det vackra skulle hålla i sig. Men hon är lite klumpig, liksom stor för sin ålder. Det är inte så roligt att vara störst. Det vet Maj. Huvudet längre på skol- och konfirmationsfotografier. Men nu har väl fula ankungen blivit svan? Hon sträcker på sig, lång hals? Vera som sa att en kvinna ska räta på sig så att hon får *lång hals.* En kort hals kan visst... äh! Borde hon ha bjudit in Martin och barnen. Tagit Gunnel och Lena till Anita och Lasse oftare. *Nu tar du klänningen Maj. Du som ännu är i livet! Vera borta för alltid.* Ja, hon reser sig, halvklädd i bysthållare, gördel, strumpor och pumps. Ska hon verkligen ha svart igen? Tomas tycker ju om det. Och att hon blivit kurvigare sedan insulinet. Kjolen i den nya klänningen är ganska snäv, slutar på halva vaden, med midjan insvängd och halsen raffinerat V-ringad. Så tacksam skärning. *Imorgon får du vila. Imorgon är det över.*

Bara hon baddar mot svetten. Det måste hon tala om för Anita när den tiden kommer. När Ulla-Britt och hon har varit instängda på rummet är där en lukt som Maj vill vädra ut meddetsamma. Det är nytt och ovant. Mamma sa väl aldrig sådant åt henne? Nej, det var Ragna. Ragna blev noggrann när hon träffade Edvin. Han hade visst lite av bacillskräcken. *Som du Maj. Jag har inte bacillskräck. Tvättar inte sönder händer... Mamma, pappa, Vera, tant... Varför tog du inte vara på dem medan de levde?* Kortet från Ragna ligger på byrån. Hon tar det, deras hastigt nertecknade namn. Ragna har skrivit dit brödernas namnteckningar också. Man kan inte räkna med att pojkar ska komma ihåg. Stig som är nykär, och både Per-Olof och Jan har ju fullt upp som familjeförsörjare. Pärlorna också. *Som pricken över i.* Och så bort med papiljotterna.

Visst har Siv släppt in Aina? Ostpastejernas skal som ska stå svalt innan gräddning, svampen... *Aina grejar det där.* Jo. Måste hon bli så här yr alldeles nära inpå gästernas ankomst? Hon kan ju inte lägga sig nu. Det går inte för sig. *Gå ut till köket och instruera Aina.* Just så. Aina muttrar att det är underligt att bygga så smått. Ett kök knappt större än en smatt. Men Maj tycker på sätt och vis att det är behändigt. Att inte ens i vardagslag behöva vara upp i disk och stök medan man äter. Fast riktigt bra arbetsbänkar är det förstås inte. *Mammas kök var heller inte stort. Slask och bara en zinkplåt.* Lite dåligt dagsljus eftersom det vetter åt norr. Men skafferiet med ventil! Det är väl några karlar på kontor som suttit och räknat och ritat, säger Aina. Jag måste allt få hålla till i matvrån också. Oh ja, självklart – säger Maj, det går inte att neka Aina något. Siv ger Aina ett handtag när Aina behöver, säger Maj, högt som om Aina hade nersatt hörsel. Har Aina haft en fridfull jul, frågar Maj då, ja tack frun, svarar Aina, det har varit bra förtjänster.

Att man ändå ångrar bjudningar. Nu när julen just är bortgjord. Och idag har hon fått en egen hushållsassistent. Av Tomas. Om hon hade kunnat pröva den och sätta en deg. Till bulldegar är den oslagbar, säger Titti. På sätt och vis vill Maj försvinna in bland grytorna. Smaka av, puttra, garnera snyggt och med finess.

Det är ju inga märkvärdiga människor. Nog har släkten mist sin hotfulla skepnad – men det ska ju ändå granskas och godkännas. Hon går till matsalen igen. Kanske kommer Titti säga att servisen är i goda händer. Jo, men nog uppskattade tant att Maj satt hos henne så ofta mot slutet. Man tror att ålderdomen ska bli lugn, behaglig. Men Maj såg tants oro. Ångest. Nu kommer hon inte på middag mer. Saknar Tomas henne? *Den döde är död.* Om den döde kan man tala gott och anekdotiskt. Anita grät kolossalt på Teas begravning. Maj kan inte gråta på begravningar. Hur gärna hon än skulle vilja. Som om en plötslig saltkälla drar all fukt till sig bakom ögonlocken. Hon blir torr, röd. *Tänk inte på det! Du fyller trettio!* Vacker som en dag. Eller har småbarnsåren för alltid präglat blå skuggor under ögonen? Det var det väl värt? Det vore larvigt att klaga över att ha två barn och hembiträde. *Men jag klagar inte!* Då så.

OCH TOMAS? SKA han få ett ord med i laget när hustrun fyller jämnt? Fast Tomas talar hurtigt bara i andras närvaro. I ensamhet har tankarna... orden... en helt annorlunda klang. Dov. Tvekande. Liksom han nu lägger undan det arbete han motvilligt har påbörjat inför årets redovisningar av resultatet. Otto ville plötsligt ha det så, tydligare *avslut*. Att alla enheter i fabriken ska samlas, visa på vinst och mindre fördelaktiga resultat ska inte heller sopas under mattan. Bättre insyn i bokföringen. Tomas vet inte riktigt hur Otto resonerar med det här. Det känns inte illvilligt eller beräknande, bara lite onödigt omständligt. Så länge var och en sköter sitt. Axelsson blir visst kvar en stund. Jag får be att framföra gratulationer till hustrun, säger han sirligt, ja nästan med en lite slipprig underton – inte Axelsson väl? Tomas nickar i alla fall, tar pälsmössan, handskar. Han ska gå omvägen förbi Zettergrens blommor. Bara rosor duger en dag som den här, fast Maj kanske föredrar nejlikor. Pling – och så fukten, värmen, den kryddiga doften av... Tomas vet inte säkert vilka blommor som avger den här starkt mustiga doften som är så påtaglig i en blomsterbutik. Kanske är det bara kombinationen. Min hustru fyller trettio, talar han om, fru Zettergren nickar och säger att då ska det väl vara rosor kan tänka, Tomas nickar, minst ett dussin – nej femton blir bra. Borde han ta trettio? Som en storslagen, överdådig gest? Fast då tycker Maj att han överdriver. De nickar väl inte, säger han, och Zettergren talar om att det är prima kvalitet, men de måste förstås snittas. Och varmt vatten till hårda stjälkar. Trettio år. Herregud så ung. När Tomas var trettio var han kär och dum. Förstörde sakta sitt äktenskap med Astrid. Drickandet... hade de klarat det annars? I början, lekfullheten, att hon njöt... men det ska han väl inte tänka på nu. Vem vet hur det skulle blivit om också de fått barn tillsammans... Var så god herr Berglund. Jag har bäddat in dem noggrant. På växelpengarna förstår han att de gått på mer än han trott.

Det är inte farligt kallt. Vackert med adventsstjärnorna i fönstren. Bara allt är under kontroll när han kommer hem. Det känns plötsligt så... oöverstigligt. Att vara glad och trevlig och hitta på nya samtalsämnen. När de så nyss har träffats under julhelgen. Självklart måste han stötta Maj när hon vill fira sin trettioårsdag. Saknar hon jämnåriga? Det stramar i musklerna på lårens baksida. Vadorna med. Ja, som stumnar hela benmuskulaturen när han ska ta trapporna upp. Han och Anita gick verkligen långt på juldagens promenad. Två, nästan tre timmar. Fantastiskt att hon orkade. Det var Maj som bussade ut dem. Bernt och Lasse åkte kälke och Maj ville vara ifred. Det är lätt att gå med Anita.

Har hon druckit? Hon ser så glad ut när han sträcker fram buketten, trycker sin kind mot hans. Nej, det luktar inget annat än läppstift och kanske något från håret.

Stiligt, säger han fast han vill säga det annorlunda, mer innerligt – hon är vacker i den nya svarta klänningen och pumps, pärlor runt halsen.

Aina är lite vrång idag, ja Siv också, så vi får se hur maten kommer att smaka, säger hon med ett leende. Att man inte kan veta. Skulle inte något sådant lika gärna få henne att... nästan explodera? *Är du så jämn i humöret då?* Men hon brukar vara på dåligt humör innan bjudningar. Uppjagad, inget tålamod med barnen. Hon tar sig till och med tid att borsta av rocken innan hon hänger in den i garderoben.

Tänder du brasan?

Självklart, svarar han, säg om jag kan hjälpa till.

Bara inte veden Johan kom med är sur då. Det kan den ju knappast vara. Spjället, stapla på det rätta sättet, det gör löjligt ont i benen när han sitter på knä på stenhällen framför spisen. Kalkstensplattorna är oväntat kyliga, inte bara svala. Tidningspapper – det tar sig. Han kan sitta en stund och se hur det brinner. Skulle han verkligen inte klara av att vara måttfull nu? Sällskapsdricka några glas? Bjerre var benhård, det var han. Avstå eller dö. Nästan så frankt uttryckte han sig. Han kan ju knappast prova bland folk. Han reser sig stelt, tar pipan. Sjunker ner igen, ifall Maj skulle komma in i salongen. Otto är försiktigare nu också, sedan han fick besvär med hjärtat. Eller var det magsåret? De brukar sitta nyktra och sömniga och söka efter samtalsämnen när de andra går in i andra... dimensioner. Jädrar vad snabbt folk blir fåniga när de dricker. Inte för att Tomas är den som kommer med gliringar. Han skrattar till och med när de tror att de är fyndiga. Maj... han har försökt att på ett finkänsligt sätt säga att hon kan ta det lite lugnt. Hon snäste av honom direkt. Ska du säga. *Ska du säga.*

Han måste hälsa på Aina också, har Maj sagt åt honom. Höra om hon vet hur Eivor har det. Men Aina är jäktad, svarar bara kort på tilltal, så han drar sig undan, in i sängkammaren. Skjortan och smokingen hänger där inne. Nyåret med Bertil och Anna, det blir i alla fall en lugn kväll. Skulle han stå ut med en kvinna som verkligen höll av honom? Som Anna, med Bertil? Eller noterar han bara krasst att de tycks ha ett gott äktenskap. Vad vet man? Om andras liv? Han ser fram emot en lugn kväll i deras våning på Storgatan, att skåla i Pommac. Titti tog förstås illa vid sig när de tackade nej till den traditionella supén. Men han tackade ja när Bertil bjöd in dem av pur tacksamhet att slippa Torstens försök efter några glas. *Klart du ska ha dig en grogg, Tomas.* I festsammanhang finns inget mer provocerande än de måttliga eller nyktra. Så känns det. Det är väl de som kämpar själva som blir oroliga av att det går att avstå. *Ta dig ett glas!* Fall igenom så slipper jag bära skammen. På flottiljen blev han lite chockad. Att det söps så in i helvete. Fast mannarna blev så tidigt berusade att de inte märkte att Tomas drog sig tillbaka. Och det var ett par som var kända för att inte ens vara tillnyktrade när de gick upp för att flyga dagen därpå. *En karl är en karl är en karl.* Om Tomas diktar så i tanken – kanske. Visst tusan saknar han whiskyn på byrån. Att få ta ett glas innan gästerna kommer. Det första… som bara smeker lätt och lekfullt, hur allting blir enkelt. Borde han kontakta Bjerre igen? *Poul.* Han var ju inte du med honom precis. Skulle han till och med uppskatta att höra av en patient som det gått så bra för? Tillagsinställd är han fortfarande. Där har inget ändrats. *En stuga på Ön. Vedspis, hämta vatten i brunn. Vandra, i alla väder.* Det är längtan att få släppa, slappna av. Bakom det där tillkämpade flinet finns en eremit. Som sätter flugan på plats, stryker håret i ordning. *Är du så pressad? Privilegierad på alla sätt och vis.* Det vet Tomas. Hur han i det yttre är avundsvärd. För det stora flertalet. Men man kan också hamna fel. Sakna all säkerhet på den plats man är satt att verka. Sakna möjlighet att styra om kursen, ny riktning. Är det inte så man säger? Det har varit bråda tider och han borde ha åstadkommit mer. Snart ska Otto ha sina prydligt redovisade resultat. Inte avundas han Otto, som allt hänger på.

Maj står i matsalen, röker en cigarrett.

Blir det för trångt?

Tomas ser ut över långbordet, de kan inte flytta möbler nu, han svarar att det blir alldeles förträffligt, om han sitter vid kortändan intill fönstret så kan de klämma in bordet en bit till.

Att vi fick servisen, säger hon och Tomas nickar.

Vad är det?

Hur så?

Du grimaserade.

Tomas skrattar till, säger att han nog har sträckt sig på något sätt, det stramar på baksidan av låret – och Maj avbryter honom med att säga att han får ta emot dem. På söndag måste han gå igen. Inte stelna till. Kanske Anita följer med. Lasse har inte uthålligheten.

Han får läsa för Lasse ikväll. När det är Maj som är festens föremål och värdinna. Han borde förstås snabba på för att vara med där ute igen. Fast det är fint att han får läsa, att Lasse vill. Det står och väger mellan Bland tomtar och troll och Bill-boken han fick i julklapp. Han ser att Lasse fortfarande vill ha bilderna, men han väljer ändå Bill. Man tror att man ska känna sina barn, på djupet. Ser han sig själv i Lasse? Nej, mer i Anita. Lasse är lika mörk, men han har den där lättheten. *Är du också en eremit?* Bakom leendet, skrattet, busstrecken med Bernt? Anita kan han läsa av. För väl? Oron, glädjen, förväntan, sorgen – alla känslorna som blir så ohanterligt stora. Att inte kunna ta lätt på något. Klart att han är ohyggligt fäst vid Lasse också. Men förebild? Ja, blir det inte så att han kommer på sig själv med att spela en roll. Som om Lasse kräver ett annat slags fostran, att det inte räcker att läsa en stund på kvällen. Han borde till exempel ta sig tid att spela bandy med Bernt och Lasse. Träna skridskoåkning, skidor. Men han är ju inte alls lika ung som kamraternas pappor. Lägg av nu! Fyrtiofem är väl ingen ålder. Nej men han hade kunnat ha vuxna barn vid det här laget. Det är den där ödesmättade känslan... Läs, pappa. Lasses ansikte vrids upp mot hans, han kramar om honom. Sorlet från salongen, Majs röst också. De bryter knappast upp än på ett tag. Ska vi åka skridskor på söndag, säger han när kapitlet är slut. Men Lasse sover redan. Tomas blir sittande med hans snusande andetag mot sin mage.

Anita är vaken. Frågar om de inte ska gå hem snart? Det är ju mammas födelsedag, svarar han, du vet mamma tycker om att bli firad.

Dom är så bullriga, säger hon och Tomas skrattar till, det har du rätt i, dom är hemskt bullriga. Den är så bra, lägger hon till och visar upp bokens omslag, Fröken Sprakfåle.

Det vore skönt att få lägga sig med en bok. Men jag måste väl gå dit ut och vara lite underhållande.

Tror du att mamma blev glad för eau-de-colognen?

Tomas nickar, det är jag säker på att hon blev. Har hon inte sagt något? Anita skakar knappt märkbart på huvudet.

Ska vi ta långpromenaden på söndag, säger han och Anita nickar, tar upp sin bok igen.

Sov så gott.

Du också, pappa.

Tomas, Tomas, var har du varit, ropar Georg från fåtöljen. Smiter du ifrån oss? Tänk så många ord som dråsat ut om han nu var lite full – istället flinar han, spänt och överdrivet, tar en stol och slår sig ner. Han kväver en gäspning och Dagny skrattar att hon förstår piken fast den var fin. Ser Maj lycklig ut? Alla tycks lite trötta, faktiskt. Utom ungdomarna då. Borde han prata båtar med Lennart, nej han håller ett hårt grepp om sin Hedvig. Maj menar att han har förändrats så in i norden sedan han fick tag på Hedvig. Blivit riktigt trevlig! Jo, men Maj verkar glad. Han och Otto borde kanske ta en påtår i matsalen, dra sig undan. Då kallar Maj på honom, ber honom se till att alla har något i glasen.

TAR TOMAS OVÄNTAT två veckor ledigt i juli? Maj ber honom inte, säger att Siv tycker till och med att det ska bli roligt att vara hos dem på landet istället för att arbeta i stan under sommaren. Ja, lite semester får även Siv. Fast Tomas vill ju också vara där ute med familjen. Men stänger han inte kontoret ett par veckor under högsommaren, ger både Axelsson och sig själv fritt? Och Maj och Tomas – de anstränger sig båda för att den här sommaren ska bli bra. Barnens barndomssomrar, det är just nu de inträffar, och Maj säger att hon inte kan föreställa sig att man kan få ha det så mycket bättre än de har. Kan man det? De dimmiga dagarna tar Tomas med dem i bilen, ja bara för att kaffet ska gå på kort kan man väl få kosta på sig bensinen – nu far vi ifrån fukten vid kusten, blir borta resten av dan.

Moälvens dalgång. Tycker inte Maj också att det är vackert? Västerhus, Backe, Gottne, Mellansel. Stannar de vid den vita träkyrkan i Moliden? Nedanför rasar sandbankarna brant mot ån. Bygatans björkallé, och herrgård, rättargård och prästgård, vi köper med oss något gott från bageriet, säger Maj, nog är det ganska vackert här? Lasse och Anita vill vända och springa i förväg utför landsvägen, Maj och Tomas går. Maj i pumps och sommarklänning. Tomas försöker komma på vem pappa kände i Moliden… nej, Maj kan inte hjälpa honom.

Älven. Bron. Några pojkar som badar i det bruna, strömma vattnet, tycker till och med Lasse att det ser farligt ut? Borde Tomas undervisa dem, hur Örnsköldsviks välstånd genom MoDo faktiskt föddes här… fast pappa var väl aldrig plankbärare vid Mo såg? Inte heller på Norrbyskär. Det kommer en kvinna gående med en ko nerför backen, hon haltar rätt så illa fast hon är ganska ung, ja inte mycket äldre än Maj, och Maj viskar att det där ser ut att gå fasligt tungt. Men kvinnan viker inte undan med blicken när hon passerar dem, hälsar med en fjär, stolt nick. Tomas höjer handen till en hälsning. Far de vidare åt Flärke, Anundsjö, Bredbyn? Ska de ända till Myckelgensjö, eller Junsele? Maj och barnen blir ivriga bara bilutflykter kommer på tal. Fast då hinner de inte hem till kvällen. Imorgon kanske dimman har lättat, säger Tomas när de äter middag på Bredbyns värdshus, då tar vi båten till Ön och badar hela dan.

Men dagen därpå är det ju fest hos Sylvia och Otto. Ottos födelsedag. Fan. Tomas som tänkt ta långpromenaden på kvällen, ja han hade ju dessutom lovat barnen båtturen – vi kan inte utebli, säger Maj, ni måste vara hemma allra senast klockan tre. Då får Tomas ingen ro. För de kommer dessutom sent iväg från bryggan, missar morgonviken och det blåser så de får förtöja båten på den östra sidan och promenera över hela ön. Tolv, halv ett… ja nästan genast måste de vända tillbaka. Anita, Lasse! Låtsas de inte höra där ute i vattnet? De vill ju inte heller åka hem.

Det är faktiskt inte Ottos sextioårsdag, ändå tycker Maj plötsligt att det är genant att de inte var där och uppvaktade på morgonen. Han är trots allt direktör, säger hon, direktör, svarar Tomas med ett skratt, han är väl bara min storebror, och Lasse kommer inrusande i sängkammaren och skriker att han ska vara hemma. Ja, då får Anita sköta om dig eftersom Siv inte är här, svarar Maj fast Tomas tycker inte att Lasse ska få regera. Okej, säger Anita oväntat. Men ni kan inte komma hem senare än nio.

Och genom hela middagen... att han inte har förberett något tal till Otto. Är det inte småaktigt av honom. Nog borde han kunna säga några väl valda ord. Nu när efterrätten ska serveras, än finns det tid att klinga med skeden mot glaset. Fast det är många som har firat honom... Orken. Att vara spirituell. Spontan. Det var lättare efter ett glas. Två. Just som spänningarna släpper – klart att Tomas vet att om man är spyfull då kommer inga välformulerade tankar. Han konverserar och utan att han riktigt hunnit känna smaken av hallon, grädde och maränger så märker han hur han förgäves skrapar dessertskeden mot botten av den djupa tallriken. Och genast när de bryter upp från bordet ångrar han sig. Det kostar så lite att bara säga... ja, bara säga något. Det är ju inte Ottos fel att Tomas hellre hade rott ut med ekan, promenerat, eller suttit stilla på bänken vid båthuset och sett ut över sjön.

Maj klarar det. Det gör hon. Ja, hon pratar glatt på med hans systrar, syskonbarn. Gunilla och Marianne, Lennarts Hedvig. De ser ut att vara jämnåriga väninnor i sina mönstrade sommarklänningar, solbrända armar och rätt så kortklippta hår. Ett trevligt kamratgäng. Föreningsmänniskor, inte solitärer. Tomas letar sig ut till verandan. Tänder till och med pipan. Borde de inte avverka ner mot sjön? Det där sälg-, asp- och björkslyet kommer snart att skymma sikten helt.

Anita – jo det är Anita som kommer springande – just som han ska gå tillbaka in för att dricka kaffe – pappa! Lasse förblöder – skynda dig! Herregud. Vad har hänt, Anita? På täljkniven, jag visste inte... Maj. Var är hon? Följ med, säger han, knuffar sig genom salongen med Anitas svettiga hand i sin – Maj vi måste hem. Lasse har skurit sig. Det var mitt fel, hackar Anita fram. Han tog kniven när jag inte såg... Jag var bara på dass, viskar hon och måtte Maj låta bli att skälla ut henne, men Maj säger bara att de ska raska på hem.

Nej. Han vill inte se. Lasses bleka ansikte där han ligger på kökssoffan. Handduken helt nerblodad. Bra att du band om så där Anita, hör Tomas Maj säga där hon böjer sig över Lasse, lirkar loss det blodiga tyget. Hon skäller inte på Lasse heller. Tomas vill faktiskt ryta i att han måste förstå att han ska låta bli kniven. Blöt en ren trasa, kommenderar Maj honom. Rena trasor? Var har Maj rena trasor? I köket, hur han sliter upp skåpluckor, rycker i lådor. Var, måste han till slut fråga och Maj säger näst nedersta lådan vid slaskskåpet. Han skopar vatten ur spannen, häller upp i en skål. Här – Maj tar emot och säger att hon bara vill göra så pass rent att hon kan se efter hur såret ser ut. Anita står vid Lasses huvud, håller i hans oskadade hand. Aaj, jämrar han sig och försöker slingra sig loss när Maj tvättar. En ny ren handduk Tomas, säger hon, vi måste binda om. Han gör som hon säger. Först nu ser han blodspåren på golvet. Pölar av röda fläckar. Går blod bort? Vi kör till lasarettet, avgör Maj. Det är en bit som saknas tror jag, eller om det bara är nageln, det är hur som helst djupt.

Hur kan hon vara så lugn? Han hör henne berätta en saga i baksätet, där hon sitter mitt emellan Lasse och Anita. Ja, Lasse ligger halvt i hennes knä. Tröstar hon till och med Anita? Upprepar att doktorn kommer att göra allt bra. Så fort de kommer till lasarettet blir det bra igen. Tomas tittar inte på hastighetsmätaren – tack och lov tankade han fullt efter bilutflykten – de skenar fram genom den tungt grönmättade sommarkvällen. Adrenalinet, svetten. Solen som bländar – nu måste han åtminstone se till att de kommer levande fram.

JA, SÅ KOMMER hösten då det är Lasses tur att börja i skolan. Är Maj orolig, rädd att han inte ska klara sig bra? Han har inte längtat eller övat bokstäver och siffror. *Kan hon känna igen sig?* Den oformulerade rädslan att tvingas sitta stilla om dagarna. Räkna, läsa, räcka upp handen, vänta på sin tur. Ja, hur ska hon få Lasse att läsa läxor om han inte vill? Att *skolmognaden* verkar dröja, kommer den ens att infinna sig? Tomas är inte sträng, men lite otålig, när Lasse avbryter, eller tycks ointresserad av Tomas försök till korta föreläsningar i geografi, alfabetets uppdelning i vokaler och konsonanter, historia. Hur Anitas vilja att leka skola med Lasse sällan möts av någon entusiasm från hans håll, ja den här sommaren har Lasse och Bernt mest synts till vid måltiderna. Majs hjärta rusar fortfarande när hon tänker på morakniven, hur Lasse hade kunnat bli av med sitt finger. Nej, hon kunde inte skälla på honom när hon fick se hans vitsvettiga ansikte, blodet... Men han behövde inte stanna kvar på lasarettet, fast några badveckor försvann förstås eftersom skärsåret måste hållas rent och sterilt. Och hon fick ha honom hos sig, en kort stund blev han åter liten, behövde hjälp att klä sig, tvätta sig, ville inte vara ensam. Anita läste för honom, Pelle Svanslös och andra berättelser, men ganska snabbt blev han less på sängläge och inomhusliv.

Nu är småbarnsåren över, Maj. De kommer aldrig tillbaka. Nej, slår det henne med full kraft när hon står på balkongen och vinkar åt dem en tisdag i september. Anita tar Lasse i handen, de småspringer nerför backen, Anita är rädd för att komma för sent. Nog kommer de att vända sig om och vinka?

BÅDA HEMMA FRÅN skolan. I feber. Lasse som bara gått knappt två månader, om han redan kommer efter med bokstäverna och räkning. Och dessutom Siv som ringt sig sjuk, idag skulle de ta halva våningens fönster. Tomas dröjer sig kvar i tamburen, säger åt henne att vara vaksam på hastigt förhöjd temperatur. Vad tror han om henne, hon blir ledsen, ja, på riktigt, *polio*, än har man väl inte hört om någon epidemi här? Kan Tomas ha läst något, han menar i alla fall att smittor färdas så hastigt, en enda smittbärande handelsresande, sedan... Nu har du gjort mig hemskt orolig, säger Maj när hon hjälper honom på med rocken. Är det inte bara en vanlig influensa? Det sticker i näsan på mig också. Han klappar henne hastigt på kinden, handen är oväntat varm.

Lasse har somnat om. Men Anita är vaken, blek och sysslolös i sängen. Vill inte Maj vara *omtänksam?* Komma med honungsvatten, kalla omslag, vädra in frisk luft – jo, hon gör väl allt detta. Men samtidigt... hon hade tänkt ta fönstren idag. Innan den verkliga kylan kommer. Och pölsan. Korngrynen som stått och svällt över natten. Hon frågar Anita om det går något i klassen, men hon vickar bara lamt på huvudet. Åh, nu svider det i halsen. Mot öronen. Maj tar sig hastigt för örat, frågar om Anita har örsprång. Nej, hon blundar nu. Andas med öppen mun. Hon böjer sig över henne, stryker håret från ansiktet. Tar en hårklämma från träasken på skrivbordet och fäster upp. Gud så kokande hon är. Mumlar hon något? Yrar? Ja, stiger det inte fram rosor på de vita kinderna medan hon står böjd över henne. Hon håller handen framför munnen – het luft mot handflatan. Bäst hon tvättar sig med tvål. Om hon lägger sig sjuk också.

Mamma, gå inte.

Alldeles i dörröppningen stannar Maj, vänder sig om. Men jag är bara i köket. Ropa om du vill ha något.

Var är Lasse? Anita försöker häva sig upp, kisar – Lasse sover, svarar Maj, vi väcker honom inte. Hon blundar igen. Sjunker mot kudden. Maj kan ju inte gå ut ur rummet nu. Borde hon ringa doktorn? Tomas? *Det kan väl inte vara polio?* Kan du röra benen, frågar hon, och ser hur täcket höjer sig en smula. Om Tomas kunde låta bli att jaga upp henne. Så fylld av oro för underliga symptom som hon redan är. *Barnförlamning.* Alla sjukdomar som kan drabba *om man inte sköter sig.* Ruttna löv och höstens fallfrukt. Fukt, dy, lera. Någonstans finns faran, *men man ser den inte. Det blir feber, kanske kräkningar, diarré. Sedan – förlamning.* Det är som det är. *Hur ska du orka se och bära barnets lidande?* Om hon kunde få göra färdigt pölsan. Varför la hon korngrynen i blöt när hon inte har tid att ta rätt på dem. Anita och Lasse har inte klagat på magont. Men de har hög feber. Hur ska en god mor välja att vara? Se symptom och söka lindring, i förebyggande syfte, och på så sätt åsamka *inlärd hjälplöshet?* Eller bortse från snuva, magknip, febertoppar och skrapsår, *kall och okänslig.* Maj tycker väl inte att man ska sjåpa sig. Varken flickor eller pojkar ska gnälla över minsta lilla, nej gnället måste man behålla för sig själv. *Sjåpar inte du dig, Maj?* Med hjärtrubbningar, yrselanfall, och känslan av att falla... Men är det inte lite bättre sedan insulinbehandlingen? Något lite. Snygga kurvor, större bröst. Bryr sig Maj om större bröst? Hon har inte tid att kliva åt sidan och se klarögt när hon är mitt upp i allt. Bara detta återkommande mumlande mantra att det är synd att de måste bli sjuka just nu. Och hon *är* orolig för barnförlamning. Hon har förmanat dem att inte leka med gegga och jord och sedan stoppa fingrarna i munnen. Peta överallt och sedan utan att tvätta händerna sätta sig till bords... ja inte för att de längre leker i lera. *De är ju äldre än så, Maj.* Fast Lasse kan fortfarande komma hem ganska nersmutsad, *men en pojke kan ju inte bete sig som en fin fröken.* Hålla naglar korta, alltid tvätta händer med tvål. Skärsåret som läkte fint trots att det var djupt och ganska otäckt. Nej, hon kan inte ständigt vara på dem. Ibland måste hon ge upp, lita till att de gör som de blivit tillsagda. När hon har så mycket att hinna med. *Du som bara går hemma om dagarna.* Usch ja, vad var det egentligen hon skulle hinna med? Fönstren kan ju inte stå öppna för fullt drag idag. De måste vänta.

Hon går mellan deras rum, Lasse som sovande flämtar, Anita tittar på henne, frånvarande, *minns du hennes första sommar, då du trodde att hon var förlorad för dig,* klart att Maj minns och nu kommer hon med honungsvatten, släpper hastigt in frisk luft, fuktar handdukar till barnens pannor. Är inte sömnen bästa botemedlet? När de varken vill äta eller dricka. Eller kan sömnen sänka dem till medvetslöshet och koma? Lasse vaknar och ber om hjälp till toaletten. *Kommer du att minnas hur jag bar dig genom korridoren, höll dig när du krampaktigt var rädd att ramla ner i toalettens hål?* Visst gör Maj också detta? Anitas hår som klistras mot pannan, var är det ont, frågar Maj, men ingen av dem kan svara.

Hon kokar kaffe, skivar sockerkaka, ställer in var sitt glas saft på deras nattygsbord. Nu sover de igen, bägge två. Då borde hon få pölsan bortgjord. Lasse är så stilla. Kan han röra sig? Hur vet man om de blivit förlamade i sömnen? Kan man se innan de själva upptäcker, kan man på något sätt förhindra? Då väcker hon honom. Kan du röra dig? Han gnyr till, men slänger självmant ut en arm så att täcket glider åt sidan. Anita slår upp ögonen när hon känner på hennes panna. Maj häver henne upprätt, tar saftglaset, kan du röra dig, nej hon får inget svar men på något sätt lapar hon i sig saften – ett stilla lugn när vätskan rinner genom Anitas strupe. Äta går inte. Hon sluter bara läpparna när Maj är där med en smulig bit av kakan.

Soppa. Hon får laga soppa åt dem, kan inte räkna med att de ska få ner pölsa även om det i och för sig är lättuggat. Redd kalvsoppa. Med redd kalvsoppa borde hon kunna rädda barnen. Inte för att hon kan gå hemifrån och ordna hem kalv nu. Doften av späd kalv i brynt smör.

Anita som inte orkar protestera när Maj tar hennes temperatur. Nattsärken uppföst, stjärten bar. Trettionio och fem. Närmare fyrtio. Ska hon genast ringa doktorn? Skaka termometern i läge, torka av salvan. Klart att de behöver få i sig något. Havresoppa med torkat äpple och kanel? Nej – alldeles slät, så inga bitar av frukt kan fastna i halsen. Närande, nyttiga gryn. Mjölk och mandel. Ja om hon mal mandeln till fint mjöl. Monterar mandelkvarnen i bordsskivan fast det blir fula märken, skållar mandlarna. Skalet kan väl reta i halsen? Hon rör och rör. Sötar med socker. Salt också. För svettningarna. Fast Anita har fortfarande frossan. Bara två skedar, sedan rinner det utanför, blir kladdigt på hakan, halsen. Är Lasse lite, lite klarare när han vaknar? Fem skedar får hon i honom. Men ska hon ha pölsan färdig när Tomas kommer hem får hon bädda åt barnen i sängkammaren. Kan inte springa mellan kök och barnkamrarna och riskera att allt blir vidbränt på spisen. Att hon inte tänkte på det genast. Hon kan bädda rent ikväll. *Fast först måste du kontakta doktorn.* Om det bara inte var så svårt med telefonen. Lita till röstens bärkraft och att orden blir begripliga när de kommer ut. Förklara för syster och antingen bannas för att man inte ringt tidigare eller anklagas för att ta upp doktorns dyrbara tid. Tomas tycker absolut att hon ska telefonera omedelbart. Han kan ju inte, som är på kontoret. Nog förstår hon att han inte kan förmedla barnens hälsotillstånd på ett tillförlitligt sätt? *Om du inte ringer och de dör.* Det är syster som svarar. Vad gäller saken? Maj måste uppge hur gamla de är, hur länge de varit sjuka. Bara en dag? Ja, om krisen inte bedarrar – då får fru Berglund återkomma. *Hur ska hon veta när krisen bedarrar?* Blir tillståndet akut så märker fru Berglund. Men barnförlamning... klämmer Maj fram. Då säger syster att man ändå inget kan göra. Fast hon har inte hört om några fall i distriktet för närvarande. Se nu till att de får i sig vätska, att de kissar, de får inte torka ut. Kris? Är krisen över nu? Tomas blir arg, säger att de inte bara kan säga att de ska avvakta, om han inte hade det här inbokade mötet klockan tre så... bara de får i sig vätska, hugger Maj av, så ska det gå bra. Men en polioepidemi kommer ju hastigt och utan förvarning, säger Tomas. Då sa syster att man ändå inget kan göra. Fan, fräser Tomas till. De lägger på.

Nu ligger barnen i deras sängar. I Majs och Tomas sängkammare. Het andedräkt från torra läppar. De lever. Visst bör hon väl bara låta dem sova? Hon slår havresoppa i en djup tallrik. Sörplar – ja ingen kan ju höra henne – den lite sötaktiga, släta havrevällingen med mald mandel i. Inte så tokig? Inte stärkande som kalvsoppa, men hon skulle ändå aldrig få dem att tugga kött. Hon hade sett fram emot att få laga pölsa. Att en hel eftermiddag hacka och skära och fräsa och förvälla. Mala och röra. Krydda och smaka av. En pölsa kan inte jäktas fram. En pölsa kräver framförhållning och planering. Flöde skulle man kunna säga, i bemärkelsen utan avbrott. Hur det ena måste leda till det andra – ja i alla fall känns det så. Hur vissa rätter kan avbrytas utan att de förlorar alltför mycket i smak och kvalitet. Men ska pölsans konsistens bli den rätta måste korngrynens koktid sammanfalla med fläsklägg och lever. Tomas tycker om pölsa. *Se hur jag lägger på minnet och lagar just för dig. Fast jag är svår i humöret.* Tomas, Tomas. Ska han skälla på henne för det här med doktorn nu? Lasse har somnat om. Är det inte välsignat att de får sova? Bara det att Anitas sömn tycks oroväckande djup. Kan man bara sjunka ner i... medvetslöshet? Kris! Vad menade egentligen syster? Är inte en kris något obönhörligt, oåterkalleligt, en rörelse mot en punkt som om den passeras innebär... *död?* Kryddningen till pölsan kan vara knepig. Hon vill inte ha ansjovis. Fast Tomas tycker förstås om det. Som karlar är för ansjovis i tid och otid. Nog för att Maj tycker det kan vara trevligt med Jansson, men i pölsan... mejram, sirap. Lagerblad förstås. Bara man inte överdoserar. Längtar hon där vid beredningsbänken efter någons våldsamma begär efter henne, att överrumplas av hetsiga kyssar, händer... Hon är så ung. *I blomman av sin skönhet.* Är det inte så man säger? Att Erik trycker sig nära, kupar en hand om nacken, drar henne intill... Hon tänker väl inte på Erik nu. Bara hastiga tankar. *Vi menade väl inte att göra varandra illa?* Om kärleken är att lämna avtryck kanske man inte bara kan vara smeksam. Vera som kunde känna när hon hade extra lätt att bli med barn. Inuti i kroppen, varje månad *och nu är hon borta. Vera!* Kanske är det bara någon kroppslig inre retning av lust. Fantasier. Om Tomas verkligen förförde... inte inför barnen. Alla underliga tankar som ska tränga sig på, *tortera.* Pölsa, potatis, inlagda rödbetor och mjölk. Spisbröd, smör. Fläsksvål, lever, lök. Lagerblad och korngryn. Köttkvarnen som kräver sitt för att monteras, *du som har så svårt med det tekniska,* varför känns det som om någon står och ser på när den ska sättas ihop, flinande, som om Maj inte kan mala, hur hon mal och mal, armen som vet att vrida veven runt och runt. Mandlar eller fläsksvål, lever, lök. *Du som förlorar så mycket blod ska äta rikligt av levern.* Rött kött, blodpalt. Eller blodplättar med lingon och smält smör. Åh, nu blir hon yr igen, och spränger det inte upp mot det högra örat?

Mamma? Hon skyndar ut från köket. Lasse halvsitter, rufsig i håret, jag är så törstig mamma – åh, så lättad hon blir. Men hon måste hjälpa honom med saftglaset, hur många klunkar får han i sig innan han sjunker ner mot kudden igen? Fast Anita sover. Flämtande, blek. Är krisen inte över?

Också när Tomas kommer hem sover Anita. Maj kan inte säkert veta, men nog känns pannan på ett annat sätt sval?

JA. DE TILLFRISKNAR sakta, men missar en hel del i skolan den här höstterminen. Kan Maj hjälpa Anita att ta igen skolarbetet under jullovet? Lasse med bokstäver och välskrivning. Hon försöker. Lasse ger upp. Blir arg. Vill ut. Han får bandyrör i julklapp, och nu när det är is på banan ska han dit och öva varje dag. Ja, även när vårterminen börjar vill både han och Anita åka skridskor på kvällar och helger. Blev Maj verkligen på ett annat sätt lugn sedan insulinbehandlingen? *Dåsig, trött, inte längre det rasande hjärtat.* Eller är allt bara som vanligt?

Och just som barnen har varit hemma på jullov kommer kokslovet, som Anitas fröken sagt att man kallar det i Stockholm. Med sitt krav på utelek, apelsiner och snö. Här uppe... det är en nyhet med en veckas senvinterlov och många föräldrar tycker det blir väl tätt med ledigheter från läxor och läsning. Tomas arbetar som vanligt, menar att Maj gärna kan kosta på sig nya skridskor och åka även hon – då skrattar hon till och säger att du har aldrig sett mig på isen, Tomas. Men Titti kan tänka sig att följa Maj och barnen ut och åka när Maj ringer och frågar, lägger till att Henrik säkert blir glad att få sällskap på skridskobanan. Vi måste ta på oss varmt om fötter och huvud bara, så klarar vi att stå en stund och se på.

Isprinsessa? Kan hennes dotter bli en äkta konståkare? Titti står där och stampar, gör åkarbrasor, intill Maj i den höga snövallen. De är pälsklädda och Henrik visar Lasse några trick med bandyklubban. Fast en del andra grabbar har visst bättre fart på både bollen och benen. Heja Henrik, ropar Titti, men för Maj tar det emot. Skulle inte Anita bara skämmas om Maj började ropa och hojta? Hon åker i alla fall lika fint som de andra flickorna. Det syns att hon har övat i vinter, nu när även hon fick nya taggade skridskor i julklapp. För stora i storlek visserligen, men skridskor är ju ingenting man lättvindigt kan byta ut. Lasse kavar fram på bandyrören, men han är ju fortfarande bara sju. Lite vingligt går det än så länge, och han tjurar när han ramlar omkull. Anita och Ulla-Britt paråker i takt, och Maj fryser om tårna.

Följer ni med till landet och äter bruna bönor? Ulla-Britt kan väl också följa oss ut? Gör det, säger Titti, nu ropar vi till barna att skridskotiden är slut.

Nu mår väl Maj bra? Anita och Ulla-Britt tränger ihop sig där bak, Lasse sitter halvt i Anitas knä. De är ju så lyckliga att de har ledigt från skolan. Och tänk vilken fin pojke Henrik har blivit, snart tretton och ändå tar han sig tid att leka med Lasse. Pettersons har skottat snön från infarten till lantstället – ja vad vore vi utan de fastboende, säger Titti allvarligt, jo men nog ger Georg Petterson bra betalt? Tänker Maj till och med att Pettersons nog är tacksamma över extra förtjänster – hon vet förstås inte säkert. Men det är vackert med nysnön som ännu inte blåst ner från björkarnas grenverk och de vita, bulliga granarna blir så snälla i snöskrud. De hjälps åt att lasta matkorgarna ur bilen, Titti har en hel låda lysande orange apelsiner i bagageutrymmet dessutom. Att jag inte kan bidra med något säger Maj, hade jag vetat, bullar... Men Titti bara skakar på huvudet och säger att nu behöver vi få i oss mat. De slår sig ner vid det stora matbordet i köket, där Titti dukar fram bruna bönor till dem, men förutseende nog har stuvat makaroner till barnens stekta fläsk – vad härligt det ser ut där barnen trängs i kökssoffan. Efteråt fettisdagsbullar och het mjölk, och kokande röda kinder – *där sitter dina barn, Maj.*

Självmant skyndar de ut för att leka igen och Maj och Titti kan dricka kaffe i värmen från vedspisen. *Ingen ångest, jäktande oro?* Nej, även Maj kan njuta sittande där med sin cigarrett. Titti lägger plötsligt sin hand över Majs, trycker till. Minns du hur vi var ute och travade på isen alldeles innan Anita kom? Och du sa inget, tänk om hon blivit född här på köksgolvet? Och nu är hon stor och själv går man mot femtio – är det klokt att man i ett huj blir en gammtant utan att man märker... för inuti, Maj, så är jag fortfarande bara en liten flicka.

Sedan bryter Titti upp, tycker att de ska gå ut och sätta sig på sparkstöttingarna i solen. Ropar till barnen att alla som vill kan komma och få apelsiner. De långa blå skuggorna i allt det vita. Maj blundar, känns solen inte till och med varm? När hon tittar igen – skärmar av ljuset med handen – ser hon dem komma pulsande genom snön, hon hör hur de skrattar, mamma, mamma kan vi fira min födelsedag här, hojtar Anita – Maj nickar. *Nog betyder de där leendena att mina barn ändå har fått det bra?*

LURAD. ÄR DET så Tomas känner sig när Titti ringer till honom på firman och talar om att Eva och Johan har sålt lantstället till ett par söderifrån.

Sålt? Vad säger du? Till vilka?

Åkerlund heter de, han har haft en revisionsbyrå och ska etablera den här uppe…

Så bra att jag får veta när det ändå är för sent. Nej, han vet att Titti inte rår för det. Men ändå…

Hade du tänkt köpa det av dem då? Låter Titti lite spydig? Johan har ju det där reumatiska, säger hon med ett vänligare tonfall, och det blir visst värre av fukten utåt havet. Jag vet ju inte, lägger hon dröjande till. Sedan är Titti tyst.

Jag blev minst sagt överraskad bara, svarar Tomas då. De är ju våra närmsta grannar, så det har ju viss betydelse vilka som bor just där. Hans röst är kanske inte direkt inställsam.

Tomas, Johan och Eva är ju inga ungdomar, jag vet att Eva har tyckt att stället har varit tungt att sköta de senaste åren. Men vi tänkte fira påsken på landet, kan du inte höra med Maj om ni ska vara med? Vi hade så jätteskönt på vinterlovet… du skulle ha sett ungarna i snön, Tomas. Som hundvalpar!

Påsken. Tomas ligger efter med bokföringen, och har inte heller betalat månadens fakturor. Så ska det firas påsk… Ja, säger han, jag ska fråga henne. Och den låga solen avslöjar att rutan här vid skrivbordet är så strimmig av damm och smuts att det inte går att se ut. Skulle inte Axelsson se till att få kontoret ordentligt rengjort, så här kan de i alla fall inte ha det.

Hela dagen går åt att tänka på de här Åkerlunds. Vilka är de? Revisionsbyrå. Det säger ju inget särskilt. Men när han kommer hem till Maj tycker hon att det både är spännande och trevligt. Säger att de ju sällan umgås på tu man hand med Eva och Johan... ja, lägger hon till över det kokta hönset med currysås och ris, det är ju absolut inget fel på Eva och Johan, men det vore ju en annan sak om det var Titti och Georg som fick för sig att sälja. Nej, han hejdar sig i sista stund från att säga att hönan är torr. Såsen är god. Lasse och Anita undrar om Åkerlunds har några barn, men det kan han inte svara på. Och när han säger att Titti ville fira påsken med dem på landet blir Maj mer motvillig, invänder att han inte kan räkna med att ha det som en påsk i stan. Tomas dricker ur mjölkglaset, ställer ner det med ett visst... tryck.

Jag vill i alla fall ta reda på vad det är för människor som har flyttat in. Så jag firar där ute.

Herregud. Han sa bara kort åt Maj och barnen att han skulle ut, och nu har han vandrat iväg ända mot Ås utan att riktigt tänka efter hur långt han har att gå tillbaka. Varför blev han så arg? Hur den ena ilsknare kommentaren efter den andra mal i hans huvud, ja vad han vill säga till Eva och Johan nästa gång de ses. Om de hade talat om att Johan inte orkar på grund av det reumatiska. Invigt dem i sina planer. Hade inte Tomas och Georg kunnat erbjuda sig att hugga i med tyngre arbeten på tomten då? Och barnen. Vill inte ens Gunilla och Arne ha stället kvar i familjen? Det byggs här ute i Ås, jo han är ju nästan i Själevad. Egna hem, små villor på små tomter. Men nu är det snart helt mörkt. Han har många kilometer längs landsvägen innan han kommer in till stan igen.

SÅ BÖRJAR HELGERNA på landet. När påsken är passerad gör Tomas klart att de så långt som möjligt ska tacka nej till bjudningar och evenemang som inträffar på en lördagseftermiddag eller söndag för att de ska kunna fara ut till Sillviken istället. Ja, nu är de här ute över valborgsmässoafton till och med och Maj går ensam och rycker ris och krattar för att det ska bli snyggt på tomten. De var ändå noggranna i höstas, så det är inte alltför mycket att ordna om. Men fult är det. Innan det grönskar. Nu kan det gå snabbt, har Tomas sagt, eftersom det är ovanligt varmt för årstiden.

Borde inte Anita vara tillbaka snart? Hon bad frivilligt att få gå över till Åkerlunds för hon hade sett att de var där. Tomas hjälper Georg med att röja sly. Till bålet ikväll. *Imorgon skulle pappa och mamma gått ut och sett på tåget.* Och Maj har inte hört av sig till Ragna heller. Ragna som faktiskt har bett dem att komma till stugan i Enköping. Men visst dröjer Anita lite väl länge? Lasse följde med Tomas. Så där överdrivet trevligt är det inte att vara ensam här ute. Det rasslar och knakar i grenar och snår. Hon vill liksom inte dricka eftermiddagskaffe själv när hon har packat med en glaserad mandelkaka som nästan smakar som Bettys. Att hon inte ens hunnit få iväg ett kort till Betty i vår. *Gå och klaga på ensamhet och inte göra ett dugg åt det.*

Men nu har ju Åkerlunds kommit hit ut. Ja, lite spännande är det att de är stockholmare. I alla fall söderifrån. Kom han ifrån Fagersta? Hon är nog urstockholmska. Alltid snyggt klädd. De kom över och presenterade sig redan till påsk och verkar vara förtjusande människor. Är det inte så man säger? Måttstockar som också Maj måste mäta sina nya grannar mot. *Förtjusande, behändiga, rara, högfärdiga, viktiga, förnäma. Enkla, slarviga, eller bara inte vår sort?* Men Maj är framför allt så glad att de är i hennes ålder snarare än i Tomas. Fru Åkerlund - Charlotte - eller Lotten som hon visst vill kallas - har nyligen fått tvillingar så hon har förstås sitt. Men de verkar inte vara några torrbollar. Herr Åkerlund hade nog tagit sig en påsksup när de kom förbi och hälsade - det kan man ju inte säga något om. En nubbe till påskens kaviarägg och köttbullar, det är inget underligt med det. Fast på sätt och vis är det förstås synd att Åkerlunds inte är nykterister som Sundmans. Hur de kommer behöva förklara att Tomas låter bli starkt men inte Maj. *Jag vill inte avstå.* Är det själviskt? Att vilja sitta på verandan med den här tjusiga Lotten och smutta på en vermouth. Som lättsamma människor.

Maj vilar sig mot räfsan, sträcker ut sin högra arm, svankar och kutar med ryggen. Böjer sig för att lyfta lövhögen till skottkärran, men hon ser varken till Tomas och Lasse eller Anita när hon reser sig igen. Att Anita självmant gick över för att hjälpa till med tvillingarna. Om tant Charlotte behöver vila kan jag kanske gå ut och gå med dem i vagnen, sa Anita när de träffade fru Åkerlund vid bryggan förra helgen. Vad Maj måste vara stolt över att ha en så fin dotter, sa Charlotte då och Maj bara log. Det var lite oväntat av Anita. Maj som tänkt att det är hennes fel att Anita är så *introvert*, som Nina brukar påpeka. Hon brås på mig, säger Nina, och mamma. Var tant introvert? Titti har sagt att det märks att Anita är en *begåvad* flicka. Mogen. Ett märkligt ord när det kommer till barn. Maj tänker på ost och kön och... det är ett ord hon vill blunda bort, men som naglar sig fast. Hon vet ju också hur barnslig Anita kan vara. Även om Anita pratar väldigt *förståndigt* för sin ålder, särskilt med Titti och fastrarna. Så ingen kan förstå att Anita faktiskt har ett ganska svårt humör. Ändå säger Tomas att de inte ska oroa sig för barnen. Lasse med alla sina kamrater och upptåg, Anita med sin *talang* och sitt läshuvud. Synd bara att på en flicka är ju läshuvud närmast... vad ska en flicka egentligen med läshuvud till? Vilken man vill ha en kvinna som är skarpare... *söt, snygg, prydlig, proper, praktisk, huslig, smärt, smidig, sensuell, trofast*. Inte många kan få alla rätt på den listan. Och visst kan en kvinna fara ut och arbeta, vara lärarinna, sjuksköterska, sjukgymnast, dietist, barnmorska, sekreterare, telefonist, butiksbiträde, hårfrisörska, bibliotekarie och apotekare till och med. Men Anita är ju fortfarande bara ett barn. Tids nog.

Nu kan hon väl snart gå över till fru Åkerlund i alla fall? För att se efter vart Anita tagit vägen. Om hon besvärar Charlotte – Lotten. Lotten vill kanske inte alls ha Anita springande hos sig om dagarna. Borde Maj packa en kaffekorg? Skulle inte det verka trevligt? Kanske lite påfluget. Hon ställer undan räfsan i sjöboden, går upp till huset. I nedre hallen har hon sitt läppstift och rouge, hon drar också en borste genom lockarna som blev lite för korta efter senaste permanenten. *Le, Maj!* Ja, med det där glada leendet kan hon traska över till Charlotte. Hon byter om till de nya pumpsen dessutom. På långt håll ser hon hur även Charlotte krattar på tomten. Nu känns det ovant och lite kymigt att bara kliva in över gränsen – när stället fanns i släkten var det ju annorlunda. Lotten – Maj måste ju ändå kalla henne så när hon bett om det – är piffigt klädd i blus, kofta och vid, knälång kjol, nästan lite barnsligt på ett vis, och gymnastikskor och ankelsockor. Hon är förstås redan smal om midjan. Och en scarf *av finare kvalitet* knuten om håret. Anita och tvillingarna syns inte till.

Vilket valborgsväder, säger Maj så högt att Lotten rycker till. Vad rädd jag blev, svarar hon, sträcker fram sin hand efter att ha dragit av handsken, den är varm, lite fuktig. Sedan säger hon att nu vill man ju flytta ut meddetsamma, inte gå i stan flera veckor till.

Säg till om hon stör, inflikar Maj. Stör, upprepar Lotten uppriktigt förvånad tycks det som, men det är ju alldeles förträffligt att få hjälp. En så charmig flicka.

När det passar ja, svarar Maj men ångrar sig. Kan inte Anita få vara bedårande i Lottens ögon? Hon verkar dessutom inte låtsas höra det sista. Säger bara att Anita är välkommen över så ofta hon vill. Men – lägger hon till – ni måste nog vakta henne, rätt vad det är har ni ett lämmeltåg av kavaljerer i trädgården!

Men Anita är så blyg, invänder Maj, och lite barnslig, hon vet inget om sånt.

Då skrattar Lotten och så ser de Anita komma travande med vagnen. Blir hon besviken när hon upptäcker Maj? Kanske. Maj säger att hon ju måste se vart Anita tog vägen, men så räknar hon efter tyst i huvudet och inser att Anita inte varit borta särskilt länge. *Skulle du föredra Lotten som mamma?*

Jag blev lite yr när jag gick och bockade mig efter rishögar, så jag tänkte... det är bäst att jag inte går ensam om jag skulle svimma. Anita ser på henne, fordrande, släpper vagnens handtag och säger att det tog en stund innan de somnade.

Kom snart tillbaka, säger Lotten och klappar Anita på kinden, nästa gång måste jag få bjuda på saft och kaffe.

Det kunde hon väl ha gjort den här gången, viskar Maj när de är en bit bort. Ja men hon frågade och jag tackade nej, svarar Anita, ja då får vi tacka ja nästa gång, säger Maj, hon kanske inte vet att man måste truga. Hon ber att få hålla i Anita – är hon inte underligt vinglig ändå – det känns svårt att gå i skinnpumps över den ojämna gräsmattan, men Anita är tyst, säger inget omtänksamt alls. Klart att gymnastikskor eller gummistövlar hade passat bättre. Det inser hon nu.

Tänk vilken tur att vi inte har tvillingar hemma, då skulle du aldrig få ro att läsa och rita. Anita svarar fortfarande inte. *Säg något.*

Tror du att pappa och Lasse får ihop till en majbrasa? Vi ska väl se till att få lite korv och vakagotta ikväll också.

Anita nickar utan att titta på henne.

NU BLIR HAN otålig. Tittar upp mot deras fönster i lägenheten, kan inte skymta Maj. Lasse och Anita sitter ju på plats i baksätet, men när som helst kan allt explodera, Lasse får akut spring i benen och Anita måste på toaletten, snälla Maj, kom nu. Kan det inte bara få vara bra så här, en bilfärd, semesterresa till Norge, de sa ju att de skulle fara så tidigt som möjligt. Törs han tuta? Lite ilsket. Det är så öde i stan i juli, inga grannar synliga på balkongerna eller här utanför, men om vicevärden är hemma. Han har uttryckligen sagt ifrån om störande trafik och busliv i trappuppgången. Lasse låter när han rusar i trapporna, det vet Tomas, men om det verkligen är så störande... Han vill gå upp och kontrollera våningen när Maj väl är på plats. Inte för att han misstror Maj, men att ingen kran står och droppar eller att kylskåpsdörren har råkat lämnas på glänt. Trondheim, Røros, de delarna av deras vackra grannland, bo på hotell och fjällpensionat. Ja, att han avstår lantstället, motorbåten, promenaderna en vecka för att de bara ska vara tillsammans och Maj ska få vila. Äta ute! Hon är rödblommig, men välklädd när hon äntligen kommer ut genom porten. Det var på tiden, säger han ändå – jag måste ju stöka bort efter frukosten, svarar hon då. Och han skyndar uppför trapporna, kliver lätt andfådd in i den tysta lägenheten. Kan Tomas se att våningen klanderfritt glänser, så Maj inte ska behöva skämmas ens om fru Kallander måste öppna diskbänksskåpet för att nå slaskhinken? Jo, och han anstränger sig för att inte skapa oreda bland de slätkammade mattfransarna.

Då får du vara kartläsare, säger han på plats bakom ratten. Men det går väl bara en väg via Östersund till Trondheim, invänder hon, och han försöker skratta lite lättsamt och tillägger att det bara är så att det krävs en kartläsare på långa bilresor.

Och när de äntligen lämnar Åsberget och Varvsberget bakom sig känner han intensivt hur han ska göra allt vad han kan för att de ska få sin semesterfrid. Men Maj vill inte ligga över en natt i Östersund. Säger att Östersund inte är mycket till resmål för hennes del, Östersund har de ju besökt förut. Att ta en längre rast hos Jan och Anna-Britta i Stugun, det blir väl bra, men inte dra med lakan och handdukar när de ska slippa sådant och bo på pensionat. Fast nu säger Maj dröjande att det är ju tjusigt här i Sidensjö också, varför har du inte velat fara hit? Nej, men vägarna är inget vidare, svarar han, och plötsligt, hur han gör en snabb rörelse med ratten så de far i diket... Nej, det är bara en av de där bilderna som tränger sig på, okontrollerat. Varför blir han nervös nu? Han är ju inte rädd för att köra. Att Lasse redan tjatande undrar när de är framme... är väl bara på skoj. Det är ingen brådska, bara lite om de inte ska komma alltför sent till Jan. Han ser på sjöarna, bergen, lägdornas hässjor med hö på tork... fast inlandet är inlandet, det kan Tomas inte komma ifrån. I Sollefteå stannar de i alla fall för att köpa varmkorv på torget. Och glass. Han får lust att skratta när han ser Maj lapa i sig sin strut. Ja, hon blir flickaktig, rörande, Lasse och Anita är sams och helt koncentrerade på att äta sina glassar. Egentligen skulle de ha kunnat stanna över natten också i Sollefteå. Nej, även han vill vidare. Sollefteå, han trivs inte riktigt i Sollefteå. Militärerna? Kanske det, ja. Eller är det bara minnet av besöken hos Astrids tandläkarfamilj? Hur han trodde att han skulle dela sitt vuxna liv med dem. Är han glad att han slapp? Kanske bor Sten och Astrid här i närheten av torget. Han skickade aldrig något brev. Men han har ju hört genom Georg att Astrid flyttat tillbaka hem.

Uppskattar Maj sin semester? Med öppen men avslappnad blick, det kan Tomas se när han hastigt kastar ett öga åt passagerarsätet fram – visst ler hon? Det är verkligen dåliga vägar. Han måste koncentrera sig, köra uppmärksamt, försiktigt. Hästar, cyklister, traktorer... nu har han ju inte druckit något. Sovit lite oroligt inatt bara. Det vackra inlandslandskapet är inte heller tröttande, tvärtom omväxlande, dramatiskt. Vill Maj vara här om somrarna? Hon trivs ju inte vid havet. Var inte entusiastisk när han tog upp planerna på att fara till Grisslehamn. Och har inte Maj rätt i att Røros är mer främmande än Roslagen, som inte skiljer sig så mycket från Ångermanlands kustland. Så Trondheim, Nidarosdomen. Det är vackert här, säger han, ja, Maj nickar, det är ståtliga gårdar. Bondmora, här skulle du ha mycket att basa över, försöker Tomas skoja, men Maj säger bara torrt att i Jämtland finns det nog tillräckligt av präktiga bönder. Vad har Maj egentligen emot bönder? *Det är ju smutsen, Tomas. Smutsen hon vill slippa. Anklagelser att lukta lagård, gödsel, stall. Flugor, sopor.* Ja, men norrmännen är ju också ett fiskefolk, skeppsredare, sjömän, inte är väl Norge enbart ett land av bönder?

JO, MAJ NJUTER. Kommer alltid att tycka om – längta efter – bilturer där allt som avkrävs är att luta sig bakåt, titta ut. Vara i någons... våld? Ja, på sätt och vis så. Krokiga, tjälskadade vägar. Fast Tomas pressar inte motorn här på vägen mot Jans och Anna-Brittas sommarstuga. Han kör lugnt, inget chanstagande med bilen. Så då kan Maj vila sitt huvud mot sätets nackstöd, har bara att då och då vända sig till barnen i baksätet, skicka frukt, dricka, karameller, servetter att torka kladdiga fingrar med. Hon sover inte, fast hon blundar ibland. Ja, hon är trött. Det värker i ryggslutet, benhinnorna. Före avfärden kändes det omöjligt. Att lämna våningen i oklanderligt skick, krukväxter samlade till matbordet i matvrån – kylskåp och skafferi tömda på varor som kan skämmas – packningen... Där saknar hon vana. Lantstället är en sak, då man trots allt lätt kan hämta det som glömts i stan, men vad behöver en familj under en veckas semestervistelse på pensionat i Norge? I regn, rusk, sol, vind, för restaurangbesök, vandringar, bad... hur flotta måste de vara, hur oömt klädda, Maj vill inte packa med sig för mycket. Som skulle fjällhotellet ta illa vid sig och finna dem stötande om de kom med alltför många kollin till sina rum. Visa att de saknar resvana, jo men Maj har läst hur man ska packa praktiskt och rationellt. Och har Tomas verkligen skött om att få med sig färdlektyr, kikare, ett par snygga lågskor förutom de promenadvänliga – hon har förstås påmint honom. Själv har hon packat åt barnen och sig. Ordnat ett schema i huvudet för att hinna rengöra ett rum i taget och plocka undan rena kläder innan Lasse och Anita får tag på dem och smutsar ner plaggen redan före avfärd. Stryka, pressa – hon vet hur man pressar snygga veck i makens byxor, nej Tomas behöver aldrig se sjavig, slarvig, slapp ut. Ja, så nu är hon trött. Ser inte riktigt fram emot att besöka Jan och Anna-Britta. *Skärpa till sig.* Vara trevlig. Det är orättvist, så sällan som hon träffar sina bröder. Jan nämnde något om att be Stig och Per-Olof dit också. Det svider lite i ögonen. Kanske av draget. Måste hon låta dem ha öppet? Vaglar, nackspärr... äsch, hon struntar i det. Nu är det ju *semester.* Tomas tar dem ut på resa. *Om mamma och pappa fått fara ut och resa.* Inte bara till Sara och Knutte eller faster Frida i Gäddede. Då blir man skyldig. Ett hotell är man inte skyldig. Man bara betalar för sig och åker därifrån.

Vi stannar väl till i Åre också? Så kanske du träffar gamla bekanta på Grand? Ja! Och sedan lika hastigt – nej. Vad ska Maj säga till dem *nu?* Flickorna är knappast kvar. Och Holger... så fånigt om de skulle träffa på Holger som det ju aldrig var något allvarligt med, *men han fick kyssa dig,* fast inte sedan det blev hon och Erik, bara den där första sommaren och hon var ju inte alls *kär.* Holgers sårade blick sedan. Som om hon lovat något. Vill du inte visa mig Åre? Tomas lägger en hand strax ovanför hennes knä. Man kan ju fara och skida på vårvintern, säger hon, men nu har vi ju sagt att vi ska ta rasten hos Jan och då hinner vi knappast... Vad är det egentligen han vill veta, se? Ska hon berätta att det var ett... skitjobb. Hovmästarn, kocken, kallskänkorna... en kökspiga var hon. Nissa... det bara låter flottare. Kvickare? Trippa, tassa, hasta fram på tårna. Klart att hon kan vara glad att hon har fått uppleva miljön. Men de har ju inget där att göra nu. *Men visa att du kommit dig upp? Gift dig med en man som tar dig på bilresa, vackra barn i baksätet.* De skulle ju inte minnas vem hon var. Maj Olausson. Gift Berglund. Jobbade här första gången sommaren 1934. De skulle bara tro att vi ville bli bjudna eller få äta till förmånligt pris. Att vi är snyltare. Tomas tittar hastigt på henne. Snyltare? *Tomas, det där kan du inte begripa.*

Men jag har aldrig varit i Stugun, det är ju Anna-Brittas... Maj tystnar. De har stannat bilen. Tomas håller kartan framför sig, säger att hon ju måste ha bättre kännedom om trakten än han i alla fall. Klockan närmar sig tre. *Lugna ner dig.* Ja, det vill hon i stunden säga till Tomas. Han är uppjagad, otålig. *Det var du som propsade på att vi skulle ta kaffet hos dem. Jag ville fara raka spåret.* Var är vi nu, frågar han och tittar ut i det öde landskapet. Kör pappa, bönar Lasse, han gör en hyschande rörelse mot baksätet, *det är semesternerverna,* det är väl ingen mening att stå här, säger Maj lågt, och så går de gemensamt igenom vägbeskrivningen en gång till. Jo men Jan sa ju att om ni ser ett vitt hus på vänster sida har ni kört för långt. Och när Tomas backat och vänt får de snart syn på Jan som skickats ut på landsvägen med cykeln. Körde ni vilse, säger han och vinkar åt barnen, sedan cyklar han i förväg genom skogen.

Är Anna-Britta spänd inför dem? Hon har Dan på höften, han vill inte gå ur hennes famn ens när de ska sätta sig till bords ute på tomten. Ska du sitta hos faster Maj, försöker Maj underlätta, men då borrar han bara huvudet hårdare mot Anna-Brittas axel. Jan, säger Anna-Britta lågt, jo han serverar dem och Anna-Britta ursäktar sig, *som du skulle ha gjort,* att kaffet blev för svagt, bullarna jäste dåligt, blev bleka, platta – ser sjuka ut – säger Anna-Britta oväntat. Men Maj berömmer, det är goda hällasmörgåsar med mesost, och Maj har ju en kaka med sig, en marmorerad som Jan och Tomas tar för sig av till kaffet utan att kommentera, Anna-Britta tycker inte hon hade behövt, och så undrar Anita viskande om de inte ska åka snart. Maj gör en sträng min, men alla är överens om att de inte ska komma för sent till Norge om de dessutom ska få någon kvällsmat när de kommer fram. I köket där Maj lämnat en bricka med smutsiga koppar och fat säger Anna-Britta att hon väntar en liten, i november, jag tror Lill-Dan märker det... Ska Maj gratulera? Ja, det måste hon, när man får dem tätt har man det bortgjort, säger hon, nej men det är efterlängtat, invänder Anna-Britta – Maj menade ju inte så. Eller? Hon kan ju inte säga att det kan bli tungt om Dan är så där mammig nu, när babyn kommer... Jan har visat Tomas och barnen gäststugan han håller på att bygga, de berömmer stommarna och takstolarna, vad du kan, säger Maj uppriktigt till sin lillebror, *så lite vi vet om varandra.* Nej, nu är det väl dags att fara, säger Tomas sedan. Hälsa Stig och Per-Olof då, säger Maj, ja Stig är ju nykär och Per-Olof skulle visst ta med Solveig till fjälls för att fiska.

Så tycker Tomas ändå att körningen blev dryg. Det tog mycket längre tid än han beräknat. Och när de väl tagit sig in i Trondheim för att leta rätt på hotellet grips han nästan av panik. Kartans vägmönster... han ser inte var de befinner sig. Har han fått tag på en ogiltig karta eller vad är det med honom? Kan han inte förstå sig på en vanlig stadskarta? Maj förvånar honom med att impulsivt hejda den där cyklande mannen som vinglar till när han bromsar. Är han full? Tomas har adressen till hotellet. Mannen granskar den, sedan pekar han yvigt, säger något som Maj skrattar åt, vinkar till barnen, vart ska vi nu då, undrar Tomas och Maj påstår att han sa att de skulle hålla mot fjorden och vänster. Mot fjorden och vänster. Vad betyder det? Hur svetten förstås bryter ut. *Att se fram emot en grogg, ett avslappnande glas på hotellrummet.* Fan heller. Han ska bara klara av det här. Ta dem galant till det rekommenderat trivsamma hotellet. Inte Britannia, nej, ett enklare men säkert på sitt sätt mer familjärt boende. Bjuda Maj sin arm, och antingen gå till matsalen i gatuplan, eller be personalen förorda en första klassens restaurang. Ja nu ska Maj slippa middags- och frukostbestyr. Om han bara lyckas ta dem dit.

Väl på plats vill han lägga sig och vila på direkten. Han kommer inte att göra det. Men Anita och Lasse springer uppspelta mellan sitt rum och deras, vill visa dem, hur Maj menar att barnens rum är trevligare inrett, ljusare färger och inte heller luktar det rök. Tomas för gardinerna åt sidan, öppnar ett fönster, han ska rycka upp sig, kan han inte ta ett glas öl ikväll? De har i alla fall semester. Och Maj skulle självklart hejda honom om det gick över styr.

Hon sträcker på sig framför spegeln, gäspar och säger att man blir slö av att sitta i bilen, han är så nära henne att han hastigt kan omfamna henne bakifrån, röra hennes bröst… Hon har väl inget emot det? Hennes ansikte i spegelbilden. Men så rycks dörren upp och han släpper henne, det är Lasse som ska berätta något. *Kom igen, Tomas. Ni är ju lediga. Slappna av.* Nu skulle det sitta fint med en vermouth, säger Maj när barnen sprungit in till sig, han rycker till, hon brukar inte… Jag skojade bara, lägger hon till och hänger några skjortor och klänningar på galgar.

DET ÄR JU ingen sak att packa upp lite kläder. Men Maj vill inte påminnas om tidigare besökares rökvanor. *Som det strider mot hotellet som anonymitetens idé.* Hon vill blott vaggas in i tron att rummet enbart är till för henne. Plötsligt blir de slätbäddade sängarna nerlegade av tunga, svettiga kroppar. Älskande kroppar? Nej. Sänglinne och handdukar är naturligtvis utbytta, handfatet blänkande vitt. Tapeten är en smula mörk, ja inte helt olik den pappa tapetserade rummet med i lägenheten hemmavid. Helt dammfritt är det säkert också. Bara röklukten skämmer.

Lasse och Anita delar rummet intill. Där tycks ventilationen fungera bättre. Det hade blivit billigare med två extrabäddar i deras rum, men Tomas tyckte bestämt att de skulle ha var sitt. Maj har påtalat att rummen måste ligga intill varandra på samma våningsplan, barnen vill ju kunna komma över till dem om de vaknar på natten. Fast det är Tomas som betalar. Tycker att de har råd. Barnen är i alla fall glada nu. Lyckliga. Maj måste påminna om att de bara stannar i Trondheim två nätter, sedan ska de bo i Røros. Också det planerade Tomas, för att slippa tänka på utcheckning och förvara packningen i bilen så ligger de över två nätter här. På så sätt kan de göra Trondheim i lugn och ro. Blir vi trötta går vi bara upp och vilar på hotellet, sa Tomas då han delgav henne sin plan. Jo, men det känns *extravagant*. Maj skulle inte ha något emot att lägga sig raklång nu. Men det var förstås dumt av henne att säga att hon ville ha en drink. Inte kan hon sitta ensam och dricka, *men Titti och Georg skulle nog slappnat av med ett glas innan de klädde om till middagen*, Anna och Bertil tar bara kaffe, Maj drar efter andan, det ska bli gott att gå ut och äta en bit mat. Kjøttekaker, torsk på norsk, får i kål. Vad gott kan inte Norge ha att erbjuda?

Dagen därpå klagar inte Maj på skoskav. Fast hon skulle förstås haft något bättre på fötterna. De går gata upp och gata ner. Ganska snart skaver det vid hälsenan och på ovansidan av foten där skinnkanten skär in. Ibland låter hon bli att lyssna när Tomas föreläser – berättar – om byggnadsstilar, den kristna historien, pilgrimsvandringar, språkstrider, särskilt språkstriderna tycker han är makalöst intressanta, att nynorskan har mycket gemensamt med svenskan, ja danskinflytandet hos eliten... *Danskinflytandet!* Man är snyggare klädd i Sverige. Eller? Nej, men i Trondheim är befolkningen över lag mycket välklädd. Fast långt ifrån alla är blonda och ljushyllta. De flesta är mörkt solbrända så här i slutet av juli. Ser verkligen friska och sunda ut. Och man kan nog ta Berglunds för en sådan norsk, hälsosam familj. Tomas, gyllenbrun och rakryggad, Anitas hår randigt av solblekta slingor, Lasses mörkblanka snagg och hennes permanentade frisyr har hållit sig hyfsat, och hon är ju inte längre mager som en sticka. Ja, för barnbidraget har Maj köpt lite nytt i klädväg till barnen under våren. Klippt dem hos hårfrisörskan, följt med dem på matinéer på stan. Tarzan tyckte de alla tre så mycket om. Fast det ibland har lockat så tar hon inte bidraget för egna utgifter. Om man skulle bli skyldig att redovisa? Även mat känns tveksamt. Det måste man ju ha hur som helst. Och de har ju inte en hel drös med barn. Tomas är generös med hushållskassan. Men ändå... att kunna handla något lite annorlunda i affärerna här i Trondheim utan att behöva be Tomas om pengar. Ja, slippa försvara och förklara kostnader... strumpor, vardagsblusar, underkläder, makeup – ja också tvål, schampo, tvättpulver, såpa. Gå-bort-gåvor. Det ifrågasätter han ibland. Även om han inte direkt räknar kvitton. Mer bara att han kan påtala att de har ganska dryga utgifter för både våningen och lantstället. Ja, hon tycker om att barnbidraget är ställt till henne. Om man kunde få ett hustrubidrag? En del av makens inkomst… Anna har berättat hur hennes syster Karin måste redovisa alla kvitton för sin man. Hur han har synpunkter på att hon slösar när hon gör vanliga matinköp! Då rös de ihop, Anna och Maj. Jo, Maj berättade också att hennes syster Ragnas man är likadan. Så gör aldrig Tomas och Bertil. Men det tar emot att tigga om pengar till kläder, skor och kappor som är så dyra, fast också vardagskläder nöts och slits ut.

De anstränger sig verkligen, alla fyra, för att hålla sams. Inte ens Lasses energiska uppspelthet går över styr, men så är både hon och Tomas generösa med godsaker hela dagen. Tomas får också uppleva Nidarosdomen från grunden, även om Maj och barnen går i förväg ut i friska luften för att köpa glass. Så det vore höjden om Maj började gnälla över ömmande fötter. Bara en svagt viskande röst… *om man fick vila ut i framsätet på bilen istället.* När man väl sätter sig… när man tillåter sig att vila huvudet mot ett nackstöd, skulle man då inte kunna sova i hundra år? Maj kommer inte att göra det. Tvärtom kommer hon att klä om till middagen, måla läppstift i ljusare rött som går bättre till solbrännan, puffa håret, se till att Anita och Lasse är rena om händer och kinder och inte alls påtala att maten inte var så märkvärdig – lagar hon inte godare själv? – och väl tillbaka på rummet efter att de gjort Trondheims småbåtshamn i kvällningen börjar hon packa så att de ska vara redo att resa vidare direkt efter frukost imorgon.

RØROS… MED SIN koppargruva och sina pittoreska byggnader. De trånga, branta gatorna, känslan av en svunnen tid. Tomas tycker att allt det här är otroligt spännande. Medan Maj… att leva sitt liv här för hundra år sedan. Det tunga kjoltyget i ylle, lervällingen, mörkret… tack och lov att man får finnas till nu och inte då, utbrister hon när de kommit ut i solljuset från en mörk smidesbutik med låg takhöjd. Ja hela hon genomsyras av ett rusigt fladder av att slippa gå med huvudduk och vadmal, skulle hon ha vallat får eller getter, men koppargruvan har visst gett bygden ett välstånd som kommit många invånare till del, fast ner i gruvan ska de ju lika fullt. Tomas läser allt han kommer över om Røros historia och pensionatsvärden lånar ut egna exemplar av historisk lektyr på originalspråk. Så när de vilar innan middagen högläser han sporadiska stycken på norska, fast då är det inte så lätt att förstå. Kanhända har Tomas trots allt varken det rätta uttalet eller satsmelodin. Men han har rätt i att de också måste göra dagsutflykter, för själva Røros ser man ganska snabbt. Jag kan ta barnen med på vandring i fjällen så kan du få några timmar för dig själv, säger han. Nog klarar jag av att gå, protesterar hon, ja nickar han, någon fin stavkyrka på rimligt avstånd måste vi ju också besöka. Det här pensionatets rum är ljusmålat hemtrevliga. Man är visst i färd med att bygga ett stort och tjusigt fjällhotell för skidturisterna i stan, men Maj säger till Tomas att här finns ju allt man kan behöva. Sällskapsrum med radio, bokhylla, sällskapsspel. Fast de flesta gästerna är lite äldre än de. Ja, något nyförälskat par utan barn också. Så känner Maj redan efter en dag att det blir… trångt? Att flickan som städar ska knacka på, det pockande kravet att plocka, hålla undan, prydligt… Inte dra ner. Lasse och Anita drar ner så kolossalt på sitt rum. Kastar kläder, böcker, kritor, block. Fast Maj bäddar före frukost och torkar fläckar och ringar från vattenglas på nattygsborden, hänger genast upp kläder och handdukar naturligtvis. Borstar damm och smuts från skorna. Torkar torrt i duschutrymmet och lämnar inte askfatet fullt av fimpar. Jo, även på ett pensionatsrum hopas göromålen *för en mor.* Och Maj måste påminna Tomas om att man inte får äta på rummen, att han inte kan låta barnen smula med kex eller mumsa mjölkchokladbitar i sina sängar.

Men så en frukost sitter ett trevligt par med barn intill deras bord. Snabbt hör de att de är svenskar. Hon verkar livlig och glad och är lite kraftig, heter Nancy, han Harald, de skrattar lite gemensamt åt att en man från Sundsvall på besök i Røros heter Harald och deras två pojkar är väl i samma ålder som Lasse och Anita. Idag ska den svenska familjen se gruvorna, men kom över på ett glas ikväll, säger Harald, och med lägre röst viskar Nancy att om vi håller till på rummet och inte i sällskapsutrymmena, ja tack, så trevligt svarar Maj, men väl uppe på rummet igen är Tomas tyst. Värst vad snabbt de gick fram, Nancy och Holger, säger Maj, det skulle väl verkat oförskämt att tacka nej? Tomas stryker sig över håret, tänder en cigarrett. Han hette väl Harald? Jag for liksom inte på semester för att sitta uppe halva natten och gagga med Sundsvallsbor… Men Tomas, bryter Maj av, de verkade ju trevliga. Sällskapliga. Vi behöver inte alls bli sena. Hela dagen är Tomas mer tystlåten och tvär än vanligt. Ja, så Maj ångrar att hon tackade ja, *erkänn att du längtar efter en drink.* Bara en liten. Bara att få vara vanlig. Som alla andra. Inte full, absolut inte berusad. Bara ett avslappnande glas. Jag tyckte Nancy sa att de brukade vandra i fjällen, så de är säkert måttliga, säger Maj lågt när barnen sprungit i förväg för att leta efter markeringar på leden under dagsutflykten i de närbelägna kullarna. Det är soligt, nästan hett. Och det är bra sikt ut över dalgången, staden, kyrkan. Krigsvintrarna gick det visst ner mot femtio minusgrader. Att de orkar, säger Maj och stannar till för att vila och ser Anita springa så att Lasse nästan inte hinner med. Det blir så satans intimt, säger Tomas då och torkar svett ur pannan med en näsduk. Att sitta med sodavatten. Det är en annan sak i större sällskap. Hon drar efter andan. Vi måste ju se om vi kan titta på något fint silver också, säger hon, skulle inte det gå att få tag på här till ett bra pris?

Har Harald tjuvstartat? Det ligger en kortlek framme på bordet, fast Tomas är ju inte så mycket för kortspel. Maj kan dras med ibland och roas, ja när man inte kan hitta samtalsämnen som räcker över en hel kväll. Jag tänkte att det skulle varit trevligare att sitta i sällskapsrummet, säger Nancy på sin lite lustiga Sundsvallsdialekt, men att ta med flaskor hade ju verkat bra tölpaktigt. Harald har blivit solbränd. Nancy också. Bådas ansikten blossar röda, fast Nancy har dämpat rodnaden med vitt puder. Var de aldrig i gruvorna? De har också rest vägen över Trondheim, ja vilka båtar i Trondheims småbåtshamn, säger Harald, jo men nu skärper Tomas sig och faller in i det trevande samtalet och ganska snabbt diskuterar männen motorbåtar, skepp och skutor. Pappa brukade säga att medelpadingar och särskilt Sundsvallsbor aldrig kunde göra något skarpt första intryck med den dialekten. Fast Maj tycker nog att det låter ganska... harmlöst ändå. Sedan går Harald för att blanda groggar, Tomas harklar sig bara, clubsoda eller dricka för mig, ja men vi har ju Pommac, säger Nancy ivrigt, den är inte så söt. Haralds och Nancys pojkar vill gå ut, och Nancy undrar om det går bra att grabbarna sticker iväg ett slag, ja du också, nickar hon leende mot Anita. Maj kan inte besvara Anitas vädjande blick, nån måste ju se till Lasse, säger hon lågt, ni behöver inte vara borta så länge. Grimaserande mot Maj följer Anita efter pojkarna. Lasse verkar faktiskt också rätt så motvillig. Men det går lättare att pladdra på om inte barnen avbryter i ett. Lasse har för vana att rycka henne i kjolen. *När han utan att veta vad han gjorde drog upp den på Anitas första skolavslutning!* Nu får Nancy och Maj också groggar, läsk och något starkt, det klibbar torrt i munnen efter dagens utfärd i fjällen, ja så Maj skulle ha kunnat svepa den meddetsamma, hon smuttar, försiktigt. Skål för våra modiga grannar, säger Harald och Tomas höjer sitt glas, nu ska vi väl inte fördjupa oss i det politiska skjuter Nancy in med ett skratt, men Tomas skyndar sig att tala om att han tyckte situationen under kriget var mycket oroande, med tågen och malmtransporterna. Jo, nickar Harald, men det var inte lätt för de styrande... Tur att norrmännen är ett morskt släkte! De avslutar, kanske, ja troligen är Harald socialdemokrat eller bondeförbundare, men skidåkning är trots allt ett mer neutralt ämne. För visst skidar man i Örnsköldsvik, jo, vi har backhoppningen, säger Tomas, Friska viljor – Harald och Nancy har prövat utförsåkning, och det är härligt, säger Nancy, mycket lättare än det ser ut och Tomas talar om att han gärna skulle ge sig iväg på en längre fjällvandring, men det blir nog utan den övriga familjen. Ja, Maj måste då förklara att hon inte är någon friluftsmänniska. Man kan ju vara bra ändå, säger Harald och låtsas gravallvarlig – menar han allvar?

Tomas tänder en cigarrett. De följer hans exempel, nu sitter de alla fyra och blossar. Det är ju toppen att ungarna kan springa ut och leka, säger Nancy vänd mot Maj, jo, hon nickar glatt, i både Haralds och Nancys glas har det minskat betydligt, då kan hon ta en klunk också. Två. Ganska snabbt gungar det till, skönt. Men när de kommer in på arbete och yrken och det visar sig att Harald är förman på ett bygge så blir det ändå lite stelt när de förstår att Tomas är köpman, ja sin egen på ett annat sätt. Nancy arbetar oregelbundet i butik, det är skönt att komma ut lite grann säger hon, och Harald har inget att klaga på där hemma. Nej, Maj skakar på huvudet, jag är hemma om dagarna, hemmafru, nu kommer Anita insmygande, pojkarna är visst kvar ute, de är så barnsliga, viskar Anita till Maj.

VAR DET EN så bra idé att de skulle ta bilen för att titta på den här stavkyrkan just idag? När Maj både har ledvärk och ont åt huvudet. Tomas och barnen är pigga. Vaknade före sju, ville inte komma sent till frukostmatsalen. Det var väl trevligt med Nancy och Harald igår? I slutet… ja Tomas som lite hastigt bröt upp, sa det är en dag imorgon också. Kan hon be att få stanna kvar på rummet? Att sova en hel dag… De möter Sundsvallsfamiljen när de är färdiga med sin frukost, men Tomas tackar bara hastigt för igår och önskar dem en trevlig vandring i bergen – du måste väl inte vara så där kort, säger Maj på rummet, men Tomas låtsas inte höra.

Ett hakkors. Där. Fullt tydligt på bilens bagagelucka. Vad i helvete! Svär Tomas? Är det rispat? Lacken förstörd? Hon hinner inte se efter innan Tomas stryker ut märket med handflatan. Var det bara ritat i dammet? Lasse som ivrigt frågar vad det är som har hänt. Inget att bry sig om, säger Maj, och Anita kramar hastigt om Tomas. Förlåt, säger han och klappar hennes rygg, jag blev nog lite chockad, men vem i hela friden… här? Det är väl något barn som har busat, såg ni något igår? Både Lasse och Anita skakar på huvudet – luras de? – och hela bilfärden är Tomas tyst, tar inga initiativ till samtal. Svarar ouppmärksamt, men inte argt – är han rädd? Du är ju inte skyldig, säger Maj tröstande när han på nytt frågar vem hon tror kan ha gjort det. Är jag inte, svarar han. Vad gjorde jag för att hjälpa, hindra… Men Tomas. Du har väl ändå inga kontakter på regeringsnivå.

Men plötsligt tycker också Maj att det är långt mellan vänliga leenden. Vill de inte ha dem här? *Förrädare.* Storsvenskar. Skrävelsvenskar. Storebror. Det kan väl inte vara någon ur pensionatets personal? Sonen? Har han inte verkat lite... eljest? Kan de ha märkt hur ni satt och drack, säger Tomas när de synar den här kyrkan som barnen inte är så imponerade av. Mörkret, Maj slås av hur dunkelt ljuset är här inne i kyrkorummet när högsommardagen där ute är så bländande skarp. Jesus på korset. Maria som vaggar sitt barn. *Får även Maria sitta hos sin Anna?* Satt och drack, protesterar Maj lågt, vi var väl inte... Nog hördes ni. Harald och du hade röstresurser. Nu vill hon säga att han är orättvis. Att hon inte kan straffas för att han måste vara nykter. Det kan ju vara vem som helst. Vem som helst, Tomas.

Det blev inte en riktigt lyckad utflykt till kyrkan när Tomas var så tyst och inbunden. Borde de ha gjort något med Nancy och Harald? För barnens skull, att de fick leka med jämnåriga kamrater idag. Ja mest för Lasses del egentligen. Anita är liksom nöjd ändå. Men det har dessutom varit en dryg bilresa på slingrande vägar, och Lasse och Anita har inte precis varit sams. Och när de har parkerat bilen utanför pensionatet säger Tomas med ett kort skratt att vi får väl se vilka meddelanden vi har att vänta imorgon. Tomas, säger Maj, tror du verkligen? Lasse gnäller att han är så varm, vill åka och bada, Maj hyschar honom med att det snart är matdags. Men båda pensionatsvärdarna tar emot dem i receptionen, frågar inte om de haft en god tur, stirrar liksom på dem. Herregud, är det de som varit ute om natten och ritat i dammet?

Vi har telegram till herr Berglund... Tafatt räcker mannen över papperet.

Tomas tar emot det, läser, visar även Maj. *Telefonera omedelbart hem. Brådskande!* Det är från Titti... har det hänt Georg något? Maj tar Anita och Lasse med sig in i den ödsliga frukostmatsalen och slår sig ner där – min man har fått telegram, säger hon när en köksflicka kommer ut och ser frågande på dem, men då är Tomas redan tillbaka hos henne och barnen.

Det är Otto, säger han. Han dog i sömnen inatt.

Men vad säger du – Otto?

Anita ser skrämt på honom. Tomas håller Anitas och Lasses händer. Tittar på Maj.

Inatt, när Sylvia vaknade på morgonen… låg han bara död bredvid henne. Hon tar det tydligen med fattning… Man har ju inte tänkt på att Sylvia är så mycket yngre… Men Ellen och Sture ska visst vara underrättade, man fick först inte tag på Sture…

Och firman? *Vad dum du är, Maj!* Ska det vara det första hon tänker?

Ja, firman. Tomas gnider sina händer som om han behövde värma dem. Det är bara att packa och fara hem.

Allt bara händer. Det blir. Ja, här kan vi inte ha någon simpel lycka. Och i Östersund ber förstås inte Maj att de ska stanna vid graven. Fast hon sparat besöket på kyrkogården till hemresan, ville inte lägga sordin på stämningen med att gå på mammas och pappas grav redan på vägen till Norge. Semester. Jan blev lite vresig när hon frågade om han såg till graven. Mamma som alltid gick på mormors grav… fast den låg så långt borta. Nu kör Tomas i tysthet. Anita har gråtit, hela tiden när de packade ihop snörvlade hon, ja Maj var till slut tvungen att be henne lägga band på sina tårar. Men mamma, det är ju pappas bror, sa hon då och Maj ville förklara att det är ju inte precis som om något skulle hända Lasse. Eller? Nu sover båda två i baksätet. Pensionatspersonalen var så vänlig, önskade dem välkomna tillbaka, Tomas tog nog aldrig upp incidenten med bilen. Var det Sundsvallspojkarna som på ett tanklöst sätt försökt skoja? Det var ju inte ett dugg roligt. Ja avskedet från Nancy och Harald blev hastigt, men Nancy ville ändå lämna deras hemadress till Maj. Tomas har inte kommenterat det, vad skulle han säga om Maj ville fortsätta ett umgänge med dem? Nancy och Holger. Harald. Måste hon nypa sig vaken i kinden? De stannar inte ens för att äta – men Maj bad att få köpa med sig en matpakke med smörgåsar och fylla termosen med kaffe och så flaskorna med saft. Det bjuder vi på, sa frun när Maj tog upp mynt för att betala. Då blev Maj rörd. Det är fina smörgåsar, inslagna i papper. Hon har också kex, choklad, någon sorts hårda karameller. Sylvia. När Ellen och Sture redan har flyttat sin väg för att studera – vad ska Sylvia göra nu? Nog lever hennes föräldrar? De måste vara gamla. Kom inte hon från Alingsås? Martin flyttade ju. Tillbaka till Uppsala, var det ett knappt år efter Veras begravning? Klart han måste få hjälp med barnen. En man kan ju inte klara både barn och arbete. Sist de hörde ifrån honom hade han gift om sig – klart att Martin behövde en ny kvinna. Fast han var så kär i Vera. Som inte begravdes i Örnsköldsvik. *Vera!* De tysta skriken talar man inte om. *Med vem ska Maj tala om de döda?*

SVARTKLÄDDA SYLVIA. SÅ vacker, stel och stilla på finrummets soffa i sommarvillan. Han dog här uppe i sängkammaren, säger hon, om vi ändå hade varit i stan... Vi ska väl ha kaffe, säger Maj och lämnar henne sittande där. Hon har bakat vetebröd, lagat ett par strömmingslådor och nu sköter hon om kaffekokningen i Sylvias kök. Sylvia som dessutom varit så upprörd i sommar för att hon oväntat miste sitt senaste hembiträde. Pratat om hur Kristin slutade utan att respektera uppsägningstiden, påstod att hon fått ischias. Maj vet inte. Ellen tar hand om middagsmaten, som Maj säger att de kan ha att värma senare. Sture är skickad till mötet hos Dagny och Kurre. Maj vet bara att det rör firmans framtid, men man ville visst hålla det enbart mellan syskonen och de som är direkt inblandade i familjeföretaget.

Sylvia tittar frågande på Maj när hon kommer med kaffebrickan, säger att han skulle fylla sextiofyra, han ville trappa ner, gå i pension. Och så dålig som han varit – du vet ju Maj att han hade slutat smaka precis som Tomas, ja för den allmänna hälsan... han var ju aldrig... nej, Maj skakar förstående på huvudet, det var väl magsår, hjärtat...

De dricker kaffe. Maj dricker i alla fall, hon ser inte Sylvia smaka på veteskivorna. Ellen har svart kjol och jacka, men blusen under är ljus. I rötmånaden. Hon är svullen runt ögonen, ja, vill Maj säga till Ellen – jag var som du när min mamma dog. Bara några och tjugo. Lasse fick gå hem till Göran, men Anita ville absolut följa med hit. Hon sköter sig nu. Tjatar inte om något och Ellen är ju så snäll med henne där hon har plockat fram en kartong med sina gamla klippdockor som Anita kan sitta och syssla med.

De stannar tills Julia kommer över med en korg nyskördad lök och ringblommor. Hon säger i förbifarten att hon låter Tyko tycka till om firman på den där träffen, hon har sagt till honom vad hon har att säga. Vi måste ju vaka hos Sylvia nu, så bra att du hade med dig maten, nickar hon uppskattande åt Maj till. Ja men nog kan Maj komma med lådor och hembakt till Sylvia. Fast hon är inte säker på om Sylvia verkligen märkte att Anita och hon satt där i över två timmar idag.

Det är tomt hemma i huset. Siv fick ledigt över deras resa till Norge, och nu när de kom hem tidigare än beräknat har hon några dagars semester kvar. Anita sätter sig genast vid köksbordet med papper, kritor, ritar och klipper. Det är nya klädmodeller till Ellens dockor – Maj ser ju att hon är duktig. *Säg det. Säg att hennes plagg är finare än de förtryckta i tidningen.* Det är bara det att hon hade tänkt koka in strömmingen. Och Anita tål inte lukten. Det blir fullt av pappersklipp på bordet, Maj samlar ihop skräpet. Var det rätt av henne att låta Lasse leka med Göran istället för att gå med till Sylvia? De får ju vara här och härja och leva bus – nu har ju Lasse och Bernt i alla fall slutat med sina kiss- och bajsskämt – nog för att även Maj kunde retas med dem, men ett tag var hon rädd att de aldrig skulle sluta skoja om sånt... Hon ser från köksfönstret att de är nere vid sjön och badar. Ska du inte gå ner till pojkarna, säger Maj, du vet jag måste börja med maten. Vad pappa dröjer, lägger hon till när Anita inte svarar. Hon lagar en skinkomelett istället, väntar med strömmingen. Ja, Göran får också äta hos dem. Det var gott det här, säger han snällt. Egentligen är det en kväll som gjord för att packa kaffekorgen och vara vid viken. Men är det riktigt passande att fröjda sig med sorg i släkten? Otto var aldrig ogin mot Maj, men hon kan inte riktigt påstå att de kände varandra.

Dog han verkligen här ute på landet, undrar Anita plötsligt. Maj nickar. Kommer han att spöka, säger Lasse, Maj vet inte om han skojar. Tyst med dig, utbrister Anita då och springer från bordet.

Vill de att Tomas ska ta vid? Maj vet inte. Törs inte fråga när Tomas kommer tillbaka hem, han går raka vägen upp och lägger sig. Kurre står väl på tur, men det är ju ingen lösning att någon som antagligen snart vill trappa ner... nog skulle Tomas klara det nu? Han går inte an hemma och klagar på sitt arbete. Fast inte säger han mycket om det heller.

Vid frukosten när barnen fortfarande sover talar han om att det kommer att krävas mycket av dem alla nu, att sätta sig in i det som trots allt bara Otto hade insyn i, och så Sylvias situation som inte alls är avundsvärd. Vill de inte ha dig då, säger Maj rätt ut, och Tomas suckar och svarar att de har lovat att inte tala bredvid mun. Det får inte bli onödiga missförstånd... jag kommer att fara till stan, ja ligga över där också.

Kan hon inte få veta vad som händer? Grubblar hon så? Jo men nog vill hon vara inbegripen i familjens framtid, *eller litar hon fullt ut på sin man.* Han vet bäst. *Hon vet inget.*

BARA TOMAS VET. Ja, och han vet att han har fått frågan. Nu i bilen, på väg in till stan. Är han stolt? Rädd? Överraskande upprymd? Du har ju skött dig med heder och ära, sa Kurre igår, ja lite på skoj. Sedan blivit allvarlig, sagt att han vill kliva åt sidan, har inte längre rätta glöden. Sylvia hade skickat Sture. Meddelat att hon inte orkade, inte nu, men visst skulle hon stå till tjänst med alla uppgifter de behöver framöver. Maj talade om att Sylvia tydligen inte sover, och klagar på att hon tappar ord. Att hon nog inte äter riktigt heller. Och Sture – bara barnet fortfarande, sexton? – läste innantill hos Kurre och Dagny, att fru Sylvia Berglund önskar lösas ur företaget när så är möjligt. Vd, direktör. Basa över alla avdelningar, rita nya kartor, plöja okänd mark. *Jag är ingen affärsman.* Hur hans tankar än går ljuder den meningen som ett mantra. *Jag är ingen affärsman.* Man missar inte en sådan chans. Nej – man sviker inte ett sådant förtroendeuppdrag. Syskonen tror på honom, hoppas på sin yngste bror. Den bäst lämpade, Tomas!

Fast Kurre antydde att prognoserna är ovissa. Ja hur man otvivelaktigt måste satsa på produktutveckling. Det generella, breda utbudet... det kan inte finnas kvar i längden. Snarare enbart arbetsskor, friluftskängor... exporten måste naturligtvis kontinuerligt utökas till nya marknader. *Överallt i Europa behöver människor arbeta.* Hur ska Tomas kunna övertyga andra om att hans produkter har allt? När han vet hur sårbar produktionen är, mest av allt för marknadens önskningar. Om han var Georg, Torsten. Som tycker om att sia, spekulera, snacka. Har kunskapen dessutom.

Så tyst det är i våningen. Varmt. Maj har täckt plyschgruppen i salongen med lakan, han öppnar balkongdörren, snart ligger solen stekande rätt på fönsterrutan. På matbordet står krukväxterna samlade, utan ett enda visset blad. Fru Kallander måste ha skött dem exemplariskt. Ser Tomas verkligen det? Ja, han är tillsagd av Maj att ta reda på hur blommorna klarat sig. Men inte heller här inne kan han bekvämt slå sig ner. Ska han lägga sig i sängkammarens dunkel? Där är det svalt. Han borde ju vara på kontoret – men Axelsson vet att de arbetar för firmans framtid. Betänketid. Vem kan han fråga? Ska han bjuda Georg på en lunch. Bertil? Konditoribranschen är väl ändå annorlunda. Fast också där... om priserna går upp. Fler får bättre bostäder, folk blir kanske hemma med kaffet och doppat...

Georg ser trött ut, trots solbrännan. Man påminns, säger han, när sånt här händer. Har han dessutom solen i ögonen? De skulle kanske inte ha satt sig på terrassen, blivit kvar inne i matsalen trots allt. Men det fläktar från fjärden. Kanske var Georg inte fullt så entusiastisk som Tomas hoppats över det erbjudande Tomas fått. Georg kisar mot honom. Ni måste ju dra ner på folk, säger han mellan tuggorna. Du vet, jag har ju inte de där lokal- och lönekostnaderna – eller jag har det jag har. Men jag sa åt Otto att han måste minska kostnaderna i produktionsledet, och det är ju folket som kostar. Du vet man kan inte driva företag av välgörenhet... nu skrattar han, men lägger till att han är glad att han slipper det ansvaret. Dra ner, in, göra folk utan inkomst. Och nu kan det gå snabbt. Europa reser sig... jag säger inte att du inte skulle klara det. Men frågan är om det är vad du vill. Du såg väl på Otto...

Han måste fara bort. Ensam tänka över, ta ett beslut. Han vet ju att Maj vill att han ska klara det.

Bara några timmar senare sitter han på färjan ut till Ulvön. Hinner inte hejda sig, tänka efter om det är rationellt och rimligt. Men när Bertil kunde ställa upp och låna ut en stuga till honom, ja, någon tremänning till Anna som ärvt, flyttat söderut och nu aldrig är där – på norrsidan, inte i Ulvöhamn. Jo, Bertil såg lite undrande ut, men lovade att både han och Anna skulle hålla tyst inför Maj ute på landet. Klart att Tomas förklarade att det gällde firmans framtid nu efter Otto. Vissa saker måste man helt enkelt klara ut utan inblandning av andra. Inte sa han att han gärna haft sällskap med Anna till Ulvön. Hört uppmärksamt på hennes frågor, hon skulle lyssna till hans svar. Sedan säga, Tomas jag tror att det är det här du innerst inne vill. Vad det nu än skulle vara hon hörde. Det är ju bara tröstande tankar. Bjerre, skulle han ha trott på Tomas förmåga? Han har packat en ryggsäck, mat för ett par dagar, lakan. Men han gick inte förbi bolaget. Ingen hade kunnat hejda honom eller bli misstänksam om han köpt ut något. Det har han gjort förut, för att ha att bjuda. Ingen behöver heller få veta att han letade igenom skafferiet, byffén. Men som en ramsa eller predikan hörde han en överspänd röst säga – men må du icke förledas av djävulens locktoner – ja liksom taget ur den kristna nykterhetsrörelsens gamla stridsskrifter eller ålderdomliga affischer. Så pass känner han sig själv att om han tar med något i ensamhet så dricker han det. Eller är det inte ens tankar som når hans medvetande? Bara nej – jo – nej – jo – jag klarar det nu…

För han har inga flaskor i väskan. Bara svagdricka. Båthusen, fiskehemmanen, gistgårdarna och bagarstugorna högre opp i backen – nej han låter det vackra hamninloppet passera blicken, ser istället på anteckningarna han gjort, lappen med vägbeskrivningen till stugan. Nyckeln ligger visst gömd på dass. Men det är en ganska dryg promenad. Hur han vill bort från människorna meddetsamma, ja han viker av från bygatan utan att titta upp, utan att söka efter bekanta. Och ganska snart har han hunnit uppför den branta backen och är ensam på skogsvägen som löper genom ön. Får han svar? De vill ha dig, Tomas! Och så viskande – *dricka, dricka, dricka* – som ett hån. Smuggelspriten finns här inom räckhåll. Han som inte smakat sedan... har han inte gjort det bra? För när nästan alla han känner skulle burit sig åt just så i hans ställe. Kurre, Georg, Torsten. Blandat en grogg, hällt upp en whisky, cognac, ja till och med en sup renat för att lugna ner sig eller fira en framgångsrik triumf. Hur spriten kan frammana en klarsyn, karva bort det oväsentliga... ja gå rakt på hjärtats mening. Nu måste han gå sig utmattad och sedan låta alla tankar komma precis som de vill. Är det höst i skogen redan? Bara början av augusti? Blåbär, ljung. Var det inte rätt och riktigt att fara hit? Han ville ju ha hav och skog och tystnad. En ö stor nog att svälja honom. Än kommer Majs röst som påstår att han måste tacka ja. Vara en karl för sin hatt. Varför frågar han henne inte? Själv är bäste dräng. Sysslar även Tomas med ordstäv? Nej... det handlar om att bara han vet vad som förväntas av honom. Vad som krävs för att klara åtagandet som verkställande direktör. Han som aldrig längtat, önskat, strävat efter det. Plikten mot de sina? Ja, nu när Otto ävlats, stretat, Sylvia sa att han var mer pressad än vanligt mot slutet.

Han slår sig ner på en häll, men myggen hittar honom genast. Dricker svagdrickan, direkt ur flaskan. Svetten sipprar fram från hårfästet. Att ensamheten här på berget känns så befriande. Är det inte självklart att han borde kliva in nu, ta sitt ansvar, inte fyllda femtio, nykter, utan egentliga krämpor. Många yrkesverksamma år kvar. Inte längre samma leverantörer, resor, arbetsuppgifter. Nya utmaningar! Men jordbruket... ja, när små jordbruk inte längre bär sig. Hör han inte om mindre skofabriker och garverier som får allt svårare... Han borde inte tagit rast. Skjortan klibbar efter ryggsäckens avtryck och det rinner faktiskt salt, blött ner i ögonen. Vidare. Han vill vara framme nu, stänga om sig i stugan. Och när han trevar nerför hällen känner han hur de tidigare så varmt mjuka musklerna stramar – fast han och Anita har varit duktiga på att gå i sommar. Lasse vill hellre cykla med Göran. Om han tackar ja måste han famna dem alla. Bära deras oro, svårigheter, misstag. *Någon måste, Tomas. Du klarar det.* Han tar ut stegen, kliven, men luften når inte djupt ner i lungorna, fastnar i bröstet, varför vill Kurre stiga åt sidan? Har han inte haft känslan av att Kurre stundtals retat sig på Ottos storebrorsfasoner eller vad han nu har kallat det, ja att Otto hållit lite väl mycket för sig själv och vetat bäst. Kan man förneka att berusningen också har förmåga att uppenbara? Ja, hur hans kropp... hjärna... minns något som faller ifrån, en sluss öppnad mot otillåtna tankar. Som han skulle behövt berusningen nu.

Borde han tala med Maj om saken? Vid stugan, han hittar nyckeln under tidningshögen på dass, här kan han vara, det märker han, kök och kammare, han ska doppa sig sedan, havet är ännu varmt. Tjugo grader, minst. Men med svala nätter kan det sjunka snabbt i augusti. Kall skivad falukorv, råglimpa, svagdricka – han ska göra eld i vedspisen också och koka sig en kopp. Han sätter sig på bron med pipan – jo men nu kan han inte tända en sofistikerad cigarrett. Du vet varför du är här. Ja – i samma ögonblick rusar pulsen till – *dricka, dricka, dricka.* Sov på saken. Till och med ett myggfönster står lutat mot kammarväggen – eller borde han bädda på soffan i köket? Bara vila en stund. På hårda soffan här, med ett tungt, tryggt kuddvar stoppat av fjäder. Pröva prata med Maj. Lite enkelt, inte överdramatisera. Fast hennes frågor låter bara oroliga, uppfordrande. Ge henne en chans. Men kan Maj verkligen ha hela bilden? Den ingen kan se. Som det mullrar i världen. Dovt, olycksbådande när Tomas hör nyheterna på radio. Ja tidningarna förstås. Fast det är klart att människor alltid kommer att behöva skor. Produktionskostnaden. Har Georg rätt i att det är arbetskraftskostnaden det hänger på? *Jag skiter väl i skor.* Nu måste han blunda, trycka handen hårt mot ögonlocken. Det menar han väl inte? Men specialintresset, att utveckla till yppersta kvalitet… eller för all del att veta vad människor vill ha och behöver.

Vaknar han av sin egen snarkning? Kletig i munnen av törst, sprängande pissnödig, och en kort stund kan han inte minnas var han är. Han reser sig, hur länge har han sovit – strax efter nio. Går bara runt knuten, stället ligger ju så ensligt till. Och så syskonen, som säger i kör, vi behöver ett svar snarast. Fumla med brunnsvatten, veden – jo men kaffe klarar han sig inte utan. Hade han haft sprit nu hade han slagit i koppen… sprit, Tomas? Ja, i en plötslig klarsyn – hur han varje dag skulle tvingas möta den demoniska lusten att dricka. Kanske inte ens så vackert som lust, vilja. Bara… tvånget. Att få slippa hamrande oro, rädsla att ha handlat orätt. Vrider sig även Georg om natten av sådan skräck? Hur var det för Otto? *Tomas, du är inte stark nog. Om du tackar ja kommer du att börja supa.*

VAD FÅR MAJ veta när hon rustar Lasse och Anita för höstens skolstart? Tack och lov att hon slipper sitta med sömnaden själv. Tidningarna har mönsterark och tips om trevligt praktiska kläder för både pojkars och flickors skolbruk – som mamma slet när hon var tvungen att sy. Fast hon bytte ju, med Hilma i huset mitt emot. Skurade hon trapporna åt henne istället? Maj minns inte riktigt. Maj kan gå till systrarna Sundins numera, när gamla fröken Holm inte längre syr hemma. Var det starr? Eller gula fläcken? Hon är väl dum som inte gärna går till Dagmar Edblad. Men det är känslan där inne… hon blir alltid illa till mods när Dagmar tar mått med blicken. Och fröken Holm sydde så söta saker till Anita. Ja, de som kan sömnad säger att fröken Holms tillskärningar och detaljer var bäst i stan. Även om Dagmar kanske hänger med mer i modet. Ja, men systrarna Sundin ska väl också ha något att leva utav.

När Tomas kommer tillbaka från stan på lördagen tar han sig tid att bygga på Lasses lådbil – Maj vet att det inte kommer självmant för Tomas som det skulle ha gjort för hennes pappa. Och vid kvällsmaten då Maj kokat nyskördade morötter och sockerärter till kalvsteken och gräddsåsen säger Tomas mellan tuggorna att det blir Kurre som tar över Ottos roll, men att Tomas kommer ha insyn i hela produktionen och verka som ett slags Kurres högra hand.

Kurre är ju ingen ungdom precis, säger hon och Tomas svarar bara att det var länge sedan han åt en så här mör stek, och såsen.

Ville de inte ha dig, bryter hon in. Märker Maj hur Anita hejdar bestickens skrapande – Tomas skrattar till, så har de inte diskuterat saken. Det blir en tillfällig lösning i en för familjeföretaget orolig tid. Och äldsten… man brukar ju inte rubba turordningen om det inte finns synnerliga skäl. Så tappar hon matlusten. Den var god, såsen, hon prövade med en gnutta nykokt vinbärsgelé som smaksättning istället för ansjovisens skarpt salta spad till den milda kalven. Men när Tomas håller henne utanför. Kan hon formulera det så för sig, i stunden, eller är det bara känslan av att med det där leendet ska hon låta sig nöja. Är det så viktigt att Tomas blir direktör? När alla säger att han är så begåvad. Ja, Maj hör ju hans resonemang och ser att han kan handskas med många sorter. Hade Otto några helt andra talanger? Kräm och mjölk spädd med grädde. Har den surnat? Rötmånaden är lömsk.

Vid kaffet när barnen gått från bordet säger Tomas stilla att han helt enkelt inte vill göra något förhastat. Ännu har de inte fått full insyn i Ottos balansräkningar, och att börja med att sparka folk… vi har diskuterat många lösningar. Men du vet Sylvia har flaggat för att vi kan tvingas kompensera henne. Ja, hon har ju ingen avundsvärd sits, men vi hade behövt investera de pengarna istället. Det är ingen fara för oss, säger han sedan sakta. Men Maj, det är inga enkla beslut.

NEJ, HELA DEN här hösten har Maj och barnen inte sett mycket av honom, det är Tomas medveten om. Axelsson får allt mer hålla ställningarna och sköta inköpen av hudar och skinn, för Tomas sitter ständigt i möten med Kurre. Han lovade ju så, och även i mellandagarna har de suttit i samtal med revisorn. Nej, Tomas har inte velat ta över bokföringen till Åkerlunds, gamla revisorn är så noggrann, ja nästan i överkant.

Hur tänker du att vi ska fira det nya årtiondet då, frågar Maj som föredrar att vara med Titti och Georg, men Tomas är tacksam över att de just bjudits in till Anna och Bertil även i år. För herregud vad han kan längta efter ett avslappnande glas när hjärnan går för högvarv då han ska somna.

Hans smokingskjorta är nypressad, kostymen borstad och snygg. Maj skyndar mellan sängkammare och badrum, är hon sur för att han inte riktigt hann med hennes födelsedag? Kom hem sent, var inte med på hennes födelsedagskaffe. Står han och betraktar sig i spegeln och hoppas att Anna ska tycka att han är stilig? Kammen genom håret – ser han lika trött ut som han är?

Jo, på nyårssupén hos Anna och Bertil är de alla överens om att det nya årtiondet måste bli bättre än det förgångna. Är det en slump att Tomas har Anna till bordet? Maj sitter bredvid Karins man, Tomas vet att Maj inte tycker om honom. Nej, han är trist. Tystlåten, osmidig. Men Tomas måste säga några väl valda tackord. Hur han hoppas på lika många berikande stunder i detta harmoniskt vackra hem under kommande årtionde? Hur Anna på ett enastående sätt lyckas göra varje sammankomst till något alldeles extra? Ja, ska han vara från djupet av sitt hjärta personlig och tala om att samvaron med dem har räddat honom detta årtionde så fyllt av för hans del personliga prövningar? När han klingar med skeden mot glaset är han nästan som berusad. Orden strömmar från honom mot Annas leende ögon, rosiga kinder – hur han säger att vi så sällan slösar med det hjärtat känner. Att få uttrycka tacksamhet över den värme, vishet, skönhet som alltid strömmar ur detta hem. Hur han vet att han talar för hela det här sällskapet... slår Anna ner blicken? Log hon inte mot honom alldeles nyss? Stammar han något om de personliga prövningarnas årtionde, att emellanåt vila i nykterhetens härd... men vad står han och säger? Skratta, Tomas, hur han hastigt hasplar ur sig något om den goda maten, och efter de höjda glasen blir det en kort stund tyst. Och ganska snart reser sig Anna och säger att efter en så lång sittning är väl alla i behov av en bensträckare, vi ska väl dessutom få lite kaffe innan klockan slår tolv.

Ingen säger något om talet. Tomas som brukar få en dunk i ryggen eller uppmuntrande betygelser om sin förmåga att uttrycka det alla känner men inte har ord för. Maj tittar inte ens på honom när han viskande frågar henne om talet fick godkänt? Det var väl uppriktigt och från hjärtat, svarar hon bara och Tomas blir stående en stund innan han slår sig ner i en fåtölj. Borde han gå ut till Anna i köket? Tacka henne för att han fick låna sysslingens stuga, ja att... nu kommer hon med kaffe, tårta. Bertils tårtor! Maj utbrister att smörkrämen var osedvanligt god.

Undviker Anna hans blick också när de ska skåla i Pommac vid tolvslaget? Lasse gnider sig över ögonen och Maj säger att det nog är dags att åka hem. Varken Bertil eller Anna ber dem att stanna på vickning, och snart går de tysta genom vinternatten mot lägenheten. Först i sängkammarmörkret hör han Maj stilla säga att det hade inte varit fel om du också tackat din hustru och dina barn för det här årtiondet, men det var kanske inget du kom att tänka på.

ÄR INTE TOMAS på ett lite annat sätt *mån* om henne på det nya året då stan är yr av alla sina vintersporttävlingar och svenska mästerskap. Backhoppningen, och längdskidlopp. Till och med Anita går frivilligt upp på Skyttis trots den extrema vinterkylan, för att titta på när skidåkarna kämpar sig slut. Ja, Anita och Ulla-Britt är nästan lika ansvarslösa med mattiderna som Lasse, Bernt och Göran. Fast hon frågar honom aldrig rätt ut. *Är du kär i Anna, Tomas?* Om han svarar ja… betyder då det att äktenskapet är över? Och säger han nej… skulle hon tro på honom?

Just som de har firat Anitas elvaårsdag – hon fick ha alla klassens flickor hos sig på mat – Siv serverade i svart klänning och vitt förkläde och Maj hade dukat snyggt med damastduken i matsalen – ja då märker Maj att Siv har något hon försöker tala om när de dricker förmiddagskaffe i matvrån efter att ha fått alla morgonens sysslor gjorda. Siv tar inte ens för sig av doppat, men tre bitar socker i koppen. Jag vill begära avsked, deklarerar hon utan att se Maj i ögonen. Vad säger du Siv, utbrister Maj. Men vi är väl inte osams? Nej, nej, Siv skakar på huvudet – men jag kan ju inte vara hembiträde hela livet ut. Och så ska vi gifta oss – Ingvar har friat. Nu vet Maj inte om Siv gråter eller skrattar. Åh, svarar hon, men Siv är väl riktigt kär? Siv nickar, Maj måste räkna efter, hur gammal är Siv, tjugotre. Maj ser Siv som så på sätt och vis barnslig, ändå är hon äldre än Maj när hon… Du vet när det kommer till kärlek – att vara gift är inte som att ha sällskap eller gå med någon grabb, säger Maj plötsligt, att vara gift… Men Ingvar är världens finaste kille, svarar Siv och tar äntligen en sockerkaksskiva. Måste Maj hejda en tår? Siv hälsar väl på oss någon gång? Nu kommer Lasse och Anita att bli förskräckligt ledsna.

Är Maj ledsen? Kanske har hon aldrig riktigt vant sig vid att ha Siv här hemma hos sig i våningen. Att bara behöva gå efter och kontrollera... nej, men de har för det mesta jobbat ihop. Klart att Maj hade kunnat vara en *uppkomlingarnas odrägliga sort som arbetsgivare,* fast uppkomlingar kan väl också vara bra. Nog har det känts viktigast för Maj att Siv skulle tycka om att vara hos henne. Ja precis som hemtjänstens personal långt senare kommer att bjudas på kaffe. Maj lägger på minnet vilka sorter de tycker om. Jordnötskakor, chokladdoppade kex, sockerkaka fylld med kokat vaniljsmör... *tyck om mig, tyck om mig, tyck om.*

Tycker Tomas om? Han viskar en kväll i sovrummet att han har längtat efter en liten. Nu när Anita och Lasse börjar bli så stora. Du är ju inte alls för gammal att bli mamma Maj, kan du inte längta efter en liten en att sköta om? Vad ska hon svara? Hon säger att nu när Siv har slutat, och utan hjälp...

Men hon är rädd att han tänker låta bli att vara försiktig när han älskar med henne. Är det Tomas sätt att söka sig fram till en ny riktning i sitt liv? *Bli far.* Som när han just skilt sig från Astrid och så strax därefter var oförsiktig med Maj. Och nu Anna... är det Anna han vill komma över genom ett nyfött barn? Blödningarna. Maj kan skylla på dem. Ja, inte ens skylla. De är ju där, de okontrollerbara blödningarna, och vem vet vad som skulle kunna äventyras om hon än en gång skulle vara med barn. Nej hon längtar inte efter att vara gravid på nytt. Inte ha blöjbarn att amma, sköta om. Tomas har inte heller så långt kvar till femtio.

Ganska snart tycks Tomas ha glömt sin spädbarnslängtan. Under våren sliter han på med firman, och Maj märker faktiskt att utan Siv blir det... tomt. Hon stökar undan frukosten, plockar smutstvätt, luftar sängkläder, bäddar, tar rätt på barnens saker. Tomas tidningar, kuvert, böcker. Askfat, kläder. Diskar, blankar, laddar assistenten med ingredienser till en vetedeg. Dammsuger, rum för rum. Mattorna också. Vädrar våningen i korsdrag. Men tystnaden... vad trevligt det var när Siv stökade med sitt. Lite tvär i humöret ibland, *som du,* men de drack ju alltid förmiddagskaffet tillsammans. Det var Maj som dukade fram och serverade Siv. Så den här våren tar hon tacksamt emot inbjudningar till luncher, syjuntor, supéer. Det är fint att få komma ut lite grand. *Jag är ju bara drygt trettio.* Fast ganska ofta är sysammankomsterna och träffarna hos väninnor och svägerskor på kvällstid, *när en mors dagsverke är över.* Har sysslorna verkligen en ände? Maj tar strumpor och långkalsonger med sig för att lappa över kaffekoppen i väninnornas hem. Vissa stickar, syr. Ja många kvinnor gör så i alla fall. Men Maj? I sin stora våning? Bara det dagliga tar sin tid. Fast är hon inte bara en *lyxhustru?* Hon har det bättre än sin mamma. Ekonomiskt, materiellt. Majs liv är mil från hennes mormors. Men lyx? Klart att när Siv var i våningen... Är Tomas en lyxman? Delar de inte arbetsbördan i tillvaron – hur många timmar om dagen vilar Maj? Förkovrar sig, ägnar sig åt nöjen. Snart kommer hon betraktas som en parasit i samhällskroppen. Hemmafrun.

På tamburmattan, genom brevinkastet, Maj böjer sig för att se på kuvertet. Det är en inbjudan till ett bröllop. Från Stig och hans Inga. Lillebror. Han ordnar för sig på riktigt. Nya kyrkan i Östersund, ett vårbröllop i ljusets tecken. Hon ska genast tacka ja. Struntar i om Tomas råkar ha något annat inbokat. *Jag kommer Stig, det lovar jag.*

HON DRAR FÖR gardinen, kan ju inte låta det vara öppet för insyn när hon ska byta om. Även om det är ljust och kanske svårt att se in utifrån. Är det inte lite märkligt att Ragna har bokat in dem på Sveas pensionat? När det delar bakgård med barndomshemmet? Det är propra, prydligt reparerade rum. Nytapetserat, målat. Föreståndarinnan energisk, ja en riktig arbetsmänniska märker man. Van att ta i. *Skulle inte du kunna förestå ett pensionat, Maj? Få utlopp för all din våldsamma energi.* För tröttheten, den bär hon inuti. Utåt… ständigt i rörelse. Nästan aldrig sitter hon helt still.

Ragna och Edvin delar rum på andra sidan korridoren, med fönster mot gatan. Maj har förstås ett eget enkelrum och visst har de rätt i att det är nära både till tågstationen och kyrkan. *Men ändå.* Hon har blaskat av sig gårdagens resdamm, pudrat sig och tagit eau-de-cologne på halsen, handlederna. Nu trär hon den båtringade och av tygmängden tunga klänningen över huvudet. Midjan är smal, kjolen vid och böljande. Är det till och med The New Look? Ja, nog kan man se spår i det kvinnliga, inte längre militant strama, snittet. Den klär henne hur som helst. Mörkblå med ganska stora, vita prickar. Ljusa handskar till. Halvlång så att åtsmitande nylonstrumpor kan beskådas – benen blir något extra i nylonstrumpor – ja, men herregud hon är ju ännu ingen tant. *Hoppas du att möta Erik när du festklädd skrider till kyrkan?* Verkligen inte. Inte när hon måste ha hatt till.

Det är ganska kallt. Björkarnas löv i alléerna fortfarande bara som musöron, de hade nog hoppats på lite varmare väder. Men inget regn. Ragna har en mossgrön klänning med trekvartsärm under den ljusa kappan, och Maj berömmer henne, vad du är elegant när du är målad, hon menar väl ingen undertext, men Ragna har alltid haft svårt att göra det bästa av sig själv, du har ju så snygg figur, lägger hon till, och Edvin tittar på klockan och beräknar att de kommer i lagom tid till kyrkan. Edvin som inte är religiös säger att han har börjat vänja sig vid kyrkans monumentalt röda tegelsiluett, ja att han inte längre tycker den är så skrävlande storvulen. De har inte träffat Stig. Men Per-Olof och Solveig står vid kyrkporten, likaså Jan och Anna-Britta, Betty kunde visst inte komma, fast Sara och Knutte är där. *Endast du gör entré utan make.* Ja, måtte de inte vara nyfiket frågvisa. Tomas var snabb att erbjuda barnpassning trots att de hade kunnat fråga någon annan. Inte Siv, som slutade redan till påsk, men Titti... Jo hon vet visserligen att Anita inte kan sova borta. Hon lagade skinklåda och pannbiffar i förväg, men hon ska ju bara vara här i Östersund ett par nätter.

Ingas mamma och pappa, skärrade, finklädda, stolta? De ska ge middag på lokal, har säkert sparat långt i förväg. Pappan är vid järnvägen, de kan väl knappast ha någon stor förmögenhet. Ändå så påkostat, i kyrkan och allt. Nu är det ju inte alls ovanligt med borgerliga vigslar. Ja Per-Olof och Solveig gjorde bort sitt i hemlighet. Maj sitter mitt emellan Anna-Britta och Ragna. Borde de inte ha smyckat kyrkan med björkris? På pappas begravning var det fint smyckat med blommor. Att en begravning är mer utsmyckad än ett bröllop... Nu kommer de! Hur alla ansikten vrids bakåt, mot brudparet, så fin Stig är, i mörk kostym, vitskjortan och vattenkammad, nyrakad, allvarlig, och Inga med tunn slöja till den hellånga vita brudklänningen. Liljekonvaljer, ja men finns det egentligen någon vackrare blomma än konvaljer. *Tåras dina ögon?* Ja, att se Stigs rodnade kinder. Det går inte att ta miste på kärleken, känslan, hur kära de är i varandra. Ingas midja... nej man kan inte misstänka någon rundning än. Stig som läser till gymnasieingenjör per korrespondens, nog kommer han att se till att Inga *får det bra.*

Varför Tomas, kunde du inte följa med? Maj har Ingas farbror till bordet, det är inget fel på honom, de kan ju leta rätt på gemensamma bekanta i stan med omnejd, ja han delar visst hästintresset med Stigs och Majs nu döde far. *Pappa.* Kall inkokt lax, dillmajonnäs och potatis, rånkorgar med grädde och fjolårets hjortronsylt, ja, klämmor med rökt kött och pepparrot till förrätt också. Öl och snaps, det snålas inte, ja det var väl därför Tomas tog chansen att stanna hemma. Men Maj noterar att det är ganska många som avstår brännvin här med. Ragna ser rödnäst och glad ut, hon har Ingas ganska unga, snygga morbror till bordet. Fast Stigs och Ingas vänner är Maj inte alls bekant med. Och så kan hon inte riktigt slappna av och festa loss när Tomas är kvar hemma. Alla undrande ansikten, misstänksamhetens tysta frågor varför fabrikörn uteblir från bröllop och kalas. Borde hon bekänna för sina syskon att Anita vägrat låta dem åka båda två. Grinat och blivit hysterisk och... det är sedan Otto hastigt gick och dog. Det är det väl? Hur det *underliga* blev värre då, men Tomas menar att man måste förstå att döden är svår när man är på gränsen mellan barn och vuxen. Ja, så då talade han också till Maj som om hon var ett barn som... inte fattar. Ska inte ett barn lära sig förstå att döden är en naturlig del av livet? Nej, så resonerar hon inte. Men Otto... inte hade väl Anita och Otto något särskilt band mellan sig. *Det är ju för att du ska dö. Eller Tomas.* Jo. Men det är väl inte så underligt att Maj vill närvara *fullt ut* vid sin minsta brors vigsel. Nu när bara syskonskaran är kvar.

Fast Stig har inte tid för henne ens vid kaffet och tårtan. Jo, hon ser hur han anstränger sig för att göra gott intryck på sina svärföräldrar och Ingas övriga släkt. Han skäms väl inte över sina egna? Maj granskar dem, nej men de ser alla trevliga ut, kanske sticker Maj bara aningen ut genom sin *elegans*. Hon håller sig intill svägerskorna, de jämngamla, Solveig och Anna-Britta, jo men nu får de tillfälle att lite avskilt gratulera Inga och välkomna henne till *deras gäng*. Kom och hälsa på oss på landet i sommar flickor, säger Maj, vi har ju lantstället i skärgården och gott om plats nu sedan min svärmor gick bort, det är ju så sällan vi får tillfälle att träffas när vi inte har någon släktgård... Klart att vi kommer, säger Solveig, klart att vi inte tackar nej till det.

Är det Erik som kommer cyklande där längs björkallén på Rådhusgatan, hur Maj hastigt stannar till när han passerar, nej, nej det var en ung pojke, också Erik har väl åldrats, utvecklats... efter snapsar och punsch som faktiskt är svårdrucket med sin sötma, skulle det inte bara vara roligt att få växla några ord. *Hur har du det nu för tiden?* Ragna och Edvin går i armkrok, kanske blev Anna-Britta stött när de tackade nej till att gå förbi deras lägenhet i närheten av regementet, men Edvin tog ordet för dem alla och sa att de hade att tänka på morgondagens resa hem. De fick ju till och med vickning på kalaset, slangkorv rullad i hällabröd som Ingas moster hade bakat på hemstället i Strömsund. Och Maj tänkte att Anna-Britta nog blev lika glad att slippa ha dem på nattamat, med både Dan och lillflickan hemma. Fast Anna-Britta kanske hade något förberett. Lägenheten städad, redo att beskådas. Var det dumt av oss att inte följa Jan och Anna-Britta, äsch viftar Ragna med handen, snubblar till. Går du i högklackat för jämnan frågar hon Maj, men Maj låtsas inte höra.

Om de skulle trava längs Thoméegränd ända ner till Storsjön, promenera i Badhusparken, titta på de vackra husfasaderna, känna hur ungdomen är förbi… vad fånig hon är. Edvin och Ragna ser ju nästan nykära ut i det mjölkiga skymningsljuset.

Titta det lyser hos oss, säger Ragna. Hon puffar lätt i Majs arm. Ska vi gå upp och fråga om vi får hälsa på? Men Ragna, säger Edvin, varför skulle ni göra det? Ja, vad har vi att säga till dem, fyller Maj i, men det kunde väl vara roligt, framhärdar Ragna, jo men hon är faktiskt över midnatt säger Edvin bestämt, och Ragna fnissar, om vi kommit upprumlande där och frågat efter brännvin!

Vi gör väl kväll meddetsamma, säger Maj i receptionen, och tar trapporna upp till sitt rum.

RAGNA OCH EDVIN väntar på henne utanför pensionatet. Nog hade Maj föredragit ett bättre hotell, det var absolut inget fel på det här pensionatet men att titta ut över bakgårdens uthus, klosettlängan, *de kalla vintrarna, mörkret, hur alla kunde se när du sprang dit,* och nu vara här vid tvättinrättningen och Bollas livsmedel... men Edvin erbjuder sig att bära hennes väska. Borde Ragna och hon gå arm i arm? Stega nerför Storgatan och tala sentimentalt om gamla minnen? De konstaterar att det rivs och byggs nytt, snart kommer man inte känna igen sig längre när man kommer hem, säger Ragna, nej svarar Maj, men frågan är hur ofta vi kommer få anledning att fara hit. Pojkarna gifta och... det har du rätt i, svarar Ragna, fast vi har ju Edvins föräldrar här, Gunnar och Björn är så för farmor och farfar på Frösön. Så nog kommer vi att fara hem.

De sätter sig till rätta på tåget. Maj sveper kjoltyget snyggt åt sidan, nu när hon har sällskap av Ragna och Edvin till Sundsvall, och om hon fått luta sitt huvud mot sätet och strunta i småprat och konvenans. Den här lätt jagande oron som uppstår när hon kommer hit till stan. Liksom skönt ändå att fara ifrån Storsjön, bara vara kvar i Örnsköldsvik och inte utsättas för... påminnelser om *det som varit.* Fast Anna-Britta, Inga och Solveig är det väl inget fel på? Nog borde väl Tomas och hon kunna umgås med dem? *Eller blir de obehagliga till mods av din eleganta klänning och frånvaron av jämtländsk dialekt?* Ja, när Maj bjöd dem ut på landet till sommaren så neg Inga och knixade så att hon inte kunde annat än att känna sig som en respektingivande *åldrad dam.*

Hur är det med Tomas och barna då? Ragna undrar och måste hålla tillbaka en gäspning, säger att hon inte är bortskämd med att vara ute och slarva. *Som en annan menar du,* varför kan hon inte ta sin storasysters fråga som omtänksamhet, omsorg? Förresten är det Edvin som harklar sig och säger att Tomas gör det bra som hållit opp med drickandet så länge. Tio år, eller elva? Jo. Maj svarar att han inte har något val. Eftersom spriten gör honom sjuk. Men det har inte varit lätt för honom alla gånger, inte för att han visar det utanpå, men det är klart, gå bort på bröllop där det bjuds brännvin... Nej, håller Edvin allvarligt med. Det var ju traditionellt igår på så vis. Ja, att man inte knusslade med mat och dryck. Nu tittar Maj ut. Sjön, fjällen, gårdarna med sina lägdor på andra sidan. Jo, en annan mår ju pyton efter en sån kväll som igår, suckar Ragna. Känner Maj av det? Nej, hon säger istället med lite vibration på rösten att det känns snopet att de inte for på graven. Till sommaren måste hon gå på graven. *Ska du ta upp döden när två unga ingått äktenskap?* Nej, nog borde hon hitta ett annat samtalsämne. Att Stig är så kär, säger hon med ett skratt. Och så söt hon är Inga. En rar och behändig flicka som man inte kan ha något att anmärka på. Ingen bländande skönhet förstås, men vilken härlig *utstrålning.* Jo, de enas kring att Stig och Inga verkligen är ett passande parti. Glada och lättsamma är de bägge två. Herregud vad man kan längta efter det glada och lättsamma. Om man upprepar önskningen tillräckligt ofta blir den kanske verklighet? *Så blir vi alla glada och lättsamma till slut.*

DE KOMMER INTE *för att möta mig.* Som hon sett det framför sig. Tomas, Anita och Lars-Åke. Särskilt Lasse. Som inte vill vara liten, fast ännu dröjer det väl tills han är stor? Han suckar ibland, låt bli mamma, jag är faktiskt inget småbarn. Men de där pigga ögonen som kan plira så glatt emot henne. Tomas och Anita aningen mer reserverade, men leende. *Vår mamma.* Att du är hemma igen. Fast de tycker kanske bara att det är skönt att hon har varit borta. Ja, sådana här inre kast har hon gott om. Bäst att avslöja *att de egentligen inte håller av mig.* Om man tänker sig att hon står över sådant? Fast det gör hon ju inte. Det blir besvikelse på perrongen. Väskan väger inget. Men ödsligheten, när hon inte kan låtsas vänta längre, utan tvingas beställa en droska för att ta sig genom stan. Hon orkar helt enkelt inte möta bekanta. *Så roligt de måste ha att de till och med glömmer tiden.*

Ljudet av en snurrande grammofonskiva. Lasse som kommer springande och slår armarna om hennes midja, borrar ansiktet mot hennes bröst. *Han kramas fortfarande i alla fall.* Skulle ni inte komma och möta mig, säger hon och Lasse nickar, fast pappa är sjuk och Nita tjurar. *Åh nej.* Vad är det med Anita när hon inte ens kommer ut från rummet och hälsar, säger hon och stryker Lasse över det där mörkblanka håret. Så pappa är dålig?

Han har inte gömt undan flaskorna. Tallrikarna är däremot diskade, diskbänken hastigt avtorkad. Han ligger på sängen, ja ovanpå överkastet, med filten dragen över sig. Är du sjuk? Hon hade lika gärna kunnat fråga om han var full. Eller hoppat över frågan. Men hon frågar fast hon vet svaret. Det är ju inget ovanligt. Att ställa frågor utan att vilja få svar *egentligen*. Men nu blir det för en kort stund stilla i henne. Som om hon förstår hur hon har väntat på det här ögonblicket i tio år. Förberett sig i det tysta. *Han klarar det inte.*

Ska du inte stiga upp och hälsa på mig?

Är du hemma?

Har du druckit?

Det vet hon ju. Men något måste ju inleda samtalet.

Jag har varit borta ett par dygn och du...

Nej, hon går därifrån. Anitas stängda dörr. Hon kan väl inte vara arg på henne för att hon for på sin lillebrors bröllop. Fast Maj knackar inte, trycker bara ner dörrhandtaget och kliver in. När ska de lära sig att man måste vädra? Hon går raka vägen till fönstret. Inte heller Anita möter hennes blick.

Så pappa är sjuk, säger hon utan stränghet på rösten. Och Anita tittar hastigt på henne, nickar. Lite svullen runt ögonen, rödnäst, och den nervösa ovanan att snurra håret kring pekfingret. Fast det ska hon förstås inte påpeka nu. Hon klappar hennes uppdragna knän, hastigt. Har du inte varit ute alls? Du behöver lite luft. Hon måste ha gråtit ordentligt med tanke på hur hon ser ut runt ögonen. Nu ordnar det sig, vill hon lugnande säga. Men istället upprepar hon att pappa är sjuk. Det vet jag väl, svarar Anita vresigt och så knölar hon sig ner på sidan med sitt ansikte mot väggen. Han har varit sjuk förut och blivit bra, säger Maj. Det är nerverna, lägger hon till. Din farmor hade också... Hon hejdar sig, tystnar. På sätt och vis är hon lugn. Det är här igen. Det hon väntat på så länge. Varje dag? Som om de nyktra åren aldrig varit något annat än en parentes.

JA, DE NYKTRA åren? Man kan väl inte bara hoppa över dem i räkenskapen? De är väl lika verkliga som något annat. En buffert, en bank, en vetskap. Men de är också nervös väntan på fallet. Har Tomas inte varit på alla sätt beundransvärd? Ständigt dessa fester och kalas. Motbok och ransoner har ju inte hindrat hyggligt folk från att ha det *jädrigt trevligt* tillsammans. Tomas hade kunnat sätta sig på tvären vid sidan om. Det har han inte alls gjort. Tvärtom. Ändå kommer man inte ifrån tanken på att de nyktra åren bara varit skenbar idyll. Den tröttande uppmärksamheten på minsta tecken. Inte oroa så att han... Har Maj verkligen sett sitt liv som idyll? Jo men utifrån... mamma, pappa, flicka, pojke, vacker våning och lantställe vid havet. Kanske är det så att Tomas återfall äntligen blir ett handfast och konkret exempel på farorna som bara har fortsatt att lura i hennes inre. Inte för att de yttre omständigheterna enbart har varit behagliga heller. Med dödsfallen, sjukdomar, oroande symptom... och nu är Maj hemma i våningen med sina barn och sin man. Och hon har ingen aning om ifall hon borde ringa doktorn, Titti... Anna och Bertil. *Vad gör jag nu?* Ja, när det lugnar sig kanske hon kan ringa till Anna. Först måste hon ha en kopp kaffe. *Sedan tar du dammsugaren och röjer upp.*

Stäng av den där raspiga musiken! Men pappa har... Lasse kommer lommande med ansiktet förkrossat. Pappa gav oss skivan... Och Lasse vet förstås hur man sköter den där grammofonen och det är kanske inget fel på musiken, bara inte nu. Mamma är så slut efter resan, säger hon. Sedan får du spela. Lasse? Han är i alla fall inte långsint. Och nu är det tyst. Det tjänar väl inget till att tala med Tomas i det här tillståndet? Han ligger där han ligger. Anita... Kom hit, Lasse. Åh, hon tycker inte om när han ser så där... förskrämd ut. Nej, nu kommer han leende fram till henne där hon har satt sig på pallen i hallen. Låter sig till och med fångas ner i hennes knä och klappas på kinden, fast han går i skolan och vill vara en stor pojke. Spring och köp några krämbullar, de stänger snart, viskar hon i hans öra. Så sätter jag på kaffepannan och blandar saft. Och han är så snabb, hon hör hur han rinner nerför trapporna och så slås porten igen där nere. Hon dukar inte i matvrån. Inte ska de behöva sitta och tänka på den stängda dörren till sängkammaren... och så hastigt bilden av hans ansikte täckt av svett. Borde hon ta barnen och gå ner till fru Kallander meddetsamma? Fast vore inte det att bara jaga upp dem... Tomas sover väl? Maj tar brickan till stora rummet, dukar fram och tänder sedan en cigarrett på stående fot. Hon kan tänka tusen tankar eller ingen. Varför dröjer Lasse? Som om Lasses närvaro ändrar balansen, *då är vi tre mot en,* men om hon skulle gå in till Anita och fråga om hon inte vill veta mer om bröllopet, brudens klänning och frisyr och...

Är du sjuk, säger hon, och nu är rösten så där skarp i alla fall. Lasse köper krämbullar, kom upp till oss nu. Men nej, Anitas ansikte tryckt ner mot kudden och den stumt hårda kroppen.

Två som doppar, två tjuriga under filtar. Kanske är Anita inte tjurig. Inte heller Tomas. Men hur är de då? Lasse låtsas som ingenting. De låtsas båda som om allt är som vanligt. Kan man inte för enkelhetens skull förhålla sig till det så? Att Tomas och Anita blivit sängliggande i någon åkomma och då får Maj och Lasse roa sig bäst de kan. Lasse bryr sig inte så mycket om brudens klänning. Men att morbror Stig har en motorcykel med sidovagn att köra Inga i. Det är väl spännande. Kanske är Lasse inte så intresserad av släkten överhuvudtaget just nu. Han skruvar lite oroligt på sig, frågar om han får gå ut och leka med Bernt, Bernt får för sin mamma, Maj suckar, vi äter halv sex. Och lika raskt rusar han nerför trappan igen.

Dammsugaren, hon lyfter den ur städskåpet, sätter in kontakten och trycker igång maskinen med sin fot. Hela våningen tar sin stund att beta av. Fem rum och kök. Hon börjar med tamburen som är mörk så hon måste tända lyset för att urskilja grus och skräp från ullmattans mönster, sedan korridoren, Anitas och Lasses rymliga rum. Anita tiger, väser inte lämna mig ifred mamma. Är det inte klokast av en mor att få allt att verka som vanligt? Dammsuga som om ingenting har hänt. Så mycket värre om också hon faller i gråt och apati. En elvaårig flicka vill väl vara för sig själv ibland med *rosenskimrande drömmar.* Eller... Ja, men Maj förmår ju inte just nu. Förmår inte sätta sig på sängkanten och stryka snor och gråt från det där ansiktet som inte längre är ett barns. *Nu förstår du kanske hur jag har haft det. Du som är så för din pappa.* Klart att hon har varit avundsjuk. Eller svartsjuk. *Är det inte mig barnet borde hålla av besinningslöst och hängivet?* Hon stänger av dammsugaren, plockar undan teckningarna från skrivbordet, stoppar pennorna i pennstället. Böckerna tillbaka till bokhyllan, dammtrasans svepande rörelser mot målmedvetenhet, effektivitet. Ska hon ställa saft och sockerbullar på sängbordet? Ja, kanske är det vad hon förmår ge Anita idag, när hon saknar ord för att trösta.

Hur ska vi ha det med det hjärtlösa? Vi vet ju redan att allt å ena sidan kan bli kletigt och översvallande och dominant och överbeskyddande i överkant. Och vilka följder kan det inte få. Men det kyliga, reserverade, avståndstagande, känslofattigt karga, ja det är ju heller ingen lisa för själen. Fast det är ju bara i skriften det kan delas upp och typologiseras. I det levande livet finns relationen som med tiden kan fyllas av brist och tillgång lite *som det behagar.* Det vet ju barnet inget om. Kanske inte heller modern. Fadern. Först efteråt, i anklagelser och sår, *jag gjorde ju så gott jag kunde.*

Dammsugarens munstycke mot golv och mattor. *Du dammsög i förrgår morse.* Ja, Maj dammsuger våningen varje dag. Det är ett rimligt åtagande att när barn och make försvunnit ut återställa allt i sin ordning. Fast nu ligger hennes dotter tyst och förtvivlad i sin säng. Maken sover ruset av sig. Och hon har inte ens hängt av sig klänningen! Hjärtat klappar hastigt och i otakt – får hon en sådan där skrämmande attack igen? *Ring på en ambulans.* Men vem ska se till Anita och Lasse? Hon drar efter andan. Så. Ett till andetag, sug upp syre... Nej, men det är otäckt att vara så obetänksam att man sätter igång att städa i festklänningen. Ut med den på vädringsbalkongen. Kjol och jumper, inget förkläde. Lasse kan fortfarande dra till, han. Meccano, bilderböcker, tenngubbarna, bilsamlingen som växt sig alldeles för stor, men det är ganska snabbt gjort att plocka undan. Lammet ligger där i sängen fortfarande. Det är befriande att ta sig an Lasses rum. Hon kan inte kräva att han ska sköta sitt rum redan. När hon grälar på honom för hans slarv är det mer... ett uttryck av omsorg. Hon menar väl heller inte – i grund och botten – att kritisera Anita?

NU MÅSTE DU *klara upp det här själv. Det vet du väl? Löftesrika sötebrödsord, hur kan du vara så dum att du tror på dem. De lovar guld och glitter. Värme och strålglans. Wc och varmt vatten. Dammsugare, båt och bil. Du har det bara till låns, Maj. Rätt vad det är – borta.*

Sedan blir det bara skit igen. Mycket bättre att slippa det där inställsamma, smickrande – ja som för dig bakom ljuset. Kanske skrattar de i smyg åt att du gick på det. Gå ut i det krassa skenet. Som mejslar fram varje veck i huden. Fläckar, damm. Som visar allt i dess rätta skepnad. Känner du befrielsen? Här kan ingen lura dig. Pengar som du själv måste slita ihop. En bostad som rymmer det mest nödvändiga. Kläder kan lappas, lagas. Deras löften betyder ingenting. Du gör kalas i tankarna. Du får förhoppningar. Och så avslöjar du ditt barnsliga begär efter ett framgångsrikt liv – då säger de men snälla lilla vän. Hur kunde du tro att du? Du?

För på andra sidan kommer du att se det andra. I den vardagen finns inga löften, men små glädjeämnen kommer att sända svaga strålar av blinkande ljus. Ängsblommor i vas. Doften av nymanglade lakan. Att uppskatta dagar när yrseln uteblir. En mör stek och gräddsås, inte varje söndag men någon gång? Varför tro på något mer och annat? För guds skull. Det andra kommer bara att försvinna för dig. Att tro att deras famn kan vara en trygghet, förvissning. De minns ju inte ens vad de har lovat. När annat kommer istället. Då går de. Du blir värdelös – ja utan värde. Sök dig ett arbete. Vad som helst. Synd bara att hemarbetet med sina nya och bättre avtal är på neråtgående. Annars skulle det vara något för dig. Men affärsbiträde, städerska, nissa, Kjellins konditori – någonstans måste väl en stark och ännu inte medelålders kvinna kunna ta anställning – gå ifrån honom. Barnen behöver dig inte hemma om dagarna längre. Det där naiva hoppet. När ska du överge det? De gamla är ju döda. De kommer inte att klandra dig. Men barnen, säger du. Anita och Lasse, vana vid våning, lantställe, festligheter, bil – de far inte illa av att lära sig livets hårda skola.

Hon vrider sig i lakanen, det är ju inte hon som borde sova på soffan. Men hon vägrar ligga i samma rum som Tomas. Vad dumt att de har skämt bort barnen. Alla söta kläder, leksaker, böcker – ja men allra mest det goda livet, varför har hon inte lärt dem att de bara har haft allt det här till låns. Maj har väl vetat hela tiden. Nu är det inte ångest. Ångest är väntan på katastrofer. Katastrofen något konkret som måste lösas. Imorgon ska hon tala med Titti.

HOTAR HON ATT lämna honom, ta barnen och gå? *Fan, Tomas!* Hur han dricker, insnärjd i ett eget *mörker,* ja, är det inte så att inte ens Majs upprörda förtvivlan spelar någon roll. Kanske gråter han när hon säger att han mister sina barn. Eller envisas med att sköta det på sitt sätt, trappa ner, värka ut, få giftet ur systemet. Om hon tordes hälla ut allt i vasken. Flaskorna står där, på golvet i sängkammaren. Men hon ser inte på när han grimaserande sväljer. *Hjälp mig, Maj.* Du måste äta, säger hon. Ja, hon får i honom äggröra, te, franska. Och så längst ner i smutspuffen när hon ska sortera tvätt – Anitas underbyxor. Brunfläckade. Herregud. Fick hon sin första månadsblödning när Maj var borta? Nu är hon i skolan, men snälla vän, har hon skydd? Är det taget ur paketet med pappersbindor, Maj har aldrig visat henne dem men visst har Anita förstått att Maj har besvärats av sina egna *svåra blödningar?*

Först tvättkällaren. Vittvätt och småtvätt. Jo, hon går in till sängkammaren och talar om för Tomas att hon har tvätten idag. Har du meddelat Axelsson att du uteblir från kontoret? Kan du ringa, Maj? Jag ger dig allt vad du vill ha om du kunde göra mig den tjänsten. Vad ska jag säga då? Vad som helst. Vad som helst, upprepar han. Att du är full? Han drar upp armen över ögonen, grimaserar. Maj... Magsjuka då, suckar Maj. Han kurar ihop sig, jag grejar det Maj, jag kommer igen, gamle Tomas är en seg jävel. Maj går därifrån. Hon ringer, som i trans. Maginfluensa, ja jag känner mig också illamående. I värsta fall uteblir han veckan ut, ja. Jag ska hälsa – nej inga besök, det är ju så smittsamt. *Förstår du inte att Axelsson skojar, han vill väl inte komma hit.* Nu är det ordnat, ropar hon mot sängkammaren, sover han redan? Sitter Anita med blodiga byxor i skolan? Ja, hur Maj måste ta det här samtalet med Anita i eftermiddag. Maj bär den fyllda tvättkorgen nerför trapporna. Saknar hon Siv? *Det är för att Siv inte var här han vågade dricka igen. Ingen som såg, att hålla stilen inför.* Tvätten tyckte både Siv och Maj om. Att fylla maskinen, skölja i karet, centrifugera, hänga i varmluftsrummet, dra lakan och ha manglingen bortgjord samma dag nu sedan mangeln är installerad. Klart att Siv måste se till sin familj främst. Nog klarar Maj tvätten. Inga tydliga fläckar på Anitas sängkläder, har hon gömt undan lakanet, vart skulle hon och barnen ta vägen? Om han har smugit inför henne även innan hon for på bröllopet. Han bara skakade på huvudet när hon ville få svar. Tomas nyktrar väl till? *För den här gången.* Ja, det är ju ingen idé att tala allvar när han är berusad. Tänker hon verkligen dra in Titti och Anna i det här? Om man kan sköta det snyggt och i skymundan.

Fast Anita förnekar att det har kommit något blod när de sitter vid matbordet med dörren till sängkammaren stängd. Men jag har sett underbyxorna, säger Maj lite högt fast hon ville viska, alla flickor får vid en viss ålder, varje månad, och då måste man vara extra noga med sin hygien, ja men Maj tycker inte heller det här är roligt, man får byta ofta för att slippa... obehag, lukt... kan vi inte strunta i det här, nej men Maj måste visa bindorna, kom med mig. Mamma... suckar Anita, *förtvivlat?* Det tar bara en kort stund, du måste ju veta hur du ska bära dig åt – jag vet redan, säger hon, fast Maj tar henne om axlarna och föser henne mot badrummet. Där, i skåpet, jag lovar att se till att vi alltid har hemma, du vet att förr hade man hemska saker i tyg som skulle kokas, de här slänger man bara i soporna, lite diskret förstås, har de andra flickorna i skolan också…? Men mamma, säger Anita utan att titta på henne. Sedan skakar Anita på huvudet, jag kan väl inte veta det, nej, suckar Maj, någon måste förstås vara först. Ja, och du förstår, man ska alltid lägga blodfläckar i kallvatten meddetsamma, så då du har dina dagar får vi ha en kallvattenhink i badrummet, det är inget att skämmas för, jo, lakan också, för om man tar det genast… Stryker hon hastigt hennes kind?

Nu kan hon bli med barn. Det fryser till, inifrån. Maj sitter på sängkanten, inte ens att sova på soffan härdar hon ut med. Men Anita är väl ändå fortfarande så barnslig? Måste hon varna henne? Att pojkar inte får… röra henne alls? *Om Vera levt hade jag frågat henne.* Hon gnider krämen över ansiktet. De slutna ögonen. Så hör hon Tomas röst, nykter, från mörkret intill. Nu vet jag att jag inte klarar det, Maj. Nu behöver jag inte hysa tvivel om det.

NÄR KAN MAJ sitta ner och fundera över sina tvivel? Så snart kommer barnens examensdagar, och Lasse måste både ha nya byxor, skjortblus och jacka i form av en skepparkavaj. Måtte hon få på honom en fluga eller scarf. Anita kan inte längre ha den blekblå sidenklänningen med puffärm som hon fått så mycket beröm för och när hon ber om samma modell ännu en gång måste Maj tala om att det inte passar sig när man börjar få figur som en... ung dam. En söt, luftig blus, kofta, veckad kjol och vita sockor? Hon vände sig varken till Titti eller Anna... med sin oro. När Axelsson accepterade versionen att Tomas hade maginfluensa var det inte svårt att fortsätta med den. Men hon vet ju inte... kan han ha börjat ute på stan, fullt öppet, synligt? Inte heller har han förklarat varför, med annat än att det var idiotiskt, han ville pröva... Jag förstår om du vill gå, sa han. Men du ska veta vad jag kommer att sörja dig och barnen.

Eller säger de ingenting sådant? Hur Maj sköter om, städar bort, kastar tomglas, flaskor. Lagar vänlig mat till både honom och barnen. Kanske försöker hon förklara för Anita, men när hon märker att Anita inte tänker lyssna går hon liksom lättad därifrån. Maj vill väl inte minnas de där dagarna i maj. Han får knappast krypa inför henne – men kompensera på ett annat vis? Kanske vilar Maj ut i att vara behövd och snäll. *En snäll människa.* Hon skulle kunnat kasta ut honom, *men han får stanna här och ta igen sig.*

På morsdagens gråmulna morgon vaknar hon av att Tomas satt väckaren på ringning. Snart hör hon tre tisslande röster i matvrån, hon är klarvaken, men det dröjer innan hon känner doften av kaffe. Klart att hon blir rörd. Liljekonvaljer i knopp, ritade kort från både Lasse och Anita, kaffe, skivad vetelängd och Anita som gått i skolkök har bakat en enkel tårta. Det visste hon förstås om. Hur Anita sa att hon skulle ha sockerkaka med sig till Ulla-Britt... ja helt säker kunde Maj förstås inte vara. Och så ett inslaget litet paket från Tomas. Hon dröjer med att öppna asken. Tackar för kort och konvaljer. Smuttar på kaffet, talar om att tårtan trots lite grynig grädde är god. Mamma, presenten, säger Lasse ivrigt. Hon lossar snöret, papperet som sluter om asken. Öppnar. En silverring med en vit pärla. *De bedrar, de slår, de är brutala. Kommer hem på fickan tom.* Här sitter hon lutad mot kuddarna och blir uppvaktad med kaffe på säng av barn och make. Men måste hon säga att ringen är vacker? Jag ska se efter om den passar. Vi dricker väl kaffet när det är varmt?

DET VAR BARA högläsningen som gick lite stakande. Är Lasse ledsen? Det är inte som Anitas betyg. Men Maj har väl heller aldrig... alla kan inte vara bäst i klassen, säger hon tröstande. Måste Anita stå intill och triumfera? Du klarade ju huvudräkningen och fröken sa bara att vi ska träna högläsningen i sommar. Maj vet ändå. Hur ord som låter riktiga i huvudet kan gröta sig i munnen och liksom dölja sin betydelse så att texten helt saknar mening och sammanhang. Maj kunde höra hur det var just så det blev när Lasse skulle läsa högt inför hela klassen. Och det var orättvist att inte Göran som läser sämre behövde stå upp inför dem alla. Att fröken just skulle ha Lasse att läsa det där krångliga stycket. Flickor har ju dessutom ett försprång när det kommer till att koncentrera sig och sitta stilla. Men nu sparkar han ilsket de nya skorna i gruset – Lasse du har inte vardagsskorna på, säger Maj strängt.

Det är väl ingen idé att vara ledig om man måste sitta inne och läsa för jämnan! Han boxar till Maj i magen, som han kunde göra när han var liten och besviken. Du ska väl inte sitta inne hela dagarna, det är ju bara någon stund varje dag, invänder Anita viktigt, ja bryter Maj in, och du ska väl träna på räkningen du, tyckte både fröken och pappa. *Förlåt. Menade inte.* Ja, nu har Anita tårar i ögonen. Ska vi hoppa över Sundmans också, säger Maj. Lasse och Anita står tysta. Det är ju faktiskt examensdag. *Du gamla du fria.*

SOM TOMAS ANSTRÄNGER sig den här sommaren när Maj går och undrar om det är slut. Eller är det bara vid det där enda tillfället när hon kommer hem och han fyllsjuk vädjar om nåd? Vet hon varför han smakade? Vilket förunderligt, förljuget ord. *Smakade.* Smaka av såsens sälta, sötma, syra. Supa. Nej men Maj vill inte heller höra det där brutala. Supa, sprita... ja smaka kanske är mest barmhärtigt. Nu ska han ju inte smaka igen. Det har han lovat. På sätt och vis kan hon förstå honom. Att han längtar efter ett glas. Nej! Så här mitt i midsommarförberedelserna måste hon vara hård. Hur ska de klara av det hela om hon plötsligt börjar förstå honom? *Ska du inte ha dig en lugnande cognac?* För Maj kan hantera det men inte han. Så är det. Och det finns ju ingen anledning att dra in övriga släkten i den där incidenten när hon vet hur hårt Tomas sliter med firman. Kurre som verkar så rättfram och strong i det sociala kan visst bli både osäker och villrådig när det gäller affärsuppgörelser och ekonomiska beslut. Då är Tomas där och reder, rådgör. Ja när Tomas kom ut till landet igår var ju Maj tvungen att undra vem av dem som är direktör. Då berättade Tomas om det här... osäkra draget hos Kurre. Anita tycker inte om när han blir borta. Och Maj får heller inte riktigt någon ro. Men annars har väl Anita hämtat sig? Hon verkar ju inte vara arg på Tomas, men håller noga reda på var han är. Tack och lov för Lotten Åkerlund som sommargranne. Lite elegans, en smula flärd och sällskap soliga stunder vid sjön.

Är det inte något ganska fantastiskt – det här midsommarfirandet med vänner och släkt? Kan Maj se det så? *För barna.* För barna måste det väl vara omåttligt fint att få fira så här? Maj har hört väderprognosen – det ska ju dukas långbord hos ”mammas”, ja i huset som trots allt är Tomas och inte längre tants – men när traditionen bjuder… och hon vill ju veta om uppehållsvädret håller i sig. Ja, men det är väl så tankarna går, den här sommaren – tar hon ens ordet skilsmässa i sin mun? Man ger väl inte upp för ett enstaka misstag. *Eller försöker Tomas få henne att självmant gå?* Är det midsommarnattens gråljus som tvingar fram tankar på kärlekens väsen, eller är det bara för att Anita ser så rödblommigt nyförälskad ut? Ja de retas med henne, farbröder och fastrar, var har du fästmannen då, och om Maj inte fått nubbe och likör hade hon bett dem sluta med det där och betänka att flickan just fyllt elva, låt gå att hon ser vuxnare ut. Men ikväll håller ungdomarna ihop, Henrik, Anita, Lill-Bertil, Carola – ja Lasse får också vara med. *Maj, maj måne.* Fast nu är det juni och för kallt i havet för att njuta av ett dopp.

TOMAS. TOMAS TAR dem med i motorbåten den här sommarens söndagar för att bjuda Maj och barnen flott middag på Statt. Som du arbetar, måste Maj rättfärdiga den kostsamma vanan – och Tomas säger bara att de får göra så här i år när han inte hinner ta henne med på någon semesterresa där hon kan få sitta ner och bli serverad. Ja, inte tackar Maj nej. Sommarhuset är inte direkt någon vila. Frukost, lunch, middag, kaffe en och två och tre gånger om dagen, matsäckskorgar, disk... det är trevligt att bada sig ren med tvål och schampo i havsviken på lördagen, även om det är rusk och regn, och veta att håret är nylagt och doftar gott på söndagen på Statt. Måla sig, ta skor med klack. Snyggt, säger Tomas när hon mannekängar, även om han alltid är mest spontan vad gäller komplimanger om hon är klädd i svart. Men i svart vill hon slippa skrida runt i sommaren. Ja, först tar han med Lasse och Anita på badutflykt, på veckans lediga dag, Maj följer dem inte så ofta. Det är inte alls dumt att ha några ensamma timmar i huset, att stöka undan och få bort. Känna att man fått några fria stunder till skänks att städa. Sopa sand och se till att finkläderna är pressade och strukna. Så att de när motorbåten angör kajen vid Statt kan *göra entré*. Bara Maj tar sig ur båten. Maj som inte är så för båtar. Skulle han ha önskat en kvinna i långbyxor, yllepolo och gymnastikskor, med ansiktet väderbitet av fräknar, som räckte honom en hjälpande hand ombord? Som inte sitter i ruffen, inte blir rädd att falla överbord, drunkna... Anita har inget emot att vara kuttersmycke, och hon och Lasse turas om att stå intill Tomas för att lära sig styra och hålla rätt kurs.

Att bli *stammis.* Är det Stockholmsslang? Stamgäst. Maj kan ju minnas hur trevligt det var på Kjellins med damer som kom regelbundet, ibland varje dag. *Tomas kom ju också på besök till dig.* Gamle rockvaktmästaren är lite darrhänt tycker hon, och nu när Maj kommer dit med sina barn är hans blickar inte alls till besvär. Särskilt Lasse skojar han med, gör miner och trick så att Lasse faktiskt häpnar. Är det så här konfliktlöst? Ljummet, rart och glatt. Klart att det finns stunder av stiltje. Glädje? Tomas dricker inget annat än mjölk eller svagdricka, must. Bara Maj får ibland vin i glaset, ja och om Titti och Georg slår följe i sin båt, tar Henrik med, så kanske även Maj kan få en snaps. Till silltallriken som föregår steken. Då blir det extra glatt och glammigt – tacka för det med sådant trevligt sällskap. Jo men som Maj uppskattar att få slappna av. Bli surrig och festlig och ganska ofta rätt så roligt vass. Georg skrattar! Titti också. Har inte Tomas till och med uttalat önskat att ingen särskild hänsyn ska tas. Kalvlever, grisfilé, oxjärpar eller nybräckt lax.

Tack för att du tror på mig igen Maj, säger Tomas sedan i kammaren när de ska somna. Känner Maj ännu smaken av Chartreuse? Hon ligger på sidan, häver sig upp på armbågen. Hans sänglampa är tänd, medan hennes bädd vilar i mörker.

Tomas, varför gifte du dig med mig?

Han släpper boken mot sin mage, ser allvarligt åt hennes håll.

För din stiliga näsa. Och för dina snygga ben förstås.

Sedan ler han och skickar en slängkyss med handen.

HUR ÄR DEN här sommaren för Maj? Anita som blir brunbränd klagar allt oftare på att hon har ont i huvudet. Du kisar, säger Maj, när du hela tiden ska sitta och läsa i solen. Och dessutom drag... Får inte även Maj spänningar över pannan när blåsten friskar i från nordost? Ja, hon hör den nya kamraten Gerd och Anita viska om hoppilandkallen på Express. Men han är väl minst fjorton? Han retas ju bara med dem. När han flinar och gör sig till. *Kärleken är inte mild och tålig Anita, den river strävt och dessvärre har vi inget lämpligt läkskinn.* Håll dig till Henrik. Lite blygt och barnsligt svärmeri, ja mer som syster och bror. Borde Maj neka Anita och Gerd att mulet kylslagna dagar ta Express in till stan? Men om Tomas kan hämta upp flickorna och ta med dem ut igen på kvällen. Jo, Anita får åka, om hon följer Henrik och läser extramatte för kandidaten på Ön. I matematiken blev hon ju bara knappt godkänd, så det är inte mycket begärt.

Sedan ber Stig och Inga att få tälta i trädgården på Stigs semester i slutet av juli. Nog går det bra. Fast när de kommer fram ångrar sig Inga och sover hellre i Eivors gamla kammare nere hos tant. Ja hur Maj än försöker blir nedervåningen alltjämt tants. Är Stig för flat mot Inga? Som han ser på henne, följer henne, lyssnar till allt hon säger. *Sluta reta dig, Maj Sara Johanna.* Bara för att Inga råkar vara lite alldaglig, en smula hjulbent och kanske aningen rund – för Stig är hon finast av alla. Men Stig hinner nästan inte umgås med Maj för allt han ska ordna om. När Inga sover till sent om förmiddagarna och Stig kommer ut i köket varje morgon för att servera henne kaffe på säng. Passa dig så du inte skämmer bort na, säger Maj halvt på skoj. Jo men när Inga är så morgontrött och inte jag… bryter han av. Det förstås.

Men att Inga inte självmant hjälper Maj med disken – äsch Maj vill väl egentligen sköta det själv. Fast stöka bort efter maten, kaffet, utflykterna… inte heller där är Inga särskilt tjänstvillig eller snabb. Är hon med barn? Det verkar nästan så. Då är Anna-Britta mycket mer av arbetsmänniska, det måste Maj säga. *Vill inte du också bli bortskämd, Maj?* Någon gång kanske, i den här osynliga vardagens lunk. Fast Tomas torkar ju silvret. Det irriterar henne bara. Att Tomas tror att det är en så enastående insats, när hon skulle ha gjort det hundra gånger raskare själv. Måla, tapetsera, laga trasiga stolar och bord istället. Tomas skämmer väl på sitt sätt bort… vill hon grina? Där trasan far över snickerierna i köket. *Raskt och redigt.* Blir det till kvällskaffet tugg om Jämtlandsfjällens fördelar mot Ångermanlands höga kust? Eller har de helt enkelt ganska trevligt – för är inte Stig den allra smidigaste brodern? Skojar med Tomas, står länge vid sjöboden och låter sig instrueras, babord, styrbord, akterut, och följer honom om kvällen till sjöss.

JA, SÄGER OPTIKER Rydström och tittar fram bakom sitt klumpiga mätinstrument, flickan behöver glasögon. Det är inget gränsfall, lägger han till och Maj ser hur Anitas underläpp börjar rycka och darra, på det viset, säger hon, ja då är det ju inget att göra åt. Nej. Hon vill sätta sig, hålla i något, Anita sitter hopsjunken på sin undersökningspall medan Rydström förklarar graden av synfel. Det är arvet från Tomas. Alla närsynta. Om Anita ändå vore nätt. Nu kommer tårarna. Hur Anita biter ihop munnen för att hindra dem - ja här måste Maj gripa in och sätta stopp. Ja, men då får vi väl se ut några snygga bågar, säger hon och ler mot både Anita och optikern. Fast Anita möter inte hennes blick. Hur kan det söta bara helt grymt försvinna... flickor i Anitas ålder är ju ofta helt bedårande. Lång, stor och klumpig. *Du måste trösta henne med att de andra snart växer ikapp. Då är hon redan välväxt och tjusig.* Men stor och glasögon... hon lägger sin hand på Anitas axel - den når inte ända fram till kinden - och skulle inte Anita ändå bara tvärt och ogästvänligt vrida sig bort från en smekning. En Spirella behöver hon också.

Nu kommer det rara biträdet - kortklippt och med spetsigt formade glasögon - och undrar om hon ska ta fram några lämpliga bågar att prova. Anita svarar inte. Maj ber att få titta, bara inte för extremt och iögonenfallande, något diskret säger hon dröjande och biträdet invänder att man måste se på ansiktsform och färger innan man bestämmer sig, och då reser sig Anita, kom och prova säger Maj så vänligt hon kan, men i ett huj har Anita slitit upp dörren och sprungit ut. Herregud - tänker hon hoppa framför en bil, ursäkta säger Maj – men ute i vimlet på Storgatan syns Anita inte till. Kan hon hejda någon och fråga åt vilket håll en upprörd flicka tog vägen? Nej, det gör hon bara inte och så kommer biträdet efter henne, jag måste bara påminna frun om undersökningskostnaden – så genant – klart att Maj ska betala. När hon får sitt kvitto säger biträdet att de bör komma in och välja bågar den här veckan i alla fall, optiker Rydström tycker inte att flickan ska gå längre med sin dåliga syn... det kan bli stora bekymmer med huvudvärk, illamående, balansrubbningar. Vart har hon tagit vägen? Och Maj som skulle bjuda på bakelser hos Sundmans, eller på Finess med den trevliga terrassen. Är det så märkligt att hon blir lite upprörd? Att Anita inte tänker på henne. Som måste stå inför optikern och biträdet... optikern har säkert helt vanliga, välartade barn. Kanske biträdet ännu inte... ja då måste hon ha någon som sköter om barnen när hon är på arbetet. Hon ser ju så ung ut.

Till Tomas. Anita har naturligtvis sprungit till Tomas kontor. Vilken lättnad att komma ut från optikern. Bara hon inte möter någon bekant, hon slinker ner på Fabriksgatan, tur att det är så nära, drar efter andan för att inte vara helt utan luft när hon kliver in. Tomas tittar upp när hon knackar hastigt och leendet byts fort till stel oro – har det hänt något? Är inte Anita här, säger Maj och Tomas skakar på huvudet, reser sig upp – vad har hänt? Det blir glasögon, suckar Maj, det är inte ens ett tveksamt fall. Åhå, säger Tomas, och sjunker inte axlarna ihop en aning, då är hon ledsen förstås. Ja det är jag också, svarar Maj, du förstår hon rusade rätt ut när biträdet kom med bågar att prova. Hur tror du att det kändes... De är säkert vana vid alla möjliga reaktioner, säger Tomas, det är en omställning. Visst är det lite synd på de där fina ögonen, men jag menar det förklarar ju huvudvärken och det här lite... lättretliga. Egentligen är det ju en bagatell. Jag menar, det är ju inget allvarligt bekymmer. Och så kommer hon ju alltid att kunna läsa bra på nära håll. Maj avbryter honom med att vända sig mot dörren.

Vi måste skynda oss nu, hon kan ju ha... tänk om hon springer till hamnen... kan du följa mig hem så ser vi efter tillsammans. Så labil som hon har varit senaste tiden... Vi tar det lugnt, säger Tomas, jag ska bara meddela Axelsson, gå i förväg du så springer jag ikapp, och knappt har hon kommit ut på gatan så är han ifatt henne. Så svårt att hänga med i hans tempo, *han är orolig, han också,* inte bara Maj som överdriver. Varför kan inte han vara lugn, då finns det ändå skäl att vara skärrad. *Tomas tror också att det hänt något.* Det är chocken sedan han var full inför henne. *Som hon har sett upp till dig!* Kan hon ropa det, där han hastar före. Se vad du ställer till med! *Nu får du nog gottgöra, Tomas.* Men hon säger inget av det när hon når fram till honom där han väntar vid trappans början. Han vill kanske inte hitta henne... Hon är ju bara ett barn. Ett barn som plötsligt fått en för stor kropp. *Minns du inte hur det var?*

Nej, Maj minns inte just nu. Minns ingen barndom alls. Inte alls som Anitas *privilegierade* uppväxt. Ändå är hon inte mer rustad nu när hon ska lämna det barnsliga bakom sig. Dörren är låst. Det kan betyda vad som helst. Tomas fumlar med nyckeln, får först inte in den i låset, hallå ropar han direkt, är du hemma Anita, Maj knuffar sig förbi honom, går raka vägen till hennes rum, trycker ner handtaget - låst. Vi skulle inte lämnat nyckeln i, väser hon till Tomas. Nu öppnar du Anita, säger hon högre. Nästan skriker, och Tomas tar henne lite bryskt om axlarna, föser henne bort. Jag tar det här jag... viskar han, du vet nu skäms hon säkert... åh, Maj går in i badrummet, fortfarande med kappa, skor och handskar på sig. I tidningarna skriver de om atombomben och hennes dotter klarar inte av att få glasögon. *Men du var ju också besviken?* Det är tråkigt. Men ingen katastrof. Det är klart att en karl kan vara klädd i glasögon på ett annat sätt än en kvinna. Inte så att hon föredrar män med glasögon, men visst kan det ge en viss pondus. Så ofta ser man inte filmskådespelerskor och mannekänger i glasögon, det gör man inte. Men inte har väl Anita på allvar trott att hon... Varför har fastrarna och farbröderna skämt bort henne med komplimanger. Griller i huvudet och nu klarar hon inte minsta motgång. Maj spolar handlederna under det strilande kalla vattnet, jo, hon ser uppjagad ut. Svettig, rufsig och allmänt i oordning. När hon kommer ut står Tomas fortfarande och pratar med dörren. Maj hänger av sig kappan, lägger handskarna i byrålådan. Jag sätter på kaffe, säger hon mot Tomas till, men vi har inget färskt bröd. Vi skulle gå till Sundmans... han hyschar mot henne, åh, då blir hon ledsen. Helst vill hon gå raka vägen in i sängkammaren och lägga sig. Men kaffe kan pigga upp. *Ja, heja på dig själv lite mer. Inte så dystert och modfällt.* Duka snyggt på brickan, skiva sockerkaka – finns det några fruktkonserver och grädde så blir det bakelse ändå. Bullängden skulle hon kunna steka upp till fattiga riddare, men det blir för arbetsamt. Jo, hon har grädde i kylen som hon kan söta med lite socker och vispa upp. Titta, en liten burk fin ananas, det blir trevligt. Varm choklad åt Anita – idag är väl inte rätta dagen att fråga om hon är stor nog att dricka kaffe.

Nu är det kaffe, ropar Maj när hon passerar hallen på väg med brickan till vardagsrummet. Jag tänkte att vi tar det i stora rummet. Meddetsamma behagar de visst inte att komma. Då svalnar både kaffe och choklad. Och nersjunken i soffan känner hon så starkt att hon skulle vilja vara den som fick trösta sin dotter en dag som den här... men när tröstens ord förvandlas på vägen... för inga verkligt tröstande ord finns att ta till. *Du som är så söt kommer att klä i glasögon. Du som är så söt borde vara tacksam över glasögon annars skulle du aldrig få vara ifred för pojkarna.* Ja, men det kan Maj ändå glädjas lite åt. Inget onödigt spring med pojkar i för unga år. Fast både Maj och Anita vet att hon inte alls har något särskilt pojktycke längre. I klassen finns så många *käcka* flickor, gymnastiktypen. Det är inte roligt att vara lång. Maj vet. Det är nästan som om en del karlar blir rädda…

Och så blir det Tomas som till slut kommer ut till henne.

Nu får du nog dricka det kallt, säger Maj. Tomas tycker att de måste vara lite varsamma nu. Det är en svår omställning för henne, vi kan väl försöka vara förstående. Så jag brukar inte vara det, menar du? Maj sträcker sig efter en cigarrett. Hon är fortfarande arg. Upprörd. Ja, han får mumsa gräddbakelse i röklukten. Absolut, svarar han och tar en stor tugga, men det lönar sig inte att bli förbannad. Hon har ju fått för sig att hon är fulast i klassen. Var kan hon ha fått det ifrån? Du vet väl hur grymma barn kan vara, säger Maj då. Tomas nickar, i och för sig, men har någon sagt något… Kan du inte gå in med en bricka åt henne. Jag tror att det skulle betyda… ja vara betydelsefullt för henne. *Vi skämmer bort henne, Tomas. Gör vi inte? I vår ängslan att hon inte ska klara det.* När cigarretten är slut ska hon gå in till henne, med bakelse och choklad.

DET ÄR MITTEN av november, grått, avlövat, trist... och Maj vill gärna vara med och fira Tittis femtioårsdag på lokal. Att få göra sig fin och gå på fest i höstmörkret. Titti har lovat god mat och dans, men orkade inte ordna om något hemma. *Jag kände mig så gammal på Stigs bröllop. Här kan jag åter få vara ung.* Bli berusad, slappna av, skoja... att distraheras från tystnaden i våningen. Inte tänka på höjda matpriser och veckomatsedlar. Småtvätt, stortvätt, att barnen är hela och rena. Små barn är en sak... men att se till att även stora barn sköter sin hygien. Att få lov att nöta sidenklänningen i sand, även om den inte längre är helt modern i snittet. Men den vitprickiga båtringade är inte hellång, och klädseln ska vara verkligt elegant. Och att då Anita inte vill vara ensam hemma med Lasse.

Men mamma, du vet ju att han bara springer ut och inte kommer hem i tid! Var ska jag leta? Ja, på ett vis har hon rätt. Men Maj har inte tid... Jag säger åt Lasse på skarpen att han inte får vara ute och härja med Göran och Stig-Björn ikväll, att han helt enkelt inte går ut. Ni får äta och sedan gå till sängs.

Åh! Och du tror... Tänk om han far iväg och blir påkörd? Hur ska jag få tag på er då?

Lilla vän, gå upp till Ströms eller till fru Kallander. Du måste ha på dig glasögonen annars kommer den där hemska huvudvärken tillbaka.

Klart att Anita har rätt i att Lasse är bra på att leva bus. Han passar inte tiderna längre, men var inte bröderna på sin tid likadana?

Det blev ett helt annat liv när Ragna och Maj smet ut. För måste inte Maj lyssna till den här smygande, pockande uppmaningen att ta livet tillvara? Varför ska hon sitta hemma med Anita när det bjuds till överdådig fest. Titti snålar aldrig. Med Titti blir det alltid något alldeles extra. Tomas, han bara arbetar. Och ibland blir hon less att vara upp i barnen hela tiden... är det så underligt att man vill komma ut och se något annat? Längtan efter blickar, beröm, allt sådant fjompigt, ytligt, strunt som en mor ska klara sig utan. Men innan det är för sent... En dans med Lennart, Bertil, Georg... ja men barnens kusiner har ju blivit snygga unga män. Och nu när hårfrisörskan mjukat upp frisyren – inte ser hon på allvar ut som en tant? Fast höfterna har nog breddats sedan hon köpte den sandfärgade klänningen. Kanske borde hon passa sig så att hon inte blir för fyllig. Insulinet... efter det har hon ökat stadigt, till att nästan väga i överkant. *Om Vera var här skulle hon dra mig med till gymnastiken.* Titti känner sig för gammal för att gymnastisera även om också hon tror på att det kan vara sunt och hälsosamt. Men på kaffet sist, på tu man hand hemma hos Titti, tröstade hon Maj med att säga att hon ju aldrig ser Maj sitta, som hon städar, handlar, tvättar och lagar mat. Tycker hon om Titti på riktigt nu? Jo, på det sätt hon kan och har förmåga. Titti är... trygg.

Fast Maj vet att hon inte kan lita enbart till Tittis umgänge. Tittis bekanta är ju i de flesta fall i en annorlunda sits. Utflugna barn, en och annan änka... Och nog har Titti de senaste åren varit lite nere? Ja, inte mått riktigt bra. I förtroende berättade hon för Maj att hon gått och trott att hon haft giftstruma. Med hemska vallningar, hjärtklappning och svårt humör. Velat grina... och som hon svettats om nätterna. Fast doktorn hade bara flinat och sagt: It's the age, I'm sorry to say. Tur för honom att jag begriper engelska, sa Titti och skrattade då, eller trodde han inte att jag skulle fatta? Giftstruma? Vet Maj att hon lät lite för intresserad –

ja då blir man visst nervös, orolig, darrar och får matta överarmar och ben. Hjärtklappning, andnöd. Men för mig var det bara övergångsåldern, förtydligade Titti. *Kan det vara giftstruma jag går omkring och lider av?*

Och när Tomas kommer från firman vid tvåtiden den här lördagen säger han att Anita självklart kan gå med dem på festen så får väl Lasse vara hos någon kamrat. Det uppskattar både Titti och Henrik, ja Georg förstås. De ser nog helst att även Lasse följer med. Men varför talade han inte om det tidigare? Hur ska Maj veta vad som passar sig på hans systers femtioårskalas – nu har hon haft det här trista bråket med Anita i onödan. Liksom skällt för att Anita inte vill vara ensam med sin lillebror. Hon måste ju ha något verkligt snyggt på sig bara, säger Maj, gäller långklänning även för barn?

HAN HADE INTE räknat med att Anita skulle följa honom som en trofast hund. Det har han inget emot, här i vimlet bland Tittis goda vänner och bekanta – men den tyst granskande blicken när hon iakttar vad serveringspersonalen slår i hans glas. Det är ju bara Pommac, vill han säga, svagdricka, vichyvatten. Ja, vad det nu är han står och smuttar fånigt på. Bryr hon sig inte alls om vad Maj skålar i för något?

Titti skiner i alla fall upp när hon kommer fram till dem efter middagen, tackar Tomas för talet, säger att det är så roligt att Anita är med. Följ Henrik och hitta på något skojigt, ni får ju sockerdricka i baren, och de ska snart ställa ut karamellskålar... Anita ler lite, ser ner i golvet, ja Tomas kan ju inte tala om att Anita vägrar vika från hans sida för att hon måste kontrollera vad han häller i sitt glas. Låt mig vara. Far det genom honom? Jag är väl inte så dum att jag dricker här. Fast han frågar bara Anita så snällt han kan om han ska gå med henne bort till Henrik.

Det blir allt mer uppsluppet, sorligt, glatt. Ja, till och med en orkester som spelar och dans. Men Anitas min när Henrik kommer och bjuder upp henne – stackars pojke – du måste Anita viskar han – fast han kan ju se att varken Henrik eller Anita riktigt vet hur man ska bära sig åt på ett dansgolv. Maj svänger runt med Lennart, Georg, och en kille med ovanligt kraftig kalufs som Tomas inte vet vem det är. Hon som alltid säger att hon inte tycker om att dansa. Borde han bjuda upp Gunilla eller Marianne? Tittis gamla skolkamrater, väninnor? Fast när han virvlar ut på dansgolvet ser han hur Anita söker efter honom på stället där de stod när Henrik kom fram till dem. Han försöker fånga hennes blick, ja men nu ruskar hon bara på huvudet när en annan ung pojke bjuder upp henne. Anita... Han får dansa färdigt med Cissi som han känt sedan Titti gick i skolan, men inte dröja sig kvar i ett samtal, småprat.

Jag var bara på dansgolvet, säger han och Anita nickar, ska vi gå hem nu pappa? En hastig blick på armbandsuret, inte mer än strax efter tio. Kan han redan avlägsna sig från festen, skylla på att Anita vill hem? Mamma tänker nog stanna en stund till, svarar han dröjande, ja men det gör väl inget om mamma är kvar. Nej. Titti förstår nog. Fast Tomas har aldrig hindrat andra från att roa sig på fester och lokal. För Lasses skull behöver de ju inte gå hem, Lasse som skulle få ligga över hos Stig-Björn.

Ute i höstmörkret på Skolgatan är Anita plötsligt sprittande glad. Vad roligt det var på faster Tittis fest, bubblar hon, och såg du vad hon blev glad för vår present pappa? Dom skrattade jättemycket när du höll ditt tal, mest av alla tal faktiskt.

Du ska väl inte sitta uppe ensam? Han röker lutad mot soffans armstöd. Anita kryper ombytt till nattlinne upp i det andra hörnet – jag ska bara varva ner, svarar han. Du vet i min ålder kan man inte ostraffat dricka kaffe sent... han skrattar till – åter hennes oroliga blick. Anita. *Tänk alla tillfällen du inte kan kontrollera. Jag kommer inte att dricka nu.* Gå och lägg dig du. Eller ska vi först värma var sin kopp med mjölk?

HUR SNORET FRYSER till is i näsborrarna, fötterna tynger mot knarrande snö. Med februarisol är det bra vackert. Vill inte Maj packa ryggsäcken med kaffetermos, spänna bindningen runt pjäxan och skida mot Rutberget i skarsnö? Eller bara runda Skyttis? Nja. Barnen ska friluftskläs, ylleunderställ, skidbyxor, kofta, anorak. Luva och lovikkavantar. Det är skolan som ordnar skidutflykt, apelsiner, smörgåsar, hett te eller varm choklad. Anita nästan grinar vid frukosten och vill inte följa med i år. Maj måste gräla på henne, jag kan ju inte kan ringa till rektorn och säga att du är sjuk när du inte ens har snuva. *Varför inte?* Därför... nej, det kan inte Maj svara på. Klart att Anita måste kunna åka på skidutflykt, även om hon kommer sist i mål. Kan inte Anita få vara spänstig när det gäller skidor i alla fall? Fast varken Maj eller Tomas är ute i spåren med barnen och tränar.

Var är Majs allvar? Går det inte att höra för att så mycket måste motas undan, motas bort? Skoldagar, läxläsning, kamrater. När de äntligen kommit iväg med all sin utrustning och Anita fräst att åk själv med glasögon som immar igen så att man inte ser nåt! Ja, då går Maj in i köket och sätter en deg. Hon bakar ju vetelängder minst ett par gånger i veckan sedan hon fick assistenten, så de kan doppa bullskivor i varm choklad när de kommer från skolan på eftermiddagarna. Kamrater också. Bernt är ju mycket för bullar, Henny hinner visst inte baka själv. Det har hon talat om för Maj, att det hembakta är det första man får dra in på när man har ett arbete att sköta. Ändå tycks Anita och Lasse inte riktigt förstå och uppskatta… hon har talat om för dem att Bernt han får klara sig utan bullar. Ja det här året… att Anita inte vant sig vid glasögonen än?

Har hon låtit maskinen gå tillräckligt nu då? Hon har inte riktigt tålamod med oljudet. Degen ska bli blank, seg och smidig. Släppa från bunkens kanter utan att man fuskar genom att ösa i för mycket mjöl. Sängkammaren är i ordning, men barnens rum är kvar. Och på Anitas säng ligger hennes tygklädda dagbok slängd helt öppet. Inte låst. Vad ska Maj göra nu? Om hon lägger den på skrivbordet kommer Anita tro… men för den skull kan hon ju inte låta bli att bädda. Skaka sängkläder, släta lakan. Puffa kudden fluffigt mjuk. Vill hon att Maj ska hitta den och läsa? Förstå Anita på ett… djupare sätt? När Maj frågar blir hon bara irriterad. Sluta, säger hon, det är inget särskilt.

Maj sätter sig inte ner på sängkanten. Men stående intill skrivbordet i björk tar handen ändå upp boken och låter den falla isär. Anita har ingen otydlig handstil. Läsligare och jämnare än hennes egna kråkfötter. Christer Norman, Gerd, Ulla-Britt, Rolle? *Står det inget om mig, din mamma?* Sida upp och sida ner med pojksvärmerier, han sa, tittade, gjorde… och så titlar på filmer och böcker. Väder! Skriver hon inte ens om glasögonen? *Tomas svek?* Nej bara idag gifter sig morbror Stig med sin Inga. Hjärtliga lyckönskningar och gratulationer! Av oss får de ett dussin kaffekoppar.

Hela dagen ångrar hon sig. Det var inte riktigt att läsa i Anitas bok. Oroar hon sig i onödan? Klart att hon verkar *karltokig* för att vara bara elva år, men det går väl inte att ta på allvar? Och alldeles snart fyller hon tolv.

AV SKULD, AV kärlek... vet Maj varför hon så gärna vill att Anita ska få ha ännu en fin födelsedagsbjudning? Ute på landet till och med? Om Tomas skjutsar hela klassen till lantstället, kanske kan de ordna så att klasskamraterna får ligga över hos dem dessutom? Det händer ganska ofta att Anita får inbjudningar, ja nu är det ju inte längre saft och tårta, fiskdamm, men en vinterfest på lantstället vore inte det ett alla tiders kalas? Maj blir så glad över idén att hon måste ringa till Titti, skulle kanske Titti kunna vara med och hjälpa till, inte som serveringspersonal, mer... ja hon som verkligen vet hur man ordnar fest. Fast hon ibland vill slippa. Det är kort om tid, bara en dryg vecka till födelsedagen, men det gör ju inget om några har förhinder och tackar nej.

När Maj sitter ensam med förmiddagskaffet i matvrån slås hon förstås av att sommarhuset inte är urstädat efter vintern. Det kan finnas muslort, spindelväv... ja det är ett ganska drygt arbete hon tar på sig. För tusan. Om hon städar den här helgen - det är ju inte så mycket snö att de inte tar sig fram - och bjuder in barnen helgen därpå. De kan ju ha en heldag utomhus, göra upp eld, grilla något... eller ska Maj grädda hundra våfflor? Även om det är ett tag kvar till våffeldagen. Men nästan alla barn tycker om våfflor med sylt och vispgrädde. På så sätt skulle hon också få inblick... ja veta vilka Anitas klasskamrater i realskolan verkligen är. Hon känner bara några stycken, de som följde Anita från småskolan till nya klassen. Ibland står hon och ser när Anita och Lasse traskar iväg till Nolaskolan. Skolgården får Maj att... ja sjutton också att den får henne att känna torgskräck. Tomas har sagt så, lite vresigt när Maj i förtroende talat om att hon kan känna ett obehag när hon ska gå ensam på stan. Du har väl inte torgskräck? En stor öppen skolgård... det krävs ändå ett visst mod att rakryggat skrida tvärs över. Maj vet ju inte om Anita gör just så. Det är en stor skola, många barn. Men Maj vet nästan inget om Anitas klass. Gerd och Ulla-Britt är ju där, och några andra flickor som Anita har nämnt vid namn. Och lärarna? Hon har fortfarande jobbigt med matten, men säger att de nya ämnena går bra. Vi slipper ju skolbadet i alla fall, det hasplade hon ur sig. Ja, Maj blev upprörd när hon långt senare fick veta att Anita förra läsåret var tvungen att bada skolbad i badhuset, skrubbas och spolas naken, med både pojkar och flickor... att tvinga en flicka till en sådan sak när hon redan är i pubertet. Hälsa dina lärare att vi sköter badandet alldeles utmärkt i eget badkar hemma – varje dag om det ska vara nödvändigt... Nej då ville Anita ändå inte att Maj eller Tomas skulle tala med rektorn. Hon sa att nu har jag ju ändå slutat i den klassen, nu är det faktiskt för sent.

Varm choklad, limpsmörgåsar. Fast de har fri skollunch är de glupande hungriga varje eftermiddag. Både Anita och Lasse. På tisdagarna brukar Anita vara hemma först kvart över tre. Lasse kommer före, ja hon är lite lättad att han idag står i tamburen utan någon kamrat. Hon vet att hon måste förmana och påminna om läxor. Han blir inte heller glad utan upprörd över Majs planer för Anitas födelsedag. Vill att även han ska få ha hela sin klass på landet. Så Maj måste påpeka att Lasse bara går i småskolan, han kan också få fira ute vid lantstället när han fyller tolv.

Anita dråsar ner vid matbordet. Först får hon äta sin smörgås, sedan inviger Maj henne i sin plan. Ja, vad tror Anita om våfflor, eller ska det vara köttbullar, makaroner? Vad tycker tolvåringar om för mat?

Mamma… det behövs inte.

Anita ler liksom lite tillgjort, lägger huvudet på sned.

Behövs… det är ju bara roligt.

Maj fortsätter att hon fick idén helt plötsligt, och i stunden påminns hon om att det ju är Henrik som har haft kalas ute på landet, men det vet ju inte Anitas klasskamrater om…

Men Anita sitter tyst. Låter den halvätna ostmackan bli kvar på assietten. Tar av sig glasögonen, ställer dem med skalmarna mot duken. Det formas ett rött märke vid näsroten, mellan ögonen. Det är så synd att hon måste ha de där bågarna på sig. Ser Anita Maj suddigt när hon äntligen tittar upp?

Snälla, säger Anita sedan. Kan vi inte bara vara vår familj?

EN VUXEN KVINNAS kropp – men till förståndet, fortfarande ett barn? Maj vet inte. Om Anita är stor på riktigt nu. De solbadar ihop. Som Anita älskar att solbada. Maj har egentligen inte tålamodet. Gör det bara för att se *frisk och fin* ut. Om vädret håller i sig till söndag ska Tomas ta med Anita till Ön och de ska visst göra hela turen runt, morgondopp, middagsviken och så kvällsdopp innan de far hem igen. Bara på stränder i rätt solläge. Anita har redan bett om en stor matsäckskorg – kokta ägg eller pannkakor, korvsmörgås och en hel längd vetebröd, termoskaffe till Tomas och choklad och saft åt henne. Lite kallskuret kött eller köttbullar också. Hon kan gott steka pannkakor åt dem. Men de har än så länge inte frågat om Maj vill åka med. Anita gjorde ett slags ömmande, trutande min med munnen imorse vid frukostbordet och sa att så får mamma vila sig. Jaha. Borde de inte ta med kusin Henrik i alla fall? Han tycker väl om att bada och vara på sjön? Och det verkar helt oskyldigt mellan dem, som syskon. Henrik är en snygg pojke, säger Maj och nyper sand med tårna. Nagellacket har flagat, men hon ids inte sitta på kvällarna och spreta med rödlackade tår. Sluta – svarar Anita – automatiskt tycks det som. Men det är något oroande med den här ungflickskroppen som antagligen lockar... jo men hon ser ju mycket äldre ut än Henrik med sina fjorton. Och visst måste hon hålla extra reda så att inte Anita... det vore så typiskt Anita att kära ner sig och bli olycklig som med Christer Norman redan förra sommaren. Då var hon bara elva. Christer som ju skrattade mot alla flickor på Express. Maj vill vara snäll. Veta. Skydda? Dela ungdomen, *tonåren*, på nytt.

Finns det någon mer du är förtjust i då? Hennes solbrända alldeles släta kropp. Varken Anita eller hon har några rynkor. Men Anita har redan några ilskna plitor på kinderna och ryggen. Då är solbad bra.

Nä – det finns det inte. Hon vänder sig hastigt på mage, hästsvansen som håret är fäst i åt hennes håll. Maj vill ju bara – på ett smidigt sätt – tala om att det är normalt att tycka om pojkar, men att pojkar kan vänta. Henrik verkar så befriande oskyldig så där behöver hon knappast oroa sig, men man måste ändå vara på sin vakt. Vågskvalpet, hur det friskar i utifrån havet. Hon lyfter benen och flexar fötterna fram och tillbaka, men Anita reser sig hastigt och vadar ut i vattnet. Nästan meddetsamma dyker hon i. Hur har Lasse det nu då? I Bernts familjs sportstuga i fjällen. De skulle visst fiska och plocka hjortron, men hon kan inte förstå vad Henny tar sig för hela dagarna där. Så skidar de om vintrarna också. Måtte de inte jaga ut på långvandring och få för sig att korsa strömma vattendrag. Anita simmar bara längre och längre ut. Hon kan verkligen simma, Lasse har också fått upp tekniken. Blir det inte kallt? Underhudsfettet håller väl värsta kylan borta. Hon börjar kanske bli i rundaste laget. Vad sa tant Petterson nu då? *Hon ä allt bra storväxt i kroppen.* Som hon rodnade. Det var ju inte illa ment. Tant Petterson med sin kraftiga kroppshydda. Men det oroar Maj att Anita ser ut att vara i övre tonåren redan, när Ulla-Britt, Gerd och Lisbet fortfarande är som småflickor. Borde hon tala med en läkare? En doktor måste väl veta. När hon var liten satt Maj beredd med badkappa. Nu dråsar Anita ner på filten med hackande tänder och blåfrusna läppar. Är det inte dags för kaffe, säger Maj och undrar om Anita vill dricka något varmt eller ha sval sockerdricka. Hon blir så snabbt less på att bara ligga så här. Och nu vill inte Anita prata, hon bara tiger ner i badlakanet. Kommer du om en stund då, säger Maj därför och reser sig upp. Vi sätter oss i lä istället, lägger hon till och lyckas ändå skaka sin filt så att sand yr åt

Anitas håll. Alltid denna vindriktning. Blåsten. Anita härmar Tomas och säger att det fläktar så skönt. *Men sedan har man huvudvärk på kvällen också.* Hon knyter åt badkappans skärp i midjan. Vill inte gå i baddräkt på tomten om någon skulle komma.

Så mycket färgen flagar på fasaden mot sjösidan till. Och verandaräcket på nedre plan borde bytas ut. Det har gått röta i träet. Nu när övre balkongen är snygg och i ordning. Det ser nästan fånigt ut, den snygga balkongen mot allt det slitna. Skulle inte Tomas ordna om det den här sommaren? Det är inte hon som har sagt att han måste, de kan gott leja någon. Vad kan ett åtgärdat räcke kosta? Men hon kan inte telefonera till en snickare, då kommer han ju undra varför Tomas överlåter det åt hustrun. Ja håna honom i smyg och ta henne för… ragata. Men hon vet om att det murknar snabbt om man bara låter det vara. Lasse är ju för liten att klara upp något sådant på egen hand. Och Tomas är noga med att det inte ska vara någon bekant, för är det dåligt gjort blir det så besvärligt att reklamera.

Jo, men hon kommer släntrande. Nu har hon glasögonen på. Maj har dukat på läsidan, bryggt en hel kanna hett te fast det är mitt i sommaren. Att du inte fryser, säger hon och slår i koppen, när du ligger i så länge. Vill lägga till att hon är verkligt uthållig, men då svarar redan Anita kort att det är varmt i vattnet. Men Maj ser hur hon håller båda händerna runt det rykande porslinet. Det är ju pålandsvind, lägger hon till och sträcker sig efter en ostsmörgås. Men Maj tar undan fatet, säger att hon inte kan sitta i blöt baddräkt, då drar hon på sig blåskatarr, och Anita suckar innan hon reser sig och går in. Lasses närvaro brukar ändå lätta upp. Är alltid glad och livlig när han kommer till kaffet och kan äta hur många bullar som helst. Som han rör på sig. *Är han verkligen alltid glad? Och så snabbt han sticker till sitt efter måltiderna.* Hon ställer fatet i skuggan. Det blir ändå hett i stiltjen här på läsidan.

Vad ska de prata om nu då, som inte är för känsligt. Nej, hon tycker inte om tystnaden. Kan inte lugnt sjunka in i ordlösheten och tigandet. Inte pratades det så mycket där hemma? Men är det inte därför det känns så olustigt att gå stum dagarna i ända, det är väl ändå inte så viktigt vad man säger, bara det pågår något, ja, småpratets smekande, sövande lunk. Att Anita blivit så tyst. Borde vi bjudit in Titti och Henrik på mat, säger hon i alla fall när Anita slår sig ner, klädd i shorts och skjortblus. Men den är trång över bysten. Det ska hon inte kommentera, men hon måste se till att Anita får större storlekar. Om hon kunde tala om att hon oroar sig för Tomas igen. Att hon inte är säker på att han kommer ut med eftermiddagsbåten imorgon. Hur ska hon då kunna tackla Anitas besvikelse. Pappa som är så felfri. Men hon säger bara att man blir så trött av att vara i solen, och tro hur Lasse har det till fjälls? Anita svarar att han säkert har det bra, han har ju inget att klaga på. Men Ulla-Britts mamma har frågat om Anita vill följa dem till Nordingrå – ja det var på tiden för Ulla-Britt har varit mycket hos dem – men Anita ville inte. Inte får Maj någon förklaring heller. Du fick ju fara till Ulla-Britt, säger hon därför, så att Lasse är med Bernt är ju inte orättvist – hon slår i en påtår, tar socker, rör om – jag begriper inte varför du inte kan följa med Ulla-Britt. Är det nån som är otäck?

Anita skakar på huvudet, kniper med munnen. Har styvpappan gjort närmanden, rört henne – herregud – men inte Uno, det är inte möjligt. Han har kanske bara försökt vara rolig! Då missförstår Anita. Ibland tänker hon att Tomas är för… Anita måste förstå att alla män inte kan vara lika finkänsliga som Tomas. Ja, inte för att han bara är finkänslig precis.

Får man inte ens vara i sitt eget hem, säger hon plötsligt med tårfyllda ögon och så skjuter hon ut stolen, småspringer iväg – till sitt rum?

Som om Maj fick följa med till kamraters sommarnöjen. Kan

inte Anita inse att hon har det ofattbart bra. Men att alltid vara iakttagen. Det är inget Maj kan formulera tydligt eller klartänkt – men att det är så tätt... hur de går upp i varandra hela sommarferien. Inte för att Anita kräver... då är ju Lasse på sätt och vis mer till besvär. Med sina skrapsår, knivstick efter täljövningar och måltider som måste vara rikliga – precis som bröderna är Lasse stor i maten. Men det är ju inte svårt. Att rulla köttbullar, steka korv och laga morotsstuvning eller blomkål med skinksås. Fast varken Anita eller Lasse är förtjust i strömming. När Tomas pilkar strömming så att hon har hink på hink att ta rätt på, *klagar du över att ha gott om mat.* Men när det bara är lådor med mycket grädde eller flundror stekta i rikligt med smör som de petar i sig... Borde hon gå upp till Anita nu? Förstår Anita inte att Maj på något sätt måste hjälpa henne ut. I världen. Så att hon kan bli lite mer som de där *frimodiga* skolkamraterna hon har. Som går i gymnastik och scouterna och Unga Örnar. Fast det är ju partibundet och det passar sig inte. Dans för hållningen och figuren. *Du tycker ju inte om dans.* Nej, inte pardans. Nu är Anita för klumpig. Hon skulle fortsatt som liten. Konståkningen. Där hade hon verkligen talang. Fast hon ville ju inte tävla, eller börja träna i en klubb. Men att sitta med pappersdockor fortfarande. Nu sysslar hon visst mer med ”årets kollektioner”. Nog kan hon komma över glasögonen. Förbannade Tomas! Att han tvunget skulle gå och bli full inför henne. Som han klemat och omhuldat och så rasera världsbild och tillit – men det är klart att Maj fattar att det var en chock. Fast Maj har inte sagt något om att Anita redan har sett pappa full. För många år sedan. En cigarrett, sedan sätter hon koppar och fat på brickan. Imorgon ska de i alla fall på kaffe hos Anna. Då får de gott bröd. Tårta. Anita tycker om att gå med henne dit. Anna har aldrig nämnt Tomas tokiga tal den där nyårsaftonen. Inte heller Maj har tagit upp det. Tomas tycks tro att Maj inte märker av hans förtjusning i Anna. *Eller vill han att hon ska se?*

ÅTER I STAN. Höstterminsstart, frukostar som riskerar att bli jäktiga… först vid förmiddagskaffet bläddrar Maj i Allehanda. Det finns hemmafruar som inte ens tillåter sig en titt i dagens tidning – inte kan väl maken sitta och läsa morgonbladen på kontoret? Jo Tomas… ibland. Och nu påminns Maj om att det redan är dags för årets Barnens Dag-festligheter. Hon har aldrig fått anmäla Anita till drottning. Fastrarna har sagt att hon borde, och nu… egentligen har hon väl rätta åldern i år? Fast det är för sent. När hon har glasögon. Har det varit en dröm att få se Anita sittande i den smyckade vagnen, eller i öppen bil, kortegen genom stan? Hon skulle kanske ändå inte våga, vilja.

Lasse blir i alla fall *eld och lågor* när helgens firande kommer på tal. Sväljer bullen i en så stor tugga att det ser ut som om han ska kvävas och sedan tjatar han att Bernt och han kan väl få gå ensamma, Bernt får, det är säkert – men då säger Maj nej. Alldeles starkt låter det inom henne. Nej. Du har inte fyllt tio. Du får vänta till nästa år. Men mamma, jag fyller ju jättesnart. Hon dukar bort, och vid diskbänken känner hon hur hjärtat pickar, varför var hon så bestämd med sitt nej? Är han inte stor nog att gå på tivoli utan henne? Och nu kan hon ju inte plötsligt ändra sig. Anita ska gå med sina väninnor. Fast de har inte bestämt… de kanske hittar på något annat. Går på bio. Maj tycker visst att flickorna ska gå för hela festen är ju för en god sak, att mindre bemedlade barn ska kunna åka på sommarvistelser, alla barn har inte lantställen… Vad är det mamma? Varför låter du så sur? Anita säger inte att det kan vara svårt att stå vid sidan om och vinka till den där flickdrottningen som liksom är så perfekt. Och Maj... Maj hade nog velat att Anita blev vald, hur det valet skulle sprida en smula glans över henne själv, nej inte bara ytligt, även i någon oåtkomlig förnimmelse av *att duga som mor. Om ni väljer min dotter till drottning.*

Henny tycker att det är bussigt av Maj att gå med pojkarna på stan när helgen kommer. Ja du vet jag har ju så mycket att göra på lördagarna, har fått flytta fredagsstädningen till lördagseftermiddag och så ska man ju äta något extra gott till middag. Ha sockerkaka till kaffet... Du ser väl inte mycket av Bernt för han är ju hos oss för jämnan – nej, Maj säger så klart inte så. Men det kan vara fint att dela på bördorna också. Mödrar emellan. Men nu när Lasse fick följa dem till fjälls... klart att Bernt är välkommen. Tomas sa vid frukosten att han kan ansluta till dem efter arbetet, jo Maj var ju också tvungen att be om en extra peng – inte ens biljettpengar har Henny skickat med Bernt. Fast hon kostar på sig själv så snygga kläder.

Var det bestämt redan i förväg? Att de skulle försvinna från henne i vimlet, Lasse och Bernt, de verkar förresten vara *tjenis* med alla pojkar här i stan, fast några måste de visst gömma sig för och det var då hon tappade dem. *Yrseln.* I trängseln, hon banar sig fram, ropar inte, kan inte gå och gapa efter dem. Ja Maj träffar ju också ideligen på bekanta som hon måste agera anständigt inför. Förklara att hon är här med pojkarna, de åker karusell, köper lotter... nej, hon får inte syn på Tomas heller. Georg och Titti är här, säger att Henrik inte ville följa dem i år. Första året han står över... det är ju bara hejigt att se på folk, muttrar Georg, så många stora evenemang har vi ju inte i stan. Ballonger, sockervadd, godispåsar. Glasstrutar, tuggummin, uppgiven gråt. Var är pojkarna?

Det kan ske olyckor med karusellerna. Fattas bara att de ska smita in i några skrymslen och se på det mekaniska – karusellskötarna måste väl hejda dem? Nu svettas hon. Men där! Anita, Ulla-Britt och den här Lisbet. Hon skyndar fram till dem, snälla Anita, du måste hjälpa mig och leta efter Lasse. Men… vi skulle följas åt, fortsätter Maj andfått, och så dök det upp några pojkar från en parallellklass och då bara försvann de. Jag har letat överallt… Hon tar upp sin portmonnä, köp något gott eller åk karusell alla tre, bara ni letar rätt på Lasse. Jag sätter mig här. Ja, hon sjunker ner på en parkbänk, benhinnorna bultar i hennes skenben. Men glasnylonstrumporna är snygga. Fast för varma? Om hon hade något att dricka, hon tänder en cigarrett. Att alla dessa människor bor i den här stan. Där är Harriet, Annas väninna, nej Maj glider undan med blicken, blundar med ansiktet mot solen. När hon åter tittar ser hon Lasses mörka kalufs överallt, men det är aldrig hans blå jacka. Ja, nu har hon ju sagt åt flickorna att hon ska stanna här på bänken, Maj kan inte vimsa iväg hon också. Och efter något som känns som en evighet kommer Anita gående mot henne, skjuter liksom Lasse och Bernt framför sig. Vi har letat överallt efter dig mamma, säger Lasse, ja, nickar Bernt, var har du varit tant Maj?

SVÄGERSKORNA, ANNA, LOTTEN ÅKERLUND – alla är de här för att uppvakta när Maj fyller trettiofyra. Hur man måste påminnas – hon har ju inte ens blivit medelålders trettiofem. Och det är ju lättsamt med kaffe. Hon har dukat fram bröd och koppar och förutom en vindruvsgarnerad tårta kommer Anna med en Sans Rival från Bertils bageri på konditoriet. Klart att Maj knåpade och kletade med alla degar före jul. Burk på burk på burk fylldes och hon har snålat lite under hela julhelgen. Inte tagit alla sorter varje dag. Bara till stora juldagskaffet. Lasse och Anita är båda och snokar i skrinen – låt bli har Maj då måst säga skarpt, det ska faktiskt räcka till födelsedagen.

Stimmigt, glatt och muntert i salongen. De berömmer särskilt napoleonhattarna, hasselnötscigarrerna och de tunna kavlade stjärnorna från Idbyn. Ändå helt plötsligt. Överrumplande. Med porslinskannan fylld med nykokt kaffe – *du överlever inte till nästa födelsedag.* Pang. De levande ljusen i nyputsade stakar. Den söta doften av hyacint – och så dagens buketter av nejlikor. Rosor. Kakorna på tants mest dyrbara uppläggningsfat. *I sommar är du död.* Hon måste ställa ifrån sig kannan. På matta ben söka upp toa. Hålla hårt i handfatet – hur hon än hyperventilerar får hon inte åt sig luft. Svettas hon också? Nypermanentad. Kortklippt. Målad och klädd som en mannekäng. Herregud människa om man var trettiofyra, utbrast Titti när hon kom och tog omkring henne – har ni sett något så stiligt! Titti som är så generös. Fast alla vet att Lotten... Lotten är elegantast av dem alla. Om hon bara haft acetylsalicylsyra på lut för att förhindra proppar. Fast blödningar i hjärnan… Hon är sjuk. Men hon kan ju inte be dem gå hem redan.

De får likör också. Hemgjord, tants recept, apelsin, citron, renat och socker. Kanske är den inte utsökt, men de skålar glatt, ropar hurra. Cigarrettrök, röda munnar, kaffeskedars klirr. Hon vill glädjas. Hur de tar om och tigger om recept. Berömmer julgranen, soffgruppen och den makalösa ordningen hon alltid har här i hemmet trots att de alla vet hur ungar kan dra. *Du grejar det Maj* – tack och lov är barnen hemma, sitter med dem i soffgruppen och hon hör Julia fråga Anita hur många böcker hon läst ut sedan julafton – de skrattade när Anita hade packat upp alla sina presenter och räknat de rödryggade romanerna till tjugofyra. Fem, svarar hon utan att verka det minsta blyg. *Märker hon inte att hennes egen mamma är döende?* Lasse, ber hon matt, Lasse är du snäll och går efter ett glas vichyvatten i köket. Han travar motvilligt iväg, också han är förtjust i att skoja med alla glada tanter och fastrar – men nu böjer sig Anna fram emot henne och undrar om hon inte mår bra? Konstig, säger Maj och skakar på huvudet, alldeles plötsligt… hon ler ansträngt och talar om att hon tagit pulver och bara Lasse kommer med drickat så… *i sommar kommer jag att dö.*

MEN MAJ, DU kommer att överleva även sommaren 1952. Det händer ingenting särskilt. Eller... varje dag rymmer väl sitt eget drama. Fast hon blir inte plötsligt sämre. Då och då blixtrar tankar på döden till, tar strupgrepp, andan... men Maj blir inte annat än vanligt förkyld. Maginfluensa, fast den drabbar barnen värre. Tomas har en torrhosta som inte vill ge med sig, Maj känner inte ens av den. Kanske blir 1952 ett lyckligt år?

Ändå är Maj inte riktigt rustad att möta tonårens melankoli. Lasse... även han sätter sig upp mot henne. *Adolescens.* Nej det är ett ord som helt saknar... förankring. Han går i utslitna, för trånga skor för att han tycker de nya hon inhandlat för barnbidraget är fula. Fula. Riktiga, fina skinnskor. Vägrar att klä sig varmt, har inte mössa i mars fast det fortfarande är full vinter. Anita å andra sidan... verkar vilja klä sig medvetet... damigt. Som förstärker hon sin längd, sin storlek. Sitter inne på sitt rum, eller följer med Maj och Tomas när de är bortbjudna till goda vänner. Maj vet ju om att hon får komma hem till kamrater. Fast hon går ensam, eller med Gerd och Lisbet, på bio. Ulla-Britt är visst mest med några andra flickor och pojkar nu för tiden. Ja, hur även trettonåringar kan vara helt igenom skötsamma. Lillgamla. Inte alls *tonåringar.* Vore det inte bättre om Anita utvecklades till en ung rebell? Kanske. Men inuti... Maj vet inte på riktigt vad som sker inuti Anita. Tänker hon på sitt utseende, pojkar, existentialismen, Gud? *Hatar hon sin mamma?*

TYSTNAR DE NÄR Maj kommer ut till dem i matvrån? Både Lasse och Anita – vad tisslar ni om, försöker hon skoja och ställer snipan med varm persiljesås på bordet. Hon har inte lagat något extra åt Lasse. En gång i veckan måste han klara fisk. När ändå både Tomas och Anita äter det. Tomas brukar ju säga att han längtar efter stekt saltströmming och korintsås. Eller var det sillbullar? Som pappa tyckte om. Ja. Skicka runt potatispannan, slå mjölk i glasen. Det har varit ett extatiskt viskande sedan branden i Nordsvenskans lager. Ja, den där kassaskåpssprängningen... mest Lasse och hans gäng förstås, men även Anita delar Lasses upphetsning. Det går så många rykten... och ett rån. Det är kanske mer spännande än kokt torsk. Tomas är på styrelsemöte, han har antytt att det är förändringar inom firman på gång. Plötsligt blir hon förtvivlat arg över alla dessa halvkvädna visor. Om nu även Anita och Lasse ska... måste de vända sig emot henne? Kan de inte inviga henne i sina hemligheter, hon har väl också snappat upp att Stig-Björns kusin känner till, har hört, vet... – ni får inte låta er dras in i tråkigheter. Så säger hon och slår den grönprickiga såsen över den vita, genomkokta fisken. Strör över smulor av hårdkokt ägg – nej hon blandar inte ner ägghacket i mjölksåsen.

Nu tittar de flinande på varandra. I tyst samförstånd. Men Maj vet ju om att det är ett gäng äldre pojkar på Lasses skola som har... kanske inte gjort något verkligt grovt. Fast busstrecken lär ha gått till överdrift – och gud nåde Lasse om han trillar dit. För att det är lite spännande. Om Anita blev kär i en buse. Kriminell. Knappnål, sockerskål, silversked – håll er borta från buset, säger hon mitt i en tugga. Fnissar de? Ni är ju så till er av den här rånbranden. Men att gå och göra något så riskfyllt som att spränga ett kassaskåp, det är bara tragiskt. Ja, nu lånar hon Tomas storord. Tragiskt. Han tycker att det är en skam att förstöra sitt liv på det där sättet, ja en personlig tragedi. Sitta i fängelse… men om man kommer undan, invände Lasse, ja då blev Tomas riktigt arg.

Efter maten försvinner de ändå iväg, Anita också. Maj kan ju inte hindra dem från att gå ut och leka. Lasse vet i alla fall om att han kan få utegångsförbud om han inte kommer hem på utsatt klockslag. Och Maj, hon har ju sin disk.

SLÅ ER NER. Kurre är allvarlig, lätt forcerad och slår ut med handen – i sista stund blev det beslutat att även systrarna får vara med. Inte Rut. Hon kom visserligen till både mammas och Ottos begravning, men har nu låtit hälsa att hon inte tänker lägga sig i något mer bara hon får ut sin andel när det är dags. De har lite oväntat bjudits på kalas så här till allhelgona då man kanske främst vill vara med de sina, men när Kurre rådgjorde med Tomas om lämplig tidpunkt för att tala om firmans framtid menade han att om vi tar allhelgonahelgen så får också våra döda vara med. Ja, pappa, mamma, Otto... Kurre överraskade honom med det uttalandet, men Tomas tyckte att tanken var god. Och alla respektive är ombedda att sitta ner i finrummet medan syskonen tar kaffet vid matsalens stora bord. Johan skakar på huvudet, nej han varken vill eller orkar ta vid. Han är ju dålig, med det reumatiska, och Tomas vet att det är han – som är yngst – om någon... men nej. Ingen frågar honom nu. *Vill du?* Bara att få förtroendet igen, frågan. När Kurre annonserat att han måste dra sig ur. Jag fyller sextiotre, säger Kurre med en övertydlig suck. Dagny har fått dispens att närvara i rummet i egenskap av värdinna, hon serverar påtår och bjuder kakor och moccatårta laget runt. Sylvia har vid middagen överraskande talat om att hon ska flytta hem. Hem? Till Västergötland. Ellen och Sture är stora, klarar sig på egen hand. Bor inte ens kvar i stan. Firman är ingalunda misskött sedan Kurre tog över styret, nickar man unisont, men resultaten under de senaste åren kunde ha varit bättre. Blev det inte precis som Tomas befarat? Att när handeln kommit igång efter kriget, när Europa och Amerika rest sig... det importeras billiga skinnvaror. Den fria handelns härliga lagar. Så säger de inte. De är sakliga, vill inte fara iväg och bli blödigt känslosamma. Som fruntimmer. Johan säger plötsligt att det är väl inget att hymla om att för de flesta av oss är det dags att dra sig tillbaka. Behövs det inte lite nytt blod? Någon som kan se framåt, sia in i framtida marknader. Framtidens människa. Lennart, Sture... det är lite känsligt, att förorda den egna sonen som efterträdare, och hittills har man varit överens om att möjliga kandidater i regel stupar på att de är för unga och gröna. Tomas röker. Tror de inte längre på hans förmåga? Lillebror. Efter Ottos död... var det ett svek att han inte klev in istället för Kurre? Nog vet de väl om att han varit Kurre behjälplig med det mesta. Bara den där enda gången han schappade... Ingen har öppet pratat med honom om att han blev borta, drack igen. Men har han inte varit en större tillgång så här, arbetat hårt utan att själv ta åt sig äran som ledare. Ja både med avdelningen för skinn och hudar och fabriksproduktionen. Nu söker Kurre trevande efter hans blick.

Jo, men... hur ser du på saken, Tomas? Vad har vi för alternativ?

Det blir tyst. Klart att han har tänkt. När Kurre visat sig villrådig, ja Kurre har helt enkelt haft helt andra svårigheter, andra tider, än Otto. Otto som kunde expandera, öka, nyanställa...

Ja, säger han bestämt, vi måste ju köpa ut Sylvia. Och frågan är om vi inte är i behov av kapital utifrån. Han kväver en gäspning – ursäkta! Ser de irriterade ut? Han måste fukta läpparna, ge sig tid.

Vi har väl inte helt hämtat oss sedan Ottos hastiga bortfall... bortgång, lägger han sedan till. Jag om någon vet ju att du Kurre har gjort allt vad du kunnat för att minska kostnader och dra åt svångremmen. Det är inte hans eget språk, men nu måste han... på alla sätt, anpassa sig efter situationen.

Kurre nickar. Det irriterar Tomas att Dagny dröjer sig kvar, blir stående strax intill sin man.

Kurre och han har förstås talat om det här förut, i enrum. Men han vet att Kurre inte vill vara den som framför förslaget som Tomas går och värker på, för de andra. De ser trötta ut. Systrarna... Tomas tar sats.

Om vi tänker delägare, en utomstående vd?

Kurre nickar genast ivrigt, men Johan vickar bara huvudet fram och tillbaka. Ja, Tomas vet ju att han förordar att Lennart ska väljas in i styrelsen, när han inte tycker Sture verkar vara lagd åt affärer. Nu tar Kurre äntligen ordet ifrån honom, Tomas kan tystna, luta sig bak.

En driven, men inte vårdslös person, säger Kurre stadigt. Omdömesgill naturligtvis, och vid god vigör. Vi gamlingar... De skrockar. Systrarna är tysta. Då säger Nina att bör vi inte först se oss om bland våra egna. Mågarna har väl alla visat sig både dugliga och pålitliga, men Titti bryter hastigt in och påpekar att Georg enbart kommer att ägna sig åt sitt eget företag. Ja, även det börjar bli alltför krävande att klara av för en man, Georg går faktiskt på knäna. Jo, ingen har väl räknat med att Georg ska rädda dem... Rädda! Så farligt är det väl inte. Nog hade man velat. Ivar Holmberg, säger Johan, kan han? Ja, säger Titti andfått, för Tomas dina kvalifikationer ser ju lite annorlunda ut. Du har alldeles för klipskt läshuvud för att peka med hela handen, Georg säger jämt att Tomas är intelligentast av oss alla. Man skrattar förläget. Jo, men så är det, säger Titti och trycker lätt sin hand mot hans. Kurre lägger allvarligt till att det är förbaskat krävande att leda ett företag. Det slet ju sönder Otto på slutet... Vad ville mamma då, avbryter Julia honom. Att vi skulle förvalta företaget väl, svarar Nina. Är det nu vi ska sälja?

Det kraxas. Skedar rörs i koppar, moccasmörkräm skrapas upp på skedar, vad säger ni andra? Har vi tömt ut alla övriga alternativ? Vad ska Tomas göra om de säljer? Ja, tittar inte syskonen frågande på honom. Han som är yngst. En vd, säger han därför. En skicklig, drivande vd. Delägare som kommer in med nytt kapital. Vi måste ju få loss medel för Sylvia, och vad har vi egentligen för val? Naturligtvis mister vi visst inflytande om vi minskar vårt aktieinnehav, men vi är ju förbaskat medvetna om att branschen går mot att mindre fabriker slås samman eller köps upp. Men än ska vi väl inte ge upp? Torsten Johansson, säger Titti. Skrattar Tomas till? Vara underställd Torsten?

Klart att vi först måste se på pensionsavgångar för att strama åt, men tror inte du, Tomas, att Torsten är av rätta virket för att klara de omvandlingar vi är tvungna att genomföra? Att skapa ett företag av idag?

Jag tror vi måste söka oss ut, säger han sakta. Vilka av våra konkurrenter ute i landet klarar sig bäst?

Ja, mumlar bröder och systrar. Hjärtat klappar, kanske har han druckit alltför mycket kaffe. Ska vi redan nu se efter om vi kan vaska fram lämpliga namn?

OCH GENOM ALLA dessa år – har Tomas aldrig haft födelsedag? Klart att han har. Maj har firat honom. Med slipsar, skjortor, diktböcker och napoleon. Det är bara det att tant genom åren varit så ivrig att vara först… telefonerat till Maj – *Maj kommer väl ihåg Tomas den tjugoförsta? Hur ska vi uppmärksamma Tomas? Tomas fyller år!* Trettinio, fyrtioett, fyrtiofyra – ja men Maj har ordnat om såväl Tomas som sina egna bemärkelsedagar. Fast det är Tomas sak att köpa hem hummern till bröllopsdagen. Bröllopsdag i allt julstök. *Så förutseende var du inte att du insåg hur en bröllopsdag i december skulle öka på jäktet genom åren.* Äsch. Igen. Det är bara att den ofta kommer med ett visst mått av… irritation? *Kan du inte se Tomas omsorg?* Hur han uppvaktat med vichyvatten i glasen. Fast han tycker att hon kan dricka vitt vin.

Men nu är det flera år sedan tant Tea dog och Maj ska utan tjat fira sin man som det anstår en femtioåring. Inte ser han så gammal ut? Nej, märkligt lik sig, som hon alltid har sett honom. Vackrare till och med? En man blir ju inte nödvändigtvis ful vid femtio – ja som en kvinna. Kan Maj hjälpa att hon är tränad att granska kvinnlighetens *förfall?* Som en nyponrosknopp, en utsprungen ros, men även mogna nypon kan ha färgstark karaktär. Maj är förresten fortfarande *bara barnet.* Var det den annalkande femtioårskrisen som tog honom tillbaka till… spriten? I april blir det. *April, april.* Tomas tittar tankspritt upp på henne. Ska vi vara på lokal eller ha mottagning hemma? Något överraskningskalas vill hon inte ställa till med och det ligger inte heller i tiden. Först har vi ju den här Agrell, svarar Tomas och tänder en cigarrett och Maj hejdar en impuls att be honom vänta tills hon dukat undan. Han vill komma upp och träffa oss, ska ta hustrun med sig från Örebro. Vilken Agrell, säger Maj. Tomas askar. Det har jag väl talat om? Maj tar hans tallrik från bordet, ropar efter Lasse att han måste tvätta händerna. Men mamma... hör hon honom protestera. Anita behöver hon inte säga till. *För Anita är en flicka och Lasse är en pojke.* Vilken karl pratar du om, upprepar hon när hon har satt på kaffet. Karl-Magnus Agrell från Örebro. Som har visat intresse för firman. Låter han arg? En aning. Jaså, det har jag aldrig hört något om, säger Maj och sopar spisbrödssmulor med bordsdukssopen till nickelskyffeln. Jo, svarar Tomas – tvekar han på rösten? Kurre kommer att vara värd, så det är inte det, men vi måste ju visa honom stan, och fabriken... men Ivar Holmberg då, avbryter Maj. Nej men han tackade nej. Ja, Torsten också. Torsten, fnyser Maj. Torsten har hon aldrig trott på. Med en utomstående kan vi bröder ha kvar inflytande genom att vi känner lokalmarknaden här uppe som en utomstående knappast... *Varför inte du, Tomas? Varför frågar de inte dig?* Direktör. Vem som helst kallar sig direktör nu för tiden. Men vad händer med dig om den här Karl-Magnus... Allt ska förbli som det varit, försäkrar Tomas och Maj går före med kaffebrickan till stora rummet. Döljer han något för henne? Vi måste ju ändå fira din födelsedag, säger hon när hon slagit sig ner i soffan. Du fyller ju jämnt. Ja, jag säger bara att den här Karl-Magnus har första prioritet. Annars... ja – då måste vi lägga ner.

Nu förstår hon inte vad Tomas pratar om. Har du inte brödernas förtroende? Det handlar inte om det, slår Tomas fast. Nu låter han verkligen vrång. Maj – det som gick lysande för tio, femton år sedan bär sig inte idag. Så enkelt är det. Att resa en verksamhet som vacklar – man måste ha jäklar anamma utav bara den. Kunna framtidens bransch. Köper man billigt eller dyrt om det är fritt val? Maj svettas plötsligt. Rodnar. Retoriska frågor har alltid ingett henne hettande frossa. Tomas brukar inte… men trots att hon hade kunnat välja tigandet svarar hon tvekande att det beror väl på vad slags vara det rör sig om till vilken kvalitet. Men vem vill ha skor och handskar som håller i tio, femton år? Man vill ha nytt och modernt, fortsätter Tomas. Ja. Jo, jag vet inte, säger hon. Vet Tomas? Vet Tomas vart allt ska ta vägen? Sitter vi löst, skrattar Maj. Tomas håller fram sin kopp mot kannan. Karl-Magnus Agrell kommer från en framgångsrik skohandlarsläkt i Örebro. Det vet du väl. Säljer på NK. Jaså. Ja – då så. Hon reser sig – låter Tomas bli sittande med sin påtår. Hon har ju disken kvar i rostfria hon. Kunde inte Otto ha hängt med ett tag till? *Karl-Magnus Agrell.*

MIN DRÖM ÄR *att laga utomordentliga köttbullar – och se ut som om jag inte visste vad köttbullar var för något!*

Är *det* Majs dröm? Att som den här moderna frun i hushållsalmanackan uppträda på en scen, syssla något lite med sång, musik, dans, *kabaré*… eller är Maj bara utsjasad efter januaris och februaris växlande vinterväder, snöglopp, isande kyla… Ja, i behov av en stärkande kur på pressad citron? Behöver hon mer insulin? Fast egentligen söker hon bara efter förslag på några nya rätter att servera till middag i almanackan från ifjol. Men barnen vill inte gärna ha nytt. Samma, samma… Som man blir less. Almanackornas hjälpsamma schema och ständigt uppmuntrande – förmanande – och påhejande ord har hon väl i och för sig redan inpräntat i sig vid det här laget. Behöver ju inga yttre listor för att klara en veckostädning. Och att klä hela köksgolvet med tidningspapper för att slippa undan golvtorkningen – är det inte att gå över ån efter vatten? Men idéer inför det stora födelsedagsjubileet i slutet av april behöver hon. Synd att Tomas fyller före Georg. Annars hade hon i någon mån kunnat rätta sig efter Titti. Tittis femtioårsdag firades ju flott på Statt, men Titti såg inte riktigt glad ut minns Maj. Ja, det bär lite emot att ha en mottagning hemma, även om det kanske är mest lämpligt och *flexibelt.*

Ja, så sitter hon rökande vid matvråns norrfönster, det bleka februariljuset och temperaturer ner mot arton, tjugo – nog kräver vintern sitt av pressad citron. Klart att hon ska ställa upp på det här med Agrells. Karl-Magnus och Clary. Efter samråd med Dagny och Kurre framför allt – ja Titti och Georg hade ganska tvärsäkra synpunkter också – togs beslutet att hålla middagen på Statt, i stora matsalen. Ingen hade ork att äta sig en så viktig middag hemmavid. Jo, Maj såg hur det sneglades på henne – som har både Anitas och Tomas födelsedag nära framför sig – ja då låtsades Maj dum och… *trögtänkt.* Ni som har mammas servis, sa Julia dessutom påstridigt, men då var Maj snabb att tala om att den kunde de gärna låna ut vid behov. Fast det är bäst för alla att det slogs fast att en neutral mötesplats är lämpligast vid sådana här tillfällen. Ja, om det skulle visa sig att en affärsuppgörelse är otänkbar… för även om några av bröderna redan har träffat Karl-Magnus Agrell på hans planhalva i Örebro så kan man aldrig vara för noggrann. Om det verkligen är en möjlig partner vet man ju först efter moget övervägande och ett visst prövande… ja att då var och en smidigt kan dra sig tillbaka till sitt efter en eventuellt misslyckad middag, det uppskattas nog av alla inblandade. Även om det är gästvänligt och kanske mer talande för hur Örnsköldsviksbor är generellt, att öppna sitt hem. Hemmet, den egna härden – att ha det fint, snyggt, modernt – som Lubbe sa. *I Ångermanland finns inget snusk att anmärka på.*

En så lång karl. Och frun. Storväxta. Nu står de här, allihopa, i foajén. Och har lämnat kappor, rockar och pälsverk ifrån sig. Var de inte alla så vimsigt nervösa innan de väl kom på plats på Statt? Ja, det blev ju bestämt att fruar och äkta män skulle närvara för att ge tyngd åt tillställningen, visa att det inte handlar enbart om en rörelse, ett företag, utan tvärtom ett barn, omhuldat, skött och inget man lämnar ifrån sig utan att veta allt om mottagaren. Och nu kan Maj rätt och slätt ta en Dry Martini som de andra, att stiligt smutta på medan de presenterar sig för varandra, och Tomas clubsoda väcker ingen särskild uppmärksamhet. Ser hon att

Tomas är duktig? Pratar med Agrells när de andra plötsligt blir oväntat blyga. Det var ju Otto som hade de rätta takterna för affärsmöten, viskar Titti, men tack och lov är ju Tomas en så duktig sällskapsmänniska. Rolig! Jo men syskonen är inga ungdomar längre. Ragnar ser faktiskt lite fumlig ut, det stämmer nog som Nina säger, att han är krasslig. Och inga vuxna, stiliga barn har de här att luta sig emot heller. Men snyggt klädda. Hela gänget. Clary har inget osedvanligt piffigt på sig, en enkel mörkgrå klänning med några iögonenfallande broscher högt upp på bröstet. Maj tycker det är knepigt med broscher. De kan vara så vackra, men få är klädda i dem. Är det riktigt tänkt att Tomas har Clary till bordet? Det är Dagny som har placerat ut korten med namn, borde inte Kurre? Titti viskar till Maj att Georg har lovat att luska ut om Karl-Magnus är av rätta virket för firman, han som inte är direkt inblandad. Maj sitter mellan Tyko och Georg, men Tyko är hennes bordsherre. Jaha. Ja, hon sitter för långt ifrån för att kunna höra vad Agrells säger. Koncentrerar sig på sitt. När nu firman betalar, har beställt kalvfilé à la Oscar i förväg. Finns det något godare? Lite *exklusivt* måste det väl få vara. Och Statts kök gör den ju så ovanligt bra. En löjromsentré som komponerats av kallskänkan. Visst hade man kunnat lyfta fram mer ångermanländska smaker, säger Tyko, jo, svarar Maj, men Tyko fortsätter att det gäller förstås att vi visar att vi inte är bortkomna bara för att vi bor uppe i Nolaskogs. Det blir väl kanske fler tillfällen att bjuda på sik och vattlingon, flikar Maj in och Tyko håller med – folk söderifrån verkar ha lätt för att få för sig att vi som bor här uppe är lite sävliga, när vi tvärtom är snabba att ta till oss moderniteter och ny teknik.

Det är gott att få rödvin till köttet också. De ser ut att ha det trevligt vid bordets centrala delar. Skål säger de här ute på änden. Skål för oss!

Men efter kaffet smyger Tomas fram till Maj och viskar att han har bett Agrells med hem på vickning. Vickning! Vad har vi för vickning, undrar Maj lågt. Ja, men har vi inte en burk wienerkorv hemma, så märkvärdiga är de inte. Och när Tomas välkomnar alla hem på en korv ansluter sig genast Kurre och Dagny, Titti och Georg – nej, inte Sylvia. Eva och Johan? Tyko och Julia? Att Nina och Ragnar ska orka räknar de inte med.

I vilket skick lämnade de våningen? Om Anita och Lasse… herregud så de kan ha dragit ner. Maj måste i alla fall se till att snabbt stänga dörren till sängkammaren. Kanske lät hon allt möjligt ligga och skräpa när det blev bråttom… och gästtoaletten. Ingen behöver ju ta sig ända till badrummet längst bort i våningen. *Maj, det är rent nog.* Hon har sagt åt Anita och Lasse att de ska låta bli gästtoaletten, om det inte är akut förstås, så att den alltid kan ha en nymanglad handduk och blankt porslin. Ibland glömmer de, ja Tomas låter inte heller bli den. Men just när de ska gå från Statts matsal ser hon Clary skynda sig att tömma slatten från likörglaset – *hon vill heller inte se slattarna gå förlorade.* Ja, det lugnar Maj. Clary är kanske spänd och behöver den där slurken. *Gå fram till henne och önska välkommen hem till oss.* Ja, det gör Maj. Och Clary ler – ansträngt? – och säger – bara det inte ställer till extra besvär. Vi som redan blivit så utomordentligt flott bjudna här ikväll.

Det är svårt att improvisera. Utan rödvin och avec till kaffet hade hon inte gått med på det. Att i sin egen takt få förbereda, räkna ut, blanka speglar. Inte som nu – helt oförberedd. *Må det bära eller brista.* Ja, ett bubblande fnitter. Där de rumlar – i alla fall mer högljutt än man vill tro om sig själv – uppför trapporna, Tomas först, Anita i nattlinne kisande utan glasögon i tamburen, Tomas följer henne tillbaka in på hennes rum, nej hon har visst inte sovit, bara legat och läst. Men Lasse sover. Agrells måtte ju ha varit trevliga när Tomas utan vidare tar med dem hem. Och Maj ordnar om och dukar fram – efter bättre sortens middag med tillhörande dryck är det ju faktiskt inte hela världen att servera korv, senap, öl och snaps. *Har vi snaps hemma?* På balkongen? Den måste Tomas ha inhandlat idag och lagt dit utifall att. Och det blir stimmigt och glatt. *Det kommer att gå bra.* Georg skojar förstås om Wigforss med Karl-Magnus, att det var tur att han byttes ut innan hela sko- och konfektionsbranschen blev förstatligad. Sköld kanske inte har alla propparna i skåpet, men i alla fall fötterna på jorden. Hänger Tomas med? Maj hör inte. För Maj pratar med Clary, får reda på att de har haft en rymlig villa centralt i Örebro – men att de sålde när det blev för arbetsamt att sköta både den och fädernesgården. Ja, så det skulle ju inte vara besvärligt att ha en våning här i stan – det är i en villa man samlar på sig så kolossalt. Oh ja, svarar Maj, verkligen. Så blir det tyst. Clary röker visst också, åtminstone vid sådana här tillfällen, lägger hon till. Sedan säger hon att det är alltid trevligt när det finns böcker i ett hem. Ja, det är maken, svarar Maj, med smått hinner man inte sitta ner och läsa – *är de så små?* – visst vore det trevligt, men jag försöker hänga med i radions program. Husmorsskolan tar upp många intressanta ämnen. Verkligen, säger Clary, det är förstås utomordentligt för den som står utan hjälp. Har ni lika svårt att få tag på flickor här i stan? I Örebro är det snudd på omöjligt.

Gud så sent det blir. Nu vill Maj trots snaps att de ska gå hem. Hon har ju disken och plockandet innan hon får dråsa i säng. *Om Siv vore kvar.* Det är ingen sak att stöka bort om man får göra det för sig själv. Jo men nu ordnar Georg så att de får en bil, de lovar se till att Agrells kommer tryggt till rummet på Statt, och så snart de vinkat och förmanat gästerna att gå försiktigt i trapporna ner gäspar Tomas. Gå och lägg dig, säger Maj. Glas, askfat, assietter med senapskladd – varför skulle hon dra fram de vackra gröna fruktfaten med guldkant – de passade ju inte för en simpel korv. *Så Agrells skulle se dem.* Men servetterna var enkla, i papper.

Jag tror att det kan bli bra, säger Tomas där han sitter med skjortan uppknäppt i matvrån med en kopp varm mjölk. Karl-Magnus kan nog få stil på det.

VI FAR BORT, MAJ. Du slipper... Han tar av sig läsglasögonen, gnuggar med handen över pannan, hårfästet, lägger boken på sitt sängbord. Vad vill han att hon ska svara på det? Kanhända har hon tjatat. Börjat så smått att höra sig för med Titti – ett femtioårskalas för släkt och vänner kan inte planeras i sista stund. Lite hipp som happ. Och inte fått något vettigt ur Tomas.

Det är inte så viktigt för mig, Maj.

Hon lägger sina av handsalvan kladdiga händer på täcket.

Men verkar det inte underligt, ja att låta bli att bjuda igen, alla uppvaktningar vi har varit med på, *vore det inte roligt om även du kan få en dyrbar vas eller tavla,* vad har vi för giltigt skäl att undanbe oss uppvaktningen?

Jo men vi bjöd ju fint när du fyllde trettio, och nu Agrells på vickning...

Fryser hon till? Nej. Men hon blir häftigt och okontrollerat ledsen. Inte så att hon gråter. Bara inuti, ja, hur det blir stumt. *Han tror inte att jag klarar av det.* Hur ska hon förklara... det blir jäktigt, nervöst, spänt före kalaset. Men hon vill likväl ge honom det. Visa att det är vad hon kan. Antingen snittar, sandvikare eller små, små canapéer, och tårta mitt på dagen med gående bord. Eller stor middagsbjudning kvällstid. Det är i senaste laget att vidtala Aina förstås. Så det har lutat åt en mer öppen och tidig mottagning.

Jag har ju längtat efter att få se Grisslehamn. Och så kanske vi kan ta in på hotell i Stockholm. Gå på Skansen och Gröna Lund, om det har öppnat för säsongen. Jag skulle kanske kunna träffa professor Bjerre, ja för en konsultation.

Vilket födelsedagsfirande. Ja, det är din födelsedag, säger Maj utan att orka titta på honom. Som om all kraft att strida för det här rinner ur henne. Har du talat med Titti, undrar hon.

Nej, men mitt firande är väl ändå vår ensak och vårt beslut.

Så fort hon vaknar morgonen därpå gnager frågan. *Tror han det inte om mig? Att ordna kalas.* Alla goda vänner. Släkten. Men redan vid frukostkaffet och smörgåsen, innan Maj har väckt barnen, säger han att de kanske kan ha något firande på landet i sommar. Det är ju i april du fyller, påpekar Maj då. Mumlar han något om att det nya läget för firman förändrar ju saken. På vilket sätt då? Att det inte är helt klart med Agrells. Men ni syskon emellan enades väl om att satsa. Han krafsar fram en cigarrett ur paketet. Söker efter tändstickor fast de ligger på sin plats i skålen på fönsterbrädan.

Vad du röker! Ja, så kunde hon inte låta bli. Han lägger ner cigarretten. Det är inget kontrakt skrivet än. Men gentlemen's agreement – ja Maj har väl hört och snappat upp. Så säger han att barnen är stora nog att ha verklig glädje av Stockholm. Våren i huvudstaden vore väl något.

Tomas borde veta hur mycket Anita har att läsa den här terminen. Skrivningar och läxor och brukar det inte vara som allra mest där i slutet av april, början av maj?

Frågan är om Anita får ledigt, säger hon därför. Han tittar upp från tidningen, jag talar med rektorn. Det går säkert bra. Du vet ju hur slut du blir, Maj.

Gå nu. Alla tre. Nej, hon måste vänta ut Lasse och Anita vid frukostbordet också. Ja, sakta, sakta blir Lasse och Anita färdiga med sina smörgåsar, teet och morgontvättningen. Ytterkläder, skidskor, halsdukar, vantar, skolväskor. Och när hon äntligen får stänga dörren efter dem går hon och lägger sig. Drar filten upp över axeln, ligger på sidan. Kavar av sig tofflorna, hör vinden i allmänningens granar utanför. *Om det är ett sätt att få mitt berättigande? Vara värdinna, vara fru. Visa vännerna och släkten att Tomas trots allt haft tur.* Tyckte han att vickningen för Agrells blev misslyckad också?

NEJ, HAN KAN inte ta in Majs eventuella missnöje med den här resan. De har stannat för natten i Hudiksvall, tog bilen söderut när barnen slutat skolan igår, och efter en titt på stan på förmiddagen kom de iväg lite senare än beräknat mot Grisslehamn idag. Maj är tyst. Och hon har visat påfallande lite entusiasm för hans födelsedagsresa. Klart att hon har haft sitt med påsken. De rättade sig efter Anitas önskan om att helga långfredagen. Ja Anita satt med och lyssnade till Strindbergs Påsk på radion under helgen. Sa att hon ville vända tankarna mot Jesu lidande på korset. Maj gjorde någon grimas då, Tomas blängde på henne så att hon inte skulle säga något sarkastiskt, det är ju bra att Anita inte enbart är en ytlig flicka. Ja att Tarzan eller Montgomery Clift får lite konkurrens om uppmärksamheten. Fast Tomas vet väl inte heller riktigt hur han ska bemöta hennes tro. Han som bara tvivlar? Man måste ändå få pröva sig fram i tillvaron. Och med en mamma som sätter stort värde på det yttre kan det ju så här i *tonåren* bli ett alltför stort fokus på den sidan av tillvaron. Med lite självrannsakan kan man väl se hur också hans sida av släkten, ja de flesta i hans närhet ser till fasaden, det yttre... Ja, så mal det på inom honom för att slippa... han fyller femtio. Har passerat mittpunkten. Med råge? Otto var sextiofyra. För det kan man inte höja klagande nävar mot skyn – men när man väl är här ter sig sextiofyra inte alls avlägset. Bara tanken på att fira, den där käppen, talen, verserna han har varit med och diktat så många gånger nu – det gick inte. Han ser åldrandet hos sina syskon. Själv... är han sig inte ganska lik? Men att slippa ifrån allt nu när mamma inte lever längre. När han inte måste ställa upp för hennes skull.

Våren är inte tidig i Roslagen heller. Klart att den vackraste tiden kanske inte är nu. Men han tycker det är fint. De avklädda hästkastanjerna är exotiska, och enbackarna. Och så blir de serverade kaffe med dopp på pensionatet när de kommer fram. Ändå klappar inte hjärtat av iver att äntligen få vistas där både Lubbe och Albert utövat sin konst, inspirerats – han förstår ju att man borde se Grisslehamn sommartid. Fast ger inte den här tiden på året en mer genuin upplevelse? Bara ortsbefolkningen och de. Kvinnan som serverar dem i sällskapsrummet säger att de haft full beläggning över påsk. Nu väntar vi med spänning på sommargästerna, ja i alla fall välkomnar vi dem å det varmaste, säger hon och tillägger att de får hur många påtårar de vill nu när de inte behöver bry sig om ransoner och kort. Maj bara ler konstlat. Tomas frågar om pensionatsföreståndarinnan kan rekommendera en promenad i Engströms fotspår, och det kan hon. Hon blir stående en lång stund, berättar att han brukade komma in hit och dricka kaffe ibland, och så ritar hon en karta och Maj som så ofta bryter in i de flesta samtal säger fortfarande ingenting. Gå ni, mumlar hon bara så fort de har kommit upp på rummet, jag är sjuk. Hur är det, frågar han oroligt, hon gör en gest mot magen, skötet – han nickar. Måste hon säga inför barnen att hon är sjuk? Även om de är stora blir båda så oroliga. Och sjuk är man väl inte, det är ju ingen sjukdom att vara rädd för. Det är kanske inte så lätt att veta hur man ska uttrycka sig.

De blir stående vid småbåtshamnen. Vilka båtar... är det bara fritidsbåtar det här, nej för yrkesfiskare också, Lasse blir ivrig, pekar på en fin motorbåt. Här finns säkert de verkliga kännarna. Segelbåtar... de är tidigt sjösatta, men isen har ju gått. Tomas hejdar sig från att kommentera Lasses kortsnaggade bara huvud. En halsduk har han i alla fall, och ganska varm jacka. Anita vill gå vidare, Lasse dröjer sig kvar, men kommer snart springande efter dem. Postrodden, fiskebebyggelsen, fiskebåtarna, kyrkan...

ja de går långsamt och tittar uppmärksamt på allt. Nog känner man det friskt äventyrliga från Ålands hav, säger han i ett försök att skapa något slags spänning. Han tar av hatten för de få ortsbor som är ute, men ingen verkar intresserad av att inleda något samtal. Utstrålar han livsleda? Fast ler han inte, mest hela tiden? I hagmarkerna på väg ut mot Engströms ateljé ser han blåsippor. Titta Anita och Lasse, blåsippor! De är ju så sällsynta hemma. Kronbladen är stängda eftersom det är sen eftermiddag och mulet – men det är fint att få se blåsippor. *Då är du inte slut. När du kan se sipporna.*

Ändå blir det inte som han någonstans trott och önskat. Engströms underfundiga gubbar kliver inte fram och gör livet enkelt, lättsamt, fräckt för en sekund. Vem bryr sig om att Tomas läst det mesta av Engström, och skapligt av Ludvig Nordström med, och kanske förstått något av de båda författarskapens beska? *Kanhända kommer dagligen sådana som du.* Inför barnen låter han entusiastisk, de lyssnar ganska intresserat där de har klättrat upp på klippan med Engströms ensliga stuga som visst var hans ateljé. Jo, alla tre tycker att utsikten är enastående. Som Skeppsmaln pappa, säger Anita ivrigt, det är nog ganska kallt vatten vid den här stranden eftersom den vetter mot öppet hav. Han klappar om henne, det tror jag det. Men Anita vill gärna se kyrkan också, den är inte stor och de passerade den på vägen hit ut, Lasse suckar ljudligt och frågar om hon kärat ner sig i prästen hon läser för, men Tomas säger att de bara kan gå in snabbt och titta. Den ser ganska modern ut, kanske mer ett kapell, men havsnära kyrkor har alltid utövat en extra lockelse på honom, ja att människorna verkligen behövt dem på en så här utsatt plats. Ännu mer på avlägsna öar, som Ulvön. Skulle han vilja bo i den ensliga stugan på klippudden?

Efter att snabbt ha tittat på altartavlan och fönstren säger Lasse att de borde muntra upp mamma på något vis nu när hon är sjuk. Inte direkt sjuk, vill Tomas invända, utan kvinnor... Nej han skulle inte veta hur han bäst formulerade sig. Om Maj kunde låta bli att vara så förbaskat drastisk i sina uttryck.

Klart att han är en helt vanlig turist. Hur kunde han få för sig något annat? Men nu har han sett Grisslehamn.

FÖRBANNADE BLOD. BORDE hon följa Tittis råd och söka sig till någon specialist i Stockholm? Nej, hon vill inte. Det går väl över. Minskar med åren? Fast hon måste skölja upp det hon blodat ner medan de är ute. Det är ganska lytt här på pensionatet och gästerna uppmanas vara försiktiga med dricksvattnet eftersom de tydligen lätt blir utan sötvatten. Men de har centralvärme, och får hon bara skölja upp plaggen kan hon låta dem torka på elementet. *De blev ledsna att du inte följde med.* Lättade? Det känns på ett vis bra med blödningarna för då kanske hon inte håller på att bli tokig. Oron, lättretligheten dagarna innan. Hon ska be Tomas om ursäkt ikväll. Det här är vad han har längtat efter. Sitta på ett rum så här ute på landet. Frun som förestår stället verkade varm och vänlig. Är det sådan Tomas önskar att hon kunde vara? Vad spelar städningen för roll om man aldrig kan släppa på kontrollen. Hur ska hon kunna hjälpa att hon är Maj? *Forma, förändra, börja om på nytt.* Fast på riktigt är hon ledsen för att Anna och Bertil inte ville komma ner till själva födelsedagsfirandet vid restaurang Solliden på Skansen. Nog skulle de kunna ha råd. Anna har sagt att råvarupriserna har stigit så sedan kriget, de kan inte höja priserna på bakverken i konditoriet i samma takt.

Hon blir stående vid fönstret när hon hänger underbyxor och underklänning på tork. Den här platsen är alltså så viktig för Tomas. *Vilka platser är viktiga för dig, Maj?* Det går knappast att se spår av några blodfläckar. Hon har tvättat sig, använt egen handduk, bytt om. Och hängt upp Tomas smoking och barnens finkläder mest för att de inte ska skrynklas ner så hemskt i väskan och resegarderoben. Kan hon överraska dem med att göra sig fin, lägga makeup, klä om? De dröjer. Ombytt är det dumt att lägga sig på sängen. Hon blir sittande i fåtöljen, med händerna i knäet.

TILL OCH MED Tomas tyckte att Grand skulle bli alldeles för dyrt när de tog reda på vad de billigaste rummen skulle kosta. Det är visst ett ställe bara för celebriteter, gräddan, pamparna i samhällsskiktet. Är det verkligen de som behöver den bästa komforten, lyxen? Så skulle i alla fall Edvin och Ragna ha resonerat. Och Maj? Kanske också Edvin och Ragna hukande tänker att det är ju inget för oss vanliga. De har erbjudit Maj och Tomas inkvartering hos dem ute i Abrahamsberg. Så generöst, sa Tomas uppriktigt, men de var överens om att Maj måste tacka nej. Åtta personer i en liten tvårumslägenhet går kanske en natt, men inte fyra, fem. Däremot tyckte Tomas att det var i sin ordning att de bjöd dem med på Solliden, ja att Tomas står för kalaset. Fast Ragna påstod att det var obehagligt att höra namnet. Ja att Solliden är liksom bara elände... sjukdom och död. Maj försökte med att det är ju bara det för oss från Östersund. Det ska vara en ny, flott restaurang, och fin utsikt över stan. Jo, det så klart, svarade Ragna, men tycker inte du att man tänker mer på mamma ju äldre man blir?

Det blir ju roligt för barna att träffas, när de ser de här kusinerna så sällan, säger Maj uppmuntrande till Tomas. Men där i framsätet i bilen, vid norra infarten till huvudstaden, kommer Maj inte ifrån känslan att det inte spelar någon roll. Hur det blir. Det blev tokigt igår fast hon tänkt att det skulle bli så bra. När de dröjde sig kvar ute så länge. Ja, kom för sent till middagen, frun själv kom och knackade på och undrade om de inte skulle komma till matsalen och äta. Maj var kanske lite uppjagad när de väl kom insläntrande från promenaden. Rödkindade med rinnande näsor. Fick skynda till matsalen oombytta och slafsiga. Så Maj kunde inte njuta av spenatsoppan med pocherade ägg och slottssteken på fransyska.

Gaska upp dig! Hela tiden en motstridig sång. Ja – hon märker ju hur barnen ser fram emot att komma till huvudstaden. Slottet, Gamla stan, Djurgården med sin djurpark och sitt tivoli förstås. Hon måste försöka mota magvärken, *det är ju inte för hennes skull de är här.* Och Tomas, lätt forcerad nu i Stockholmstrafiken – det är faktiskt något helt annat än att köra i Örnsköldsvik, det förstår hon. Var tysta nu, snäser Tomas ovanligt hårt när de gasar in på en stor gata – men hon aktar sig för att låta påstridig när de inte hittar rätt på hotellet. Om vi vetat vilken trafik det är här skulle vi kanske tagit tåget ändå, säger hon bara, vi behöver väl knappast bilen när vi ska bo så centralt.

Det är mycket folk och bilar överallt, tycker hon. Affärer, konditorier, restauranger, frisersalonger – och en helt annorlunda känsla mot den där iskalla krigsvintern. Alla unga män har hatt. Vill Lasse ha en hatt? Nej, han är för liten. Men skojiga kepsar har pojkarna, och ganska många flickor går i långbyxor. Det är fult. Ja åtsittande midjor och bakdelen fullt synlig, männen har ju i alla fall inte byxor som sitter åt annat än när de åker skidor. Och det är inte vackrare på dem. Ja, många kvinnor har ju dräkter också, och pumps eftersom det faktiskt är barmark. *Vi ser också snygga ut – gör vi inte?* Tomas har ett fullt program, och allt hinner de förstås inte idag, de kommer fram till att det räcker ganska gott att flanera runt, känna på atmosfären, ja gå genom Gamla stan som både Lasse och Anita tycker är spännande, med blodbadet Lasse just läst om i skolan, och Lasse och Tomas beundrar båtarna i Saltsjön, Skeppsbron, sedan Kungsträdgården ända upp mot NK. Titti tyckte absolut att Maj måste titta in på Svenskt Tenn, den flott moderna bosättningsaffären – hur ska Maj kunna tala om att det just nu känns som om hon har allt hon behöver. Det är Tomas födelsedag och inte vill hon slösa och kosta på nytt om det inte riktigt har löst sig med Agrell.

Men hon måste övervinna rädslan som så snabbt slår till, hur eleganta herrar och damer jäktar förbi – de småspringer verkligen och viker inte artigt åt sidan – och varje butik ger en första åtsnörande känsla av att inte vara välkommen in. Att det är helt andra kundkretsar, annat klientel, som är önskvärt. Men Tomas har hört talas om Skomans på Hamngatan, som visst både serverar gott kaffe och har levande musik på eftermiddagarna, han vill så gärna ta med Maj och barnen dit. Ja, i ett visst forskningssyfte också, erkänner han – vad har de för sortiment, utbud, kvalitet? Vore det inte skoj att prova det senaste i skoväg? Och Maj måste motstå impulsen att backa ut genast, behöver de verkligen nya skor, *det är roligt Maj, hör pianomusiken,* de vänliga biträdena, hon behöver inte skämmas över vad hon har på fötterna nu, och ingen stirrar ogästvänligt på dem. Men det blir väl skojigt att berätta där hemma – kafé i skobutiken! Tomas ser ju så glad och förväntansfull ut. Han vill gärna ha ett riktigt fint par promenadskor, eftersom det är sådana han nöter mest, och Maj? *Strunta i misstänksamheten att de smickrar för att få sälja sekunda,* hon granskar vårens nyinkomna pumps, men är de där lite klumpiga modellerna snygga på riktigt? Expediten säger att man ser mycket av de här lite grövre men mycket höga klackarna i Amerika och Paris. Och i och med dessa sulor rymmer de också viss komfort för bärarinnan. Jag ser ju att frun är van att gå ledigt i en sko med högre klack, det kräver ju viss talang. *Ja.* Talang att gå i en sko med klack. Hur det kan förlöjligas och alltjämt vara åtråvärt. Det är svårt att välja. Det par hon spontant tycker om är smäckrare, har elegantare linje och tåhätta. Men nog vill ni också vara en smula djärv? Jo. Fast inte den allra klumpigaste modellen. Anita

– det finns söta, platta ballerinaskor som också kommer stort från USA, där man har så trevligt tonårsmode, ja en ung flicka passar inte alltid att vingla fram på sina kalviga ben. Och till vida kjolar är den nätta rundade skon så lämplig. Anita är inte riktigt bekväm i situationen. Maj tycker förstås att hon kan ha en lite damig klack. Ja, kraftigare vrister och benstomme kan ju lättas upp... Lasse får en mockamodell som alla skolpojkarna på Norra latin har. Expediten blinkar åt honom, nu är det kanske ändå dags för kaffe, och Maj hör Tomas tala om att hans far startade Berglunds i Örnsköldsvik, Berglunds... nej dessvärre verkar inte expediten känna till... Vi exporterar både till Schweiz och Österrike, före kriget till Tyskland. Hon ler och säger att Sverige har ju så många fina familjeföretag, och tyvärr måste vi ju hålla så strängt på vårt sortiment för att garantera absolut toppklass... men jag ska höra med mina kollegor som varit i branschen längre. Tomas ber Maj att sätta sig vid ett fönsterbord och beställa kaffe och något tilltugg till honom också, när han kommer tillbaka med kartongerna frågar hon inte vad det gick på. Både Lasse och Anita väljer kaffe dagen till ära, nu när det ska vara så särdeles gott. Jo, men det här var spännande och annorlunda, och Maj motar undan tanken på att de kanske fnittrar åt att Tomas drog upp en liten skofabrik från Örnsköldsvik. Och just som de ska gå kommer en äldre man fram till deras bord, han vill bara tala om att han mycket väl känner till Tomas far och hans utmärkta skidskor och lägger lågt till att det var mycket ledsamt att höra om bortgången av er äldre bror.

Maj måste smittas av Tomas barnsliga entusiasm när de går därifrån. Att han visste vem pappa var! Och Otto! De säger att stockholmare är dryga och högfärdiga... men nog kan man tala om service – det håller Maj med om. Pianoklinkande, kaffe, en exotisk djungel av gröna växter... och de där eleganta pallarna att stötta foten mot så inte expediten ska behöva dit med näsan – ja det är annars varje skoprovnings skräck – hur rena fötter som helst kan ju ha transformerats under promenaden – Maj ville inte riktigt tänka på hur det var ställt med barnens fothygien just den här morgonen. Men nu är de spralliga, glada. Spårvagnarna, bilar, springsjasar och kanske, kanske kommer de få se en berömd skådespelare eller annat i folkvimlet helt apropå. Har inte Maj en utmärkt dräkt? Snygga strumpor? Så där fina skor har nog ingen av era klasskamrater, säger Maj. Tack snälla pappa, svarar Anita och Maj kramar om hans hand. Kostade det väldigt mycket, undrar Lasse och Tomas svarar att det blir saltsill och gröt fram till jul. Maj ser hur både Lasse och Anita tittar tvekande på honom, det gör väl inget, lägger han till, vi har ju varit i en berömd skoaffär. Sedan blinkar han, och Lasse och Anita säger men pappa i mun på varandra, precis som när de var små. Barnen och hon har ju tänkt titta på något mer till födelsedagen. Hon viskar åt dem, och både Lasse och Anita är ivrigt med på noterna, kanske pappa vill gå på något trist museum... Jo men Tomas talar om att han tänkte passa på och gå förbi Bjerre. Mottagningen ligger inte långt härifrån. Har du bokat tid, undrar Maj, men Tomas skakar på huvudet, jag chansar och ser om han är upptagen, så ses vi på hotellet sedan. Hittar ni? Lasse och Anita nickar, de har kartan och bägge två kan peka ut rätt riktning redan nu.

Det här med Tomas present känns lite... besvärande. Ja, hon har inte vetat hur hon ska göra med det ekonomiska. Ta av barnbidraget till gåvan har inte känts riktigt lockande. Ja inte annat än att en mindre summa därifrån kan tänkas vara från barnen, som inte tjänar egna pengar. Men från henne... hon har ju inte heller något eget. Och så generös är inte hushållskassan att hon kan göra några överdådiga inköp. Syskonen samlar förstås, och Ragna och Edvin skulle också uppvakta, kanske med blommor. Ja hon var helt enkelt tvungen att be om extra pengar. Borde hon ha samlat under åren? Hon lägger undan, men den summan växer inte stadigt utan går åt till det löpande. Lotten Åkerlund höll faktiskt med om att ett hustrubidrag vore en bra lösning, också med tanke på kvinnor som har slarviga män. Som super och spelar bort pengarna. Jo. Men Lotten verkar ha ett eget kapital med sig hemifrån, behöver kanske inte alltid gå vägen via maken. Det skulle inte förvåna om Lotten har råg i ryggen nog att genomföra en sådan där bjudning då äkta männen får i uppgift att sköta hela serveringen så hustrurna kan sitta och slipper passa opp. Det är allvar, ändå blir det komik. Så glad hon är att hon har barnen med sig i storstan. Slipper oroa sig för att ensam gå vilse, kanske hamna i ruffiga kvarter. Både Lasse och Anita är nyfikna på Södermalm och Klara, för kusinerna har tydligen sagt att det är där det händer, man ska inte luras in i turistfällorna kring Slottet och Gamla stan. De får väl guida oss en dag, säger Maj, men nu måste vi handla till pappa.

Hoppas att Anita lägger märke till att både flickor och pojkar har glasögon här. Ja, att det inte alls är så ovanligt. En cigarr tycker Lasse, och en käpp. Fast pappa vill inte ha någon käpp, det har han sagt till mig, invänder Anita, nej, Maj måste hålla med, en käpp får ju i så fall bli lite på skämt. De har redan köpt en tavla av Westberg-Green i Örnsköldsvik tillsammans med släkten. Det vet Tomas att han ska få, han fick välja motiv. Men Maj kom på idén, med lite hjälp av Titti. Anita och Lasse vill så gärna att det ska vara många paket, kan inte förstå att en tavla kan kosta mer än... ja det mesta faktiskt. Men en cigarr enas de om är en skojig present. En slips eller fluga? Rakvatten? På NK finns allt, och det är dyrt. Lotten rekommenderade PUB också, att de har ett trevligt utbud. En hatt då? En ny stilig hatt i den här modellen som alla unga män har. Det tror Maj på. För Tomas vill inte bli gubbig. Han vill ju hålla stilen.

ÄVEN BARNEN ÄR trötta och vilar på dubbelrummets sängar. Maj har hängt upp kläder och ställt skorna i ordning, sedan satt sig i en rymlig fåtölj – borde hon be att få lämna tillbaka de där flotta pumpsen hon knappast kommer att ha i Örnsköldsvik? Det är en sak att leka med tanken på Hamngatan, men så tokig är hon inte att hon helt glömmer verklighetens praktik. Vad kan det ha gått på? Lasse är i alla fall rörande glad för sitt par och Anita kan kanske ha sina skor på konfirmationen. De skildes åt vid halv fyra och klockan är redan över sex. De måtte ha mycket att prata om, Tomas och själsläkaren. Först när Lasse låter hobbykatalogen glida ner på golvet och suckande säger att han är jättehungrig blir hon verkligt oroad över hur de ska göra med middagen. Efter presentinköpen har hon inte kontanter så att det räcker till något extra. Det är klart att Tomas kommer till dem snart! Borde hon berätta för barnen vilket slags doktor Bjerre är? Nej. Inte nu. Men Tomas kan väl knappast ha gått in i hypnos på stående fot.

Mamma, jag måste äta! Nu sitter Lasse på sängen och Anita säger att hon också är väldigt hungrig.

Det blir korv. Ja två var från en korvgubbe på Norrmalmstorg. Lasse är inte mätt efter sin andra, får ytterligare en. Att verkligen gå in på ett matställe utan att vara säker på att ha pengar nog i portmonnän, och så kanske barnen dessutom inte skulle vilja äta det som serverades. Barn som tycker bäst om mammas mat. Fortfarande är det så. *Låt dem alltid minnas min mat. Längta efter den, sakna den, komma ihåg hur jag alltid gav dem den.*

Så här på kvällen – blir storstaden än mer sluten då? Som vet alla andra var det händer, teatrar, biografer, barer... där står Maj med Lasse och Anita och har korvkladdiga fingrar på Norrmalmstorg. Det finns förstås biografer överallt. *Hon dansade en sommar*? Inte kan hon sitta i en salong med barnen och se på nakna bröst. Men hon kan inte heller låta barnen vara kvar på hotellrummet medan Stockholmskvällen pågår där utanför. På rummet har hon lämnat en lapp till Tomas, men han kommer ju knappast att kunna söka reda på dem här.

Klart att vi inte kan komma till Stockholm utan att gå på bio. Åh mamma, säger Anita och skiner upp, ja vi får väl se något som kan passa alla, och det kan hända att jag måste få låna av er reskassa ikväll. Är det oansvarigt att lägga de sista slantarna på bio? *Tomas kommer tillbaka?*

Tack och lov går Anita med på en svensk, lättsam film. Inte Bergman eller någon sådan där noir. *Hon är liten fortfarande.* Ännu en sommar kommer hon att vara barn? Säg Annalisa Ericson, säg Sickan Carlsson, säg Kulörten Andersson, Åke Söderblom. Inte kan Maj veta att Anita tycker att Margit Carlqvist har mycket mer av karaktär. Kan barnen känna hennes oro? När de sitter i mörkret får de skratta. Skratta och le!

Nattportiern som gått på sitt pass har inte fått någon förfrågan – och ganska snabbt ser de ju att nyckeln hänger på kroken. Tänk om han kastat sig ut för att söka rätt på dem? De önskas god natt och får en påminnelse om frukostens serveringstider. Anita säger att pappa och doktorn nog hade mycket att prata om, eller så vill pappa bara se till att vi ska få tid att förbereda. *Anita lilla, alltid så naiv...* Skulle det inte ha kunnat passera som filmreplik? Fast Maj nickar bara, låter sig lugnas, så är det förstås, Tomas tror att de bakar i hotellets kök... Klart att han inte. Men så länge barnen tar det med ro måste Maj föregå med gott exempel.

Han har inte varit här. Rummet precis som de lämnade det, och Maj knycklar ihop lappen, slänger den i papperskorgen. Sedan hittar hon en halv chokladkaka i handväskan. Den delar vi på, säger hon. Strax efter elva följer hon dem till deras rum, sitter där tills också Anita har somnat. Men ingen av dem har sagt något om att pappa inte kommer tillbaka. *Är du död nu, Tomas?*

FAN ATT HAN skulle dra upp pappa. Ibland glappar käften – skulle de säga så i storstan? – det är inte Tomas uttryck, expediten verkar ju så vänlig, äkta kan man kanske påstå, ja hon ler väldigt brett också när hon räcker honom påsarna med skokartonger. Mycket nöje i era nya skor!

Det går på mer än han tänkt. Lasses mockaskor var oväntat dyra. Klart att han håller minen inför både expediten och Maj. Det är hans femtioårsdag, och Titti och Georg unnar sig mycket mera nytt… ja de har ju råd. Men Maj och barnen verkar uppskatta butiksbesöket, han ser dem leende tissla vid kafébordet. Så där, säger han när han har trängt sig mellan stora krukväxter, stolar och slår sig ner intill Maj. Hon har beställt kaffe även åt honom, han dricker, men vill egentligen gå därifrån meddetsamma, pianots påträngande glada stycken – kaffet är gott, men inte hett. Tomas, säger Maj och stöter lätt i hans överarm. En tunnhårig, lite äldre man kommer fram till deras bord vid fönstret.

Herr Berglund?

Ja, måste Tomas nicka och så talar mannen om att han mycket väl känner till fabrikör Berglund den äldre, och även Otto Berglund naturligtvis. Menar ni det, säger Tomas uppriktigt, för på detaljerna förstår han ju att det verkligen är pappas skor han kommer ihåg även om han knappast kan ha träffat pappa personligen, men Otto. När mannen lämnat dem vid bordet tittar de på varandra och ler, ja även Lasse och Anita frågar ivrigt om mannen pratade om deras farbror Otto. Ja, svarar Tomas, eran Otto, och hur handen liksom spritter till när han ska tända en cigarrett.

Var det chefen tro, undrar Maj, men Tomas skakar på huvudet. Det verkar mer ha varit en inköpare eller en gammal trotjänare i företaget.

Att han kom ihåg er farfar också, säger han leende mot Anita och Lasse, och även Maj håller med om att det var verkligt roligt. Har Otto kanske berättat någon gång om att han varit här i affärer? Tomas minns bara att både Otto och Kurre pratat om Skomans i Stockholm, men Maj försäkrar att hon aldrig hört talas om en affär med levande musik och kafé. Att han inte hann fråga Otto mer. Otto var en fin bror. Ja, de hade bra samtal de sista åren, men ändå aldrig... på djupet? Sylvia är ju så mycket yngre, Otto var väl förlovad med en annan flicka före henne. Kommer han alls att ha kontakt med Sylvia mer? Hur han plötsligt kan sakna henne också. Ja, på begravningen talade hon om att Otto hade uppskattat samtalen med Tomas.

I vimlet på Hamngatan efter skoinköpet är de glada. Ja, och att promenera förbi Bjerre – när Maj och barnen genomskinligt vill få iväg honom för att förbereda födelsedagen – det känns plötsligt ganska lätt. Han skulle ångra om han inte gjorde det. Tala om att behandlingen verkligen hjälpt, under lång tid, men att han kanske återigen... Ja höra hur Bjerre resonerar kring återfall, nog är det möjligt att börja om på nytt i nykterhet? Han behöver inte kommentera att han försökt läsa hans skrifter men inte lyckats förstå eller blivit hjälpt att komma vidare. Nog måste även en doktor kunna uppskatta att höra hur det har gått för en gammal patient? Klart att det vore bättre att säga att han klarat det helt och hållet.

En vag, knappt kännbar, tvekan. Just som han ska ringa på. Hur pulsen går upp, svetten... han borde inte ha gått så snabbt. Men stegen var lätta hela vägen hit. Så trycker pekfingret till, trots att han bara kan vända sig om, gå. Som finns ett minne av förväntan, förhoppning, *hit kom han med sin smärta.* Just så högtidligt, allvarligt. Hur sköterskan, eller sekreteraren, verkade kunna läsa av vilket skick han var i när han kom dit. Hennes namn... syster Siri? Nej... Henrietta? Att han hela tiden tappar namn! Är det samma kvinna som öppnar nu? Han kan inte känna igen henne.

Ja?

Är doktor Bjerre anträffbar?

Hon tittar tvekande på honom, undrar om han har en avtalad tid? Nej, nej måste Tomas svara, det var inte planerat – han hör att det låter dumt – och plötsligt viskande – det är så att jag gick i behandling hos doktorn 1940 och jag är norrifrån och på tillfälligt besök, ja jag fyller jämnt...

Jag är hemskt ledsen, men doktorn är upptagen, ja ni har tur att han ens är här, han bor ju på Vårstavi numera. Men om ni inte är från stan kan vi kanske göra ett undantag, om ni vill vänta?

Han kan strunta i det, skratta till och gå sin väg, men då öppnar hon dörren, ber honom att komma in till mottagningens foajé.

Det är en gammal man som kommer ut till honom i väntrummet, en genomborrande, liksom sträng blick – Tomas mindes den inte så, tvärtom... är han fuktig i handflatan när han ska presentera sig? Sköterskan står tätt intill, säger att herr Berglund gått i hypnos hos doktorn för många år sedan, ja, upprepar Bjerre otåligt, och i vilket ärende söker herrn mig idag?

De blir stående där ute, han bjuds inte att stiga in på behandlingsrummet. Tomas tittar sig hastigt omkring, om andra patienter plötsligt kommer inklivande... Men då Tomas förklarar vem han är, krigsvintern, ser han bara Bjerres förbryllade ögonbryn, och när han sedan nickar förstår Tomas att han inte har en aning om vem han är.

Jag var nygift... från Örnsköldsvik... och doktorn rekommenderade en berikande hobby...

Just så, svarar han och harklar sig. Det blir tyst. Ska Tomas tala om att det var spriten?

Ni förordade hypnos... Bjerre nickar. Och efter ytterligare en stunds tystnad talar han om att han tyvärr inte har möjlighet att ta emot nya patienter, att han har dragit sig tillbaka ifrån institutet – som ni nog förstår.

Vet Tomas vad som händer? Under hela det korta men ändå så plågsamt utdragna samtalet är det helt tydligt att doktorn inte kan erinra sig honom. Och han är inte heller mottaglig för det Tomas vill ge – tacksamheten – men måste han så absolut och bryskt avvisa honom? Det blir inte tillfälle för Tomas att tala om något av det han tänkt. Visas han till och med på dörren – porten – som en bettlare, dagdrivare... Han behöver för tusan ingen hjälp att ta sig därifrån.

Vart ska han ta vägen nu? Den måste få lägga sig, upprivenheten, han kan inte komma till Maj och barnen på hotellet – allt syns så väl i hans ansikte – han måste lugna sig så pass att han kan tänka klart, se saken utifrån, hur han vandrar mot Slussen utan att tänka på stegen, ja hur han passerat Blasieholmen och Grand Hôtel, Slottet, nej han flanerar inte, han driver sig fram bland människorna på kajen, *är det synd om oss alla,* men självömkan är den värsta synden, i alla fall när den framträder hos andra. Han var så nära att visa sig igen. För Poul. I fantasin var han Poul, som lyssnade. *Han kom inte ens ihåg dig.* Bara – *gå med dig nu, din stackare, själv måste jag äta, dricka kaffe, vila – sedan ska jag ta tåget ut till Vårstavi. Uppfylla själen på nytt av skönhet.* Jo, det var vad blicken sa. *Men Tomas, trodde du på allvar att han skulle minnas dig? Vad är det du försöker iscensätta?*

Götgatan, eller längs med vattnet, det skymmer inte på många timmar än.

Ska han verkligen driva runt på Södermalm? De väntar inte hem honom redan. Han måste gå oron ur kroppen, uppför backen från Slussen, nej han kan inte ta in de här Stockholmsvyerna, la han ens märke till Katarinahissen när han hastigt noterade att han kommit över till en ny malm. Och att Götgatan är så lång där den försvinner i fjärran. Ölhallar, hotell, barer. Var det här som stället med den berömt långa bardisken låg? *Gå bara vidare du.* Ja, han är varm under rocken, men också illamående, törstig, trött. Var är han nu? Skanstull, Ringvägen? Överallt finns ställen där män en kort stund kan försvinna. Syltor, hak. Han måste vara lugn och som vanligt när han kommer tillbaka. Inte ett uppjagat vrak. Man kan få en pytt, köttbullar, sås, lingon, eller strömmingsflundror med mos – jo här sitter flera ensamma män med öl i stora glas. Med en nick visar servitrisen att bordet för två en bit in i den dimmiga lokalen är ledigt. Ja, även han har väl rätt att slå sig ner. Dra efter andan, tända en cigarrett. Ingen bryr sig om eller känner igen honom här. Bordet vickar en aning på sina ojämna ben. Så tittar han upp, hejdar henne med blicken.

Fröken, kan jag be att få beställa?